OSMAN AYSU

●

BİR AŞK MASALI

Çağdaş Türk Yazarlarından/Roman
Bir Aşk Masalı/Osman Aysu

© 2000, İnkılâp Kitabevi
Yayın Sanayi ve Ticaret A.Ş.

Dizgi
───────────
Girişim

Kapak
───────────
Ömer Küçük

Baskı
───────────
ANKA BASIM
Matbaacılar Sitesi, No: 38
Bağcılar - İstanbul

ISBN
───────────
975-10-1564-2
02-34-Y-0051-0191

02 03 04 05 06   10 9 8 7 6 5 4

İNKILÂP
Ankara Caddesi, No: 95
Sirkeci 34410 İSTANBUL
Tel: (0212) 514 06 10 - (Pbx)
Fax: (0212) 514 06 12
Web sayfası: http://www.inkilap.com
e-posta: posta@inkilap.com

OSMAN AYSU

Bir Aşk Masalı

İNKILÂP

OSMAN AYSU

Bir Aşk Masalı

İNKILÂP

GİRİŞ

Sekreterim kapıyı tıkırdatarak başını aralıktan içeriye uzattı. Her zaman neşe saçan gözlerinde garip bir ifade vardı. "Sizinle görüşmek isteyen biri var, efendim" diye fısıldadı. Saat altıya geliyordu ve randevum olduğunu da sanmıyordum. Alışkanlıkla masamın üstündeki ajandaya bir göz attım. Saat 18'i gösteren kolonda kayıt yoktu. Suratım asıldı, duruşmalarla dolu yorucu bir gün geçirmiştim ve bir an önce evime gitmek istiyordum. Sesimi kısarak, "Kim?" diye sordum. "Adının Vural Toksöz olduğunu söylüyor." İsim hiçbir çağrışım yapmamıştı. Her halde yeni bir müşteri olmalıydı. Genellikle randevusuz müşteri kabul etmediğim için biraz yadırgamıştım. "Nasıl biri?" Sekreterim belliki adamın konuşulanları işitmesinden çekinerek odaya girip masama yaklaştı. "Vallahi nasıl diyeyim efendim, pek alıştığımız müşterilerimize benzemiyor." "Nasıl yani?" "Hırpani tipli, garip bir adam." "Keşke yok deseydin." "Size sormadan yapamadım." Çaresizlikle başımı salladım. "Peki, al içeri." Az sonra kapıda takriben altmış yaşlarında görünen, ak saçlı, zayıf, çelimsiz biri göründü. Sırtında eski püskü, rengi solmuş bir pardösü vardı. İki gündür traş olmadığı uzayan sakalından belliydi. Adam bu haliyle modern ve pahalı eşyalarla döşenmiş yazıhaneme kesinlikle müşteri olamayacak biriydi.

"Buyrun. Ne istemiştiniz?" diye sordum.

Bir süre şaşkın ve mahcup yüzüme baktı.

"Ben Vural Toksöz'üm" dedi. Sanki kendisini tanımaklığım lazımmış gibi.

"Evet." diye mırıldandım. "Sekreterim adınızı söyledi."

"Korkarım beni hatırlamadınız?"

"Hatırlamam mı lazımdı?"

"Haklısınız. Aradan çok uzun zaman geçti. Seneler beni öylesine değiştirdi ki tanımamaklığınız çok doğal."

Bu kez yaşlı adama dikkatle baktım. Göz hafızam oldukça zayıftı, ne var ki adı da bir çağrışım yapmıyordu. Çıkaramamıştım.

"Kusura bakmayın" dedim. "Anımsayamadım."

Bakışlarını önüne eğdi, hafifçe kızardı. "Seneler evvel aynı mektepte okumuştuk. Robert College'de. Basket takımının kaptanıydım, *Deve Vural.*"

Gözlerim faltaşı gibi açıldı. Hatırlamıştım şimdi. Fakat inanılır gibi değildi; o kanlı canlı, uzun boylu, dev adam gitmiş, yerine kadidi çıkmış bir yıkıntı gelmişti. En azından altmış yaşında görünüyordu; oysa aynı sınıftaydık ve taş çatlasa kırk, kırkbir yaşında olmalıydı.

Şaşkınlıktan ağzım açık kaldı. Kendimi toparlamaya çalıştım. Bir insanın bu kadar göçebileceğine ihtimal veremezdim. Mektep yıllarında çok iyi iki dosttur. Uzun boyuyla takımın pivotuydu. Girişken, çok konuşan, etrafa neşe saçan biri. Bir doksanı aşan boyundan dolayı ona *deve* derdik.

Masamdan kalktım, ona doğru ilerledim ve hasretle sarıldım. Kolejlilerin arasında da, Galatasaray'lılar, Mülkiye'liler gibi güçlü bir birlik ve dayanışma vardır; her halde başı dertte olmalıydı. O da bana heyecanla sarıldı. Kolları omzuma dolanırken titrediğini hissettim. Yakınlık gösterdiğime çocuklar gibi sevinmişti. Anlayamadığım bir nedenle ona mesafeli ve soğuk davranacağımı düşünmüş olmalıydı.

Başının dertte olduğu muhakkaktı. Bu zaten halinden ve görüntüsünden de belliydi. Sürpriz ziyaretinin eski okul anılarını tazelemek için olmadığı kesindi.

Ona oturacak yer gösterirken anılarım hızla seneler öncesine gitti. En azından onu yirmi yıldır görmüyordum; çok uzun bir zamandı bu. Yaşam dinamiğinin hızlılığı, hayat mücadelesinin olağanüstü seyri ve yaşlar ilerledikçe bireysel egoizmin artışı, geçmişi, eski ilişkilerimizi, canlı ve taze tutma imkânını ortadan kaldırıyordu. Kendimden utanır gibi oldum, skorer pivotu adeta unuttuğumu, onun hakkında dağarcığımda çok az şeyin kaldığını acı acı anımsadım. Sportmen olduğu kadar, temiz kalpli, sevecen ve saf bir çocuktu. Yanılmıyorsam, Adana'lıydı. Gaziantep'li de olabilirdi. Ama zengin bir Anadolu eşrafının oğlu olduğunu iyi hatırlıyordum. Babası yığınla köyü olan bir rantiyeydi. Tipik bir ağa. Ya pamuk kralı ya da fıstık kralı gibi bir unvanı vardı.

Gülümsemeye çalışarak söylendim, "Ne haber Vural, yahu? Görüşmeyeli yıllar oldu. Nasılsın adamım?"

Sanki birbirimizi görmeyeli çok az bir zaman olmuş gibi, aramızdaki o eski samimiyeti yakalamaya çalışıyordum. Ama bunun mümkün olmayacağını az sonra Vural'ın değişmeyen tutumundan anladım. O, samimi, hatta laubali olmaya yanaşmıyordu. Eski günlerin geride kaldığını, geçen süre içinde çok şeyin değiştiğini adeta ihsas edercesine, mesafeli ve ölçülü bir şekilde tebessüm etmekle yetindi.

"Teşekkür ederim, Sinan. Yuvarlanıp gidiyoruz işte" diye fısıldadı.

Şimdi durumu anlar gibi olmuştum. Maddi durumu kötü olmalıydı; sırtındaki pardösünün kol ağızları aşınmış, kunduraları alındığından beri boya yüzü görmemişti. Muhtemelen para isteyecekti. İçim bir tuhaf oldu. Mektepte hepimiz varlıklı ailelerin çocuklarıydık ama o en zenginimizdi. Boynu eğik oturuşundan bu konuyu kolay kolay açamayacağını anladım. Seve seve ona yardım edebilirdim. Fakat ben de en az onun kadar çekiniyordum. Aklımdan bunları geçirirken bir an araya sessiz bir bekleyişin girdiğini hissettim. Durumu kurtarmak için:

"Yaşlanıyoruz Vural" dedim. "Bak ne hale geldik!"

Mahcup bir şekilde gülümsedi. "Sen hâlâ formdasın."

"Yok yahu. Kırk yaşına geldik. Şakaklarıma ak düştü."
Sonra yaptığım hatayı anlamış gibi onun saçlarına baktım.
Bir tek siyah teli kalmamıştı.
"Seninkiler de ağarmış."
Gülümsemeye devam ederek, "Öyle" dedi.
"Her halde evlenip çoluk çocuğa karışmışsındır."
Müşterek bir konu bulmakta zorluk çekiyordum. Araya giren yirmi uzun yıldan sonra konu bulmak cidden zordu ve afaki soruların dışına çıkamayacak gibiydim.
"Evet" diye fısıldadı. "Evlendim bir ara."
Birden aklıma geldi. Kolejin son sınıfındayken deli gibi aşık olduğu bir kız vardı. Hepimiz ona takılırdık, bir otobüs şoförünün kızına sevdalanmıştı. İnsan beyni çok garipti, geçmişin derinliklerinde kalan kızın ismini başka zaman sorulsa anımsamam asla söz konusu olamazdı, fakat şimdi birden adı aklıma gelmişti. Aysel'di. Tabii onunla evlenip evlenmediğini bilmiyordum. Ayrıca çok zengin bir toprak ağasının oğlu olduğundan şoförün kızı ile evlenmek istemesi hep alay konusu olmuştu okulda. Bunu da hatırlıyordum. Bazı arkadaşlarımız bu ilişkiyi fazla romantik ve teatral bulurken, bazıları da ne olacak cahil ağanın oğluna denk düşer diye, sosyal yakıştırma yapmışlardı. Aslına bakılırsa o tarihlerde hepimiz, toy ve fikri gelişmesini henüz tamamlayamamış ham çocuklardık; muhtemelen bu yakıştırmanın altında Vural'ın babasının sınırsız servetine duyulan haset de yatıyor olabilirdi. Şimdi yaptığım bu yorumun oldukça gerçekçi olduğunu düşünüyordum.
"Kiminle evlendin?" diye sordum. "Yoksa büyük aşkın Aysel'le mi?"
Afallayarak yüzüme baktı.
"Hâlâ hatırlıyor musun? Unutmadığına şaşırdım doğrusu!"
Güldüm. "Nasıl unuturuz ki, aşkın tam bir olay olmuştu okulda. Herkesin dilindeydi."
Gözleri bir an buğulanır gibi oldu.
"On sene evvel boşandık" dedi usulca.

Birden ne diyeceğimi bilemedim.

"Aldırma, herkesin başına gelebilir" diye mırıldandım.

"Çocuğunuz var mı?"

Bir an duraladı. "Evet. Bir oğlum var."

"Maşallah! Kaç yaşında?"

"Üç ay evvel on yedisini bitirdi."

"Vay be!" diye mırıldandım gülerek. "Zaman nasıl da geçiyor? Desene şimdi kocaman bir delikanlı babasısın."

"Senin çocuğun var mı?"

Bir kahkaha attım.

"Yok yahu, ben daha evlenemedim. Senin anlayacağın evde kaldım. Yaş kırkı buldu, bundan sonra da evlilik kararı vermem çok zor. Senin anlayacağın şu müzmin bekarlardanım. Hayatımdan da memnunum. Ne karışanım var ne görüşenim. Bundan sonra da kafama denk birini bulmam çok zor."

Eski arkadaşım başını salladı.

"Kim bilir belki de haklısın" diye fısıldadı.

"Oğlun seninle mi kalıyor."

"Mahkeme velayetini anneye verdi."

Şimdi durumu biraz daha anlıyor gibiydim. Karısı her halde iştirak nafakasının arttırılması için dava açmıştı ve Vural'ın ne avukat tutacak parası vardı ne de nafakayı arttıracak gücü. Avukat arkadaşını herhalde bu nedenle aramıştı. Acaba avukatlık yaptığımı kimden duymuştu? Belki benden evvel başka arkadaşlarla da muavenet için görüşmüş olabilirdi, onların tavsiyeleri ile bana gelmiş olması pek mümkündü.

Dolaylı olarak anlamak için sordum.

"Bizim sınıftan gördüklerin var mı?"

"Hayır" dedi. "Kimseyle görüşmüyorum. Artık insan içine çıkacak halim yok."

Galiba yavaş yavaş konuya giriyordu. Ona yardımcı olmak için konuya ben girmeyi yeğledim.

"Sorun nedir Vural? Karın dava mı açtı?"

Başını iki yana salladı. Sesini çıkarmadı.

"Öyleyse bu ziyaretini niye borçluyum? Sanırım eski günleri anmak için gelmedin. Sana bir yardımım dokunursa sevinirim. Umarım kabalığıma vermezsin, biraz paraya ihtiyacın var mı? Sana yardım edebilirim."

Yüzü önce sarardı, sonra kızardı. "Hayır," diye önüne bakarak fısıldadı. "Yine de gösterdiğin anlayış için teşekkür ederim. Ama para sorunu değil."

Merak etmeye başlamıştım.

"Nedir öyleyse?"

"Oğlum! Oğlum kayıp!"

"Kayıp mı?"

"Evet."

"Ne zamandan beri?"

"Altı ay oluyor."

Hayretle yüzüne baktım.

"Polise baş vurmadın mı?"

"Vurdum tabii. Ama sonuç alamadım. Beni atlatıyorlar."

"Nasıl atlatıyorlar?"

Omuzlarını silkti. "Anlarsın işte. Kötü günler yaşıyoruz. Ortam berbat. Bu tür olaylar çok sık oluyor."

"Dur bir dakika" dedim. "Oğlun kaç yaşındaydı?"

"On yedi."

"Okuyor muydu?"

"Evet. Bu yıl üniversiteye başlamıştı."

"Siyasi olaylara karıştığını mı ima etmek istiyorsun?"

"Hiç sanmıyorum. Onun bu tarakta bezi yoktur. Kesinlikle eminim."

Yüzüm asıldı.

"Buna emin olamazsın, bu tür olaylar üniversitede gençlerimizi bekleyen potansiyel tehlike. Ne olduğunu anlamadan bir grubun içinde buluverir kendini. Sağcı veya solcuların arasına katılıverir."

"Dedim ya hiç sanmıyorum."

"Peki ne düşünüyorsun? Aklına gelen başka bir neden var mı? Annesi yanına senden habersiz almış olabilir mi?"

Vural acı bir şekilde gülümsedi.

"Bilmiyor musun?" dedi.

"Neyi?"

"Aysel'in kiminle evlendiğini?"

"Nerden bileyim?"

"Öyle ya haklısın. O sizin nazarınızda belediye şoförünün kızıydı. Ama şimdi herkesin konuştuğu biri. Resimlerine gazetelerde, dergilerde sık sık rastlayabilirsin. Cahit Kalaycıoğlu ile evlendi."

Kulaklarıma inanamamış gibi eski arkadaşımın yüzüne baktım. Şaşkınlığımdan ağzımdan tek kelime çıkmamıştı.

"Yanılmıyorsun" dedi. "Şu sıra Türkiye'nin en zengin sanayicisinin karısı. Cahit Kalaycıoğlu onun üçüncü eşi."

İçimden vay canına, diye homurdandım. Otobüs şoförünün kızı yirmi yılda zirveye tırmanmıştı. Adana'lı toprak ağasının oğlu ilk basamak taşı olmuştu. İkinci evliliği kiminle yaptığını henüz bilmiyordum, ama üçüncüde turnayı gözünden vurmuştu.

"Doğurduğu günden beri oğluyla hiç ilgilenmedi. Senelerdir yüzünü bile görmüyor. İcra veznesine yatırdığım nafakaları bile çekmiyor."

Şaşırmıştım, ama yine de ısrar ettim.

"Belki pişmanlık duymuş, yıllar sonra oğluna şefkat göstermek hevesine kapılmış olabilir. Ne de olsa artık çok zengin. Unutma görevini ihmal etmiş bir anne olsa bile o da bir insan, yüreğinin bir yanında analık duygusu taşıyordur."

"Sen onu tanımazsın Sinan. Dünyanın en aşağılık yaratığıdır. Bunca yıl sonra oğlum Kerim le ilgileneceğini düşünmek bile çok komik."

Koltuğa yaslandım. "Peki senin aklına gelen bir şey var mı?" diye sordum. "Yani ne bileyim, belki oğlunla aranızda bir sürtüşme olmuştur. Baba-oğul ilişkinizin derecesini bilemiyorum ama takdir edersin iki kuşak arasında bu nevi sürtüşmeler şimdi çok oluyor. Her hangi bir nedenle sana bozulup evi terketmiş olamaz mı?"

"Hayır. Kerim uysal bir çocuktur. Akranlarına kıyasen çok uysal diyebilirim. Ayrıca ona hiçbir konuda baskı da yapmadım. Annesiz büyüdüğü için elimden gelen herşeyi ona vermeye çalıştım. Düşündüğün gibi bir sürtüşmeyi hiç yaşamadık."

"Ya kız meselesi? Her hangi bir kıza tutulup gittiyse?"

"Böyle bir şeye kalkışması için neden var mı? Şayet bir kıza aşık olduysa bu konuyu bana açabilirdi. Onu anlayışla karşılardım. Gençtir, o çağlarda herşey olabilir. Onaylamasam bile şiddet kullanmaz, zora başvurmazdım."

"Belli olmaz" dedim. "Delikanlının aklı karışmış olabilir. Ne de olsa babasın. İlişkisini onaylamayacağını düşünebilir."

"Bunu ben de düşündüm. Arkadaşlarını bulup onlarla konuştum. Bana hayatında bir kız olmadığını söylediler."

Bir süre düşündüm.

Aklıma gelen sebepler azalıyordu. Sonunda dayanamadım.

"Benden ne gibi bir yardım bekliyorsun?"

Umutsuz nazarlarla yüzüme baktı.

"Aslına bakarsan ben de bilmiyorum. Ama sen bir avukatsın, istersen onu bulabilirsin. Çevren, imkanların ve mesleki forsun olmalı. Bu konuda şansın benden çok fazla. Bunu senden istemeye hakkım olmadığını biliyorum, ama hayatta tek umudu oğlu olan bir insanın çektiği ızdırapları takdir edeceğine inanıyorum. Altı aydır tükendim artık. Aklıma başka bir şey gelmiyor."

Çaresizlik içinde kıvranan bir babanın sıkıntılarını anlıyordum. Fakat bu benim işim değildi. Bir süre ona verecek uygun bir cevap bulmak için önüme baktım.

"Polise bir daha gitsen" dedim. "Çocuğu bulmak onların görevi. Bu avukatlık mesele değil. Polisin imkanları ve yasal yetkileri bana kıyasen çok fazladır. Biraz sıkıştırırsan mutlaka meselenin üzerine daha ciddi eğilirler."

Üzerime çevrili umutsuz gözlerinde bir an pişmanlık ve utanç duygusunu bütün somutluğuyla görüverdim. Kalkmaya davranır gibi oldu. "Affedersin Sinan" dedi. "Hep böyle münasebetsizlikler yaparım işte. Galiba buraya gelmemeliydim. Belki eski bir dost, çocukluk arkadaşımın bir faydası dokunur, diye düşündüm. Haklısın, kayıp oğlumu bulmak polisin işi. Ne yazık ki bizde Amerika'da olduğu gibi dedektiflik büroları yok. Keşke olsaydı. O zaman onlara başvururdum. Yine de yıllar sonra seni görmek çok hoştu. Bir an eski anılarım, gençlik günlerim canlandı gözümde."

Ayağa kalkmıştı.

Yüreğim burkuldu. İşin aslına bakılırsa ona hiç bir yardımım dokunamazdı. İş hayatımda hiç ceza davası almamıştım. Şehrin ne savcılarını ne de üst rütbeli polis memurlarını tanımazdım. Mesleki ihtisasım ticaret davalarıydı. Dört büyük şirketin hukuk müşavirliğini yapıyordum ve bu bana yeterince iyi para kazandırıyordu. Avukatlık baba mesleğimdi ve onun kurduğu düzeni sürdürüyordum. Babam vefat edince onun müşteri portföyünü ele geçirmiş ve düzeni daha modern ve şatafatlı hale getirmiştim. Karaköy'deki yazıhaneyi Nişantaşı'na nakletmiş, yeni bir apartman katı satın alarak içini çarpıcı bir şekilde döşemiştim. Yanımda iki tane yardımcı avukat çalıştırıyordum. Ama ceza davalarından anlamadığım bir gerçekti.

"Otur oturduğun yerde" dedim. "Sana yardım edemeyeceğimi söylemedim."

Deve Vural'ı yirmi yıldır görmesem bile bu halde bırakamazdım. Eski okul anıları bende de canlanmıştı ve arkadaşıma yardım edememenin sıkıntısını çekiyordum.

Gitmek için direndi. Kolundan tutarak onu zorla oturttum. "Acele etme" diye söylendim. "Bir çaresine bakacağız. Sana kesin bir söz veremem ama elimden geleni yapmaya çalışırım. Dostlar böyle günler içindir."

Feri kaçmış gözlerinde bir ümit ışığı yanar gibi oldu. Sessizce koltuğa oturdu yeniden. Başını önüne eğdi ve hiç alışık olmadığım, eskiyi anımsayıp yadırgadığım bu yeni ezikliği ile, "Bak Sinan" dedi. "Sana ödeyebileceğim beş kuruş param yok."

Hemen sözünü kestim.

"Paradan bahseden kim? Ne kadar ayıp? Yıllardır görmediğim arkadaşımdan bir de para mı talep edeceğimi sandın? Bunu düşündüğün için utanmalısın."

"Herşeyi başında konuşmamız lazım. Ben artık Adana'lı pamuk kralının oğlu değilim. Meteliksiz, bir baltaya sap olamamış, aylağın tekiyim."

Gayri ihtiyari içimdeki merak kabardı.

"Sahi yahu" dedim. "Senin baban pamuk kralıydı. Ne oldu?"

"Boş ver. Uzun hikaye. Babam ölmeden önce battı. Herşeyini satıp savdı. Açlık içinde geberip gitti."

Babasından geberip gitti, diye bahsetmesi belli ki başka bir trajedik hikayenin konusuydu. Olayı kısaca özetlediğine göre daha fazla kurcalamam yakışık olmazdı. Bu sonuç zaten kılık kıyafetinden belli oluyordu.

"Şu sıralar ne işle meşgulsün?" diye sordum.

"Oğlumun kaybolmasından sonra işsizim. Onu aramaklığım için bol vaktimin olması gerekiyordu. Bir yerde çalışırken onu arayamazdım. Herşeyi yüzüstü bıraktım."

"Anlıyorum" diye geveledim. Ama nasıl yaşadığını, bu inanılmaz hayat pahalılığında yaşamını nasıl sürdürdüğünü de merak ediyordum.

"Üniversiteye devam edemedim. Önceleri lisan bildiğimden Eşitlik gazetesinde bir iş buldum. Dış basından çeviriler yapıyordum. Ama barınamadım, patronla anlaşamadık senin anlayacağın kovuldum. Sonra uzun süre işsiz kaldım. Parasızlık canıma tak edince bir şirketin getir götür işlerinde çalıştım, officeboy'luk gibi bir şey. Şimdi boştayım."

İhtiyatla ona baktım. Bu yirmi yıllık bir geçmişin özeti olamazdı. Muhtemelen benden sakladığı bir şeyler vardı. Ama ona soramazdım; başarısızlığını zaten itiraf ediyordu, daha fazla özel hayatını kurcalamaya kalkmam saygısızlık olacaktı. Konuyu değiştirdim.

"Nerede oturuyorsun?"

"Üsküdar'da, Nuh Kuyusu'nda. Fi tarihinden kalma, köhne bir ahşap evde."

"Tabii kiradasın, değil mi?"

"Hayır. Evin sahibi eski ve zengin bir İstanbul'lu. Ev birinci dereceden tarihi bina. Ne yıkılabiliyor ne de bir çivi çakılabiliyor. Adamın başına dert olmuş. Hatta bir ara semtin berduşları orayı mesken tutmuşlar kendilerine. Mal sahibi mücadele edememiş, yangın filan çıkarmalarından korkmuş, beni oraya bekçi olarak soktu. Böylece kira vermeden oturuyorum şimdilik."

Yaşadığı şartları daha iyi anlar gibi olmuştum. Oğluna toz kondurmamakla beraber çocuğun neye kaçtığını şimdi daha iyi anlar gibi olmuştum. Bozuntuya vermedim.

"Bana adresini yazarak bırak" dedim.

Sıkılarak, "Neden?" diye sordu.

"Evde her halde telefon yoktur."

"Hayır, yok."

"Seninle başka ne türlü bağlantı kurabilirim ki? Hiç olmazsa evini bileyim."

"Sana zahmet olur. Ben seni sık sık ararım."

"Olmaz belki aniden sana bir şeyler sormak zorunda kalabilirim. Sıkışınca seni bulabileceğim bir adresin olmalı."

"Pekâlâ" dedi ve uzattığım kâğıda adresini tam olarak yazdı.

"Bir de bana nüfus kaydını ver."

"Nüfus kaydı mı? O neye lazım ki?"

Birden telaşlandığını hisseder gibi oldum.

"Bak dostum" dedim. "Kayıp bir insanı araştırmak için ilk lüzumlu olan şey onun nüfus kaydıdır. Bu olmadan hiçbir şey yapılamaz."

Bir an ürker gibi olduğunu hissettim belki de yanılıyordum. Şaşırmış gibi yüzüme baktı. Sonra elini cebine attı ve dört beş parça katlanmış kâğıt çıkardı. Aralarında nüfus cüzdanı da vardı. Titreyen parmaklarıyla evinin adresini yazdığı kâğıda istediğim bilgileri not etti.

"Oğlun nerede okuyordu?"

"Yıldız Teknik Üniversitesi Mühendislik bölümünde."

"Tamam" dedim. "Şimdilik bu kadarı yeter."

Süklüm püklüm ayağa kalktı. Mahcubiyetinden ağlayacak gibiydi.

"Çok teşekkür ederim, Sinan" diye fısıldadı. "Bu iyiliğini hiç unutmayacağım."

"Dur bakalım, hemen ümide kapılma. Daha bir şey yapmış değiliz. Ben sadece araştıracağım. İnşallah bir şeyler buluruz. Fazla da bel bağlama."

"Senin ünlü bir avukat olduğunu işittim. Bu meseleyi de çözeceğine inanıyorum."

Bir zamanların ünlü pivotu Deve Vural galiba avukatlık ile dedektifliği birbirine karıştırıyordu. Ama moralini bozmak istemedim. Gülümsemekle yetindim.

Kapıya kadar onu uğurladım.

Niyetim cebine biraz para sıkıştırmaktı. Ama meslek gereği her kademedeki insana rahatlıkla rüşvet niyetine ceplerine para koymaya alışık olmama rağmen, bir türlü cüzdanımı çıkarıp para veremedim. Bundan alınmasından korktum. Onu daha ilk karşılaşmamızda incitmek istemiyordum. Ne de olsa o bir zamanların milyarder pamuk kralının oğluydu.

Vural Toksöz geldiği gibi sessizce gitti.

Bir süre arkasından yirmi yıl önceki kolej anılarımdan sıyrılamadım. İçime garip bir hüzün çöktü. İnsanın kader çizgisi demek bu kadar değişkenlik arzedebiliyordu. Okuldan mezun olduktan sonra bir daha ondan haber alamamıştık. Çoğumuz onun Adana'ya döndüğünü ve babasının işlerini yürüttüğünü düşünmüştük. Zira pamuk kralının tek oğluydu. Onun yıllardır sefalet ve hayatın acı gerçekleriyle boğuştuğunu yeni öğreniyordum.

Vural'ın yazıhaneme geldiği tarih 20 Aralıktı.

O günün ömrümde bir dönüm noktası olduğunu asla düşünememiştim.

Ve düşünmekliğim için bir neden de yoktu...

BİRİNCİ BÖLÜM

1

Yazıhaneden çıktığımda saat yedi buçuğu geçiyordu. Kafam okul anılarıyla dolu kapalı garajda duran arabamı almaya gittim. Hava buz gibi soğuktu, esen sert karayel yüzümü sızlatarak yaladı. Son model Passat'ıma oturup motoru çalıştırdığımda, keşke Vural'ı karşıya ben bıraksaydım, diye düşündüm. Nasıl olsa Suadiye'de oturuyordum, Bağlarbaşı ayırımından Nuh Kuyusu'na iner, bu vesileyle evini de öğrenirdim. Neyse geç kaldım, diye söylenip arabayı garajdan çıkardım.

Hafta başı olduğundan trafik akşamın bu saatinde oldukça yoğundu. Şişli üzerinden ağır aksak dura kalka köprüye doğru ilerledim. Deve Vural'ı bir türlü aklımdan çıkaramıyordum. Oğlunu nasıl araştıracağım hususunda henüz hiçbir planım yoktu. İşin doğrusu ne yapacağımı, nereden başlayacağımı da bilmiyordum. Şimdiye kadar böyle bir işe hiç bulaşmamıştım.

Köprüyü geçip Kızıltoprak'a geldiğimde içimden söylenmeye başlamıştım. Başıma bir dert aldığımın farkındaydım. Bu benim halledeceğim bir sorun değildi. O şartlar altında yaşayan bir çocuk nice bin sebeple evini terkedebilirdi. Resmi istatistikler hakkında bir fikrim yoktu ama polis kayıtlarında bu rakamın yüksek sayılara ulaştığına emindim.

Arabamı evin bahçesine parkederken aklım hâlâ bu konudaydı.

Sıcak bir duş aldım. Ekose robdöşambrımı sırtıma geçirip genellikle akşam yemeği niyetine yediğim meyveli yoğurdumla tek muzumu bitirip çalışma odamdaki rahat koltuğa oturdum. Niyetim bu işi yarın öğleden sonra enine boyuna düşünmekti. Günün yorgunluğundan hafif bir baş ağrısı musallat olmuştu. Kalkıp kendime bol sulu bir kadeh Bourbon viski koydum, televizyonu zaplamaya başladım. Kanallarda ilgimi çekecek bir program bulamamıştım. Tam o sırada telefon çaldı.

Arayan Sema'ydı. Otuz beş yaşlarında bir grafiker. Başından iki evlilik geçmişti ve bana askıntı oluyordu. Bir iki defa çıkmıştık. Yarın akşam Kemancı adlı bara gitmek teklifinde bulundu. Hoş bir kadındı ama nedense bana itici gelen bir yanı vardı; galiba bu biraz erkeksi rahatlığı ve insanlara tahakküm etmekten hoşlanmasıydı. Onunla daha ileriye gitmek istemiyordum. Onu kırmadan bir mazeret uydurdum ve telefonu kapattım.

Az sonra yeniden çaldı telefon. Yine Sema olmasından huylandım, ama arayan Mahir İçöz'dü. Hem eski bir okul arkadaşı hem de tenisteki en ciddi rakibimdi. ENKA tesislerinde onunla kıyasıya maç yapardık. Her zamanki sevecen ve şakacı haliyle takıldı.

"Bu kez elimden kurtulamazsın Sinan. Geçen akşam kaçtın, değil mi? Çünkü yenileceğini biliyordun."

"Hadi oradan palavracı! Ne kaçması? Sen kortlarda ballboy'luk yaparken ben bu oyunun ustasıydım."

"Yahu senin gibisini hiç görmedim. Amma atıyorsun."

"Bu seferki maçın ucunda bir şey olmalı. Bedava oynamam."

"Kabul. Nesine?"

"Bir kasa viskisine."

"Oldu."

Mahir de kolejdendi. Bir büyük şirketin mali müşavirliğini yapıyordu. Birden aklıma geldi, şimdiki çalıştığı şirkete geçmeden önce, yanılmıyorsam bir süre Cahit Kalaycıoğlu'na ait tekstil kuruluşlarından birinde çalışmıştı. Hemen sordum.

"Mahir yahu, sen Cahit Kalaycıoğlu'nu tanırsın, değil mi?"

Beyni kurt gibi çalışan biriydi.

"Tanırım tabii" dedi. "Ne oldu ki? Sana müşavirlik mi teklif etti yoksa?"

"Yok canım. Sadece sordum."

"Benim eski patronumdu. Çekilmez bir adamdır."

"Benim asıl sormak istediğim karısı."

"Karısı mı? Ulan seni tanımasam aklıma başka şeyler gelecek. Ne öğrenmek istiyorsun?"

"Aysel diye biriyle evli, değil mi?"

"Doğru. Sosyetik bir hanımdır. Ne öğrenmek istiyorsun hakkında?"

"Ne biliyorsan herşeyi?"

Mahir'in ağzından uzun bir ıslık yükseldi.

"Ulan kerata, seni iyi tanırım. Pek karıda kızda gözün yoktur, ama bu merakının altında bir numara yatıyor gibi geldi bana."

"Deli misin yahu? Benim Aysel Kalaycıoğlu ile ne numaram olabilir?"

"Orasını Allah bilir! Ama kadın hakkında çeşitli söylentiler dolaşır."

"Ne gibi?"

"Hadi, bilmezmiş gibi numaralar yapma."

"Vallahi bilmiyorum. Anlatsana neymiş bu söylentiler?"

Mahir bir an duraladı.

"Açık konuş benimle. Kadınla bir ilişkiye mi gireceksin?"

"Hoppala! Bunu da nereden çıkardın şimdi?"

"Bak dostum, böyle bir niyetin varsa dikkatli ol. Gözümle görmedim ama Kalaycıoğlu'nun yanında çalışırken onun hakkında her gün yeni bir dedikodu işitirdik. Çok hoppa bir kadın olduğu söylenir. Tam bir afettir. Müthiş çekici ve çarpıcıdır. İnsanın gözünün içine bakarken seni çırılçıplak soyduğunu hissedersin."

"Ulan Mahir, yine her zamanki gibi mübalağa ediyorsun!.."

"Değil valla. Onu hiç görmedin mi?"

"Hayır. Ama yakında göreceğim galiba."

"Anlayalım, ne dümenler çeviriyorsun? Artık evli kadınların peşinde mi koşacaksın? Başkalarını bulamadın mı?"

"Dur canım büyütüyorsun işi."

"Yemezler dostum. Rahat kadınla bir toplantıda karşılaştın ve zokayı gırtlağına geçirdi Aysel hanım. Hep öyle yaparmış zaten. Gören lodos balığına dönermiş."

"Sen çok gördüğün halde zokayı yemişe benzemiyorsun ama."

"Sen bana bakma dostum. Ben yaklaşacağım avı iyi seçerim. Ayrıca hiçbir zaman da tehlikeli sularda yüzmem."

İçimden gülümsedim. Çok yaman bir çocuktu bizim Mahir. Çok da çapkın. Oysa dünyalar güzeli bir karısı vardı. Mükemmel ve örnek bir eş."

"Tamam" dedim. "Çarşamba akşamı 18'de kortta buluşuruz."

"Dur dur bir dakika" dedi. "Bir açıklama yapmadın."

"Hangi konuda?"

"Hangi konu olacak canım, şu Aysel Kalaycıoğlu hakkında."

Bir an düşündüm. Ona eski arkadaşımız Vural Toksöz'den henüz bahsedemezdim. Mahir, şen, şakacı, havai bir oğlandı. Ama böyle olayların üzerine anlayışla eğilmeyi pek beceremezdi. Bu akşam üzerinden beri Vural'ı müvekkilim gibi hissetmeye başlamıştım, şimdilik Mahir'e onun eski karısı ve kayıp oğlu hakkında bir açıklama yapmam meslek ahlakıma ters düşecekti.

"Bir başka zaman anlatırım" dedim ve telefonu kapadım.

Nedense yudumladığım Bourbon viski beklediğim tadı vermiyordu artık.

* * *

Ertesi gün öğleye kadar Adliye'deydim. İki duruşmaya girdim ve Ticaret Mahkemelerinden birinin kalemine bilirkişi raporuna itiraz dilekçemi verdim. Yazıhaneye dönünceye kadar bizim Vural'ın kayıp oğlu işini unutmuştum.

Masamın üzerinde dün bıraktığım adres ve nüfus cüzdanıyla ilgili notu görünce sıkılarak koltuğumda sallanmaya başladım. Hâlâ ne yapacağım hakkında en ufak bir düşünce yoktu beynimde.

Yardımcılarımdan Yalçın Okan girdi odaya. Beş yıllık avukattı; ama cin gibi zeki, girişken ve çevresi olan bir gençti. Birden aklıma geldi. "Poliste hiç tanıdığın var mı?" dye sordum. Genellikle yardımcılarım bana bağlı olarak çalıştıklarından onların da ihtisas alanları daha çok ticaret ve iş davaları olarak gelişiyordu ama onların kendi adlarına dava almalarına itiraz etmiyordum.

Bir an düşündü.

"Ağabey" dedi. "Siyasi Şube'de bir başkomiserin tahliye davasına bakmıştım. Aramız iyidir. Sorun nedir?" diye sordu.

Gülümsedim. "Önce sen söyle davayı kazanmış mıydın?"

O da sırıttı. "Kazanmıştım ağabey."

"İyi, öyleyse senin müvekkil angaryamızla ilgilenir."

Meseleyi kısaca özetledim. Yalçın hemen cebinden küçük ajandasını çıkararak komiserin telefon numarasını buldu ve masamın üzerindeki telefona sarıldı.

Konuşmayı sessizce dinliyordum. Yardımcım bir ara bana dönerek, "Şu kayıp öğrenci nerede oturuyordu?" diye sordu.

"Nuh Kuyusu'nda" dedim.

Yalçın adresi komisere iletti ve dinlemeye geçti. "Tamam komiserim, not alıyorum, anladım" diye mırıldanıyordu. Telefonu kapatınca bana döndü:

"Ağabey" dedi. "Önce ikametgah karakoluna gidip ihbar üzerine açılan dosyaya bakmamız gerekiyormuş. Çocuk hâlâ bulunmadığına göre dosyanın açık olması gerekiyormuş. Onu bir inceleyin, gelişme yoksa bana tekrar bir telefon edin, dedi. Öğleden sonra gidip bir bakayım mı, ister misin?"

Yalçın Beşiktaş'ta oturuyordu. Çocuğu bu angarya için karşı yakaya göndermem anlamsızdı. "Boş ver," diye mırıldandım. "Nasıl olsa yolumun üstü. Biraz erken çıkar eve dönerken ben uğrarım" dedim.

Vural'ın işi başımı ağrıtacağa benziyordu. Keşke kestirip atıp, bu benim işim değil deseydim, diye hayıflandım. Sonra biraz da kendimden utandım. Hayatın rutin ve menfaat ilişkilerine dayalı hızlı akış süreci, galiba içimizdeki her türlü insani duyguları öldürüyordu.

* * *

Nuh Kuyusu karakolu tarihi bir binaydı. Karakollara pek girip çıkmaya alışık olmadığımdan biraz ürkerek, tedirgin bir hava içinde merdivenleri tırmandım. İçerde her cinsten adam vardı. Kimisi ifade veriyor, kimisi sıra bekliyordu. Şikayette bulunmaya geldiği her halinden belli şişman bir kadın, bir yandan kucağındaki çocuğu susturmaya çalışırken bir yandan da bekleme sıralarında oturan zayıf bir adamı nefret dolu nazarlarla süzüyordu. Adamın başı taze kan izleri taşıyan gazlı bezlerle sarılıydı. Kimin şikayetçi olduğunu çıkaramadım. Başı yaralı adamın yanında elleri kelepçeli iki hırsız ifade için bekleşiyorlardı. Koridor kesif sigara dumanı ile kaplıydı.

Berbat bir yerdi; Allah kimseyi böyle yerlere düşürmesin diye geçirdim içimden. Kabadayı kılıklı, dudağının kenarına iliştirdiği sigarayı filitresine kadar bitirmiş bir polis birden karşıma dikildi. Bir süre yüzüme baktıktan sonra kabaca, "Ne istiyorsun?" diye sordu. Buraya uygun bir tip olmadığımı hemen kestirmişti. Ben, Baş Komiser Ahmet'i görmek istediğimi söyleyince, bu kez alıcı nazarlarla beni süzmeye başladı. İngiliz tüvitinden yapılmış pardösüm, aynı kumaştan brooke şapkam ve Church's ayakkabılarımla karakolda görmeye alıştığı tiplerden çok uzaktım. Toparlandı biraz, karakol amirinin adını vermem de etkisini göstermişti.

Kapalı bir kapıyı tıkırdattı, "Komiserim, sizi görmek isteyen bir bey var" dedi.

Komiser çatık kaşlı, sert birine benziyordu. Elindeki ufak çay bardağını, getirilirken üzerine çay damlayarak erimiş şekerlerin kapladığı bardak altlığına bırakırken, "Buyrun, ne istemiştiniz?" diye sordu.

Komisere, Yalçın'dan öğrendiğim Siyasi Şube amirinin adını vererek, selamlarını ilettim. Birbirlerini iyi tanıyor olmalıydılar ki, Komiser hemen bana yer gösterdi ve ilgilendi. Meseleyi anlattım; zile basıp içeriye bir memur çağırttı ve hemen Vural'ın kayıp ihbar zaptını istetti. Sigara ikram edip, çay söyledi. Sigara kullanmadığımdan reddettim ama gelen ılık çayı, hoşlanmadığım halde içmek zorunda hissettim kendimi.

Üniformalı bir polis az sonra elinde iki sayfalık metni getirip masanın üzerine bıraktı. Komiser zapta bir göz attı. Hemen suratının ekşidiğini gördüm.

"Hatırladım şimdi" diye söylendi. "Takdir edersiniz, her gün o kadar çok ve çeşitli olaylarla karşılaşıyoruz ki, isimleri akılda tutmak mümkün olmuyor."

"Haklısınız komiserim" diye mırıldandım, ama adamın neye suratının asıldığını pek anlamamıştım.

"Bu bey uzun boylu, ak saçlı biri, değil mi?" diye sordu.

"Evet" dedim.

"Bir ara her gün karakola gelip giderdi. Onu anımsıyorum. Oğlunun kaybolmasını bir türlü aklı almıyordu. Oysa her gün dört beş tane bu tip müracaatla karşı karşıya kalıyoruz."

"Bir ilerleme var mı?" diye çekinerek sordum.

Komiser bir sigara yaktı. İçmediğimi unutarak paketi tekrar bana uzattı. Başımı salladım. Bir süre dikkatle yüzüme baktı.

"Siz de yakını mısınız?"

"Hayır" dedim. "Eski bir arkadaşımın oğludur. Avukatım, çaresiz kalınca bana başvurdu."

"Bakın, Avukat bey" dedi. "Bu tür olaylar son senelerde çok arttı. Her yaştan çocuk çeşitli sebeplerle evlerini terkediyorlar. Bütün olayların peşine düşmekliğimiz, her vakayı ayrı ayrı incelememiz adeta imkansız. Bazıları bir süre sonra kendiliğinden ortaya çıkıyorlar. Ailevi sebeplerden tutun da, siyasi nedenlere kadar birçok bahane çocukların evden kaçmasına yol açıyor. Parasızlık, sert baskılar, uyuşturucu alışkanlığı, fuhuş ve daha bunun gibi nicesi."

"Anlıyorum" diye sözünü kestim. "Polis bu çocuk için bir araştırma yaptı mı?"

"Sureta yaptık. Ama netice alınamadı."

"Yani araştırma yapmadığınızı anlatmak istiyorsunuz, değil mi?"

Bana bakan nazarları birden sertleşti komiserin. Genellikle karakollarda avukatların sevilmediğini bilirdim.

"Ben böyle bir ifade kullanmadım" dedi. "Ayrıca unutuyorsunuz ki babası ihbarını geri çekti. Yine de şanslı sayılırsınız; şayet Genel Müdürlüğün emri olmasaydı bu zabıt çoktan çöpe atılırdı."

"Anlıyorum?" diye mırıldandım.

"Gayet basit. Emniyet Genel Müdürlüğü kayıp çocuklar hakkında istatistiki bilgi sağlamak ve yıllık oranı tesbit etmek için verileri bilgisayara yüklüyor. Biz de ihbar tarihinden itibaren bir sene geçince elimizdeki ihbar evrakını Merkez'e yollarız. Olayın üstünden bir yıl geçmediği için henüz postalamadık, yoksa bu zabtı bulamazdınız."

"Anlamadığım o değil. Babası ihbarı geri mi çekti, dediniz?"

Komiser tuhaf tuhaf yüzüme baktı.

"Evet, zabtın altında imzası var. Bilmiyor muydunuz?"

İşte bu çok garipti. Vural bundan bana bahsetmemişti. Şaşırarak zabtın altındaki imzaya baktım. Deli miydi bu adam? Oğlu hakkında en ufak bir iz yokken ortada, polise nasıl böyle bir imza verebilirdi? Ne kadar ilgisiz olurlarsa olsunlar yine de çocuğu en fazla bulma şansı polisindi.

Vural'ın yaptığı bu anlamsız davranışı havsalam almıyordu. Eskiden de zaman zaman böyle saçma işler yapardı. Polisin pasif ve ilgisiz davrandığını görünce, her halde sinirlenmiş, oğlunu kendi başına bulmaya kalkmış ve becerememişti.

Komisere teşekkür ettim ve ayağa kalktım. Niyetim Nuh Kuyusu'na gelmişken doğru evine uğramak ve ona çatmaktı. Çıkınca arabama binmeden, sokaktan geçen rastgele birini çevirerek bana verdiği adresteki sokağı sordum. Üsküdar'a inen yokuşun hemen solundaki ikinci sokaktı.

Sokağa girdim. Fakir bir semt olduğu hemen mimari tarzından belli oluyordu. Dört beş katlı, üçüncü sınıf inşaatlar, zevksiz ve uyumsuz dış sıva boyaları, sarı ve yeşilin hakim olduğu binalar ve buram buram Anadolu kültürü kokan insanların yer aldığı bir yerdi. Yap satçılar, Üsküdar'ın o şahane otantik görünümünü berbat etmişler, canım eski ahşap konakları birer birer yıkmışlardı. Vural'ın kaldığı eski evi bulmakta hiç zorluk çekmedim. Sokağın can çekişen, geçmişten arda kalan kültürünün tek örneğiydi. İki katlı bahçe içinde, cumbalı bir ev. Bahçe duvarı, eski Arnavut taşlarından yapılmış, alçak ve yer yer bozulmuştu. Mevsim nedeniyle çiçeksiz, kurumuş ve İstanbul'un karakteristik süslerinden biri olan mor salkım dalları duvardan sokağa taşıyordu. Duvarın bahçeye girişi sağlayan demir tokmaklı, kalın bir ahşap kapısı olmalıydı ama şimdi yerinde yeller esiyordu. Bir süre durup bahçeyi seyrettim. Az ilerde kocaman bir manolya ağacı vardı. İlerde bakımsızlıktan açmadığı muhakkak sarı sarmaşık gülleri evin ikinci katına kadar uzanıyordu. Ön tarafta akşam safası, kahkaha olduğunu tahmin ettiğim bir yeşillik kümesi vardı. Bunlar da eski İstanbul evlerinin süsüydü. Birden Erenköy'deki dedemin evini hatırlamıştım, yazları sayfiye niyetine gittiğimiz muazzam konağı. Aslında kimseye sitem etmeye hakkım yoktu. Bizler de günün şartlarına karşılık vermiyor, diye o konağı dedemin vefatından sonra müteahhite vermiştik.

Kapının dönerek işleyen bir zili vardı. Paslanmış tutamağını çevirdim. İçerden pes ve titreyen bir zil sesi aksetti, fakat kapı açılmadı. Bir daha çevirdim. Açan yoktu. Her halde Vural evde değildi.

Bir iki adım geri çekilip evin üst katına baktım. Üst katın pencerelerinde perde bile yoktu. Alt katın camlarından biri, buruşuk, kirli amerikan bezini anımsatan bir paçavra ile örtülmüştü. Bir diğerine ise gazete kâğıdı kaplanmıştı. Kapının üstündeki renkli şahane vitray kaplama yer yer kırılmıştı. Evin yüzünün kaplamaları aşınmış, boyasızlıktan ve sünger gibi yağmuru emmekten tahtalar kabarmıştı. Cumbanın altındaki kıvrık desteklerden biri neredeyse kopmak üzereydi.

Vural'a bozulmuştum ama onu daha fazla burada beklemeye de niyetli değildim. Bahçeden çıktım. Tam karakolun önünde bıraktığım arabama doğru ilerlerken karşı apartmanın önünde duran on, on iki yaşındaki bir velet hafiften akan burnunu çekerek, "Amca orası satılık değil" diye seslendi.

Beni evde gözü olan bir müteahhit sanmış olmalıydı. İnşaatçılar gün be gün sayıları azalan bu tür yerleri havada kapıyorlardı.

"Biliyorum evlat" diye cevap verdim.

Çocuk bu cevabıma sanki şaşırmıştı. Büyük bir saflıkla, "Ne arıyorsun öyleyse" dedi. Haberi çocuktan al derlerdi, hiç bozuntuya vermeden, "Burası Kerim Toksöz'ün evi değil mi?" diye sordum.

Velet hemen yanıma seğirtti.

"Evet, onun evi. Yoksa bir haber mi var?"

Anlaşılan bütün mahalle olayı biliyordu.

"Ben babasını arıyordum."

"Vural amcayı mı? Ne yapacaksın onu?"

"Biraz konuşacaktım."

Çocuk aynı safiyetle sordu:

"Polis misin?"

"Hayır, değilim."

Garip garip yüzüme baktı. Sonra kılık kıyafetimi süzdü. Cin gibi sırıttı.

"Sen polissin, amca!"

"Onu da nereden çıkardın?"

"Vural amcayı kimse aramaz da ondan. Hiç geleni gideni yoktur. Kerem abi kaybolduktan sonra senin gibi gelip giden, onu soran birkaç kişi oldu sadece. Onlar da polisti."

"Ama bak, ben üniformasızım."

Çocuk, pışık dercesine bir gözünü kırptı. "Onlar da üniformasızdı."

Birden ilgilendim.

"O gelenler Kerem'i mi sordular?"

"Tabii ya!"

"Babasına mı?"

"İki üç kere geldiler. Bir seferinde Vural amcayı bulamadılar. Biz arkadaşlarla bahçede dekomencilik oynuyorduk."

Oğlan tatlı ve sevimliydi. Soğuktan yanakları al al olmuştu.

"O da nedir." diye sordum.

"Kovboyculuk."

"Haa, anladım. Size de bir şey sordular mı?"

"Evet. Kerem ağabeyin nereye gittiğini sordular."

Çocuğun söyledikleri ilginçti. Karakol polisi olamazdılar zira onlar her zaman üniformalı dolaşan memurlardı. Demek Kerem'i arayan başkaları da vardı. Şu halde Vural bunu bana niye söylememişti?

"Kerem'in arkadaşları olmasınlar?"

"Hayır amca, onlar da senin gibi yaşlıydılar."

Aklım karışmaya başlamıştı. Vural'ın oğlunu arayan başkalarının da ortaya çıkması midemi bulandırmıştı. Ayrıca Vural'ın karakolda ihbarından vazgeçtiğini beyan etmesi, zabtı imzalaması ne anlama geliyordu. Bu beyanın Kerem'i arayan o insanlarla bir ilişkisi olabilir miydi?

Çocuk durgunluğumu farketmiş olmalıydı ki, ilginç bir edayla, "Hem onlar Emel ablayı da sordular" dedi.

"Emel de kim?"

"Kerim ağabeyin sözlüsü?"

"Öyle mi? Onu tanır mısın?"

"Tabii tanırım."

"Soy adı ne?"

Oğlan kısa bir tereddüt geçirdi, anımsamaya çalıştı.

"Soylu" dedi. "Emel Soylu."

"Buraya sık sık gelip gider mi?"

"Kerim abi kaybolduğundan beri hiç gelmedi. Peki sen polis değilsen neden bunları soruyorsun?"

Oğlan uyanmaya başlamıştı. O ufak aklıyla mükemmelen muhakeme yürütüyordu. Elimi uzatıp üç numaraya vurulmuş başını okşadım. Daha fazla soru sormam şüphe çekecekti. Ona gülümseyip, cevap vermeden yürüdüm. Mesele galiba beynimde şekillenmişti artık. Anlaşılan Vural'ın oğlu gönlünü kaptırdığı kızla, herşeyi terkedip yeni bir hayata başlamak üzere kaçıp gitmişlerdi. Aşk bu çağlarda insana böyle çılgınca kararlar aldırırdı. Vural'a gelip olayı soruşturanlar, her halde kızın akrabaları olmalıydılar. Vural'ın karakol zaptını niçin imzaladığını şimdi daha iyi anlamıştım. Hayat gerçekten çok tuhaftı. Yıllar önce arkadaşımın başına gelenleri şimdi de oğlu yaşayacaktı galiba. Umarım Emel denen kız, ikinci bir Aysel olmaz, diye iç geçirdim.

Vural'la birinin ciddi ciddi konuşması gerekecekti. Ve korkarım bu iş bana düşüyordu...

2

Son sette Mahir mızıkçılık etti. Çizgi içine düşen nefis backhand'ime out diye tutturdu. Oynarken daima hırçın ve sinirli olurdu. Bağırıp çağırmaya, binbir dereden su getirmeye başladı. Huyunu bildiğim için üstüne gittim. Kerata bu numarayı bana daha önce de bir iki kez çekmişti. Sonunda top toplayıcı çocuğun hakemliğine müracaat edelim diye homurdandı.

Topun nereye düştüğünü gayet iyi görmüştüm; düpedüz sayıydı ve bu vuruş bana bir kasa viski getirecekti. Kabul etmedim; büsbütün köpürdü, raketini yere fırlattı. Allahtan kapalı kortta yalnızdık. Ona ders olsun diye, kortu terkettim.

Duşa girmeden terimin biraz dinmesi için limonlu sodamı yudumlarken, eşofmanlarıyla kan ter içinde yanıma geldi. "Ulan senin gibi mızıkçı herif görmedim be!" diye söyleniyordu hâlâ.

"Viskiden vazgeçtim. Bu sana ders olsun. Biz adamı böyle yeneriz işte!"

"Tamam tamam" dedi. "Viskini alacağız. Başımın gözümün sadakası olsun."

"Ama Skoç istemem, Jak Daniels olacak."

"Hayır marka ayırımı yapmamıştık, sadece viski demiştik."

"Yine başlama Mahir. Skoç içmediğimi bilirsin."

"Ulan ne alâ memleket be! Adam hem mızıkçılık ediyor, hem de..."

"Bilmediğin oyunda iddiaya girme" diye sözünü kestim.

Gülmeye başladı.

"Sinan bir gün canına okuyacağım. Bir daha eline raket almayacaksın."

"Bu ancak dünyaya bir daha gelişimizde olabilir."

Havlusuyla boynundan akan terleri siliyordu.

Terim biraz kurumaya başlamıştı.

"Hadi duşa gidelim" dedim.

"Acele etme yahu! Atlı mı kovalıyor? Ben de bir soda içeyim."

Sodasını içerken sordu. "Sosyete gülünden ne haber?"

Birden kimi kasdettiğini toparlayamamıştım.

"Kimi kastediyorsun?"

"Aysel Kalaycıoğlunu tabii, kimi olacak?"

Mahir'in sorusu yine Vural'ı hatırlattı bana. Beynimde olaya bir çözüm bulduğum için gün boyu ne onu ne de çocuğumu düşünmemiştim.

"Amma büyüttün bu hadiseyi yahu! O kadınla aramda ne olabilir ki?"

"Oğlum biz kül yutmayız. Sen bir kadın hakkında soru soruyorsan mutlaka altında bir numara var demektir. Hadi uzatma da, anlat. İçimiz rahatlasın?"

"Mahir, yoksa sen de kadına asıldın mı?"

Arkadaşım kuşkuyla yüzüme baktı.

"Ne yalan söyleyeyim, aklımdan geçmedi değil. Kalaycıoğlu'nun yanında çalıştığım sıralarda Hilton'da havuz başında bir balo veriliyordu. Kocası yanında çalışan kodaman elemanlarının eşleriyle nezaket dansları ediyordu. Bir ara Gönül'ü de dansa kaldırdı. Ben de hemen Aysel'in önünde bitiverdim. Hiç itiraz etmeden kalktı. Canlı bir orkestra nefis slow'lar çalıyordu. Kadının beline kadar açık, uzun bir tuvalet vardı sırtında. Sağ elimin parmaklarıyla değdiği yer çıplak bedeniydi. İtiraf edeyim ki, o an aklımdan hiç de kötü bir şey geçmiyordu. Patron karımı dansa kaldırdı diye ben de onunkini kaldırmak istemiştim sadece. Benim gerçek bir salon centilmeni olduğumu bilirsin."

"Allah için" diye sırıttım.

O kendini kaptırdığı hikayesine devam etti. "Bir ara göz göze geldik, anlarsın ya, tamamen masumane."

İnanıyor muyum, diye yüzüme baktı. Gülümsedim.

"Vallahi doğru söylüyorum."

"Tamam, devam et sen."

"Aysel yiyecek gibi gözlerimin içine bakıyordu. İrkildim birden. Kadın hakkında zaten her gün bir dedikodu yapılırdı şirkette. Özellikle patrondan hazetmeyenler çıkarırlardı bu dedikoduları. Bilirsin işte, sinek ufaktır ama mide bulandırır, derler. Ne yalan söyleyeyim, o an ben de bu dedikoduların aslı olup olmadığını beynimden geçirdim."

"Sonra?"

"Kadın aklımdan geçenleri anlamış gibi bedenini iyice bana yasladı. İri göğüsleri bedenime tazyik ediyordu. Şaşırdım bir an. Gözlerim ürkerek pistte benim Gönül'ü aradı. Allahtan ha-

nım pistin öbür ucundaydı ve bizi göremezdi. Bana ne dedi, be-
ğenirsin?"

"Bilmem? Ne dedi?"

"Karından mı korktun, diye sormaz mı?"

"Eee, ne cevap verdin?"

"Erkekliğimize toz kondurmadık tabii."

Bir kahkaha attım. "Ulan palavra sıkma, Gönül'den ödün
kopar."

"Kopar tabii, sen bekar adamsın. Evliliği anlamazsın. Ama
o sırada maço erkek ayaklarına yatmak gerekiyordu, ben de öy-
le yaptım."

"Kadından buluşmak için randevu mu istedin?"

"Maalesef o hatayı işledim."

"Neden maalesef diyorsun?"

"Aslında işin bu noktasını sana anlatmamak lazım ama sen
benim dostumsun. Bak, dalga geçmek yok ama, anladın mı?"

"Tamam tamam" dedim. "Dalga geçmeyeceğim, ne dedi
sana."

"Karı yüzüme baka baka, ben attan inip eşeğe binmem,
demez mi?"

Verdiğim söze rağmen dayanamayıp kahkahayı bastım.

Mahir söyleniyordu. "Bozulurum ama. Gülmeyeceğine
söz vermiştin."

Bir müddet daha kendimi tutamayarak gülmeye devam et-
tim. "Vay be!" dedim. "Aysel bizim Don Juan'ı fena bozmuş."

"Ne diyorsun yahu? Karı bir anda beni eşek yerine koydu."

"Takma kafanı. Cahit Kalaycıoğlu gibi birini bırakıp sana
bakacak değildi ya?"

"Ne yani? Biz de kadına evlenme teklif etmemiştik ya? Alt
tarafı ufak bir kaçamak yapacaktık."

"Senin gibi hızlı bir çapkının, her kuşun etinin yenmeye-
ceğini bilmesi lazımdı."

"Boş versene sen! Karının yatmadığı erkek yok hot sosye-
tede."

"Belki de günahını alıyorlardır. Çok dedikoducu milletizdir, her söylenene inanma sen."

"Hadi yahu bilmiyorsun, dans sırasında bana öyle sıkı sıkıya sarılmıştı ki, ben bile dağıtmıştım. Yerimde kim olsa aynı şeyleri düşünürdü. Meğer Gönül de durumu çakmış, eve dönünce surat asıp durdu. Bir hafta konuşmadık. Aramızda bir şey olmadığına inandırıncaya kadar akla karayı seçtim."

O nefes alıp sodaya sarılırken sordum.

"Cahit Kalaycıoğlu'ndan evvel iki evlilik daha başından geçmiş, haberin var mıydı?"

"İşittim. Ne derece doğru bilmiyorum ama olabilir."

"Eski kocalarını tanıyor musun?"

Biraz düşündü.

"Galiba Cahit'ten önceki bir banka genel müdürüymüş. Adını da söylemişlerdi. Kayhan ya da Kamuran gibi bir şey. Hatta hep esprisini de yaparlardı. Herif buna boşanırken nafaka filan vermemiş, bu da adama bozulup, bak yemin ediyorum gün gelecek senin bankanı satın alacak, demiş. Gerçekten de Cahit'le evlenince yeni kocasına eski kocasının genel müdürlük yaptığı bankayı aldırmış ve adamı kovdurmuş. Ne hikaye değil mi?"

"İlk kocasını da tanıyor musun?"

"Hayır. O kadar geçmişini kurcalamadım artık."

"Her halde ilk evliliği sırasında çok genç olmalıydı."

"Zahir öyleydi."

"Hiç çocuğu var mı?"

"Hayır yok. Üç evliliğinden de çocuğu olmamış. Kısır mıdır nedir? Belki de vücudum bozulmasın diye doğurmamıştır."

Sesimi çıkarmadım ama anlaşılan şoförün kızı ilk evliliğini ve Vural'dan olan oğlunu hep gizlemeyi becermişti.

Mahir sinsi bir tebessümle yüzüme baktı.

"Soruşturman bitti mi?" diye sordu.

Hiçbir şey anlamamış gibi, "Ne soruşturması?" dedim.

Bir açıklama yapmayacağımı anlayınca, "Pekâlâ" dedi.

"Nasıl olsa bir gün açıklarsın. O zamana kadar beklerim. Yalnız sana bir dost ve arkadaş olarak tavsiyem; o tehlikeli bir kadındır ve oynamaya gelmez. Dikkatli ol."

Sesimi çıkarmadım. Gerçekten de ona bir açıklama yapmak borcum vardı ama Vural'ın oğlunun durumu aydınlığa kavuşuncaya kadar susmayı yeğledim.

Duşlarımızı alarak, arabalarımıza atladık ve evlerimize yollandık...

* * *

Bazen bu yaşa kadar evlenmediğime hayıflanıyordum. İyi seçilmiş, kafa dengi, paylaşılacak müşterek şeyleri olan bir kadınla yapılmış evlilik güzel bir şey olmalıydı. Aşk denen kavramın sürekliliğine inanmazdım. Bildiğim ya da şahit olduğum bütün aşkların belirli zaman kesitinde hep sona erdiğine geriye dayanılmaz ve çekilmez bir beraberlik kaldığını mesleki tecrübemle de bilirdim. Avukatlığımın ilk yıllarında en azından otuz kırk boşanma davasına bakmıştım. Bu davalardaki sonuçları bir sosyolog gibi incelediğimde evlilik müessesesindeki en büyük eksikliğin, eşler arasındaki karşılıklı saygı yetersizliğinden kaynaklandığı hükmüne varmıştım. Tabii gereken saygıyı evlilik süresince sürdürebilmek herşeyden önce bir kişilik sorunuydu. Eğitim kadar, anlayış, müsamaha ve fedakârlık gerektiriyordu. Lakin insan oğlu galiba doğası icabı, hatalarını kabule pek yatkın değildi. Suçu daima karşımızdakinde aramaya şartlandırılmıştık. Tarihi aile olgumuzun bir sonucu olmalıydı. Kadına saygı, hürmet ve tolerans göstermeyi bir türlü beceremiyorduk. Belki vardığım bu sonuçlarda geliştiğim kendi aile ortamının da etkisi olabilirdi. Babam da bir avukattı, sözüm ona eğitimliydi, ama evlilikleri boyunca annemi hep ezmiş ona kadınlığını hiç yaşatmamıştı. Ben tek çocuklarıydım, aklım bir şeylere ermeye başladıktan sora hep evlilik müessesesinin sorgulamasını yaptım. Zaman zaman kendime olan güvencimi yitirdiğim de oldu. Ne de olsa ben de bu toplumun bir bireyiydim ve istememe rağmen aynı illetlerle malül olabilirdim. Bu nedenlerle de bir türlü evliliğe hazır hissedemiyordum kendimi.

Aklım biraz karışık eve gelip arabayı bahçeye soktum. Hava buz gibi soğuktu ve hafif hafif bir yağış başlamıştı. Önce yağmur atıştırdığını sandım, fakat bahçeyi aydınlatan lambaların ışığına baktığımda kar serpiştiğini gördüm. Bu ayazda devam ederse yarın sabah her yer bembeyaz olabilirdi. Belki çocukluktan kalma bir heves ya da heyecanla, kar ve onun sessiz beyazlığı her zaman yüreğimde romantik duyguların kabarmasına yol açardı.

Daireme girdim, sadece pardösümü çıkardım, ufak masa lambalarından birini yakarak, yeterince aydınlanmayan salonun pencerelerinden baktım. Dairem sekizinci kattaydı. Başımı cama dayayarak, hızını artıran yağış altında etrafı seyre başladım. Kar taneleri pamuk gibi boşlukta uçuşuyordu. Bahçenin kuytu köşelerinin az sonra bembeyaz kesileceğinden emindim. Canım bir içki çekti, ama aç karnına içmek istemedim.

Üç gün sonra Noel, yaklaşık on gün sonra da yılbaşıydı. Hıristiyan inanışına göre Noel'e ve yeni yıla kar yağışı altında girmek, o senenin bereketli, sağlıklı ve mutlu geçeceğini simgelermiş. Bunu kolej yıllarında öğrenmiştim, tabii bu inanışa pek kulak asmazdım ama nedense çocukluktan kalma bir etkiyle yine de kar yağmasını beklerdim. Salonun yarı karanlığında kasetçalara Mahalia Jackson'ın **Holy Night, Silent Night**'ını koydum. Zenci kadının olağanüstü güzel sesi odada yankılanırken içimi hüzün kapladı. Yağan kar hızını daha da arttırmış, adeta kısa sürede tipiye dönüşmüştü.

Müziğin sesi galiba fazla yüksekti, bu nedenle kapının çaldığını neden sonra duydum. Kapıcım Hüsamettin Efendi'nin çöpleri almaya geldiğini düşündüm bir an. Ama o olamazdı; daha geç saatte gelirdi. Müziği kısmadan kapıya yöneldim.

Tanımadığım iki adam duruyordu kapıda.

İkisi de genç ve iri yarıydılar. Sırtlarında kalın anoraklar vardı. Burunları soğukta kalmaktan olsa gerek kızarmış, giysileri yağan kardan ıslanmıştı. Önce yanlış bir daireye geldiklerini sandım. Zira ikisini de tanımıyordum.

"Evet?" dedim.

İçerden hâlâ Mahalia Jackson'un pürüzsüz sesi yankılanıyordu. Daha uzun boylu olanı küstah bir ifadeyde, "Avukat Sinan sen misin?" diye sordu.

Sesindeki ifade hiç hoşuma gitmemişti. Sanki hır çıkarmaya gelmiş insanlara benziyorlardı. Genellikle bu tür insanlarla pek ilişkim olmazdı.

"Benim" diye mırıldandım.

Kısa boylu olanı birden beni göğsümden itti ve içeriye daldılar. Doğrusu boş bulunmuştum, fakat hemen o an adamların iyi niyetli olmadıklarını sezinledim. Toparlanıncaya kadar biri ceketimin yakalarından kavradığı gibi beni duvara doğru sürükledi. Kendi evimde böyle bir saldırıya maruz kalacağımı o ana kadar hiç düşünmemiştim. Şaşırdığımı itiraf etmeliydim.

"Şimdi kulaklarını aç ve beni iyi dinle züppe" dedi. "Kerim Toksöz hakkında araştırma yapıyormuşsun. Bundan hemen vazgeçeceksin. Bu sana bir uyarıdır. Eğer ısrar edersen tekrar karşılaştığımızda seni gebertiriz. Anladın mı?"

Kırk yaşında, bir seksen beş boyunda ve doksan altı kilo ağırlığındaydım. Bu tehdit bana vız gelirdi. Her ne kadar bu tip tehditlere alışkın değilsem de, yakama yapışan herifi oracıkta haklayabilirdim. Allahtan soğukkanlı bir yapım ve sakin bir mizacım vardı. Kendimi toparlamaya başlamıştım. Adamın yakama yapışmış bileklerini kavrarken sükunetle, "Siz kimsiniz?" diye sordum.

"Has siktir, pezevenk!" dedi. "Bir de bize soru mu soruyorsun."

Tepem atmaya başlamıştı.

Herifler çizgiyi çoktan geçmişlerdi. Yakamdaki elleri hızla çektim. Fakat o anda birden gözlerim karardı. Adam hayalarıma doğru müthiş bir diz atarken diğeri yüzüme korkunç bir yumruk savurdu. Birden sendeledim ve kendimden geçer gibi oldum. Canım yanıyor ve başım dönüyordu. Galiba adamları hafife almakla hata etmiştim, işlerini bilen gerçek profesyonel kişilerdi bunlar. Acıdan dişlerimi sıkarken ense köküme doğru bir darbe daha aldım, dizlerim gevşedi ve parkelerin üzerine düştüm. Son anımsadığım kendimden geçerken böğrüme aldığım sert tekme oldu.

Ne kadar baygın yattığımı hatırlamıyorum. Gözlerimi araladığımda CD'de hâlâ **Rosemary Clooney, White Chrismas**'ı söylüyordu. Demek yaklaşık kırkbeş dakikadır yerdeydim. Etrafa bakındım. Herifler geldikleri gibi sessizce, kapıyı çekip gitmişlerdi.

3

Bu iş şerazesinden çıkmıştı. Demek yanılmıştım; kayıp bir çocuğun akibetini araştırıyorum diye, bir avukata dayak atılmaz, ölümle tehdit edilmezdi. Kafamın tası iyice atmıştı, ama önce yüzümde ve ensemde sızlayan yerlere buz kompresi yapmalıydım. Aksi halde şiş bir suratla yarın insan içine çıkamazdım.

Buzları yüzüme ve enseme dayarken, aynada suratıma baktım. Sol yanağım kızarmıştı lakin henüz morarma ve en önemlisi çizik, yırtık ve berelenme gibi iz bırakacak türden bir şey yoktu. Biraz rahatlar gibi oldum. Husyelerimdeki sızı ve böğrümdeki acı hâlâ devam ediyordu.

Açlığımı unutmuştum, diş etlerim herhalde yumruğun etkisinden olacak sızlıyordu. Kırılan veya sallanan dişim var mı, diye dilimle kontrol ettim; yoktu. Viski yerine bir limonata bardağına sek rakı doldurdum, ağzımda gargara yapıp yutuyor, üzerine de biraz su içiyordum. Anasonlu içki, diş etlerimi yakıp uyuşturmuş sızılarına da iyi gelmişti. Arada sırada soyduğum mandalina parçalarını da ağzıma atıyordum.

Düşünmeye başlamıştım, bu mesele umduğumdan çok daha vahim ve karışık olmalıydı. Anlaşılan Vural'ın oğlu ve sözlüsü kendi istekleriyle sırra kadem basmamışlardı. Olay iki gencin gönül maceralarından öte boyutlardaydı. Belki kaçırılmışlardı. Ama neden? Orta halli hatta fakir denebilecek iki gençten kim ne isteyebilirdi? Fidye ihtimali düşünülemezdi bile. Vural meteliksizin tekiydi? Acaba annenin zenginliği bir sebep olabilir miydi? Bu da bana biraz solak geldi; şoförün kızı Aysel geçmişinin o bölümünü ustalıkla gizlemeyi başarmıştı. Oğluna bu kadar ilgisiz olan bir anneden ne koparılabilirdi?

Ama muhakkak olan husus Vural'ın bana herşeyi anlatmadığıydı. Evinin önünde karşılaştığım velet, polis diye yorumladığı bazı adamların ziyaretinden bahsetmişti. Kimdi onlar ve Vural'la ne konuşmuşlardı? Vural acaba korktuğu için mi polise yaptığı ihbarı geri almıştı?

Yarın sabah ilk işim erkenden Nuh Kuyusu'na gitmek olacaktı..

* * *

Passat'ı tam eski evin duvarının önüne park ettim. Kar hâlâ hafif hafif atıştırıyordu, neyseki yerler tutmamıştı. Sokak sabahın köründe bu soğuk Aralık ayında bile şaşılacak kadar hareketliydi. İlkokula giden ufak çocuklar, mesaiye yetişmeye çalışan memurların koşuşturması göze çarpıyordu.

Arabadan çıktım, etrafa bakındım. Herşey olağan gözüküyordu. Benim ufak velet ortalarda yoktu, herhalde çoktan okuluna gitmişti. Bahçeye girip paslanmış zili çaldım. Önce ses seda çıkmadı. Israr ettim, Vural'ın bu saatte evden çıkmış olacağına ihtimal vermiyordum. Az sonra içerden ayak sesleri aksetti.

"Kim o?"

Vural'ın sesini tanımıştım.

"Benim, Sinan" dedim.

Kapı hemen açıldı.

Arkadaşım sabahın köründe beni karşısında görmenin şaşkınlığı ile yüzüme bakıyordu.

"Hoş geldin kardeşim" dedi. Sonra utangaç bir ifadeyle, "Gel, geç içeriye. Bu saatte seni beklemiyordum. Kusura bakma." Kaşlarım çatık, biraz sinirli, küçük mermer avluya girdim. Vural beni sol taraftaki odalardan birine almıştı. O zaman Vural'ın ne kadar zor şartlar altında yaşadığını daha iyi anladım. Evin içi de, dışı kadar virane idi. Geçmişte *selamlık* olarak kullanıldığını sandığım odanın, üç bir yanı *kerevet* tabir edilen tahta sedirle kaplıydı. Yukarı itmeli, *rezeleri* paslanmış, eski zaman tarzı pencerelere perde niyetine, sırf içerisi görünmesin diye, kirli amerikanlar gerilmişti. Cam önüne isabet etmeyen kerevetlerin eskimiş, aşınmış tahtaları meydana çıkmıştı. Duvar kenarında, içinde köpeklerin bile yatmayacağı bir şilte yatak niyetine kullanılıyordu. Ortada ufak bir odun sobası vardı; yanmıyordu ve oda buz gibi soğuktu.

Vural'ın bacaklarında çizgili pijama, sırtında kollu bir atlet vardı. Kapının çalınmasıyla yataktan kalktığı belliydi. Kapıyı açmaya gelirken omuzlarına terelmiş pardösüsünü atmıştı. Karşılaştığım manzara karşısında şaşırdığımı anlamış olmalı ki, "Kusura bakma" diye mırıldandı. "Geleceğini bilseydim etrafı biraz toparladım."

Odadaki iskemlelerden birini oturmaklığım için bana uzattı. Eski tip, bahçelerde kullanılan açılıp kapanmalı sandalyelerdendi. Hiç sesimi çıkarmadan oturdum. O mahcup ve ezik hareketlerle, üzerine gazete kağıdı serilmiş tahta masa üstündeki dün geceden kalma yemek tabaklarını toplamaya başladı. Ufak bir tava içinde yumurta artıkları görünüyordu. Tabakta da beyaz peynir kırıntıları vardı. Ufak Yeni Rakı şişesinin dibinde iki parmak kadar içki kalmıştı. El çabukluğu ile onları toplayıp odadan dışarı çıkardı.

Yanıma döndüğünde suçlu bir çocuk gibi mahcuptu.

Yüzüne bozuk nazarlarla baktım. Sakalları uzamıştı ve saçları gibi onların da bembeyaz çıktığını gördüm. Sinirli ve kızgın gelmeme rağmen, bir zamanların pamuk kralının oğlunu bu vaziyette görmek beni üzmüştü.

"Otur şuraya Vural" dedim.

Süt dökmüş kedi gibi beni dinleyip, sedirdeki şiltenin üzerine ilişti. Göz göze gelmekten kaçınıyordu.

"Bana niye yalan söyledin?" diye sordum. "Bu arkadaşlığa sığan bir şey değil."

Şaşırarak yüzüme baktı. "Ne yalanı?"

"Polise verdiğin ifadeyi niye geri aldın? Dün mahalli karakolda imzanı gördüm."

"Sana söylemiştim, polis olayımla hiç ilgilenmedi. Her gün böyle vakalar oluyor, dedi. Beni başlarından savdılar. Attığım imzayı sana söylemeyi unutmuşum herhalde. Zaten polisten ümidi kestim."

"Bana oğlunun kızlarla pek ilgilenmediğini söyledin; ama bir sözlüsü varmış. Adı da Emel. Peki, bunu niye gizledin?"

Hayretle yüzüme baktı.

"Evet, Emel diye bir arkadaşı vardır. Üniversitede aynı sınıftalar. Ama aralarında sözlülük durumu falan yok. Bunu da nereden çıkardın?"

"Bak Vural, her şeyi açık açık konuşalım. Benden bir şey saklamakla bir yere varamayız. Bana gerçekleri tüm çıplaklığıyla anlatmıyorsun gibi geliyor. Sana yardımcı olmak için olayları doğru teşhis etmeliyiz."

"Senden gizlediğim bir şey yok."

"Peki" diye mırıldandım. "Madem öyle, sık sık buraya gelen o kız, neden oğlunun kaybolduğu günden beri bir daha uğramaz oldu? Bunu nasıl açıklarsın?"

Vural önüne baktı.

Dudaklarını kemirdi sessizce.

"Bilmiyorum" diye mırıldandı sonra.

"Bilmiyorsun ha? Hiç ikisinin birlikte kaçtıklarını düşünmedin mi?"

Vural'dan önce yine ses çıkmadı.

"Evet, aklıma gelmedi değil. Ama aralarındaki ilişki hiçbir zaman o boyutlarda değildi. Kerim daha çocuk, yani böyle bir çılgınlığa kalkışamayacak kadar saf ve deneyimsizdir. Asla böyle bir şeye teşebbüs etmez."

"Babasın ama yeni nesli hiç tanımıyosun Vural. Zamane çocukları tahmin ve tasavvur edemeyeceğimiz çılgınlıkları büyük bir sorumsuzlukla yapıveriyorlar."

"Kerim daha on yedisinde.. Rüştünü bile isbat etmedi."

"Ne fark eder yahu? Belli ki başında kavak yelleri esiyor. Ya kız, o kaç yaşında?"

Başını önüne eğerek, "Yirmi" dedi.

"Yani oğlundan büyük, öyle mi?"

"Evet."

"Yaşını sen nereden biliyorsun?"

Vural omuzlarını silkti. "Buraya bir geldiğinde sormuştum. Kerim'e kıyasen hem büyük hem de daha olgun görünüyordu, aynı sınıfta olmalarına şaşırmıştım. Merak ettim, sordum. İçtenlikle cevap verdi. Meğerse lise yıllarda hep çift dikiş gitmiş."

Vural hayıflanarak yüzüme baktı. Utandığı pek belli oluyordu.

"Kuzum bunları nereden öğrendin?" diye sordu.

"Kaynağımı boş ver, benden yardım istedin, ben de işimi yapıyorum şimdi. Ancak benimle açık konuşmalısın, bak sana soruyorum, oğlun hiç uyuşturucuya bulaştı mı?"

"Uyuşturucu mu? Asla.."

"Emin misin Vural, bir düşün? Bu gün gençlerin başına musallat en büyük tehlikelerden biri bu. Çocukların ailevi ve maddi sorunları, ebeveynle iletişimsizlik ve bunun gibi daha nice bin sebep gençleri bu illete itiyor. Birkaç defa kullanmış olabilir, önce bir arkadaşı çekimlik vermiştir sonra yavaş yavaş alışkanlık kazanmıştır."

Vural başını salladı.

"Ama bu para ister. Kerim'e okula gidecek vasıta parasını bile zor buluyorduk."

"Sorun da bu ya" diye homurdandım. "Önce alıştırırlar sonra da çocuğu kullanırlar. Uyuşturucu ihtiyacı artınca çaresiz kalan oğlan önce dağıtıcılığa başlar sonra..."

"Hayır hayır," diye sözümü kesti arkadaşım. "Oğlumun uyuşturucu işine bulaşmadığına eminim."

Israr ettim. "Ya kız arkadaşı?"

Vural yine bir tereddüt geçirdi. "Bilmiyorum, ama günahını almak istemem. Öyle bir kıza benzemiyordu."

"Kızın ailesiyle temas kurdun mu?"

"Nasıl kurabilirim? Nerede oturduğunu bile bilmiyorum?"

"Hayret!" diye mırıldandım. "Buraya bu kadar sık gelip giden bir kıza bu tür bir sual sorulmaz mı?"

"Haklısın.. Sormam gerekirdi" dedi.

Ona hâlâ dün gece uğradığım saldırıdan bahsetmemiştim.

"Oğlun nerede kalırdı?" diye sordum.

"Mermer avlunun öbür yanındaki odada?"

"Bir göz atabilir miyim?"

"Tabii, gel gidelim" dedi.

Eski ahşap evin avlusunda bir an titredim. Dışardaki karlı havanın ayazı, sanki tahta kirişlerden filtre gibi süzülerek insanın içini donduruyordu. Vural kapıyı açtı, bana yol verdi. Bütün yoksul görünümüne rağmen ilk girdiğim odadan kat be kat daha düzgündü. Basit bir yatak, aynı tip soba ve oğlanın üzerinde ders çalıştığı daha büyük bir tahta masa vardı. Masanın üstüne eski fakat temiz kadife bir örtü yayılmıştı. Beni asıl şaşırtan şey odadaki kitap bolluğuydu. Anlaşılan Kerim Toksöz okumayı seven biriydi. Ahşap duvara kaba ve ham tahtadan üç raf çakılmıştı, epey de uzundu. Kitaplar tabii bu raflara sığmamış, duvar kenarına dizi dizi muntazam bir şekilde sıralanmıştı.

"Oğlun okumayı seviyor galiba" dedim.

"Öyledir."

İlerledim, kitaplara şöyle bir göz attım. Çoğu sol eğilimli kitaplardı. Marks'ın Kapital'ı baş köşede duruyordu. Lenin'den, Engels'den Coquin'den, Garaudy'den, Arvon'dan ve daha bir yığın solcu yazardan çeşitli kitaplar vardı.

"Anlaşılan oğlun solcu" diye mırıldandım.

"Bilirsin" diye zoraki gülümsedi. "O yaştaki bütün gençler bir süre sola merak sarar, hatta kendilerini gerçek komünist sanırlar. Daha yaşı onyedi. Okumayı seviyor ama henüz metodik ve sistematik bir bilgi düzeyinde değil öğrendikleri. Eline ne geçirirse okuyor."

Vural'a cevap vermedim. Lakin şimdi çocuğun kaybolması ile ilgili aklımda bir ihtimal daha şekilleniyordu. Üniversitede sol fraksiyonlardan birine acemi bir militan olarak katılma olasılığı vardı. Ve bu da yabana atılır bir ihtimal değildi.

Bir yandan düşünüyor, bir yandan da kitapları incelemeye devam ediyordum. Her cins kitap vardı odada. Hatta çizgi romanlar bile. Rastgele birini raftaki dizilerden çekip çıkardım. İlgisizce sayfalarını çevirirken içinde bir fotoğrafla karşılaştım. İlgimi çekmişti. Allahtan o sırada Vural tam arkamda kaldığından, ne yaptığımı görmesi mümkün değildi. Rutubetli odada birbirine yapışmış iki ayrı fotoğraftı bunlar. Aceleyle bir göz attım. Biri arka planda denizin gözüktüğü, çam ağaçlarının arasında el ele tutuşmuş iki gence aitti. Kim olduklarını tahmin etmekte güçlük çekmedim. Parmağımla üsttekini aralayarak ikinci resme baktım. Bu çok yakın plandan çekilmiş, gençlerin yüzlerinin çok net görüldüğü bir fotoğraftı. Arkasında çocukça bir ifadeyle yazılmış not vardı. *En mutlu günümüzün ebedi anısı.. Emel-Kerim 5. Ağustos 1997.*

Elime her ikisini de teşhis için mükemmel bir belge geçmişti. Heyecanlandım, ama Vural'a hissettirmeden resimleri ceketimin cebine attım. Arkadaşımın durumu anlayıp anlamadığını hâlâ bilmiyordum. Kitabı yerine koyarken yan gözle ona baktım. Kapının eşiğinde kımıldamadan öylece duruyordu. Sanki oğlunun yokluğunda içeriye girmekten çekiniyormuş gibi. Benimle ilgilenmemişti. Bir an kendimi suçlu gibi hissettim. Bu yaptığım doğru değildi. Ne var ki, artık bu oğlanın sonucu ne çıkarsa çıksın, bulunması benim için farz olmuştu. Onun yüzünden dün gece evime baskın yapılmış ve iki saldırgan tarafından dövülmüştüm.

Kim ne derse desin, Vural'ın benden hâlâ bir şeyler sakladığına emindim. Dün gece aldığım darbelerden yüzümün şişmemesi için saatlerce buz tedavisi uygularken bu konuyu uzun uzun düşünme fırsatı bulmuştum. Şu veya bu nedenle Vural hayatta başarısız sayılabilirdi, ama onu yıllar öncesinden tanırdım; arkadaşım şimdiye kadar karşılaştığım en zeki insanlardan biriydi. Beni bu işe sadece çaresizlikten bulaştırıp bulaştırmadığını henüz kestiremiyordum. Herhangi bir nedenle benim bu işe girmemi istemişti. Bir art niyeti olduğunu düşünmek bile istemiyordum. Yine de olaylardan emin olmadıkça dün geceki saldırıdan şimdilik ona bahsedecek değildim.

"Tamam dostum, çıkalım buradan" dedim.

Onun odasına döndüğümüzde, ürkek ve çekingen bir ses tonuyla sordu.

"Ne düşünüyorsun Sinan? Oğlumu bulabilecek miyiz?"

"İnşallah. Ben elimden geleni yapacağım. Yalnız sen de bana yardım etmelisin."

"Tabii, şüphen mi var?" dedi.

Bu sabah gördüğüm manzaradan sonra sıkılmayı bir yana bırakarak, cüzdanıma el attım ve saymadan, üstü gazete örtülü masanın üzerine para bıraktım.

Utançtan yerin dibine girer gibi, "Buna hiç gerek yoktu" diye fısıldadı.

Oysa o an ben, ondan fazla ezik duyuyordum...

* * *

Nuh Kuyusu'ndaki evden ayrılarak Boğaz Köprüsü'ne giden yoğun trafiğin sabah kalabalığına girince cebimdeki fotoğrafları çıkardım. Yakından çekilmiş olanını direksiyona dayadım. Nasıl olsa, kağnı arabası gibi dur kalk gidiyorduk. Başladım resmi incelemeye.

Daha ilk bakışta, ikisi arasındaki yaş farkı görünüyordu. Emel çirkin ama sevimli bir kıza benziyordu. Uzun bir burnu, ince dudakların çevrelediği geniş bir ağzı vardı. Kerim'in yüzündeki saf ifade ise hemen göze çarpıyordu. Resim Heybeli ya da Büyük Ada gibi bir yerde çekilmiş olmalıydı.

Kızın, Kerim'in kaybolması ile bilikte Nuh Kuyusu'na uğramaz oluşu, insanın aklına ister istemez birlikte gittikleri fikrini çağrıştırıyordu.

Köprü üstünde bir karara vardım. Kızı araştırmak belki daha faydalı ve beni daha çabuk neticeye götüren bir yol olabilirdi. Onu bulursam, Kerim'i de bulacağım kanaati oluşmuştu içimde. O sabah duruşmam yoktu, cep telefonunu çıkarıp yazıhaneyi aradım ve sekreterime öğleye doğru geleceğimi söyledim.

Beşiktaş'a inen kavşağa saptım, niyetim Yıldız Üniversitesine gitmekti. Araştırmaya oadan başlayacaktım. Az sonra arabayı parkedecek bir yer buldum ve hafif hafif atıştıran kar altında arabadan indim.

Üniversite öğrenciliğimin üzerinden çok uzun yıllar geçmişti. Yıldız Teknik Üniversitesi'nin bahçesine girdiğimde o eski günleri anımsar gibi oldum birden. Neşeli, hareketli, cıvıl cıvıl bir yığın genç etrafımda acele ile koşuşturuyorlardı. Havanın soğukluğu hiçbirinin umurunda değilmiş gibiydi. Hemen yanı başımda el ele yürüyen, kabanlarının kapüşonlarını kaldırarak yağıştan korunan bir çift gözüme çarptı. Yaklaşıp, mühendislik fakültesine nereden gidebileceğimi sordum. Çenesinde kocaman bir beni olan delikanlı, "Hangi bölümü arıyorsunuz?" diye sordu. Bir an duraladım, Kerim ve Emil'in hangi bölümde okudukların bilmiyordum ve Vural'a da sormayı unutmuştum. Lanet olsun, diye mırıldandım içimden. Şimdi onları bulmak iğneyle kuyu kazmaya benzeyecekti.

"Ben, Emel isimli bir kız öğrenciyi aryorum" diyebildim.

Oğlan, umursamaz bir şekilde, "Öyle bulamazsınız, en iyisi idareye başvurun" dedi. Kız öğrenci daha yardım sever görünüyordu. "İnşaattan mı acaba?" diye sordu.

Şansımı denemek için, "Olabilir" dedim.

"Emel Korkmazcan mı?"

"Hayır, Emel Soylu."

Kız bir an kaşlarını çatarak düşünür gibi yaptı. Sonra arkadaşına dönerek, "Yahu şu senin arkadaşın Cem'in konuştuğu kızın adı neydi? Hani laza benzeyen uzun burunlu kızın? Emel Soylu, değil miydi?"

"Evet, evet.. tarifinize benziyor" diye mırıldandım.

Oğlan bana dönerek, "Ama şayet aradığın oysa makine bölümünde olmalılar. Soldaki binaya girin, bir kat yukarı çıkın. Orada bir daha sorun."

Teşekkür ederek yanlarından ayrıldım ve tarif edilen yere doğru yürüdüm. Binaya girdim, ikinci kat uzun bir koridor üzerindeydi. Sol yanda yer alan pencerelerin önünde kızlı erkekli altı yedi kişilik bir öğrenci grubu gülüşerek şamata yapıyorlardı.

"Gençler" dedim. "Makine bölümünün birinci sınıfından mısınız?"

Birkaç tanesi "evet" diye cevapladı. "Emel Soylu'yu aryorum; kendisini nerede bulabilirim acaba?" diye heyecanla sordum.

Birbirlerine baktılar.

En yakınımdaki, "Kusura bakmayın, tanımıyoruz" dedi. Tam yanlarından ayrılmaya hazırlanırken, kızıl saçlı yüzü çilli bir oğlan, "İzmirli Emel'mi?" diye sordu.

Kızın nereli olduğunu da bilmediğimden çaresiz, "Evet" dedim. Çilli oğlan bir süre kuşkuyla yüzüme baktı.

"Niçin aramıştınız?"

"Verilecek bir emanetim var da?"

O sırada aklıma başka bir cevap gelmemişti.

Oğlan garip bir şekilde kekeledi. "O uzun zamandr okula gelmiyor."

Böyle bir cevap alacağımı tahmin etmiştim zaten.

"Yaa," diye mırıldandım. "Eyvah ne yapacağım şimdi?"

Çilli beni süzmeye devam ediyordu.

"Yakını mısınız?"

"Hayır. Babasının bir arkadaşıyım. Bana fakültede bulabileceğimi söylemişti de."

"Dedim ya, uzun zamandır fakülteye uğramıyor."

"Ne kadar zamandan beri?"

"Okul açıldığından beri görmedim. Ben ikinci sınıf öğrencisiyim. Onu geçen seneden tanırım. Emanetiniz önemli bir şey miydi?"

Bozuntuya vermeden, "Babası para göndermişti" dedim.

Diğer çocuklar da ilgilenip, bizi dinlemeye başlamışlardı.

"Babasını da epeydir aramıyormuş, adamcağız merak ediyor."

"Evine baktınız mı?"

"Hayır" dedim. "Kaldığı yeri sormak aklıma gelmemişti. Fakültede bulacağımı sanmıştım. Galiba Üsküdar'da oturuyormuş, değil mi?"

Çilli hemen cevap verdi.

"Hayır, Gayrettepe'de."

"Kaldığı yeri sen biliyor musun, delikanlı?"

Oğlan nedense biraz kuşkuluydu. Bir süre yüzüme baktı. Cevap vermekte zorlandı.

"Evet biliyorum. Geçn sene bir defa evine çay içmeye çağırmıştı beni."

Nedense içimden bir his, bu çağrının sebebinin çay olmadığını söylüyordu. Ama beni hiç ilgilendirmezdi.

"Adresi verebilir misin?" diye sordum.

Kızıl saçlı hem adresi ezberden söyledi, hem de bir güzel tarif etti. Sonunda Emel Soylu'nun evini bulmuştum. Ama asıl sorun onu orada bulup bulamayacağım idi.

Teşekkür ederek yanlarından ayrıldım. Bu sabah talihim yaver gidiyordu. Ama hayatımın sürprizini az sonra yaşayacağımı tabii bilemezdim o an...

4

Kızıl saçlı öğrencinin verdiği adresi tarif üzerine elimle koymuş gibi bulmuştum. Dedeman Oteli'nin karşısına rastlayan sokak içindeki bloklardan birindeydi. Passat'ı zar zor parkedip apartmanın açık duran ana kapısından içeriye girdim.

Aradığım daire dördüncü kattaydı. Asansör olmadığından merdivenleri çıktım. Heyecandan yüreğim duracak gibiydi. Emel'i bulursam, içimden bir his Vural'ın oğlunu da burada yakalayacağımı söylüyordu. Beni en fazla ürküten şey, kapının duvar olmasıydı..

Soluklanıp, zile bastım.

Kalbim güm güm atıyor, heyecandan yerimde duramıyordum. Kapının açılmaması çok kuvvetli ihtimaldi.

İçerden yaklaşan ayak seslerini duyunca, yüreğim ağzıma geldi. Emel Soylu'yu bulmuştum. Kapı aralandı ve genç bir kız aralıkta göründü.

Bir an neye uğradığımı şaşırdım. Beni bu kadar şaşkınlığa sevkeden şey kapıyı açanın Emel olmadığı değildi. O an Emel'i, Kerim'i, Vural'ı hatta dün gece dayak yediğim insanları bile unutuvermiştim..

Hayatım boyunca bu kadar güzel ve kusursuz bir kızla karşılaşmamıştım. Yüzümde şaşkınlığım açıkça belli olarak bön bön kızın yüzüne bakakaldım.

O da kroke olmuş boksör gibi kendimden geçer halimi hissetmiş olmalıydı ki, hafif muzip ve gülümser şekilde:

"Evet, kimi aramıştınız?" diye sordu.

Şaşkınlığım biraz mübalağalı olmalıydı herhalde, ama o an bunu farkedecek halde değildim. Adeta refleks halinde başımdaki tüvit şapkayı hızla çıkartıp elime aldım. Subayı karşısında hazırola geçen bir asker gibi.

Fakat ağzımdan tek kelime çıkmamıştı. Donmuş gibi kıza

bakıyordum.

Herhalde insanlar üzerinde böyle şoke edici durumlara alışmış olmalıydı ki, gösterdiğim tepkiye pek aldırmadan, sorusunu tekrarladı.

"Evet, ne istemiştiniz?"

Bakışlarımı kızın menekşe rengi gözlerinden alamıyordum. Elizabeth Taylor'unki bile onun yanında yavan kalırdı. Açık altın sarısı uzun saçları omuzlarına dökülmüş, yarı aralık etli dudakları, hâlâ süregelen şaşkınlığım karşısında müstehzi bir şekilde kıvrılmıştı. Gözlerimi yüzünden ayıramıyordum. Neden sonra gösterdiğim beğeni ve hayret ifadesinin artık saygısızlık boyutlarına ulaştığını hissederek, "Affedersiniz" diyebildim.

Yine de ağzımdan başka kelime çıkmamıştı.

Cin gibi zeki olduğunu da o an anladım.

Akıcı, kulağa müzik gibi akseden, tatlı bir ses tonuyla:

"Neyi affedeceğim?" diye sordu.

Üzerimde yarattığı etkiyi bal gibi anlamıştı. Ama beğenilmekten hoşlanan her kadın gibi şimdi yarattığı bu şokun geriye dönen dalgalarını duyumsamak istercesine beni süzüyordu.

"Şey..." diyebildim. "Beni şaşırttınız."

"Neden?"

Omuzlarımı silktim.

"Bağışlayın ifadem belki size ters gelebilir ama karşımda beklediğim kişi hiç de sizin gibi güzellik yarışmasında mükafat kazanacak kadar latif ve havalı biri değildi. Ben sıradan bir öğrenciyi umuyordum karşımda. Galiba bir hata oldu ve yanlış yere geldim."

Yüzüne o çok yakışan tebessümü daha da yayıldı.

"Anladım, siz galiba karşınızda Emel'i bulacağınızı sanıyordunuz."

Emel'in adı geçince kendime gelir gibi oldum. Silkindim, evet, diyebildim.

"Kendisi burada mı? Görüşebilir miyim?"

"Akrabası falan mısınız?"

"Hayır."

"Arkadaşı olamayacak kadar da ondan büyüksünüz."

"Haklısınız. Ben babasının arkadaşıyım."

"Babasının, öyle mi?"

"Evet efendim."

Kızın yüzüne o çok yakışan tebessümü silinmişti. Mor susamları anımsatan gözlerinde garip parıltılar hisseder gibi oldum.

"Adınız nedir?" diye sordu.

"Sinan, efendim. Sinan Okyay."

"Sizi tanır herhalde?"

"Belki adımı babasından duymuştur ama benim kendisini daha evvel görmüşlüğüm yok."

"Öyle mi?" dedi manidar bir ses tonuyla.

Huylanmaya başlamıştım. Bu harikulade güzel kız fazla soru soruyordu.

"Onu niçin arıyorsunuz?"

"Ona verilecek bazı haberlerim var."

Kız sarı saçlarını bir baş hareketiyle arkaya attı.

"Bana söyleyebilirsiniz."

"Ama bu şahsi bir konu, kendisine iletmeliyim. Umarım takdir edersiniz?"

"Bu daireyi onunla paylaşıyorum. Arkadaşım sayılır. Bana söylemenizde hiçbir sakınca yok."

"Siz de öğrenci misiniz?" diye sordum.

Gülümsedi. "O kadar genç mi görünüyorum?"

"Evet."

"Ben geçen sene tıbbiyeyi bitirdim. Şimdi ihtisas yapıyorum."

"Yani şimdi karşımda Hipokrat'ın en güzel asistanı mı duruyor?"

"Asistanlık eğitimini sürdürdüğüm doğru ama o yakıştırmanız hakkında bir şey söyleyemeyeceğim."

"Pekala, beni içeriye almayacak mısınız?"

"Hayır" dedi.

Hayretle yüzüne baktım. "Neden?"

"Çünkü Emel evde yok."

"Dışarıya mı çıktı?"

Dik dik yüzüme baktı.

"Artık bu oyunu bırakın. Kim olduğunuzu bilmiyorum ama Emel'in babasının arkadaş olmadığınız kesin."

"Bunu da nereden çıkardınız?"

"Çünkü onun babası on beş sene evvel ölmüş. Hoş, bunun da doğru olup olmadığını bilmiyorum ya, ama Emel öyle söylemişti."

Gözlerimi kapatarak dudaklarımı kemirdim. Doktor hanım yalanımı yakalamıştı.

"Haklısınız" diye mırıldandım. "Ben onun babasının arkadaşı falan değilim."

"Hiç şaşmadım! Bornovalı bir kasaba öğretmenin arkadaşı olacak tipiniz yok."

"Emel ne zamandan beri buraya uğramıyor?"

"Çok zaman oldu. Şimdi söyleyin bakalım, siz kimsiniz?"

"Size bir açıklama yapmak zorundayım" diye fısıldadım.

"Evet sanırım bunu hak ettim. Deminden beri vaktimi alıp duruyorsunuz."

"Yalnız küçük bir soru daha sorabilir miyim?"

Güzel kız ilgisizce omuz silkti.

"Sorun bakalım onu da!"

"Kerim Toksöz adında genç bir üniversite öğrencisini tanıyor musunuz?"

Bir an mor gözleri daldı. Düşünmeye başladı. Kerim.. Kerim diye aklımdan verdiğim ismi tekrarlayarak anımsamaya çalışıyordu. Sonra omuzlarını silkerek başını salladı.

"Korkarım onu çıkaramadım. Zira Emel buraya bir yığın arkadaşını getirirdi. En kötü huyu da buydu zaten. Gürültü yaparlar, canımı sıkarlardı."

Cebimdeki fotoğrafları çıkardım ve bakması için uzattım. Resimleri aldı, incelemeye başladı. Elleri ve parmakları harikaydı. Uzun ve kırmızı ojeli tırnaklarıyla mesleğini nasıl icra ettiğini düşünmeye başladım. Bir doktorun bu kadar pürüzsüz ve bakımlı ellere sahip olabileceğini düşünemiyordum.

Sonunda evet, diye mırıldandı. "Bu genci hatırlıyorum. Bir iki kere buraya gelmişti. Sessiz, sakin ve utangaçtı. Emel ona sık sık profesör diyordu. Bir keresinde bana çok bilgili bir çocuk demişti. Hatta o tür bir gençle nasıl arkadaşlık kurduğuna şaşırmıştım.

"Neden?" diye sordum.

Kızın etli dudakları yine büzüldü. "Hiç birbirlerine uygun değildiler."

Kız sustu aniden ve bir açıklama yapmamı bekler gibi yüzüme bakmaya başladı. Susam çiçeği rengi gözlerin öyle etkisinde kalmıştım ki, niye sustuğunu bile anlayamadım. Sonra, "Evet", diye mırıldandım. "Size bir açıklama yapmaya söz vermiştim."

Bakışlarını üzerimden çekmeden bilgiç bir eda ile başını salladı.

Hemen elimi cüzdanıma atıp kartvizitimi uzattım. "Avukat Sinan Okyay" dedim. "Şimdi tanışmış sayılırız. İlginç bir hikaye dinlemek isterseniz artık lütfen beni içeriye kabul edin. Bana güvenin, zararsız biriyim. Saatlerce kapı önünde ayakta konuşmak zahmetinden de kurtulmuş oluruz."

Hâlâ dikkatle beni süzüyordu. Nedense garip bir çekingenliği vardı. Neden sonra kapıyı ardına kadar açıp, "Buyrun" dedi. "Kusura bakmayın, şu an ziyaretçi beklemiyordum ev dağınık."

"Hiç önemli değil."

İçeriye girdim. Üç oda ve ufak bir antreden oluşan eski bir daireydi. İki odanın kapısı kapalıydı. Beni ortadaki salon niyetine kullanılan yere aldı. Eşyalar oldukça eski ve demodeydi. Koltuklardan birinin üstünde rastgele fırlatılmış bir gecelik duruyordu. Acele ile gidip onu kaldırdı ve odadan çıktı.

İhtisas yaptığına göre hâlâ öğrenci saylırdı. Anlaşılan burayı Emel ile birlikte kiralamışlardı.

Yanıma döndüğünde karşımdaki koltuğa rahatça kuruldu. Ona en başından hikayeyi anlatmaya giriştim. Bu arada yeri geldikçe yorumlarımı da yapıyor, aklıma gelen ihtimalleri birer birer sıralıyordum. Beni dikkatle dinliyordu. Meraklandığı lacivert gözlerindeki harelenmelerden belli oluyordu. Konuşurken de onu inceleme olasılığını bulmuştum.

Aramızda belki on yaştan fazla fark vardı. Lakin güzelliği beni müthiş etkilemişti. Gözlerimi onu hiç rahatsız etmeyecek şekilde üstünde dolaştırıyordum. Bacaklarında, eski, rengi solmuş, blucin vardı. Dar ve kısa kesimli. Sık sık sırtındaki penye bluzu çekiştirmesine rağmen arada bir gergin karnını ve göbeğini görebiliyordum. Evin içi doğalgazdan çok sıcaktı. Bir ara, "Müsaade ederseniz pardösümü çıkabilir miyim?" diye sordum.

"Estağfurullah, tabii" dedi.

Anlaşılan anlattığım hikayenin etkisine girmiş ve artık yabancılığımı unutmuş gibiydi. Pardösümü ve elimde tuttuğum tüvit şapkamı antredeki portmantoya asarak geri döndüğümde ilk defa kıyafetimi dikkatle süzdüğünü farkettim. Madeni düğmeli lacivert blazerimin ve havacı mavisi gömleğime çok uygun düşen bordo kravatımın bana yakıştığını bilirdim. Bakışlarındaki ifade yeni bir heyecana kapılmaklığıma yetmişti.

Hikayenin en can alıcı noktasında, "Sizi işinizden alıkoymamışımdır umarım" diye sordum. Bir an ne dediğimi anlamamış gibi yüzüme baktı, sonra, "Hayır hayır, ütü yapıyordum. Önemli değil" diye mırıldandı.

Sıra dün geceki saldırı sahnesini anlatmaya gelince, film seyreden biri gibi heyecandan yerinde duramadı, iri iri açılan gözleriyle koltuğunda kımıldadı ve korkuya kapılmış gibi ayaklarını terliklerinden çıkararak altına aldı. Hareketleri o denli tabii ve rahattı ki, ben bile böyle bir oturuşun biraz hafiflik ve bir yabancının yanında hoş kaçmayacağını kabul edemezdim. Ellerini de dizlerinin üzerinde kenetlemiş soluksuz beni dinliyordu. Koltuğun kenarından açıkta kalan ayaklarını görebiliyordum. Ayak fetişisti olan benim gibi biri için en dayanılmaz andı bu. Bakımlı, duru beyazlıktaki bu ayaklar birden aklımı başımdan almıştı. Gözlerimi kırmızı ojeli bu ayaklardan alamıyordum. Terlediğimi hissettim, yerdeki halıya bakarak konuşmaya çalıştım ama olmuyordu bir türlü, nazarlarım ikide bir ayaklarına kayıyordu.

Kız birden durumu anlamış gibi ayaklarını indirdi ve terliklerini giydi.

Utanmıştm. İtimat ederek içeriye aldığı bir adamın asla yapmaması gereken bir saygısızlıktı bu. Cinsel bir heyecana kapıldığımı anlamasından rahatsız olarak üzüldüm. Durumu kurtarmak için, artık ayakları görünmemesine rağmen, hep, az evvel ayaklarının durduğu noktaya bakmaya devam ettim. Sözde böylece bakışlarımın tesadüfi olduğunu anlatmaya çalışıyordum.

Sonunda hikayem bitti.

Göz göze geldik. Yüzündeki ifadeden pek bir şey çıkaramadım. Doktor ağır ağır konuşmaya başladı.

"Emel söylediğiniz gibi altı aydan beri buraya gelmiyor. Arada sırada habersiz ortadan kaybolur ve yaklaşık bir hafta sonra ortaya çıkardı. Bu onun sorumsuz kişiliğinin göstergesidir. Bazen hırçın ve tahammül edilemeyecek davranışları olurdu, bazen de son derece yumuşak, uysal ve anlayışlı davranırdı. Bana göre psişik problemler taşıyan biri olduğu muhakkaktır. Ama uyuşturucu alışkanlığı olmadığına eminim. Öyle olsa kesinlikle anlardım, ne de olsa bir doktorum. Ahlâken pek mazbut biri olmadığını biliyorum. Hiç kuşkusuz bu benim biraz tutucu ölçülerime göre böyle. Şimdiki gençlik farklı değer yargıları içinde gelişiyor.

Bütün itiraz ve karşı koymama rağmen buraya da bir yığın erkek arkadaş getirdi ve onlarla sabahladı. Bu yüzden aramızda hır çıktı. Ortadan birden kaybolmasaydı bu evi ben terkedecektim."

Mor rengi gözlere baktım. Utanmış gibiydi.

"Anlıyorum" diye mırıldandım.

O devam etti. "Kerim dediğiniz oğlana gelince, onun hakkında yorum yapamam, zira yeterince tanımıyorum; ama emin olduğum husus şu ki, Emel onun peşinden asla gitmez. Benden yedi yaş küçük olmasına rağmen daha o yaşlarda gözlerinin pek yukarlarda olduğunu biliyorum. Söylediğiniz gibi meteliksiz bir genç ile asla hayatını birleştirmek ya da onunla beraber yaşamak gibi fikri olamaz. Onun için sadece geçici bir heves olmuştur. Bence olayın tek dikkat çekici yanı ikisinin de aynı tarihlerde ortadan kaybolmaları. Belki bir tesadüftür."

"Biraz garip bir tesadüf değil mi?" diye sordum.

"Haklısınız biraz garip" dedi. Sonra yutkunarak bir an tereddüt geçirdi.

"Galiba söylemek istediğiniz bir şey var" dedim.

Cevap vermedi hemen. Gözlerimin içine bakmaya devam etti.

"Bu işin peşini sürdürmeye devam edecek misiniz?"

"Evet."

Uzun parmakları blucinin üzerinde kararsız dolaşıyordu. Yüzü gölgelenmişti.

"Korkmuyor musunuz? Bakın, dün gece size saldırmışlar" diye fısıldadı.

"Korkunun ecele faydası yoktur."

O nefis mor gözlerini benden kaçırdı. O an beynindeki sorunun bu olmadığını sezinledim. Benden bir şey saklıyor ya da açıklamaya çekiniyordu. "Aklınızdaki söyleyin lütfen" dedim.

Beyninden geçenleri anladığımı hissetmiş gibi irkildi. Dudağının üstünün hafifçe terlediğini görebiliyordum. Mor gözleri irileşti yeniden.

Bu kıza fena halde çarpılmıştım. Yaşım gereği birçok kadın tanımış, birçoğu ile ciddi ilişkilerim olmuştu. Fakat yaşamım boyunca ilk defa bir kadının fiziki cazibesinin bu kadar etkisinde kalıyordum. Yerimden kalkıp, ona sarılmak, bedenini kollarımın arasına almak istiyordum. O harika yüze saatlerce hiç konuşmadan bakabilirdim. Bu kesinlikle salt cinsel istek değildi, doktor ruhumun ta derinliklerinde o güne kadar varlığını hiç hissetmediğim bir şeyleri yerinden oynatmıştı. İçimde bir yıkım olduğunu rahatlıkla duyabiliyordum. Şayet aşk denilen şey bu ise, ne yazık ki kırk yaşına kadar yaşamamıştım hiç..

"O adamlar...." dedi.

Duygu ve düşüncelerimden sıyrılmak biraz zor oldu. Birden ne kastettiğini anlayamayarak, "Hangi adamlar?" diye sordum.

"Size saldıranlar.. Bahsettiğiniz tarifler tutuyor.. Buraya da geldiler."

Bütün sinirlerim yay gibi gerildi birden. Hiddetten çıldıracak gibiydim. Karşımdaki güzel kızın tehlikede olabileceği fikri fena halde tepemi attırmıştı.

"Yoksa..." dedim. "Yoksa size de şiddet mi kullandılar?"

"Hayır hayır. Bana öyle bir şey yapmadılar. Sadece Emel'i sordular. Bir de gelişlerinden kimseye bahsetmememi ısrarla tembih ettiler. Kaba ve saldırganlığa çok müsaittiler. Üzerime dikilen bakışları çok korkunçtu. Onun için size anlatmakta zorlandım. İtiraf edeyim ki, hatırladıkça hâlâ ürperiyorum."

"Ne zaman oldu bu?"

"Epey zaman geçti. Üç aydan fazla, belki dört ay.."

Biraz sakinleşmeye çalıştım. Düşünmeye başladım. Kerim'in kaybolmasında mutlaka Emel'in bir parmağı vardı. Tabii bunun aksi de geçerli olabilirdi; yani Emel'i kaçıran ya da ortadan kaldıranlar herhangi bir nedenle oğlanın da ortadan kaybolmasında yarar görmüşlerdi. Bunu şimdilik kesin bilemezdik.

"Ne düşünüyorsunuz?" diye sordu.

Onu korkutmak istemiyordum ama onunla konuştuğumu anlarlarsa kız da tehlikeye girebilirdi. Doktor zeki biriydi, ne düşündüğümü hemen anlamıştı.

"Şimdi de benim için endişe ediyorsunuz, değil mi?" dedi.

"Evet. İstemeyerek sizi de tehlikeye sokmuş olabilirim. Bu adamların beni takip etmiş olma ihtimali var. Zira arkadaşım Vural'ın evine gider gitmez benim de bu işe bulaştığımı anladılar. Aptal gibi davrandım, takip edilip edilmediğimi kontrol etmedim."

Hiç sesini çıkarmadı.

"Bağışlayın" dedim. "Beni öyle etkiniz altında bıraktınız ki daha isminizi bile soramadım."

Aslında gaf üstüne gaf yapıyordum. Ağzımdan münasebetsiz bir laf çıkmıştı. Hayatlarmızın tehlikede olduğu bir anda, etkisinde kaldığımı söylemem ne kadar yersizdi. Yaptığım hatayı anlayınca kızarak suratına baktım.

Anlamamış görünmeyi tercih etti.

"Adım Jale" dedi. "Jale Yılmaz."

Şimdi mor gözlerinde hafif korku izleri okuyordum. Rahatı kaçmıştı. Huzursuzca konuştu. "Hiçbir şey anlamıyorum.. Niye tehlike içinde olayım ki? Ne bahsettiğiniz oğlanı tanıyorum, ne de Emel'in ne tür işlere karıştığını biliyorum? Benden ne isteyebilirler?"

"Sorun da bu ya! Bir şeyler öğrenmemizden korkuyorlar. Bu gençlerin kaybolmalarının bir sebebi var. Ne yazık ki ikimiz de o sebebi bilmiyoruz. Öğrenmemiz onları korkutuyor."

"Onlar diye kastettiğiniz kim?"

"Kuşkusuz sizi tehdit eden ya da bana saldıranlar değil. O serserileri bize gönderen kimliğini bilmediğimiz kişi veya kişiler."

"Polise başvurmayı düşünmüyor musunuz?"

"Şimdilik polise müracaatın bize yarar sağlayacağını sanmıyorum."

"Neden ama? Tehlikedeysek başka kimden yardım isteyebiliriz?"

"Elimizde polisi harekete geçirecek veriler henüz yok. Polis şu anda ne yapabilir ki? Bizi korumaya mı alacağını sanıyorsunuz?"

"Bilmem.. Bir şeyler yaparlar herhalde."

Düşünmeye başladım. Durum hiç hoşuma gitmiyordu.

"Bu evde yalnız kalmasanız daha iyi olur" diye mırıldandım.

Hayretle bana baktı.

"Ne yapabilirim?"

"Bir süre bir akrabanızın ya da bir arkadaşınızın falan yanında kalamaz mısınız?"

"Ben de İzmir'liyim. Emel'le birlikte kalmamdaki için tercih sebebim de buydu. Onunla aynı memleketliydik. İstanbul'da hiç akrabam yok. Kimsenin yanına gidemem."

"Koca şehirde hiç arkadaşınız da yok mu?"

Bir an düşündü, sonra "Var ama kimseye yük olmak istemem. Ayrıca dediğiniz gibi bir tehlike söz konusu ise bu onları da hadiseye bulaştırmak olmaz mı? Kimseyi yerinde tedirgin etmek istemem. Buna hakkım yok."

"Anlamıyor musunuz? Bu hayati bir tehlike olabilir. Canınız söz konusu."

Jale bunalmış gibi itiraz etti. "Biraz abartmıyor musunuz? Kim benim canıma kastedebilir? Ne sebeple? Benim altı ay önce Emel'le aynı evi paylaşmaktan başka ortak hiçbir yanım yok. Benden ne isteyebilirler?"

Belki de kız haklıydı. Olayı ben büyütüyordum. Güzelliğinin etkisinde kalmış ve ona bir zarar vermelerinden korkmuştum. Kendine gel Sinan, diye söylendim içimden.

"Umarım siz haklısınızdır" dedim sonra.

Artık Jale'yi daha fazla rahatsız etmenin sebebi kalmamıştı. Ayağa kalktım. Bir süre kıza tedirgin ve rahatlamamış olarak baktım. İtiraf etmeliyim ki içimden gitmek gelmiyordu. Ama o da bana, biraz daha oturun, size çay kahve ikram edeyim, diye bir teklifte bulunmamıştı.

Endişelerimi yüzümden okumuş olmalı ki, "Merak etmeyin" diye mırıldandı. "Bugün çilingir çağırıp kapıya bir zincir taktırıp, kilidi de değiştiririm."

Zoraki gülümsedim. "Çok iyi olur."

Portmantoya yürüyerek pardösümü ve şapkamı getirdi. Pardösümü giyerken, "Emel'in eşyaları hâlâ burada mı?" diye sordum.

"Hayır. Üç dört ay önce İzmir'e ailesine telefon ettim. Ailesinden biri geldi, hepsini toplayıp götürdü. Şimdi odası boş."

"Hepsi bu kadar mı?"

"Anlayamadım, ne bu kadar mı?"

"Yani ailesi kızlarının akibetini merak etmedi mi? Onun için endişelenerek polise falan başvurmadı mı?"

Jale başını salladı. "Bilmiyorum. Garip bir adamdı. Zaten aile, kızlarını hiç arayıp sormazlardı. Emel de onlardan pek bahsetmezdi. Kız anladığım kadarıyla yıllar önce onlardan kopmuş. Liseyi İstanbul'da bitirdiğini söylemişti bana. Sanırım uzun yıllardan beri İstanbul'da yaşıyordu.

"Burada akrabaları var mıydı?"

Jale hatırlamaya çalıştı.

"Çemberlitaş'ta dayısı vardı, ya da dayısının oğlu. Emin değilim. Bir kere bahsetmişti. Orada bir kundura mağazaları mı varmış, nedir, öyle bir şey."

"Onlarla teması olur muydu?"

"Bilmiyorum."

"Peki dayısı ya da her nesi ise, bu eve hiç gelir miydi?"

"Ben hiç görmedim. Ama evde olmadığım zamanlarda gelmiş ise onu bilemem."

Şimdilik aklıma soracak başka bir şey gelmiyordu. Tokalaşmak için elimi uzattım. "Sizi rahatsız ettiğim için çok özür dilerim" diye mırıldandım. "Ayrıca tanıştığım için de çok memnun oldum. Tatsız bir olay, dünyanın en güzel doktoruyla tanışma fırsatı verdi bana."

Gülümsedi, "İltifat ediyorsunuz."

"Hayır. Gerçeği söylüyorum."

Ağzımdan bir yığın sevgi dolu kelimeler çıkmak için sıra bekliyordu. Ama zorlukla kendimi tuttum. Alışık olmadığım bir çekingenlik içindeydim. Yarım saat evvel tanıştığım kızın yanında çapkın ve sulu bir adam durumuna düşmek istemiyordum. Şayet o an duygularımı ifadeye kalkışırsam kimbilir hakkımda ne düşünürdü. Modern çağın insanı artık ilk görüşte aşk denen şeye inanmıyordu. Hoş, ben de inanmazdım ya, fakat içinde bulunduğum ruh halini ifade edecek başka kelime bilgi dağarcığımda yoktu.

Jale elimi hararetle sıktı.

"Tanıştığımıza ben de memnun oldum" dedi.

Sizi bir daha görebilir miyim, demeyi çok isterdim ama söyleyemedim. Sadece, "Size kartımı bıraktım; başınız derde girerse sakın aramayı ihmal etmeyin" diyebildim ancak. Mor gözleri ışıldadı, "Söz veriyorum" dedi. "Sıkışırsam ararım."

Döndüm, tam kapıdan çıkarken cesaretimi toplayarak, "Ya benim aklıma bir şey gelirse sizi arayabileceğim bir telefonunuz var mı?" diye sordum.

Manidar bir şekilde gülümsedi. Tebessümü bana çok şey ifade ediyormuş gibi geldi. Onu mutlaka bir sebep yaratıp arayacağımdan eminmiş gibiydi.

"Tabii" dedi. "Size cep telefonumu vereyim. Haftada iki kez geceleri hastahanede nöbete kalıyorum."

Numarayı deftere kaydederek apartmandan çıkarken çocuk kadar sevinçliydim. Başka hiç izahı yoktu; dünyalar güzeli doktora galiba aşık olmuştum.

İKİNCİ BÖLÜM

1

Sonraki iki gün olaysız geçti. İşlerimin çokluğundan, katılmak zorunda olduğum bazı toplantılardan ve duruşmalarımdan dolayı Vural'ın oğlu ile ilgili bir araştırma yapma fırsat bulamamıştım. Fakat Jale bir türlü aklımdan çıkmıyordu. Telefonla aramamak için kendimi çok zorladım. Gün içinde çalışırken ya da biriyle laflarken kolaydı, oyalanabiliyordum, fakat akşamları eve dönünce, eskiden çok sevdiğim o yalnızlıktan nefret eder olmuştum. Susam çiçeği gözler hayalimden hiç çıkmıyordu. Liseli öğrencilere dönmüştüm. Hayalimde binbir fantezi üretiyordum; onu evimin odalarında, mutfağında, banyosunda dolaşırken, otururken, iş yaparken canlandırıyordum. Bazen bornozuna sarılı, vücudundan buharlar çıkarken yaklaşıyor, ilk görüşte çılgına döndüğüm bakımlı ayaklarını okşamam, öpmem için bana uzatıyor, bazen bedenini bana dayamış, altın saçlarının yaydığı nefis rayihalar içinde, beline sarılmış hafif bir müziğin eşliğinde salonda dans ederken tahayyül ediyordum Jale'yi. Artık bunlar kırk yaşındaki bir adam için biraz fazla fantezi olmaya başlamıştı. Hayatımın birden allak bullak olduğunu hissediyordum. Güzel doktor hayatımın gidişatını değiştirmişti.

O akşam eve döndüğümde telefonla aramaya karar verdim. Daha fazla dayanamayacaktım. Olumsuz bir cevap alacağımı da sanmıyordum. Telefonunu istediğim anda yüzündeki mütebessim ifadeyi hatırladım; adeta böyle bir isteği bekler gibiydi, belki istemesem bozulacaktı. Cesaretlenir gibi oldum.

Saatime baktım; yediydi. Belki hastahaneden eve dönmemiş olabilirdi. Kaça kadar mesai yaptığını da bilmiyordum. Karar verince evde duramaz oldum. İkide bir bileğimdeki saate bakıyordum.

Sehpanın üzerindeki telefon çalınca boş bulunup yerimden sıçradım. Arayan o olamazdı; ilk telefonu benim etmemi beklemesi doğaldı. Genellikle ev telefonumu müşterilerime vermezdim. İlk aklıma gelen Mahir oldu. Teniste kaybettiği viskileri aldığını bildirmek için aramış olabilirdi, ya da ikinci bir maça davet için. O ise, yandığımın resmi idi, yarım saat gevezelik ederdi şimdi. Telefonu açarken yemek yediğimi veya duşa girmek üzere falan olduğumu söylemeye karar verdim. Şu an onu çekecek halde değildim.

Telefonu kaldırıp "Alo" dedim.

Tanıyamadığım bir kadın sesi acele acele konuşmaya başladı. Ne söylediğini rahat anlayamıyordum. Ya hatlarda bir arıza vardı ya da kadın çok kısık sesle konuşuyordu. "Pardon.. Sesiniz iyi gelmiyor.. Biraz yüksek sesle konuşun" falan gibi bir şeyler mırıldandım. Neden sonra beynimdeki jeton düştü. Bu Jale'ydi..

Heyecandan ziyade telaşa kapıldım.

Kızın tam bir panik içinde olduğunu önsezilerimle kavramıştım.

"Ne oluyor Jale? Neredesin?" diye bağırdım. Evimin salonunda yankılar yapan kendi sesim kulaklarımda patlıyordu.

Bir ara hattın kesildiğini sandım. Hiç ses gelmiyordu. Jale, diye bağırdım tekrar.

Yeniden konuşmaya başladı. Sesi titriyor gibiydi ve şimdi anlattıklarını daha net duyabiliyordum.

"Sokaktayım" dedi. "Gayrettepe'de, PTT Müdürlüğünün önünde. Çok korkuyorum.."

"Neler oluyor Jale, anlatsana! Seni iyi duyamıyorum."

"Onlar... onlar dairemin kapısını kırmışlar. İçeriye girmişler. Herşeyi allak bullak etmişler. Ev darmadağınık.. Korkuyorum."

"Bekle beni" dedim. "Hemen oraya geliyorum. Sakın ben gelmeden eve dönme. Beni sokakta bekle."

"Nerede?" diye sordu.

Kız karanlıkta bekleyemezdi tabii. Hele böyle korkmuşken. Önce emin bir yere sığınması gerekirdi. Hızla düşündüm, bana tarif ettiği yere en yakın emniyetli yer Dedeman Oteli'nin lobisi olabilirdi. Oraya gitmesini söyledim.

"Anladım. Sizi orada bekleyeceğim" dedi.

Allahtan henüz soyunmamıştım, sırtıma anorağımı geçirip çılgın gibi bahçeye indim. Passat'ı elimden geldiğince hızlı sürüyordum. Neyseki yol tenha idi, eve biraz erken dönmüştüm, trafik yoğunluğu daha ziyade Rumeli yakasından Anadolu yakasına akan şeritlerdeydi. Genellikle temkinli ve yavaş araba sürdüğümden şimdi yaptığım hız bana çılgınlık gibi geliyordu. Takriben yirmi dakika sonra Dedeman'ın önünde durmuştum.

Lobiye daldım.

Jale koltuklardan birine ilişmiş, gözü kapıda beni bekliyordu. Yüzü sapsarı, mor gözleri korku doluydu. Yanına iliştim. "Korkma artık" diye fısıldadım. "İşte, yan başındayım, geldim. Şimdi her şeyi en başından bana anlat. Neler oldu?"

Ağlamamak için kendini zor tutuyordu. Beni yanı başında görünce rahatlamıştı biraz. Önce yutkundu sonra anlatmaya başladı.

"Saat yediye doğru eve döndüm. Yorucu bir gün geçirmiştim. Kapıyı açmak için çantamdan anahtarımı çıkarmaya hazırlanırken birden kapının aralık olduğunu farkettim. Dikkatle bakınca kilidin zorlandığını ve biri tarafından kırıldığını hemen anladım. İçimi korku kapladı. Sizinle yaptığımız konuşmaları hatırladım. İçerde birileri olabilirdi. Belki benim gelişimi bekliyorlar, diye düşündüm. Giremedim içeri. Hatta kapıcıyı çağırmayı düşündüm. Aralıktan içerdeki bütün ışıkların yandığını görebiliyordum. Merdivenleri gerisin geri indim. Kapıcının dairesi kilitliydi. Evde ne kendisi ne de karısı vardı. Bir altımızda emekli bir albay oturur. Yardım için onun kapısını çaldım, büyük aksilik onlar da evde yoktu. Sonra, kendine gel, korkma, diye telkinlerde bulunarak yukarı çıktm. Hiç ses aksetmiyordu daireden. Aralıktan içeriye bir göz attım. Birileri olsa görebilirdim. Son bir cesaretle içeriye girmeyi başardım. Gelenler her tarafı dağıtmış, sanki bir şey arıyormuş gibi tüm eşyalarımı karıştırmışlardı. Ödüm patladı. Her an geri dönmelerinden korkarak sokağa fırladım. Ne yapacağım bilemiyordum, aklıma siz geldiniz. Hemen sizi aradım."

Jale nefis gözlerini öne eğerek, "Çok üzgünüm" diye fısıldadı. "Sizin de huzurunuzu kaçırdım, buralara kadar yordum, affedersiniz."

"Hiç dert değil, takma kafana" dedim. "Ama sana bir kötülük yapmalarından endişelendim."

"Ne yapacağız şimdi? O eve dönmeye korkuyorum. Orada kalamam."

"Haklısın. Yanına gidebileceğin bir yakın olmadığını söylemiştin, değil mi?"

"Evet, öyle biri yok."

"Nişanlın ya da bir erkek arkadaşın da yok mu?"

Tuhaf tuhaf yüzüme baktı. "Öyle biri olsa, önce onu aramaz mıydım?"

"Haklısın" dedim.

"Hastahanede kalabilirim. Ama arkadaşlar niye geldiğimi soracaklar; kim nöbete gönüllü kalır? Hem kaç gün orada kalabilirim? Ne yapacağım şimdi ben?"

"Dur bakalım, paniğe kapılma hemen. Bir çaresini buluruz."

Düşünmeye başladım. Zaten bir oteldeydik, "Burada kalmak ister misin?" diye sordum. Utanarak başını önüne eğdi.

"Ben bir stajyer hekimim Sinan Bey" diye mırıldandı. "Bu tip otellerde kalmaya gücüm yetmez."

"Şimdi onu boşver. Bu belaya bulaşmana ben sebebiyet verdim. Emel'i bulmak için dairene gelmeseydim, peşimdeki adamlar seni rahatsız etmeyeceklerdi. Parayı düşünme onu ben karşılarım. Kendine emin bir yer buluncaya kadar burada kalırsın."

"Yoo, bu olmaz. Kesinlikle kabul edemem. Sizden para kabul edemem."

"Öyleyse borç kabul et. Yeterince para kazanmaya başlayınca bana ödersin."

"Hayır, olmaz. Zaten sorun sadece para da değil. Yalnız kalmaktan korkuyorum."

Aklımda çok daha iyi bir fikir vardı, fakat teklif etmeye çekiniyordum.

"Öyleyse benim evime gidelim" dedim nihayet.

Şahane gözler yüzüme çevrildi.

"Evli değilsiniz, değil mi?"

"Hayır."

"Ama herkes ne düşünür sonra?"

"Herkes mi? İkimiz de yetişkin insanlarız. Siz artık bir doktorsunuz. Kim karışabilir özel hayatımıza? Ayrıca biz sevgili de değiliz, sadece benim misafirim olacaksınız."

Biraz rahatlamış olarak gözlerimin içine bakmaya devam etti.

"Ya siz?" dedi. "Bunun doğru olduğuna inanıyor musunuz?"

O an aklından geçenleri anlamıştım. Benden ayrılmak istemiyordu, lakin bunu itiraf edecek cesareti kendinde bulamıyordu.

"Yürü gidelim" dedim.

İlk defa içten gelen bir samimiyetle elimi tuttu.

"Bir dakika. Evimin halini görmek istemez misiniz? Berbat bir durumda."

"Benim için önemli değil."

"Ama oraya uğramam lazım. Hiç olmazsa ufak tefek birkaç eşya almalıyım."

"Haklısın" dedim. "Önce dairene uğrayalım."

* * *

Passat'ı Jale'nin apartmanın önüne park ettim. Sokakta kimsecikler yoktu. Fakat onun kaldığı daire hariç bütün katlarda ışık vardı. Jale başını kaldırıp üst katlara baktı. "Albay'lar gelmiş" diye mırıldandı. Bir an yüreğim hop etti. Sevdiğim kızın cesaretlenip belki artık evimde kalabilirim, demesinden korktum. Onu yalnız bırakmak istemiyordum. Bir iki saat önce, bana asla gerçekleşmeyecek gibi gelen hayallerim hakikat olacak, Jale evimin her yanını canlı ve diri varlığıyla dolduracaktı.

Neyseki korkularımı doğrulayacak bir istekte bulunmadı.

Sessizce dairesine çıktık. Kapı hâlâ aralıktı ve içerdeki yanık bırakılmış elektrik ışığı antreye aksediyordu.

Kapının zorlandığı, keski gibi bir aletle kilidin kanırtıldığı açıkça belliydi. Her ihtimale karşı kapının kanadını parmağımın ucuyla ittim. Kanat biraz daha aralandı. Ev boş görünüyordu. İçerinin hali berbattı.

Meçhul ziyaretçiler sanki evde özel bir şey aramış gibi her şeyi didik didik etmişlerdi. Salonda serili ucuz iki makine halısı tortop edilerek bir yana fırlatılmıştı. Yan tarafta duran 1960'lardan kalma büfenin kapakları açılmış, içi aranmış ve boşaltılmıştı. Tabaklar sıra sıra yerde duruyordu. Bir iki tanesi kırılmıştı. Cilası bozulmuş parkelerin üstü sigara izmaritleriyle doluydu. Salona kesif sigara kokusu sinmişti.

Jale'nin yatak odasının hali daha da berbattı. Mesleki kitaplarının hepsi yerlerdeydi. Yatağı darmadağınık edilmiş, şiltesi bıçakla doğranmıştı. Öbek öbek dışarı fırlayan pamuklar yerlere dökülmüştü. Kenarda duran şifonyerin bütün çekmeceleri açılmış, iç çamaşırlar fırlatılıp atılmıştı.

Jale ağlayacak gibi yüzüme baktı.

"Tamam geçti artık" diye mırıldandım. "Korkacak bir şey yok. Ben yanındayım."

Genç kız hızla yatağın altından iki bavul çekti. Önce yerlere saçılan giysilerini toplayarak bavula tıkmaya başladı. Korkudan makine gibi hızlı hareket ediyordu. Burada bir an bile kalmak istemediğini anlamıştım. Az sonra bütün giysilerini iki bavula yerleştirmişti. "Gidelim mi?" diye sordum.

Yanıma yaklaştı. Mahcup bir edayla, "Burayı mobilyalı kiralamıştık. Evdeki eşyalar bize ait değil. Zarar gören eşyalar için mal sahibine maaşımdan ödeme yapmaya çalışırım. Fakat kitaplarımı ne yapacağım? Artık burada bırakamam" diye adeta inledi.

"Merak etme" dedim. "Araba aşağıda, şayet mukavva kolilerin varsa doldurup naklederiz.

Gözleri ışıldadı. "Var, evet" dedi. "Buraya taşınırken getirdiklerimi atmamıştım. Emel'in boş odasında duruyorlar."

"Hadi git getir. Ben de sana yardım edeyim."

Kitapları büyük mukavva kutulara doldurmak epey zamanımızı aldı. O dolduruyor ben de merdivenlerden indirip Passat'ın bagajına yerleştiriyordum. Arabanın arkasına dört koli sığdırmıştım. Bavulları da arka kanepeye bıraktım.

Jale bir süre gözleri nemli bir şey unutup unutmadığını anlamak için etrafa baktı. Ufak daire garip bir manzara arzediyordu. Dağınık ve pisti. Jale'nin eşyaları da çıktıktan sonra sessizliğe ve akibetine terkedilen batık gemiye benzemişti. Onu en son terkeden kaptan gibi hissettim kendimi. Jale birer birer ışıkları söndürdü. Artık çıkmak üzereydik. Kızın eli antrenin lambasını da söndürmek üzere duvardaki komandatöre uzanırken, "Dur biraz" diye bağırdım. Gözüm yerdeki bir şeye takılmıştı. Ufak, plastik mahfazalı bir şeydi.

Eğilerek yerden aldım.

Yanılmamıştım. Bu bir kimlik cüzdanıydı. Üzerinde palabıyık, esmer bir adamın resmi vardı. Adana Nüfus Memurluğu'ndan çıkarılmıştı. Adı Hasan Torlak'tı. İlk aklıma gelen benim evime baskın yapanlardan biri olup olmadığını hatırlamaya çalışmak oldu. Hüviyet cüzdanındaki resmi daha iyi görebilmek için ışığa tuttum. Hayır, kesinlikle onlardan biri değildi. Bana saldıranların simalarını gayet iyi hatırlıyordum.

Jale, "Nedir o?" diye sordu.

"Bu cüzdanın sizinle bir ilgisi var mı?" dedim.

Kız yaklaşıp cüzdana baktı.

"Hayır, kesinlikle yok. Resimdeki adamı da tanımıyorum."

"İyi düşün. Bu eve gelip Emel'i soruşturanlara benziyor mu?"

Jale emin olmak için resme bir daha baktı. Başını salladı.

"Hiç sanmıyorum. Onlardan biri değil. Bunu bu gece evime gelenlerden biri düşürmüş olmalı."

"Mümkündür" diye mırıldandım.

Jale yeniden bir korku nöbetine kapılmak üzereydi. "Bir an evvel buradan çıkalım. Adamlar düşürdüklerini anlarlarsa her an geri dönebilirler" diye kolumdan çekiştirmeye başladı. Evdeki son ampulü de söndürüp kapıyı kapattık. Kapıya bir göz attım, gerçi kapanmıştı ama kilitle fazla uğraşıldığından, hafifçe itilse açılacağından emindim.

Arabama doğru merdivenleri inerken içimi bir huzursuzluk kaplamıştı. Nüfus cüzdanı hikayesi eni konu endişelendirmeye başlamıştı beni. Profesyonel iki kişinin kızın evinde ne olduğunu henüz kestiremediğim bir şeyler aradığı muhakkaktı; ama böyle acemice kimliklerini tesbite yarayacak bir belge düşürmeleri hiç mantıklı gelmiyordu. Bizi kasten belirli mecraya çekmek isteyen bir tuzakla karşı karşıyamışız gibi geldi.

Kimlik sahibinin Adana'lı olması çok ilginçti.

Henüz bir bağlantı kuramıyordum ama, kaybolan Kerim Toksöz de bir zamanlar Adana'lı bir pamuk kralının torunuydu...

* * *

Jale yanıma oturdu ve ben de motoru çalıştırdım. Hâlâ nefes nefeseydi.

"Nerede oturuyorsunuz, Sinan Bey?" diye sordu.

"Suadiye'de."

"Ooo, epey uzakmış."

"Hastahanene gitmen için mi?"

"Yoo" dedi. "Onu dert etmeyin. Erken uyanır ve otobüse yetişirim. Zaten bu meslekte uykusuzluğa alıştım."

"Endişelenme. Her sabah arabayla seni ben götürürüm."

"Daha da neler! Yeterince size yük oluyorum zaten."

Bunun bana yük değil, büyük bir zevk olacağını ona henüz söyleyemezdim.

"Ne sakıncası var ki" diye mırıldandım. "Nasıl olsa her gün karşıya geçiyorum."

Sesini çıkarmadı.

Araba sokağın başına gelmiş, Dedeman'ın caddesine çıkıp trafiğe karışmak için hafifçe frene basmıştım. Arabalar hızla önümden geçiyorlardı. Bir iki saniye ayağım frende öylece bekledim. Gözüm tesadüfen arkadan dikiz aynasına akseden far ışığına takıldı. Bej rengi bir Ford Mondeo yaklaşıyordu. Jale'nin yanımdaki varlığı beni öylesine heyecanlandırıyordu ki, arkamdaki Ford'la ilgilenmedim. Yol açılınca ayağımı frenden çekip gazladım. Az sonra eski Kuşhane'nin altından köprü yoluna girmiştim. Trafik rahattı ve hızla ilerliyorduk.

Jale üzgündü. Yine de yabancı bir adamın evinde kalmak onu biraz rahatsız etmeye başlamış gibiydi. Yol boyunca olayı karşılıklı tahminler ve fikir yürütmelerle analiz etmeye çalıştık. Aslında yeni bir şey yaptığımız yoktu, aynı düşünceleri yineleyip duruyorduk.

Birden aklıma geldi.

"Aç mısın?" diye sordum.

"Yemek yiyecek zamanım olmadı ki" dedi. "Ama gırtlağıma kadar tokum. O olaydan sonra iştah mı kalır?"

Gıda rejimime oldukça dikkat eden biriydim. Yaş kırkı bulmuştu. Genellikle günde iki öğün yemeğe çalışır ve herkesin yediği abur cubur yemeklerden, fazla yağlılardan, karbonhidratlılardan kaçınırdım. Fakat şimdi evde bir misafirim olacaktı. Benim mutfağımda Jale'yi doyuracak yemekler pek bulunmazdı. Bekarlığımı da hesaba katarsak kızın evde büyük bir düş kırıklığına uğraması kaçınılmazdı. Kadıköy yakasına geçince arabayı Çiftehavuzlar'daki büyük bir şarküterinin önünde durdurdum. "Gel, yiyecek bir şeyler alalım" dedim.

Bu pek alışık olmadığı davet karşısında biraz yadırgayarak yüzüme baktı. Yabancı bir erkekle alışverişe çıkmayı da garipsemişti. Yüzünün kızarır gibi olduğunu gördüm.

"Benim gelmem şart mı?"

"Tabii.. Nelerden hoşlandığını bilemem ki?"

Bir an kararsız kaldı. Sonra kabalık yapmak istemezcesine arabadan fırladı.

Önce şarküteri bölümüne geçtik. Envai çeşit ithal peynirlerden aldık. Çoğu yağlı ve kalorileri yüksek şeylerdi; ama o anda hiç umurumda değildi. Salam, mortedella, jambon ve sosis aldık. Rus salatası, yeşil ve siyah zeytin, tereyağı, turşu, bal, bir iki çeşit reçel, dört viyol yumurta, baget ve tost ekmeğini servis arabasına yerleştirdim. Sonra donmuş yiyeceklerin bulunduğu dolapların önüne geldik. Karides, doğranmış patates, dondurulmuş fileto dil balığı, daha doğrusu ne görürsem arabanın içine ihtiyacımız olabilir diye tıkıyordum.

Bir ara yanıma iyice sokularak, "Bunları biz mi yiyeceğiz yoksa bir ziyafete davetlileriniz mi var?" diye sordu. Ben yine de ona aldırmayarak taze sebze ve meyva da aldım.

Artık ona siz diye hitap etmiyordum. "Bak" dedim. "Ben bekar adamım ve yemek yapmasını bilmem. Umarım sen biliyorsundur, aksi halde aç kalabilirsin."

O gece ilk defa içtenlikle güldü.

"Kendimi methetmeyeyim ama, annem babam benim yaptığım yemeklere bayılırlar."

"İyi öyleyse; aç kalmayacaksın demektir."

Her zaman alışveriş ettiğim yer olduğu için tezgahtarlar hafif mütebessim ve saygılı bir şekilde Jale'ye bakıyorlardı.

"Burada sizi tanıyorlar galiba?" diye fısıldadı.

"Evet ama onlar şimdi bana değil sana bakıyorlar. Genellikle beni hep yalnız görmeye alışık olduklarından seni yadırgadılar. Kimbilir belki sevgilim veya nişanlım sanmışlardır."

Susam çiçeği rengi gözlerin şahaneleştirdiği suratı birden kıpkırmızı oldu.

"Utanma canım, bu onların kanaati tabii" diye durumu tevil etmeye çalıştım.

Hınzırca yüzüme bir göz attı. İçimin eridiğini duyumsar gibi oldum. Torbalara doldurduğumuz yiyecekleri paylaşarak arabaya taşıdık. Bagajda yer yoktu, bavulların durduğu arka kanepenin üstüne yerleştirdik elimizdekileri. Çocuk gibi neşeliydim. Sanki kendimi daha şimdiden alışverişe çıkmış karı koca gibi hissediyordum. Onun yerine oturmasını bekledim ve kapısını kapattım. Sonra arabanın arkasından dolaşarak şoför mahalline ilerlerken kulağıma az geride çalıştırılan bir motorun homurtusu çarptı. Kafamı çevirip baktım, bej bir Ford Mondeo idi.

İlk defa o zaman irkildim.

Beynim birden çalışmaya başlamıştı..

Bu araba gözüme yabancı gelmiyordu. Hatırladım hemen. Bu Jale'nin sokağından çıkarken arkamdan yaklaşan arabaydı. Tüylerim diken diken oldu birden. Bir tesadüf olabilir miydi? Aynı arabanın Gayrettepe'den Çiftehavuzlar'a kadar peşimizden gelmiş olması neyle izah edilebilirdi? Başka şartlar altında bu olayı hiç önemsemeyebilirdim, ama durum şimdi farklıydı..

Passat'ın içine girdim, oturdum. Fakat motoru hemen çalıştırmadım. Arkamdaki arabanın hareket ederek gitmesini bekliyordum. Bir yandan da durumu Jale'ye hissettirmek istemiyordum; yanılmış olabilirdim ve bu, sakinleşmiş olan kızı yeniden kokutmaktan başka bir işe yaramazdı.

Oyalanmaya çalışırken, dikiz aynasından iki üç araba arkadaki Ford'u kolluyordum. Motoru çalışmasına rağmen hâlâ hareket etmemişti. Bizi bekliyor olmalıydı.

Jale halimdeki ürkekliği sezmiş gibi, "Bir şey mi var?" dedi.

"Yoo hayır," diye mırıldandım. "Arkadaki araba çok yanaş-mış da rahat çıkamayacağım galiba" diye bahane uydurdum.

Jale inanmıştı. Arkaya dönüp bakmadı bile.

Direksiyonu sola kırıp ağır ağır dükkanın önünden hareket ettim. Gözüm devamlı dikiz aynasındaydı. Ford da yola çıkmıştı.

Hâlâ takip edildiğimden tam emin değildim, içimden in-şallah ben yanılıyorumdur, diye geçiriyordum.

"Artık konuşmuyorsunuz" dedi Jale.

Bir şeyler söylemeliydim. Kızın huylanmasını istemiyor-dum.

Aklıma bir fikir geldi. "Ben çok açım" dedim.

Gülümseyerek, "Bir orduya yetecek yiyecek aldınız, eve gi-dence size bir şeyler hazırlarım."

"Ama benim bekleyecek halim yok."

Şaşırarak yüzüme baktı. "Sanırım Suadiye'ye yaklaştık."

"Sıcacık bir pizzaya ne dersin? Ya da nefis bir spaghettiye?"

Aslında niyetim eve gitmeden önce takip edilip edilmedi-ğimizden kesin emin olmaktı. Kız omuzlarını silkti.

"Nasıl isterseniz?"

"Tamam" dedim. "Önce karnımızı doyuralım. Nasıl olsa acelemiz yok."

Cemil Topuzlu Caddesi'nden Caddebostan'a yaklaşıyorduk ve Ford hâlâ peşimizdeydi. Işıklardan sola Bağdat Caddesi'ne doğ-ru saptım. Gözüm hâlâ aynadaydı. O da sapmazsa, yanıldığımı, yersiz ve anlamsız bir vehime kapıldığımı anlayacaktım. Gergin bir gece geçirdiğimden belki de her şeyden şüphelenir olmuştum.

Fakat Ford da sapmıştı.

Artık takip edildiğimizden emindim...

* * *

Cadde üzerindeki Pizza Hut'a girmiştik. Zar zor oturacak bir yer bulduk. Gözlerim kapıdan giren insanlara kayıyordu sık sık. Siparişlerimizi verip beklerken Jale birden:

"Takip ediliyoruz galiba" dedi.

Endişeyle yüzüne baktım.

"Takip mi? Onu da nereden çıkardın şimdi?"

"Hal ve davranışlarınızdan."

"Halimde ne var ki?"

"Alışveriş ettiğimiz dükkandan çıktığınızdan beri birden değiştiniz. Tedirgin ve sıkıntılı davranmaya başladınız. Sustunuz. Konuşkanlığınız kayboldu. Bana söylemiyorsunuz ama sizi endişelendiren bir şey oldu. Gözünüzü dikiz aynasında alamadınız. Korkmayayım diye de bana söylemiyorsunuz. Yanılıyor muyum?"

Hafifçe yutkundum ve bebek kadar masum yüzüne bakakaldım.

Cevap verememiştim.

"Sıkılmayın" dedi. "Siz yanımdayken onlardan korkmuyorum. İnsana güven ve itimat telkin ediyorsunuz. Sizle beraberken babamın yanında duyduğum huzuru hissediyorum."

Buraya kadar her şey hoştu, ama son cümleyi işitince keyfim kaçtı. Anlaşılan Jale beni babasının yerine koyuyordu. Sanki söylenecek başka laf yokmuş gibi:

"O kadar yaşlı mı görüyorsunuz beni?" dedim çekine çekine.

Harika ellerini uzatarak direksiyonun üzerinde duran ellerimi kavradı.

"Bunu demek istememiştim. Yanlış bir ifade kullandıysam bağışlayın. Her genç kız kendini babasının yanında huzurlu hisseder. Ayrıca siz..."

Duraladı bir an. Lacivert menevişli gözleri, göz bebeklerime çevrilerek parladı.

Cümlenin sonunu işitebilmek için sabırsızca sordum.

"Evet, ben?"

"Tanıdığım en yakışıklı erkeklerden birisiniz."

"Sahi mi?" dedim bütün yüzümü kaplayan mutlu bir gülücükle. Peşimizdekileri unutmuş, ruhumu tatlı bir sevinç dalgas kaplamıştı. Bu küçük itirafla sanki dünyalar benim olmuştu.

Jale hemen konuyu değiştirdi.

"Bej rengi Ford, değil mi?" dedi.

Nasıl tahmin ettiğini anlamamıştım.

"Nereden bildin?"

"Pizzacıya girerken devamlı o arabayı kolluyordunuz."

"Doğru. Az ilerimizde park ettiler. Arabanın içinde iki kişi var. Ama yüzlerini pek iyi seçemedim."

"Ne zamandan beri peşimizdeler?"

"Sanırım senin evinden çıktığımızdan beri."

Lacivert gözleri irileşti. Bir süre sustu.

"Herhalde sizi beklerken de peşimdeydiler" diye mırıldandı. "Ama bana bir şey yapmadılar. İsteseler yalnız başıma evden çıkarken saldırabilirlerdi. Karanlık ve tenha idi sokak. Anlayamıyorum, neyin peşindeler bunlar?"

"Korkma. Henüz ben de bilmiyorum ama mutlaka öğreneceğim."

Jale'nin eskisi kadar korkmadığı yüzünden belliydi.

"Arabanın plaka numarasını alabildiniz mi?" diye sordu.

"34 L.. fakat sonrasını okuyamadım."

"34 L 9436."

"Aferin. Nasıl başardın?"

"Çok basit. Sadece baktım."

Haklıydı. Lacivert gözlere hayran hayran dalıp, sırıttım.

"Çok akıllısın."

Beni duymamış gibi davranarak başını biraz yaklaştırdı.

"Acaba Emel'in sakladığı bir şeyi mi arıyorlar?"

"Ama artık Emel senin evinde değil ki. Bunu mutlaka biliyorlardır. Hem onlar senin eşyalarını didiklemişler."

"İyi ya. Emel'in bana bir şey bıraktığını düşünüyor olabilirler."

"Ne gibi bir şey?"

"Sinan Bey ne bileyim? Benimki sadece bir faraziye."

O sırada pizzalarımız gelmişti. Konuyu kapattık. Acıkmıştım. Uzun süredir hamur işi yemediğimden pizzayı iştahla atıştırmaya başladım. Tok olduğunu iddia eden Jale'den en az benim kadar zevkle yiyordu.

Doktor'un muhakemesinde haklı olduğunu düşündüm. Peşimizdekilerin niyeti kızı öldürmek veya bedeni bir eza vermek değildi. Öyle olsa bunu yapabilecek şansı ve zamanı bulmuşlardı. Bu yüreğime biraz su serpti.

Pizzalarımızı bitirdik.

"Tatlı bir şey yer misin?" diye sordum.

"Patlamak üzereyim" diye güldü.

Hesabı ödeyerek çıktık.

Tabii ilk işimiz Ford Mondeo'yu aramak oldu. Hayret, bej araba gitmişti..

Bakıştık. Ama ikimizin de rahat bir nefes aldığı yüzlerimizden belliydi..

* * *

Kapıcıyı çağırdım, emektar Tahsin Efendi, Jale'nin getirdiğimiz bavullarını ve kitap kolilerini daireme taşıdı. Her gören Jale'nin güzelliğinin etkisinde kalıyordu. Şarküterideki tezgahtarlar gibi kapıcım da tek kelime etmemekle birlikte yanımdaki kıza meftun olmuş gibi hayranlıkla bakıyordu. Devamlı sırıtıyordu. Genelde asık yüzlü bir adam olmasına rağmen doktorun eşyalarını zevkle yukarıya taşıdı. Suratında, durdu durdu sonunda turnayı tam gözünden vurdu der, gibi bir ifade vardı.

Zevklenmiştim. Eline ummadığı kadar bol bir bahşiş sıkıştırdım.

Jale iki yüz elli metrekarelik lüks dairemi çok beğenmişti. Ona evimi gezdirdim, kalacağı odayı gösterdim. Jale açık sözlü bir kızdı; duygu ve düşüncelerini hiç saklamadan ifade edebiliyordu.

"Harika bir eviniz var, çok beğendim" dedi.

"Teşekkür ederim" diye fısıldadım. "Yorgunsan hemen odana çekilebilirsin. Dinlenmeye ihtiyacın olabilir. Eşyalarını ve kitaplarını daha sonra da yerleştirebilirsin."

"Hayır yorgun değilim. Biraz laflamayı tercih ederim."

"Nasıl istersen. Bir kahve ister misin? Damıtılmış, nestcafe ya da Türk kahvesi?"

"Zahmet olacak size, ama şekerli bir Türk kahvesi içebilirim."

Kahveleri yaparak salona döndüğümde doktor koltuklardan birine oturmuş beni bekliyordu. İlk yudumu alırken:

"Niye bu yaşa kadar evlenmediniz?" diye sordu damdan düşer gibi.

Gülümsedim. "Beni yeni tanıyan çoğu insan bu soruyu sorar. Herhalde kısmet meselesi. Belirli bir nedeni yok. Zahir aklımı başımdan alacak birine henüz rastlamadım."

"Hımm!" dedi. "Yani aşk meselesi! Aşık olacak birini bulamadım demek istiyorsunuz."

"Bilmiyorum. Bugüne kadar evlilikte aşkın çok önemli bir rolü olduğunu düşünmüyordum. Bence prensiplerim doğrultusunda mantığa ve karşılıklı saygıya dayanan uyumlu bir anlaşmanın evliliğe giden yol olduğuna inanırdım."

"Sonra fikriniz mi değişti?"

Nedense ben kızardım..

Çekinerek, "Galiba" diyebildim.

"Yani şimdi evlilikte aşkın da vazgeçilmez bir şart mı olduğunu düşünüyorsunuz?"

"Sanırım öyle."

"Bu kanaata birkaç gün önce mi vardınız?"

Lacivert gözleri yine hınzırca parlıyordu.

Ok yaydan çıkmıştı. Sanki ona duyduğum hisleri açıkça itiraf etmemi bekleyen bir hali vardı.

"Doğru" dedim.

"Demek benden bu kadar hoşlandınız. İlk görüşte aşık oldunuz. Sizin yaşınızda biri için fazla romantik ve duygusal bir durum değil mi?"

Suçlu bir çocuk gibi başımı önüme eğdim.

"Bilmiyorum.. İlk defa başıma geliyor.. Ama olabilir."

Yüksek sesle güldü.

"Çok hoşsunuz. Hayatımda hiç sizin gibi birini görmedim."

Nefesim daralarak sordum. "Ne demek istiyorsun?"

"40'larda 50'lerde yaşıyor gibisiniz. Yaşadığımız zamanın çok gerilerinde kalmışsınız. Gerçekten sizin gibisine zor rastlanır. Günümüzün kadın erkek ilişkilerinin boyutlarını kavrayamamış bir haliniz var."

"Bunun benim duygularımla ne ilgisi var?"

Hafif sinirlenerek sormuştum bu soruyu. Küçümsendiğim, alaya alındığım hissine kapılır gibi olmuştum.

"Lütfen" dedi. "Sizi incitmek istemedim. Sadece halinizi yadırgadım. Kapıma geldiğiniz ilk anda, yüzümü görür görmez ne hale girdiğinizi çok iyi anımsıyorum. Daha o anda yıldırım çarpmış gibi bana tutulduğunuzu anladım."

"Ciddi mi söylüyorsun?"

"Bunu her kadın anlar. Umarım inkar etmeyeceksiniz?"

"Hayır."

"Çok güzel bir kadın olduğumu biliyorum. Bana yönelttiğiniz o hayran bakışları sık sık erkeklerin yüzünde görmeye alışığım. Çoğu bir vesile icat ederek yanıma yaklaşmaya, arkadaşlık kurmaya, ya da benden istifade etmeye çalışırlar. Ve genellikle de niyetleri kötüdür. Bir an önce yatağa atmaktır istekleri."

Kıpkırmızı kesilmiştim.

Kahve fincanını yanımdaki masaya bırakarak ayağa kalktım.

"Benim için de böyle düşünüyorsan yanılıyorsun."

"Hayır. Hemen sinirlenmeyin; öyle düşünmüyorum. Yoksa ne olursa olsun buraya gelmezdim."

Sesimi keserek yüzüne baktım.

O da ciddileşmişti.

"Sizin farklı olduğunuzu biliyorum. Bunu sezgilerimle anladım. Siz dürüst bir insansınız ve bana gerçekten aşık oldunuz."

"Buna nasıl emin olabilirsin?" diye sordum. "Yalnız sezgilerle emin olunacak şey değil bu. Güvenmek, tanımak, emin olmak lazım."

"Haklısınız. Sizden de şüphelendiğim an oldu."

"Öyle mi? Ne zaman?"

"Hadi Sinan Bey, saklamayın. İlk geldiğiniz gün çıplak ayaklarıma nasıl baktığınızı gördüm. Onlar tam şehvet ve ihtiras dolu bakışlardı."

Yeniden utanarak nazarlarımı kaçırdım.

"İtiraf edin, doğru mu söylüyorum."

"Elimde değildi. Onlar şimdiye kadar gördüğüm en güzel ayaklardı. Hislerimi belli ettiğim için utanıyorum, ama ne yazık ki doğru."

"Ya gözlerim, vücudum? Boyum, ince belim, havam? Onlara da hayranlıkla bakmadınız mı?"

Doktorun cüretkar ve pervasızlıkla söyledikleri karşısında şaşkına dönmüştüm.

"Hepsi doğru" dedim. "Seni seviyor ve arzu ediyorum."

Sesimin tonu biraz yüksek çıkmıştı.

Ayağa kalkıp yanıma geldi. Elimi tuttu çocuk gibi masum bir ifade ile yüzüme baktı. "Çok hoş bir insansınız, Sinan Bey" dedi.

Aklım karışmış, düşüncelerim birbirine girmişti. Nefesimi tutarak:

"Benimle evlenir misin?" diye sordum.

Başın iki yana salladı ve "Hayır" dedi...

2

Vural'la karşılaştığım 20 Aralık gününe lanet ediyordum. Tüm yaşamımın gidişatını değiştirmişti. Olaylar karşıma ilk görüşte çarpıldığım bir kadın çıkarmış ve ne olduğumu anlayamadan kendimi itilmişliğin ve umutsuzluğun içinde bulmuştum.

Sabahın köründe, Jale'yi Çapa'daki hastahanesine götürürken direksiyona sıkı sıkı sarılmış, tek kelime etmeden arabayı sürüyordum. Aklım hâlâ dün gece evlenme teklifine aldığım "hayır" cevabındaydı. Kız, hayır'ın bir açıklamasını yapmamıştı, ben de sormayı kendime yediremimiştim. Belki de davranışım yanlıştı, surat asmakla bir yere varılamayacağını biliyordum fakat tartışılacak bir şey de yoktu. Hayır, hayırdı işte; açık, sarih ve net bir cevap almıştım. Daha ne sorabilirdim ki?

İstiyorsan gidebilirim, demişti. Aslına bakılırsa, çok saçma bir laftı. Gecenin o saatinde nereye gidebilirdi? Şehirde ne akrabası ne de yanına sığınabileceği kimsesi olmadığını söylemişti; yeterince parası olmadığına da emindim. Nasıl istersen demek verilecek en kaba, insafsız ve asla kişiliğime uymayacak bir cevap olurdu. Başımı önüme eğip, ne kadar istersen kalabilirsin burada demiştim. Teşekkür ederek, yarın kendime kiralık bir ev arayacağım, diye karşılık vermişti.

Bir daha o konuya dönmemiştik. O da yorgunluğunu bahane ederek odasına erken çekilmişti. Sabahleyin çok erken uyanıp kahvaltı hazırlamıştım. Bütün geceyi moral bozukluğu içinde uykusuz geçirmiştim tabii. Ertesi sabah ikimiz de biraz asık suratlı ve kırgın olarak kalkmıştık.

Şimdi de arabada tek kelime etmiyorduk.

Göztepe'ye yaklaştığımız sırada, "Yeni bir daire bulmak için elimden gelen azami gayreti göstereceğim. Belki hastahane civarında ucuz bir yer bulurum. Bir iki gün daha yanınızda kalmamın bir sakıncası var mı?" diye sordu.

"Estağfurullah Jale Hanım" dedim. "Sizi sıkboğaz edecek değilim ya. Ne zaman ev bulursanız o zaman gidebilirsiniz.

Kendinizi sıkmaya gerek yok. Tabii benim açımdan."

İster istemez yine siz diye hitap etmeye başlamıştım.

"Teşekkür ederim" diye fısıldadı. "Gösterdiğiniz iyi niyeti kötüye kullanmayacağım, buna emin olabilirsiniz."

Zoraki gülümsedim. O şahane gözlere bakmak istemiyordum. Elimi cebime sokup anahtar uzattım.

"Bu nedir?" diye sordu.

"Dairemin yedek anahtarı. Sizde kalsın, ihtiyacınız olabilir. Evde beni bulamazsanız kapıda kalmayın."

Hiç sesini çıkarmadan anahtarı aldı. Alırken belki tamamen rastlantı belki değil, parmakları elime değdi. Bir an elektrik çarpmış gibi etkilenmiş, vücudumun her zerresine sıcak sıcak bir şeylerin dağıldığını duymuştum. Ona bakmamaya gayret ettim. Dönüp o şahane lacivert gözleri görürsem yeniden saçmalamaya başlayacağımdan emindim.

Tüm dikkatimi yola vermeye çalıştım.

Trafik yoğunlaşıyordu. Çapa'ya gelinceye kadar uzun yol boyunca tek başka kelime etmedik. Hastanenin önünde durduğumda hiç beklemediğim bir davranışta bulundu.

Arabadan çıkmadan önce çantasını kavrayıp bana yaklaştı ve yanağıma hafif bir öpücük kondurdu.

Şaşırmıştım. Bu kendisinden hiç beklemediğim bir davranıştı. Yüzü ışıl ışıl ve o şahane gözlerde mutlu bir sevginin parıltıları vardı.

"Siz mükemmel bir insansınız" diye fısıldadı, sonra hızla kapıyı açıp dışarı fırladı. Arkasını dönüp bir kere bile olsun bakmadı.

Direksiyonun başında donakalmıştım. Uzun süre kalabalığın arasına karışıp gidişini izledim. Ne düşüneceğimi şaşırmıştım...

* * *

Tabii günü berbat geçirdim. Saat on birde bir duruşmam vardı ama kendimde duruşmaya gidecek takatı bulamıyordum.

Yanımda çalışan yardımcı avukatlarımdan birini duruşmaya gönderdim. Durumumun hiç de hoş olmadığının farkındaydım. Sekretere kim ararsa büroda olmadığımı söylemesini tembih ettim. Konuşacak bile takatım yoktu.

On buçuk sularında diğer yardımcım Yalçın Okan adliyeden döndü. Onu hemen yanıma çağırdım. Dün gece Jale'nin evinde bulduğumuz hüviyet cüzdanını uzattım.

"Bu ne ağabey?" diye sordu.

"Bu kimliği araştırmanı istiyorum. Savcılığa git, soruştur bakalım. Sabıkası falan var mı? Şu senin Başkomiseri de bir yokla. Belki adresini bulurlar."

"Hayrola ağabey? Şu sizin kayıp oğlanla mı ilgili?"

"Evet."

"Nerede buldunuz bunu?"

"Yalçın şimdi hiç izahat verecek halim yok. Sen dediğimi yap lütfen."

Delikanlı garip garip yüzüme baktı. Beni böyle görmeye alışık olmadığı için hayrete düştüğünü anlıyordum. Peki ağabey, deyip gitti.

* * *

Yalçın üç buçuğa doğru büroya döndü. Yüzünde neşeli bir ifade vardı. "Tamam ağabey, adamın kimliğini tesbit ettik. Maalesef pek sağlam bir ayakkabı değil" dedi.

"Ne öğrendin?"

"Sabıkalı. Gasp, ırza geçme ve yaralamadan üç mahkumiyeti var. İki sene evvel hapisten çıkmış. Evli ve üç çocuklu. Kasımpaşa'da oturuyor ve halen bir fabrikada ustabaşı olarak çalışıyor."

"Kasımpaşa'daki adresini alabildin mi?"

"Kaçar mı ağabey!"

"Aferin iyi iş görmüşsün."

Yalnız bir nokta tuhafıma gitmişti; adam elini ayağını böyle işlerden çekip bir fabrikada ustabaşı olmuşsa, neden yine kirli işlere bulaşıyordu acaba? Aslında bu tür sabıkalılar kolay kolay o dünyadan kendilerini çekemezlerdi.

"Hangi fabrikada çalışıyormuş?" diye sordum.

"Topkapı'da, Kalaycıoğlu iplik fabrikasında."

Afallayarak yardımcımın yüzüne baktım.

"Cahit Kalaycıoğlu'nun fabrikasında mı?"

Şaşırmamı yadırgamıştı. "Onu bilmiyorum ağabey" diye mırıldandı. "Fabrikanın sahibini de öğrenmemiz şart mı?"

"Hiç durma, hemen incele."

Yılmaz odamdan çıkarken garip bir huzursuzluk içimi kaplıyordu. Arkadaşım Vural'ın eski karısının mülti milyarder kocası Cahit Kalaycıoğlu'nun yanında çalışan sabıkalı bir serseri, sevgilimin evinde ne arayabilirdi ve onu niçin takip ediyordu?..

Dün gece Ford'la bizi takip eden iki kişinin artık Emel ve Kerim'le alakası olmadığını düşünmeye başladım. Bu herifler Jale'nin peşinde olmalıydılar. Basit bir araştırmada karşıma Cahit Kalaycıoğlu'nun çıkması aklımı çok karıştırmıştı..

* * *

Akşamı zor ettim. Yalçın, Topkapı'daki fabrikanın Cahit Kalaycıoğlu'na ait olduğunu hemen öğrenmişti. Şaşkınlığım daha arttı. İş yerlerinin belirli oranlarda hükümlü çalıştırmalarına dair kanuni mecburiyet vardı, fakat uygulamada bunu yapan işyerleri parmakla gösterilecek kadar azdı. Kalaycıoğlu'nun, Hasan Torlak adındaki o adamı, ustabaşı olarak değil de, bazı kirli işleri için kullandığına adım gibi emindim şimdi. Cahit Kalaycıoğlu'nu incelemek ve araştırmak zorundaydım. Bu hiç de umduğum kadar zor bir şey olmayacaktı. Türkiye'nin en zengin adamlarından biriydi.

Gün kararınca yazıhanemde oturamaz oldum. Aklım fikrim Jale'de idi. Acaba Suadiye'ye kaçta dönerdi. Akşam altıya kadar hastahanede çalıştığını dün öğrenmiştim. Çapa'dan Suadiye'ye dönmesi, umumi vasıtaları kullanacağına göre, nereden bakılsa iki saati bulurdu. Aklımdan hangi vasıtaları kullanarak, en kestirme yolun ne olabileceğini düşünmeye başladım. Nasıl olsa bir pundunu bulur bu gece sorarım, dedim. İçimden hemen kiralık bir ev bulmasın diye de dualar ediyordum. Aslına bakılırsa hem ağlanacak hem de gülünecek bir hale gelmiştim.

Beşte yazıhaneden fırladım, daha fazla tahammül edemeyecektim. Arabaya atladığım gibi Suadiye'nin yolunu tuttum. Hava çok soğuktu ve hafif hafif kar atıştırıyordu. Sekreterim Gönül daha bir hafta kadar havaların kar yağışlı olacağını söylemişti bugün.

Arabayı bahçeye park edip asansöre atladım. Daha bu saatte dönmesi adeta imkansızdı; ama ben, zayıf bir ihtimalle evde olabilir, diye önce zili çaldım sonra bendeki anahtarla kapıyı açtım. Hayret, evin bazı ışıkları yanıyordu. Mutfak tarafından da çatal bıçak sesleri geliyordu. Jale tahminimden erken dönmüş olmalıydı.

Mutfaktan kulaklarıma billur çınlaması gibi akseden sesi geldi.

"Sinan Bey? Siz mi geldiniz?"

Hâlâ ortalarda görünmüyordu.

Mutfağa doğru seslendim. "Evet, benim. Telaşlanmayınız."

Pardösümü antredeki kapalı dolaba astım. Ağır ağır mutfağa doğru yürürken birden mutfak kapısının önünde belirdi.

Neredeyse nefesim kesilecekti. Bir an karşımdaki görüntünün Jale olup olmadığından şüpheye düştüm. Onu bu ana dek hep sıradan ev kıyafetleri ya da işe giderken giydiği bol, vücut hatlarını yeterince aksettirmeyen, günlük giysiler içinde görmüştüm. Oysa şu anda karşımda duran kız çok farklı biriydi.

Yerime mıhlanıp kalmıştım. Bu kadar farklılaşacağını aklımın ucundan bile geçiremezdim. Aptal aptal seyre başladım.

Yüzünde o her zamanki çıldırtıcı sinsi tebessüm vardı. Güzelliği ve baştan çıkarıcı giysileri ile beni nasıl büyülediğinin farkına vararak, kadınlığının gururunu yaşıyordu. Uzun sarı saçlarını topuz yaparak başının üstünde toplamıştı. Ne kadar ince ve narin bir boynu olduğunu ilk defa farkediyordum. Saçlarıyla uyum sağlayan açık renkli, çiçek desenli, ipek bluz giymişti. Önden iki düğmesi açıktı ve göğüslerinin gölgeli aralığı açıkça farkediliyordu. Altında siyah zarif bir pantolon vardı ve ayaklarına sanki beni etkilemek istercesine, uzun ince topuklu, tek bantlı bir terlik geçirmişti. Evin içinde hafif bir aseton kokusu duyar gibi oldum. El ve ayaklarındaki domates kırmızısı ojeyi galiba henüz sürmüştü.

Taş bir heykele döndüğümü hissediyordum.

Lacivert gözlerindeki muzaffer ışıldamalar kaybolmamıştı. "Size yemek hazırladım. Hiç olmazsa bir yararım dokunsun diye düşünmüştüm. Ama kaçta geleceğinizi bilmediğimden henüz hazır değil. Çok aç mısınız?"

Bu değişik ve faklı görünümünün öyle etkisinde kalmıştım ki, önce ne diyeceğimi kestiremedim. Sadece teşekkü ederim, diye mırıldandım.

"Hadi salona geçin" dedi. "Yemekten önce bir viski içer misiniz? Maşallah evde her çeşit viski var. Ama genellikle Amerikan viskileri. Bourbon seviyorsunuz galiba."

Ağzım açık, kendi evimde bir misafir gibi salona yürüdüm. Nazarlarımı hâlâ üzerinden alamıyordum. Yassı bir bardağa iki parmak kadar Jack Daniels koydu. Sonra şuh bir edayla sordu. "Buz mu su mu?"

Adeta çöktüğüm koltuktan, "Biraz su, lütfen" diyebildim. Hâlâ kendime gelememiştim. Sabahleyin ayrılırken hâlâ stajın tamamlamaya çalışan bir tıp öğrencisi olarak bırakmıştım onu, ama şimdi değme salon kadınlarına taş çıkaracak nefasette, harika bir yaratık bulmuştum.

Viski bardağına getirip elime uzattı. Ama bu kez kasten parmaklarını benimkilere değdirmekten kaçındığını hissettim. Ne yapmaya çalışıyordu bu kız? Niyeti beni çıldırtmak mıydı yoksa? Onun kendi evinde bu şekilde giyinip dolaşmadığına adım gibi emindim. Bu mizanseni isteyerek hazırlıyordu. Ama benim ağzımdan asla kolay kolay çıkmayacak evlilik teklifini bile reddettiğine göre amacı ne olabilirdi?

Karşımdaki geniş koltuğa oturdu, zarif bir şekilde bacak bacak üstüne attı.

Hâlâ konuşamıyordum.

Susam çiçeği renkli gözler üzerime çevrilmişti ve etli dudakları alaycı şekilde aralık duruyordu.

"Beğendiniz mi?" dedi.

Saf saf, "Neyi?" diye sordum.

"Viskideki su oranını tabii."

Hain benimle alay ediyordu galiba. Beğendiniz mi, diye sorarken aslında neyi ima ettiğini bal gibi biliyordu. Kaşlarım çatıldı.

"Güzel" dedim. "Hem de çok güzel. Ama ben aç karnına içki içmem."

Bir an yüzü bulutlanır gibi oldu.

"Hoşunuza gider diye hazırlamıştım."

"Hoşuma gittiğini sen de pekala biliyorsun, ama bu oyun niye?"

Hiçbir şey anlamamış gibi suratıma baktı. Hemen konuyu değiştirdi.

"Bu akşam yorgun görünüyorsunuz. Çok mu çalıştınız?"

Cevap vermedim, ısrarla gözlerinin içine bakmaya devam ettim. Sonra elimdeki bardağı bir dikişte yuvarladım.

"İzin verin de fırındaki yemeğe bir bakayım" dedi. Koltuktan fırlayıp mutfağa seğirtti. Sinirlenmeme rağmen arkasından gözlerimi alamadım. Son derece ahenkli yürüyordu; adım atışları mankenlerinki kadar dikkat çekiciydi.

Nedense sonra salondaki geniş masaya sofra kurduğunu farkettim. Bu gece değişik giyimi ve çekiciliği ile beni öylesine sersemletmişti ki, evimde olan bitenleri bile göremiyordum. Benim yokluğumda evi karıştırmış olmalıydı, masaya tiril tiril keten bir örtü örtmüştü, ne zaman aldığımı bile hatırlamıyordum. Aynanın önündeki iki büyük şamdanı masaya yerleştirmiş, mumlarını yakmıştı. Yani başbaşa yenecek, romantik bir yemek için gerekli her türlü ortamı hazırlamıştı.

Galiba kaba davrandım, diye düşünmeye başladım.

Öyle ya beğenildiğini ve sevildiğini anlayan her kadının giyinip süslenmesi, o erkeğe hoş görünmesi kadar tabii ne olabilirdi? Herhalde giydiklerini kendine yakıştırması suç olamazdı. Bana sürpriz yapmış, yemek hazırlamış, belki de gönlümü almaya çalışmıştı. Hata bendeydi.

Yerimden kalktım, mutfağa yürüdüm.

Gergin ve suratını asık bulacağımı sanıyordum. Mutfak kapısının önünde durdum. Bana bakıp gülümsedi. "Beş dakikaya kadar yemekler hazır" dedi.

"Affedersin" diye mırıldandım. "Kaba davranışım için beni bağışla."

"Estağfurullah. Ne yaptınız ki?"

"Beni şaşırttın.. Adeta seni tanıyamadım. O kadar güzel olmuşsun ki."

"Teşekkür ederim."

Aramızdaki buzların henüz eriyip erimediğini kestirememiştim.

"Sana yardım edebilir miyim?" diye sordum.

"Her şey hazır. Siz sofraya oturun. Az sonra servis yapabilirim."

"İçki içer misin?"

"Belki bir kadeh şarap."

"Hemen hazırlayayım" dedim.

Mutfaktaki şarap dolabının başına geçtim. Kalite California ve Fransız şaraplarım vardı. "Beyaz mı, kırmızı mı?" diye sordum.

"Ben şaraptan pek anlamam. Size güzel olduğunu sandığım et sote yaptım. Galiba etle kırmızı şarap içilirmiş, öyle derler, yanılıyor muyum?"

"Doğrudur."

"Siz her gece içer misiniz? Evde çok içki var da."

"Hayır, her gece içmem."

Fırındaki tepsiyi çıkarırken bana bakıp gülümsedi.

"Ümit ederim, evinizi sizin izniniz olmadan biraz karıştırdığım için bana kızmamışsınızdır. Daha hiçbir şeyin yerini bilmiyorum da."

"Estağfurullah" diye mırıldandım. "Burada kaldığın sürece senin evin de sayılır."

Fırından çıkardığı böreği kayık tabağa yerleştirirken:

"Çok anlayışlısınız" dedi.

Şarap şişesinin mantarını çıkarıp masaya gittim. Yemekleri masaya beraber taşıdık. Ben kadehlere şarap koyarken o da yemeklerin servisini yaptı.

Gözlerimiz buluştu bir an.

"Mutluluğuna" dedim kadehimi kaldırırken.

"Sizin de."

İlk lokmaları konuşmadan yedik.

"Öğleden sonra izin alarak hastaneden erken ayrıldım" dedi. "Oradaki bir emlakçıyla konuştum. Keseme uygun kiralık bir daire bulmasını istedim. Kiralık yer bulmak çok zor. Önce mırın kırın etti, sonra başka bir kız öğrenciyle de kalabileceğimi söyleyince, düşünelim dedi. Galiba kirası yüksek geldiği için yanına benim gibi birini arayan Fen Fakültesinin üçüncü sınıfında okuyan bir kız varmış. İki üç güne kadar bana telefon edecek. Yani anlayacağınız bir iki gün daha misafiriniz olmak zorundayım."

Aslında bu haber hiç hoşuma gitmemişti. Daha şimdiden onu kaybetmenin buruk acısı içime çöker gibi oldu. Elimden geldiğince bunu belli etmemeye çalıştım.

"Benim için mesele yok. Ne kadar istersen kalabilirsin burada."

"Sizi daha fazla rahatsız etmek istemem."

"Beni rahatsız etmiyorsun."

"Boşuna inkar etmeyin. Buradaki mevcudiyetimden rahatsız olduğunuzu gayet rahat görebiliyorum. Bazen Tanrıya isyan edeceğim geliyor."

"Tanrı'ya isyan mı? O da neden?"

"Beni bu kadar güzel yarattığı için. Tanıştığım her erkek aynı gün bana aşık oluyor. Ben hoşlandığım insanlarla, dostluk kurmak, arkadaşlık etmek, onlara yaklaşmak istiyorum. Ama cazibemin etkisinde kalan erkekler hemen bana başka maksatlarla yaklaşmak istiyor. Bundan da rahatsız oluyorum. Hatta kız arkadaşlarım bile. Ne hikmetse onlar da ya kıskanıyor, ya çekemiyorlar."

Yine nazik konuya giriyorduk.

Şarabımdan bir yudum alırken lacivert gözlere takıldım yine.

"Öyle mi?"

"Kendimi bildim bileli böyle. Bir sürü dost kaybediyorum. Fakültede bile bana çılgınca tutulan hocalarım, asistan arkadaşlarım, muhitimden erkekler var. Toplu olarak bir yere gitsek herkes benimle ilgileniyor; bazen çok sıkıldığım oluyor."

Bunu niçin yaptığını anlamıyordum.

Söylediklerinin yüzde yüz doğru olduğuna emindim. Allahın lütfu olan güzelliği bu şikayetinde onu haklı kılabilirdi. Ama damarıma basar gibi konuyu benimle tartışması garipti. Bu sefer dikkatli olmaya karar verdim.

"İlahi Jale" dedim. "Hiç de yakınılacak, şikayet edilecek bir şey değil bu. Her kadının Tanrı'dan niyaz edeceği şeyi, sen şikayet konusu yapıyorsun. Fena mı, sen doğuştan güzel yaratılmışsın, zamanımızda kadınlar birazcık daha güzel görünmek için kozmetik sanayiine, güzellik salonlarına oluk gibi para akıtıyorlar. Daha cazip, göze daha hoş görünen, yüz ve vücut güzelliğine sahip olmak için. Şikayet edeceğine, Tanrı'ya yatıp kalkıp dua etmelisin. Sen bunlara doğuştan sahipsin."

"Niye öyle diyorsunuz? Bakın sizin gibi, gerçek dost ve iyi niyetli bir insanı sırf güzelliğim yüzünden kaybediyorum. Bana ilk görüşte aşık oldunuz."

"Doğru. Ama bu bir şey değiştirmeyecek. Ben yine bir dostun olarak kalacağım. Kapım her zaman sana açıktır. Ne zaman bir problemin olursa, sıkılmadan bana gerçek güveneceğin bir dost olarak başvurabilirsin."

Söylediklerimde samimiydim, fakat vereceği tepkiyi ölçmek için dikkatle yüzüne baktım. Sanki afallamış gibiydi. Yüzünde belli belirsiz bir şaşkınlık oldu.

"Teşekkür ederim" diye mırıldandı. "Sizin farklı biri olduğunuzu biliyorum. Keşke bana aşık olmasaydınız."

"Bu konuyu kapatalım artık. Tamamen unutalım. İki dost olarak kalalım. Tamam mı, anlaştık mı?"

"Tamam" dedi. Ama yüzünde adeta konunun kesilmesini istememden mahzun olmuş çocuksu bir ifade oluştu. Bir an çılgınca düşüncelere kapıldım; yoksa beni sınamak, heyecanlarımda ne kadar samimi olduğumu anlamak için başvurduğu bir taktik miydi tüm bu yaptıkları? Yoksa o da bana karşı ruhunun derinliklerinde aynı heyecanları duyuyor muydu? Kadın denen yaratığı bu yaşıma kadar hakkıyla tanıdığımı söyleyemezdim. Öyle ya, ilgi duymasa, hislerimden rahatsız olsa, hiç bu kadar zarif ve şuh bir şekilde giyinip evimde nefis yemekler hazırlamaya kalkışır mıydı? Bu, onu evimde misafir ediyorum diye yapılacak bir minnet borcu olamazdı.

Doğru düşündüğümü sezinleyerek, keyiflendim. Galiba bir teste tabi tutuluyordum. Arada bir kişiliğimi metheden laflar söylüyordu; hatta bu sabah arabadan inerken beni öpmüş, benliğimde fırtınalar yaratmıştı. Gerçi, dostça, içtenlikle, sevgi dolu bir öpücüktü ama yine de kendisine evlenme teklif eden, ayaklarına ihtirasla bakan bir erkeğe karşı yapılmamalıydı.

Düşündükçe keyifleniyordum. Doğru yolda olduğumu sezinlemiştim artık. Şimdi aklımdan yeni taktik denemeleri yapmam gerektiğini geçiriyordum. Bu konu bir süre kapanmalıydı. Konuyu değiştirmeden önce yeniden yüzüne baktım. Şaşırdığını gizlemeyi beceremiyordu.

Ağzıma bir lokma börek atarken, "Çok lezzetli olmuş. Eline sağlık" dedim. "Bu kadar güzel yemek yapacağını tahmin edememiştim."

"Afiyet olsun" dedi. Ama suratı hâlâ asıktı. Sonra birden:
"Gerçekten bana karşı duyduğunuz hisleri kalbinizin derinliklerine gömebilecek misiniz." diye sordu.

Ciddi bir şekilde onu süzdüm.

"Hani bu konuyu kapatacaktık. Hani bir daha açmayacaktık."

Tavrım karşısında kızardı. Sesini çıkarmadı önce. Sonra etli dudakları çocuk masumiyeti içinde kıvrıldı.

"Emin olmak istiyorum" diye fısıldadı.

"Emin olabilirsin. Konu benim tarafımdan bir daha açılmayacaktır."

Zevkten titreyecektim neredeyse. Aslında bu konuda konuşmaya can attığını gayet iyi görebiliyordum. Birden konuyu değiştirdim.

"Dün senin evde bulduğumuz hüviyet cüzdanının sahibini araştırdım."

"Yaa" dedi.

Ama bu mevzunun onu cezbetmediğini hemen anlamıştım. İlgisizce yüzüme baktı. Sırf laf olsun dercesine, "Kimin nesiymiş." diye sordu.

"Eski bir sabıkalı."

Sanki o konuyu hiç konuşmak istemiyormuş gibiydi. Devam ettim. "Adamı polistten araştırdım. Yemediği nane kalmamış."

Hiç ilgilenmiyordu. Nazarları yine hınzırca bana yönelmişti. Lacivert gözlerinin kapattığımız konu ile ilgili yeni bir şey bulduğuna emindim. Artık alıştığım o çıldırtıcı parıltılar yine başlamıştı. Bir pundunu bulup konuyu tekrar açacağını sezinliyordum.

"Cahit Kalaycıoğlu'nu tanır mısın?"

Beni pek duymamıştı bile. Neden sonra, "Kimi dediniz?" diye sordu.

"Cahit Kalaycıoğlu'nu tanır mısın dedim."

"Tabii tanırım. Bütün Türkiye tanıyor."

"Hasan Torlak işte onun adamıymış."

"Hasan Torlak da kim?"

"Dairende hüviyetini düşüren adam."

"Evet anladım" diyebildi.

Ama kendini hâlâ konuya veremediğinin farkındaydım. İlk görüştüğümüzde olayı ona anlatırken, Vural'ın eski karısı Aysel'in, Kalaycıoğlu ile yaptığı evliliği gerekli görmediğim için bahsetmemiş, vakaları kısaca özetlemiştim. Bu nedenle kişiler arasındaki bağıntıyı Jale toparlamakta sıkıntı çekiyordu. Ya da hiç ilgilenmiyordu.

"Emel sana hiç Cahit Kalaycıoğlu'ndan söz etmiş miydi?"

"Kimden dediniz?"

"Beni dinlemiyor musun Jale? Cahit Kalaycıoğlu'ndan dedim."

"Hayır.. Hayır hiç bahsetmemişti. Affedersiniz. Aklım biraz karıştı da.."

İşte tuzak, diye düşündüm. Aklınca, ona sormamı bekliyordu; niye aklın karıştı diye. O zaman yine öbür konuyu açacak, beni zor durumda sokacak laflar edecekti. Bu kez oyuna gelmeyecektim. Hınzır kız, beni çileden çıkarmak için bütün yeteneklerini kullanıyordu bu gece. Doğrusu şikayetçi de değildim. Durum hoşuma gidiyordu.

Beklediği soruyu sormayınca suratı asıldı.

Hiç bozuntuya vermedim. "Ne o? Yemiyorsun, doydun mu yoksa?"

Zoraki gülümsedi. "Şarap sarstı galiba. Aç karnına içtim de."

Önündeki kadehe baktım. Kadehteki şarabın yarısı duruyordu. Bu kez alaycı bir şekilde gülümseme sırası bana gelmişti. Manidar bir şekilde tebessüm ettim.

Yeni bir hır çıkarmaya bahane arar gibiydi.

"İnanmadınız mı yoksa?"

"Niye. Şaraptan rahatsız olduğuna mı?"

"Hayır. Erkeklerin bana aşık olmasına."

Yanılmamıştım. İşte, konuya dönmüştü yeniden. Tartışmak için can atıyordu.

Yemeğimi bitirmiştim. Meyve tabağından bir muz alırken, "Bu gece yemeği fazla kaçırdım, inşallah rahatsız olmam" diye mırıldandım.

Lacivert gözler ateş ateş yanıyordu.

"Soruma cevap vermediniz Sinan Bey."

"Haa!" dedim. "Erkeklerin sana aşık olmasına, değil mi? İnandım tabii. Niye inanmayayım? Çok hoş bir kızsın, seni gören her erkek aşık olabilir. Rahatladın mı şimdi?"

Dik dik yüzüme bakmaya devvam etti.

"Ama aldığımız karar gereği ne evliliği, ne aşkı, ne de senin güzelliğini konuşmayacaktık. Ben de o konulara temas etmek istemiyorum" diye devam ettim.

"Kendinize olan güveninizi mi yitirmeye başladınız? Bizimki sadece bir prensip kararıydı."

"Yorum yok. Sadece aldığımız kararı uygulamaya çalışıyorum. Yemek için teşekkür ederim tekrar. Her şey çok nefisti."

Sofradan kalktım. Kendi tabağımı mutfağa doğru götürmeye başladım.

Arkamdan seslendi. "Sofradaki hanıma saygısızlık etmiyor musunuz? Sizin gibi bir beyefendiden beklemezdim doğrusu. Benim yemeğim daha bitmedi."

Aman Allahım, ne tatlı bir hırçınlık gösteriyordu. Benimle böyle uğraşması aşka delalet ederdi. Benden hoşlandığına emindim artık. Henüz aşk demek için belki erkendi ama hiçbir genç kız ilgi duymadığı bir erkeğe böyle davranmazdı.

"Sinirlenme, sana saygısızlık ettiğim yok; sadece mutfaktan sana içinde meyve yemen için tabak getirmeye gidiyorum. Masaya koymaya unutmuşsun. Hiç kuşkun olmasın sofrada seni yalnız bırakmayacağım."

Sessizce dudaklarını ısırdı. İlgisiz görünmeye çalışarak göz ucuyla bütün hareketlerini takip ediyordum. Mutfaktan tabağı getirip bıraktım.

Rahatlamadığı her halinden belli oluyordu. Mandalinanın kabuklarını soymaya başladı. Ne yüzüme bakıyor, ne de konuşuyordu. Sanki arkadaşına küsmüş ufak bir kız çocuğu gibi de dudaklarını sarkıtmıştı.

Hiç ummadığım bir sualle yeniden taarruza geçti.

"Neden bu yaşa kadar evlenmediniz? Yaşınız bir hayli ilerlemiş."

Anlaşılan şimdi başka bir taktik deneyecekti.

Hafif bir kahkaha attım.

"Bu da yasak konuya girmiyor mu?"

"Hayır. Bu soru benimle ilgili değil."

"Ama kısa bir zaman evveline kadar senin gibi güzel, yüreğimi hoplatan, şahane bir kız bulamadım dersem, ne olacak? Konu ister istemez sana gelmeyecek mi?"

Bir an düşündü. Sonra o çocuksu yaramazlığı ile, "İsterseniz sırf bu gecelik o anlaşmayı bozalım, ha ne dersiniz?" diye çapkın çapkın yüzüme baktı. Beni mahveden o sihirli gözler muzip bir şekilde ışıldamaya başlamıştı. "Yarın yasak avdet eder."

"Olmaz" dedim. Prensip kararı aldık. O konuyu açmayacağız."

"Peki bütün gece boyunca ne konuşacağız?"

"Emel ve Kerim'den bahsetmeye ne dersin?"

"O konu beni kokutuyor. Görüyorsunuz başıma ne işler açtı."

"Tamam.. Siyasetten, memleketin ekonomik durumundan, enflasyonun devamlı tırmanışından, işsizlikten, trafik karmaşasından bahsedebiliriz."

"Böyle bir gece için hiç de cazip konular değil."

"Öyleyse, sanattan, tiyatrodan, sinemadan bahsedelim."

"O konuları da konuşmak istemiyorum."

Güldüm. "Sofrayı kaldırmaya ne dersin?"

"Peki" dedi. Ama hâlâ çocuksu şımarıklığını üstünden atmamıştı. İstediği konuları tartışmaya can atıyordum ama bu oyunu nereye kadar götüreceğini de bir yandan merak etmeye başlamıştım.

Masayı birlikte kaldırdık, kirli tabakları makineye yerleştirdik. Salona dönerken "Şimdi benimle bir kadeh viski içer misin?" diye sordum.

"İçki beni tutar. Sarhoş olursam darılmaca yok ama. Daha şimdiden şarap etkisini göstermeye başladı."

"Tamam" dedim. "Darılmak yok. Hatta beni kıracak laflar etsen bile."

Keyiflenmişti.

Ondan önce mutfaktan çıktım. Bardaklara birer parmak viski ve su koydum. Her zamanki alıştığım koltuğuma oturdum. Karşımdaki uzun kanepenin kenarındaki sehpaya da onun bardağını bıraktım.

Mutfaktan geldi, konumumuza şöyle bir baktı ve uzun kanepeye ayaklarından ince topuklu terliklerini çıkararak bacaklarını topladı ve yarı oturur yarı uzanır vaziyette yerleşti.

Çıplak ve beni tahrik eden ayaklarına gözümün kaydığını tabii hemen farketmişti.

"Hayır" dedi. "Ayaklarıma bakmak yok. Aklınızı başınızdan aldığını biliyorum ama onları da gizleyemem ya?"

"Ama çorap bile giymemişsin, içimden bir his sanki onları isteyerek bana gösterdiğini söylüyor."

"Evet" dedi büyük bir içtenlikle. "Aslında bu gece onlara bakabilirsiniz. Ama sadece bu gece. Ve asla dokunmak, onları okşamak yok."

Hafif sinirli bir kahkaha attım.

"Adeta bunları yapmam için bana davetiye çıkarıyorsun."

"Hayır, kesinlikle değil. Bazı itiraflarda bulunmaya kendimi mezun ve mecbur hissediyorum bu gece."

"İtiraf mı? Ne tür itiraflar?"

"Mesela sizden hoşlandığımı söyleyebilirim."

"Bunu daha evvel de söylemiştin. Yeni bir şey değil."

Yine kalın dudaklarını büzdü.

"Ama çok hoşlandğımı söylemedim."

Bir başka zaman ve başka yerde olsa, bu mahalle kızı ağzı ile yapılan konuşmalara asla tahammül edemez, karşımdakini davranış ve konuşması ile hafif meşrep, iffetsiz biri gibi görürdüm. Ama ne çare ki Jale'ye karşı bunları hissedemiyordum, üstüne üstlük tarzından garip bir keyif alıyordum. Okumuş, eğitimli, aydın bir kızın, karşımdaki haşarı, şımarık hatta, baştan çıkarıcı davranışlarında kelimelerle izah edemeyeceğim bir tadı vardı. Garip ve denemediğim bir lezzet duyuyordum. Çekinmesem bu davranışlarına devam etmesini bile isteyebilirdim. Belki de surat asmamak, ciddiyete davet etmemekle onu ben teşvik ediyordum. Nitekim:

"Daha başka?" diye sordum.

Lacivert gözleri küçük bir çocuğunki gibi masumdu. O şahane gözleri, yarattığı ışıltı cümbüşüyle, ruhunun bütün farklı haletini ortaya koyabiliyordu.

"Mesela çok güzel konuşuyorsunuz.. Tane tane.. Harika bir ses tonunuz var. Sözcüklerin, vurguların, anlam ve coşkusunu, duraklamaların tam hakkını vererek konuşmasını çok iyi beceriyorsunuz. Bu da beni çok etkiliyor. Siz konuşurken hep ağzınızın içine bakmak geliyor içimden. Sizin gibi insanı etkileyen kimseyi görmedim ömrümde. Ayrıca yakışıklı ve havalı bir adamsınız."

"Kazancım da iyidir."

"Öyle görünüyor."

"Ne o yoksa şimdi sen mi bana evlenme teklif edeceksin?"

Şımarık şımarık yüzüme baktı.

"Hayır" dedi. "sizinle evlenmeye hiç niyetim yok."

Birden ciddileştim. Yüzümün hatları gerildi.

"Bu tatsız oyunu keser misin lütfen?" diye sesimi yükselt-

tim. "Artık sıkıldım. Biraz ileri gittiğini düşünmüyor musun? Sanırm hislerime karşı saygısızlık ediyorsun. Her ne sebeple olursa olsun benimle hayatını birleştirmek istemeyebilirsin; bu kararına hürmet ediyorum ama durumu bu kadar dejenere etmeye de hiç hakkın yok."

Sertleşen ses tonuma ve asılan yüzüme bakarak birden toparlandı.

"Affedersiniz Sinan Bey," diye fısıldadı gerçek mahcup bir ifadeyle. "Sizi incitebileceğimi hiç düşünmemiştim. Bunu yapmamalıydım. Yaşıma, mesleğime, sosyal seviyeme hiç uygun bir davranış değildi bu. Tekrar özür dilerim. Aslında size saygı duyuyorum ve sizden hoşlanıyorum. Ama bu hoşlanma sizin beklediğiniz tarzda bir his değil. Çok üzgünüm."

Kendime hakim olmaya çalışarak, "Tamam, tamam" diye mırıldandım. "Lütfen artık bu konuyu kesinlikle kapatalım, bir daha da hiç açmamak şartıyla."

"Tabii efendim. Doğrusu da bu."

Rahatlamış şekilde sustum. Jale'ye son kez bir nazar attım. Odama çekilmeyi düşünüyordum. Kanepede toparlanmış, terliklerini ayağına geçirmişti. Utangaç bir edayla, parmaklarını başındaki topuza götürmüş, sarı, uzun saçlarını silkeleyerek omuzlarına dökülmesini sağlamıştı. Lacivert gözlerini göremiyordum ama sanki bakışlarında hâlâ alaycı bir ifadeyi yakalayacakmışım gibi bir hisse kapıldım. Saçlarının dağılarak omuzlarına inmesi Jale'ye bir anda daha seksi bir hava vermişti. Yoksa yeni bir oyuna mı kalkışacaktı.

"Ne yapıyorsun?" diye sordum dehşete kapılarak. Çünkü Jale gömleğinin en üst düğmesini çözmüştü.

"Soyunacağım" dedi fütursuzca.

"Deli misin sen? Burada mı?"

"Daha da neler! Lütfen Sinan Bey! Her halde yanınızda soyunacak halim yok! Odama gidip bu kıyafetleri çıkaracak, üstüme bol ve sizi rahatsız etmeyecek şeyler giyeceğim."

Derin bir nefes almıştım ki, telefonun zili acı acı çalmaya başladı..

* * *

Düşüncelerim, duygularım, sinirlerim perişan, kafamın sigortaları atmış bir şekilde telefona uzandım. Birilerine dert anlatmak ya da kim olursa olsun sohbete kalkışıp lak lak edecek halim yoktu. Hışımla, "Alo" dedim.

"Ne oluyor yahu? Hırlar gibi konuşuyorsun? Ödümü patlattın."

Arayan arkadaşım Mahir İçöz'dü.

İçimden yandım, dedim. Şimdi yarım saat gevezelik ederdi. "Yok bir şey, biraz meşguldüm de."

"Öyleyse bir time-out al geliyorum."

"Geliyor musun? Nereye?"

"Nereye olacak yahu, senin eve tabii. Arabadan arıyorum. Şaşkınbakkal'dayım. İki dakika sonra oradayım. Hey, biz sözümüzü tutarız, anladın mı? Arabada bir kasa Bourbon var."

Telaşa kapılmıştım birden. Genellikle bekar olduğum için kimse evime habersiz gelmezdi. Mahir'in Jale'yi burada görmesini istemiyordum. Acele bir bahane uydurmalıydım.

"Şimdi olmaz" dedim. "Meşgulüm."

"Meşgul müsün? Ulan, Şaşkınbakkal'dayım dedim. O kadar yol katettik, herif bir de meşgulüm diyor!"

Duraladım. Gözüm Jale'ye takıldı. Hâlâ kanepenin üzerinde oturuyordu. Kıyafetini değiştirmeye gitmemişti. Şimdi omuzlarına saçılmış saçları onu çok daha seksi ve çarpıcı hâle getirmişti. Mahir onu görürse dilinden düşmezdim artık.

Cevap vermekte gecikince, "Ulan yoksa sonunda becerdin mi o işi?" diye sordu.

Aptal aptal, "Hangi işi?" dedim.

"Aysel Hanımı attın mı yatağa?

"Saçmalama lütfen!"

"Ne bileyim ben?" diye söylendi telefonda. "En sevdiğin içkileri getirdiğim halde beni başından savmaya kalkınca aklıma o geldi."

"Pekala bekliyorum" dedim. Gelme diyecek halim yoktu her halde.

Jale huzursuz bir şekilde beni süzdü.

"Misafiriniz mi geliyor?"

"Çok eski bir okul arkadaşım."

"Anlıyorum. Mevcudiyetimden rahatsız oldunuz değil mi?"

"Yanlış anlama. Ama seni burada görünce aklına başka şeyler gelecektir. Böyle bir zanna kapılmasını istemem."

Jale, "Nasıl şeyler?" diye sordu.

"Canım, durumu bilmiyor.. yani seni.. anlarsın ya.."

"Sevgiliniz sanmasından çekiniyorsunuz, değil mi?"

Başımı sallayarak, "Evet" dedim. "Öyle düşünmesini istemem."

"Neden. Beni sevdiğinizi söyleyen siz değil misiniz?"

"Jale yine başlamayalım. Bu aynı şey değil."

Gözleri bir anda ağlayacak gibi dolu dolu olmuştu. Gösterdiği bu tepkiye bir anlam veremiyordum.

"Öyleyse bana yalan söylediniz" dedi. "Beni gerçekten sevmiyorsunuz?"

Neredeyse çıldıracaktım. Ya sabır, diyerek başımı iki yana salladım.

"Kuzum neler diyorsun sen? Buraya eski bir arkadaşım geliyor ve ben yanlış bir kanıya kapılarak seni sevgilim sanmasını istemiyorum. Hepsi bu!"

"Ama beni gerçekten sevseniz dostlarınızla tanıştırmaktan kaçınmazdınız."

"Ne yani? Ona ne söylememi istiyorsun? Evlenme teklif ettiğim ama reddedildiğim kız mı diyeyim?"

"Bu kadar izahat vermenize gerek yok tabii. Yoksa beni tanıştırmaktan utanıyor musunuz?"

"Allah Allah! Onu da nereden çıkardın şimdi? Niye utanacakmışım ki? Mahir'i tanımazsın. İyidir, hoştur ama çok gevezedir. Binbir sual sorar. Seni ne sıfatla tanıtırsam tanıtayım aramızdaki ilişkinin ıcığını cıcığını çıkarmaya çalışır."

"Siz de beni gerçekten seviyor ve benden utanmıyorsanız sevgilim diyebilirsiniz."

"Bunu diyemem."

"Neden?"

"Çünkü benim anladığım sevgi karşılıklı olur. Oysa benim hislerim mukabele görmüyor. Seni seviyor olabilirim ama sen beni sevmiyorsun."

"Asıl konuyu yeniden deşen sizsiniz. Ben sizi sevmiyorum demedim, sadece sizinle evlenemem dedim. Ne kadar anlayışsızsın!"

Lacivert gözleri hiddet saçıyordu. Köpürmüş, üstüme çullanacak gibi bana bakıyordu. Yüreğimin yeniden pır pır atmaya başladığını duydum. İçime mutluluğun o sıcak ılıklığı dalga dalga yayılmaya başlamıştı.

"Yani" dedim. "Beni seviyor musun? Bana âşık mısın?"

Hiddetini yenemeyerek dudak büktü. "Belki, olabilir" dedi.

"Fakat az evvel bana karşı duyduğun hislerin sadece dostluk, arkadaşça duygular olduğunu, düşündüğüm gibi aşk olmadığını söyleyen sen değil misin?"

"Siz bana bakmayın! Ben her şeyi söyleyebilirim. Gencim, güzelim ve seviliyorum. Bu benim hakkım."

"Tam bir çocuk gibi konuşuyorsun Jale ve beni çıldırtmak üzeresin. Bu ifade tarzı senin gibi çoktan olgunlaşması gereken bir doktora yakışıyor mu?"

"Siz hoşlanıyorsanız, yakışıyor demektir. Şimdi ağzınızda lafi gevelemeyi bırakın da bana cevap verin. Gelen arkadaşınıza beni tanıştıracak mısınız?"

"Zaten artık kaçınılmaz oldu. Başka çarem var mı?"

"Sevgilim diyecek misiniz?"

"Neden bu kadar sıkboğaz ediyorsun? Sanki senin için bu kadar önemli mi?"

"Evet, önemli."

Tam cevap vermeye hazırlanıyordum ki kapının zili çaldı. Jale hemen koluma asıldı. "Hâlâ cevap vermediniz!"

Çaresiz başımı salladım. "Peki, söyleyeceğim" dedim.

Jale apartmandan gidince başıma gelecekleri hesaplayabiliyordum. Mahir'in eline beni tiye almak için az sonra müthiş bir koz geçecekti...

* * *

Mahir az kaldı elindeki viski dolu koliyi yere düşürecekti.

Tıpkı benim ilk gördüğüm anda uğradığım beğeni dolu şaşkınlık gibi Jale'yi görür görmez gözleri faltaşı misali açılmıştı. Neden sonra bakışlarını bana çevirip, "Misafirin olduğunu söylememiştin" diyebildi.

Mahir yakın dostumdu. "Fırsat mı bıraktın?" diye homurdandım. "Lafi ağzıma tıkadın."

Koli hâlâ elinde, öylece kalakalmıştı.

"Elindekileri antreye bırak" dedim.

Mahir neden sonra elindeki koliyi aynanın altına bıraktı. Yüzünde gevrek bir tebessüm belirmişti.

"Hanımefendi ile beni tanıştırmayacak mısın?"

Göz ucuyla Jale'ye baktım. Dimdik ve gayet vakur duruyordu. Ciddileşmiş, gözlerindeki o çocuksu parıltılar kaybolmuştu. Ben de en az Mahir kadar yeni görüyormuş gibi sevdiğim kadına bakıyordum. Nutkum tutulmuş gibiydi. Bir an ne diyeceğimi kestiremedim.

"Mahir İçöz. Çocukluk arkadaşım" dedim. "Hanımefendi de Dr. Jale Yılmaz."

"Memnun oldum hanımefendi."

"Ben de efendim."

Jale'nin sesini adeta tanıyamamıştım. O oyuncu ve şımarık, mahalle ağızlı kız gitmiş yerine ölçülü, mesafeli, kibar gerçek bir hanımefendi gelmişti.

Şaşkınlığını üzerinden atan Mahir, içten bir sesle, "Hanımefendiden bize hiç bahsetmemiştin" diyebildi.

"Tanışmamız fazla olmadı. Yeni tanıştık sayılırız." dedim. Jale'nin her an parlaması, abuk sabuk laflar etmesinden çekiniyordum.

"Oturmaz mısınız beyefendi? Ayakta kaldınız."

Sanki kırk yıllık ev sahibesi gibi Mahir'e yer gösteriyordu. Mahir dünden teşne idi. Hemen koltuğa çöktü.

"Biz viski içiyorduk; siz de bir kadeh alır mısınız?" diye sordu.

"Jale" dedim. "Belki Mahir'in bir işi vardır, meşgul etmeyelim."

Yüzüme zehir zemberek bir bakış fırlattı. İğneleyici bir sesle mırıldandı.

"Sinan'cığım beyefendi buraya kadar zahmet ederek sana içki getirmiş, bir ikramda bulunmadan mı göndereceğiz? Ayıp olmaz mı."

"Tabii" dedi Mahir. "Memnuniyetle bir viski içebilirim."

Kerata, Jale ile aramızdaki ilişkiyi anlamak için oturmaya dünden razıydı. Şimdi beni saman altından su yürüten, Jale ile ilişkimi saklayan, biri olarak düşünecekti. Yıllardan beri birbirimize özel hayatımızı anlatacak kadar yakındık.

Jale içki hazırlamak için biraz uzaklaşınca, Mahir hemen kaş göz işaretiyle kızı gösterip kim bu, nereden buldun, dercesine yüzüne garip şekiller vermeye başlamıştı. Meraktan çatladığını biliyordum. Dudaklarımı büzüp sus diye işaret ettim.

Jale geriye dönerek soğuk bir bakışla, "Sevgilim biraz buz getirir misin?" diye sormaz mı! Artık inkarın da yolu yoktu. Mahir aramızdaki ilişkinin boyutunu açıkça ortaya döken bu itiraftan sonra zevkten dört köşe oldu. Gözleri fıldır fıldır bir kıza bir bana çevriliyordu.

İstemeye istemeye yerimden kalkarak mutfağa yöneldim. Hemen geri dönmeliydim. Jale belki başka densizlikler de yapabilirdi. Dolaptan buz çıkarırken Mahir'in gevezeliğini işitiyor ama kelimeleri duyamıyordum. Buzları kaba boşaltarak aceleyle salona döndüm. Kız muzaffer bir edayla, nasıl, söylemezsen ben ifşa ederim, dercesine yüzüme bakıyor ve anın zevkini çıkarıyordu.

Hapı yutmuştum. Müşterek çevremizden yarın telefonlar yağmaya başlayacaktı. Ben salonda yokken neler konuştuklarını merak ederken Mahir, ikimize yönelik bir soru patlattı. "Buna çok sevindim. Anlaşılan bu ciddi bir ilişki. Nihayet bizim koca oğlanın inadını siz kırabildiniz. Evlilik tarihi yakın mı?"

Arkadaşımın yüzü memnuniyetten parlıyordu. O ve karısı Gönül evlenmemi en fazla isteyen insanlardı.

Tüylerim diken diken oldu. Ne cevap verecektim şimdi?

Buz kabını sehpanın üzerine koydum ve büyük kanepeye adeta çöktüm. Jale içine buz koyduğu içki bardağını Mahir'e uzatırken, ben hâlâ bu suali nasıl atlatacağımı düşünmeye çalışıyordum. Mahir beklediği cevap gecikince sırıtarak bir ona bir bana bakmaya devam etti.

Tam o sırada Jale beklemediğim bir şey yaptı. Kanepeye yanıma geldi oturdu, koluma girdi ve sağ eliyle elimi kavradı. Gayet samimi bir şekilde vücudunu bana yasladı. Kolunun ve kalçalarının tazyikini bedenimde hissediyordum. Ama bunu, laubaliliğe kaçmadan, ölçülü, usturuplu ve gerçekten evlilik kararı almış bir çiftin içtenliği içinde yapıyordu. Tüm bedenimi ter kapladı. Lacivert gözlerini bana dikerek:

"Sevgilim bunu senin cevaplaman lazım" dedi.

O kadar ciddi idi ki ne yapacağımı şaşırdım. Hâlâ ağzımdan tek kelime çıkmamıştı. Elimi kavrayan uzun tırnakların avucuma gömüldüğünü hissettim. Neredeyse bağıracaktım.

"Şey" diye kekeledim sonunda. "Henüz kararlaştırmadık. Acelemiz yok. Yani.."

Mahir saf saf söylendi. "Hiç gecikmeyin. Evlilik güzel ve kutsal bir müessesedir. İkinizin de hazır olduğunu hissediyorum. Birbirinize de çok yakışıyorsunuz. Yanisi ne? Yoksa bu güzel hanımefendiyi üzüyor musun? Bak dostum bu sefer ne ben ne de Gönül seni affetmeyiz. Artık evlenmelisin. Durup durup turnayı gözünden vurmuşsun. Jale Hanım'dan mükemmelini nerede bulacaksın? Daha ne bekliyorsun? Hemen gününü kararlaştırın."

"Şey.. Mahir'ciğim.. demek istiyorum ki..."

"Mazeret duymak istemiyorum Sinan. Nikah şahitliğini de ben yapacağım. Otuz seneye yaklaşan arkadaşlığımız var. Hakkım değil mi, hanımefendi?"

Jale teklifsizce yanağıma bir öpücük kondurdu. Sonra Mahir'e döndü.

"Beyefendi kararı Sinan verecek, ben ne desem boş. Bir an önce evlenmeyi ben de istiyorum ama o biraz ağırdan alıyor. Mademki bu kadar yakın arkadaşsınız, size itiraf edebilirim. Beni çok üzüyor."

Çılgındı bu kız..

Şimdi de evliliği sanki ben istemiyormuşum gibi Mahir'i etkiliyordu.

"Hayır.. hayır" dedim. Birden aklıma gelen fikre sarıldım. Belki ileri süreceğim gerekçe ile Mahir'in dilinden kurtulabilirdim.

"Jale henüz ihtisas yapıyor. İhtisası bitmeden evlenmemiz doğru olmaz. Biraz daha sabretmemiz lazım."

Tırnaklar yeniden avucuma gömüldü. Elimi bırakmıyordu. Mahir'i belli etmeden avuçlarının içinden elimi çekmeye çalıştım, bu kez tırnaklar daha şiddetli battı.

Mahir başını salladı. "Valla" dedi. "Tabii bu Jale Hanım'ın karar vereceği bir konu ama bence bir an önce evlenseniz iyi olur."

Nihayet evlilik konusu kapanmıştı.

Mahir hiç gitmeye niyetli görünmüyordu. Konuştukça konuştu. İçin için sevindiğini memnun olduğunu hissediyordum. Eve döndüğünde sabaha kadar Gönül'e Jale'yi anlatacağına emindim. Bu evlilik ve sevgili numarası ile beni zor duruma düşürdüğü için Jale'ye kızıyordum; ama itiraf edeyim ki uzayan sohbet boyunca el ele omuz omuza, bedenini bana yaslayarak oturmasından da müthiş keyif almıştım. Güzellik ayrı bir şeydi, lâkin Jale istediği zaman mükemmel bir dişi olabiliyordu. Tecrübemle bilirdim, bir kadında güzellik ile cinsellik çok nadir birleşirdi.

Mahir gidince küplere binerek kıza döndüm.

"Bu oyuna ne gerek vardı? Beni ne kadar zor duruma düşürdüğünün farkında mısın? Bütün eş dost çevreme rezil olacağım!"

"Neden?"

"Beni terkedip bu evden gidince durumu nasıl izah ederim?"

"Sinan Bey durumu biraz abartmıyor musunuz? Arkadaşınıza nişanlıyız bile demedim. Sadece evlenmeyi düşünen birer sevgili gibi davrandık. Günlük hayatta böyle şeyler çok oluyor. Sonra bir arada olamayacaklarını anlıyorlar ve ayrılıyorlar. Unutulup gidiyor."

"Ben o kadar sıradan yaşamam. Prensiplerim vardır."

"O zaman arkadaşınıza sevgiliniz olduğumu söyleseydiniz. Bana söz verdiğiniz halde sadece Dr. Jale diye tanıttınız. Ne oldu verdiğiniz söz? Verdiğiniz sözü tutsaydınız ben de bu kadar üstünüze gitmezdim. Size inanmıyorum artık. Beni sevmeniz yalanmış."

"Sen galiba hastasın Jale. Bir doktora görünmen lazım."

"Unuttunuz mu, ben zaten doktorum."

"Sana gösterdiğim iyi niyeti istismar ediyorsun artık" diye bağırdım.

Hışımla yatak odama doğru yürüdüm. Beni daha fazla delirtmeden odama çekilmeliydim. Arkamdan koşarak kolumdan tuttu. Gözleri sevgi ve merhamet doluydu.

Bir süre minnetle gözlerimin içine baktı. Sonra belime sarılıp başını göğsüme dayadı. "Sinan, sen mükemmel bir insansın. Seni seviyorum" diye fısıldadı. "Ben şımarık, haylaz, çekilmez bir kızım. Hiçbir erkek benim kaprislerime dayanamaz, bunun farkındayım. Ama sen sabırla bana tahammül ediyorsun. Çok hoşsun. Senin gibi iyi bir insana hiç rastlamadım."

Bilemiyordum ki!

Sonunun nereye varacağı hiç belli olmazdı. Genelde sakin ve yumuşak bir insandım. Direncim şimdiden kırılmaya, gevşemeye başlamıştı bile.

Acaba bu da yeni bir oyun muydu? Dayanamayacaktım. Bedenime sıkı sıkıya sarılmış, göğsüme saçlarının kokusu sinmiş kızı, ben de kollarımın arasına aldım. Saçlarını öpmeye başladım.

Başını göğsümden çekerek, susam çiçeği rengi gözbebeklerini yüzüme çevirdi. Pınarlarında bir iki damla yaş vardı. Gerçek damlacıklar. Şu anda beni çileden çıkarmak için oyun oynamadığı belliydi.

"Senin olmak istiyorum" dedi. "Beni yatağına götürmeni, sevip okşamanı ve sonra da bana sahip olmanı."

"Sesim çıkmadı. Gözyaşları içimin şefkatle burulmasına yol açmıştı.

"Sahiden mi?" dedim.

"Hem de bütün kalbimle.. Ama bunun için biraz daha beklemek zorundayız."

"Neden?"

"Sebebini bana şimdi sorma sevgilim. Lütfen sabret."

Jale boynuma sarılıp ateşli dudaklarıyla beni bir süre çılgınca öptü. Kollarını boynumdan çözerken, "Bu gecelik bununla yetinmelisin sevgilim" diye fısıldamıştı...

3

Ertesi sabah erkenden kahvaltımızı ederek yola koyulduk. Jale'yi hastanesine yine ben bırakacaktım. Yol boyunca çeşitli konularda gevezelik ettik. Onu yetince tanımadığım için konuşulacak çok şeyimiz vardı. Fakat dün geceden ve evlilik konusundan hiç bahis açmadık. Çapa'ya yaklaşırken bir ara, "Mahir'i nasıl buldun?" diye sordum.

"İyi bir insana benziyor. Ama seninle mukayese bile edilemez."

"Bu kadar ön yargılı olma. Yeterince tanımıyorsun."

"Galiba mesleğim gereği; insanların karakterlerini hemen teşhis ederim."

"Sonuç nedir?"

"Vasat. Sıradan biri. Her zaman neşeli, biraz çıkarcı ve de sulu."

"Sulu mu?"

"Evet."

"Yoksa sana karşı ben salonda yokken ters bir davranışta mı bulundu?"

"Ne o kıskandın mı yoksa?"

"Hayır ama sulu olduğunu nereden çıkardığını anlayamadım."

"Fazla meraklı. Öyle insanlardan hoşlanmam. Yanılmadım değil mi?"

"Bilmem" diye omuz silktim. Sonra, "Beni nasıl buluyorsun peki?"

"Yakışıklı, anlayışlı, sıcak ve sevecen. Kadın kaprisine tahammül edebilen, sevdiklerini şımartan ve de ayrıca..."

"Evet ayrıca?"

"Öpüşmesini iyi bilen bir erkeksin."

Sırıtarak yüzüne baktım.

"Öyle mi?"

Hastanenin önüne gelmiştik. Arabayı durdurdum. Kapıyı açmadan önce dün sabahki gibi yine bana yaklaştı.

"Biliyor musun?" dedi. "Dün gece beni yatak odasının önünde öyle bir öptün ki sabaha kadar heyecandan uyuyamadım. Dilini hep ağzımın içinde hissedip durdum."

Şakacıktan, "Seni yaramaz, utanmaz çocuk seni!" dedim.

Güldü. "Bana hep böyle sevecen davranmanı istiyorum" diye fısıldadı. Sonra boynuma sarılıp, caddenin kalabalığını hiç umursamadan dudaklarıma yapıştı. Bu sabah dünkü gibi yanağıma kondurduğu öpücükle yetinmemişti. Kapıyı açarak "Geç kaldım" diye fırladı. Hem koşuyor hem de ikide bir arkaya dönüp el sallıyordu.

Birden bir şey hatırlamış gibi aynı hızla geri döndü. Camı indirdim.

Nefes nefese, "Sevgilim söylemeyi unuttum. Bu gece nöbetçiyim, beni bekleme" dedi. "Eve yarın dönerim."

* * *

O gün yazıhaneye çocuk gibi sevinçli girdim. Uzun zamandır beni bu kadar neşeli görmeyen sekreterim halime şaşırmış gibi gülümsedi.

Odama geçer geçmez arkamdan gelen sekreterim, "Sinan Bey, az önce yine o bey aradı" dedi.

"Hangi bey?"

"Hani birkaç gün önce buraya gelen, uzun boylu zat. Eski arkadaşınızmış galiba!"

"Haa, anladım. Bir not bıraktı mı?"

"Evet efendim, fakat korkarım ya ben yanlış anladım ya o bir hata yaptı."

"Ne demek istiyorsun Füsun?"

"Bıraktığı not biraz garip.."

"Ver şunu bana."

Sekreterim elindeki kağıdı uzattı. Tek bir cümle yazılıydı. Birkaç kere okudum. *Onlan temas kurunca hemen Sevim Abla'ya gelmesini söyleyin* diyordu notta.

Hiçbir şey anlamamıştım.

Ne demek istiyordu bizim Deve Vural acaba? Sevim Abla da kimdi?

"Başka bir şey söylemedi mi?" diye sordum.

"Hayır efendim. Ben de sizin gibi anlamadım ve sordum. O anlar, dedi."

"Ben yine ararım falan dedi mi?"

"Hayır efendim, acelesi varmış gibi hemen kapattı."

Allah Allah, diye homurdandım. Bu telefon mesajından hiçbir şey anlamamıştım. Sevim Abla ismi beynimde hiçbir çağrışım yapmıyordu. Aradan o kadar uzun yıllar geçmişti ki, müşterek tanıdıklarımız arasında da bağıntı kurmakta zorlanıyorum. Vural'la Sevim Abla diye tanıdığımız kim olabilirdi.

Hafızamı zorladım, bir neticeye varamadım. Belki yeniden telefon eder, diye düşündüm. Olmazse eve dönerken Nuh Kuyusu'na uğrayabilirdim. Nasıl olsa bu gece Jale de eve gelmeyecekti. Sekreterim çıktı. Başka işlerle uğraşmaya başladım. Ama aklımın bir köşesine isim takılıp kalmıştı.

Öğleden sonra üçe doğru birden yerimden sıçradım.

Sevim Abla'yı çözmüştüm. O bir kadın değil, bir cafe'nin adıydı. Nasıl hatırlayamadığıma dövünüp duruyordum. Ve o cafenin Vural için özelliği vardı. Kolejdeki yıllarında şoförün kızı Aysel'le sık sık orada buluşurlardı.

Hemen yerimden fırladım. Çok önemli bir şey olmasa beni oraya çağırmazdı. Acele ile arkaya koşup arabayı çıkardım. Cafe, Rumelihisarı'ndaydı. Fakat yola koyulur koyulmaz bugün aklımın hiç de iyi çalışmadığını farkettim. Orası yimi küsur sene evvel faaliyet gösteren, tapon bir yerdi. Üç katlı, ahşap bir evdi, deniz manzaralıydı ve alt katı cafe olarak faaliyet gösterirdi. Yirmi sene sonra hâlâ açık olacağını düşünmek aptallıktı. Çoktan kapanıp gitmiş olmalıydı. Bugünün gençliğinin pek itibar edeceği bir yer değildi. Hatta pişman bile oldum; bir ara aklımdan geri dönmek, Vural'dan ikinci bir telefon beklemek bile geçti. Sonra boş verdim, nasıl olsa yola çıkmıştım bir kere, olmazsa bir Boğaz havası alır geri dönerdim. Ne çare ki Sevim Abla aklıma başka bir şey çağrıştırmıyordu.

Rumelihisarı'nda arabayı uygun bir yere bıraktım. Boğaz tarafı koyu gri bulutlarla kaplıydı ve hava buz gibi soğuktu. Neyse ki yağış yoktu. Çevreye şöyle bir bakındım. Sevim Abla'ya birkaç defa okul arkadaşlarımla ben de gitmiştim. Tabii cafeyi bulamadım. Yerini de tam olarak çıkaramıyordum. Şehir zaman içinde hızla değişiyordu. İskele yakınında kestane kebap satan yaşlı adama doğru yürüdüm. Buranın eskisi ise belki cafenin olduğu evi hatırlardı. Ona sordum. Adam, bilmiyorum, dedi.

Sahil boyundaki birkaç lokantanın garsonlarına sordum. Onlar da hatırlamıyorlardı. Nihayet bir taksi şoförü anımsadı, "Beyim orası yıllar önce kapandı" dedi. Hangi ev olduğunu sordum. Bana ilerdeki sokağın içinde ahşap bir ev gösterdi. Evi hatırlamam olanaksızdı. Zaman zaman anılarla ihanet ederdi, evin şimdiki hali ise hatıralarımda kalandan çok farklıydı. Dışardan baktım. İçinde kimsenin yaşadığı bile şüpheliydi. Tamamen metruk görünüyordu.

Acaba Vural buraya beni niye çağırmıştı?

Çalacak bir kapı aradım, bulamadım. Cafe olarak kullanılan yer ikiye ayrılmıştı. Galiba sonra tadilat görmüş ve iki dükkana dönüştürülmüştü. İkisinin de kepenkleri kapalıydı. Şayet üst katlarda birileri varsa acaba oraya nereden ulaşıyorlardı? Bir süre kepenklerin önünde durup çaresiz bakındım. Önleri çöp torbaları, atıklar ve pisliklerle doluydu. Vural burada olamazdı. Boşuna gelmiştim.

Tam gitmeye karar verdiğim anda en üst kat penceresinde bir hareket görür gibi oldum. Belki de yanılmıştım. Sanki perdesiz boş pencerelerde bir an bir gölge belirmişti. Işık oyunu da olabilirdi, hava kış günü olduğu için erken kararıyordu.

Ama içime bir şüphe düşmüştü.

Ayrılmadan önce uzun uzun pencerelere baktım. Yeni bir kımıldama, hareket bekledim. Hiçbir şey olmadı. Sonra ağır ağır arabama doğru dönmeye başladım. Taksi şoförü hâlâ sıradaydı.

Yanına gittim.

"Siz buranın eskisisiniz galiba" dedim.

"Evet beyefendi" dedi. "Doğma büyüme buralıyım."

"O cafe ne zaman kapandı, hatırlıyor musunuz?"

"Çok zaman oldu. Belki on beş, belki yirmi sene. Evin o zamanki sahibi işletirdi. Adı Sevim'di. Allah rahmet eylesin, kalpten gitti. Çok iyi bir insandı."

"Anlıyorum" diye mırıldandım.

"Cafe ile neden ilgilenmiştiniz?" diye sordu.

"Nostalji dedim. Öğrencilik yıllarında birkaç defa buraya gelmiştim de."

"Haklısınız" dedi. "Burası ucuzdu, çok öğrenci gelirdi."

"Sonra ne oldu?"

"Sevim Abla'nın varisleri burayı Adana'lı bir zengine sattılar."

Birden ilgilenmiştim.

"Adana'lı mı dediniz?"

"Öyle işitmiştik. Adana'lı bir pamuk kralı almış diye rivayet çıkmıştı."

"Toksöz ailesi mi?"

"Valla beyim onu bilmem."

"Buraya gelip oturdular mı?"

"Hatırlamıyorum. Ama hiç sanmam. Öyle olsa görürdük."

"Ama" dedim. "Cafe tadilat görmüş, altta galiba iki dükkan açılmış."

"Doğru. Ama kimse çalıştırmadı. Yapıldı ve kaldı."

"Yani Adana'lılar mı yaptırdı?"

Şoför beni biraz meraklı bulmuştu galiba. "Bilmiyorum, öyle olmalı" dedi.

"Adana'lı aile de ellerinden çıkarmış olabilir mi?"

Şoför sıkılmışa benziyordu.

"Onu muhtara sorun. En sağlıklı cevabı size o verebilir."

"Peki teşekkür ederim" dedim. Şoför bana muhtarın yeri-ni gösterdi.

Mahalle muhtarı asık yüzlü bir adamdı. Semte yabancı olan birinin metruk evle ilgilenmesinden pek hoşlanmamıştı. Kabaca, "Niye soruyorsunuz?" dedi.

"Avukatım. Müvekkilim burayı satın almak istiyor. Sahibi-ni arıyoruz."

Adam ters ters suratıma baktı.

"Bulsak ben de görüşmek isterim. Bütün mahalleli oradan şikayetçi. Önünü çöplük haline getirdiler. Leş gibi kokuyor. Ne soran var ne ilgilenen."

"Buralı bir taksi şoföründen Adana'lı bir pamuk tüccarının satın aldığını işittim."

"Yıllar önce ben de duymuştum. Ama hiç gelmezler. San-ki burayı unutmuşlar gibi. Eee zenginlik böyledir işte, tapuyu alırlar sonra da unuturlar. Madem avukatsınız tapudan öğrene-bilirsiniz."

Ben de öyle düşünmüştüm zaten.

Ama Vural'ın beni buraya niye çağırdığını hâlâ anlayama-mıştım. Ve Vural hangi cehennemin dibine gitmişti, bilmiyor-dum...

* * *

Dönüşte Nuh Kuyusu'na uğradım. Onu evde bulacağım-dan şüpheliydim. Nitekim on dakika kapıda oyalandığım halde açan olmadı, evin ışıkları da sönüktü. Ayaz daha da artmıştı. Bu-rada daha fazla oyalanmam anlamsızdı. Fakat içimde endişe ve-rici şüpheler başlamıştı. Rumelihisarı'nda öğrendiklerim ilginç-ti. Acaba o evi Vural'ın babası mı satın almıştı? Bahsedilen tarih-te babasının henüz hayatta olması gerekirdi. O aldı ise, bir za-manlar oğlunun sık sık geldiği cafe ya da evi satın alması acaba bir tesadüf müydü? Vural niye acele olarak oraya çağırmıştı bugün beni?

Hafızamı zorlamaya çalıştım; yirmi küsur sene önceki anılar kolay kolay hatırlanmıyordu. Vural'ın ailesi hakkında hemen hemen hiçbir şey anımsamıyordum şimdi. Yarın sabah Nuh Kuyusu'na yeniden gelmeye karar verdim. En doğru cevabı her halde Vural'dan alacaktım. Arabamı gazlarken içimde Vural'ı bir daha göremeyecekmişim gibi bir his vardı. İçimi tedirginlik kapladı..

* * *

Eve girince gözlerim Jale'yi aradı. Bunca yıllık dairem onsuz, karanlık ve ruhsuz göründü gözüme. İki gün içinde evdeki varlığına müthiş alışmıştım. Adeta bir boşluk hissettim. Daha şimdiden onu özlemeye başlamıştım.

Yemekten sonra Mahir aradı. Çene çalacak halim yoktu. Karısı Gönül az sonra telefonu elinden alarak tebriklerini sundu biraz da sitem etti. Evleneceğim kızı niye kendilerinden sakladığımı ve ne zaman tanışacaklarını soruyordu. Bütün bunların başıma geleceğini önceden tahmin etmiştim. Ağzımda bir şeyler geveledim ama ne söylediğimin ben bile farkında değildim. Sizi yemeğe davet edeceğiz falan, diye bir yığın laf etti.

Telefon kapandığında derin bir oh çektim.

Bir ara Jale'yi cep telefonundan aramayı düşündüm. Sonra ondan da vazgeçtim. İsterse o beni arayabilirdi. Hastahanede ne kadar yoğun olduğu hakkında bir fikrim yoktu.

Aklım yeniden Vural'a takıldı.

Bu işin gidişatı hiç hoşuma gitmiyordu. Her geçen gün olayın anlayamadığım bir şekilde karıştığını hissediyordum...

* * *

Ertesi sabah Nuh Kuyusu'ndaki eve gittiğimde yerler karla kaplıydı. Bütün gece aralıksız kar yağmıştı. Bütün şehir bembeyaz bir örtüye bürünmüş gibiydi. Tabii karla beraber şehrin trafiği de arap saçına dönmüştü. Suadiye'den Vural'ın kaldığı tarihi eve varıncaya kadar akla karayı seçtim.

Taş duvarın önünde durduğumda saat on olmuştu. Arabadan çıkıp bahçeye girerken sokak kapısına kadar uzanan yoldaki karların hiç bozulmadığını gördüm. Vural dün gece eve döndüyse henüz dışarı çıkmamış olması gerekirdi. Karlar üzerinde hiç ayak izi yoktu. Kar yağışı devam etmekle beraber, çökmüş, ezilmiş izler görmem lazımdı. Yağış devam ediyordu ama sabahleyin açılmış izleri örtecek kadar şiddetli değildi.

Kapıyı çaldım. Yine açan yoktu.

Korktuğum başıma geliyordu galiba. İçimdeki şüpheler yavaş yavaş endişeye dönüşmeye başladı. Vural'n başının belada olduğunu hissediyordum. Belki bir şeyler bulurum, diye eve girmeye karar verdim.

Bahçenin arkasına dolandım.

Arkada ufak bir bahçe kapısı vardı. Etrafa bakındım. Bahçe duvarları arkada daha yüksekti. Yanlardaki şekilsiz apartmanlardan arka bahçe görülebilirdi; gözlerim çevreyi taradı. Görünmediğime emin olunca kapıyı zorladım. Eski ufak kapı arkadan payandalı ya da sürmeliydi, kımıldamadı. Omzumla yüklendim, yine netice alamadım. Belim hizasında alçak bir pencere vardı sol tarafta. Onu denedim. Paslı rezeler çürümüş olmalıydı ki, cam esnedi, sarsıldı bir parmak kadar aralandı, fakat açılmadı. Menteşe hâlâ direniyordu. Biraz daha zorlarsam açılacağını aklım kesti.

Tekrar denedim, ufak aralığa eldivenli parmaklarımı sokmayı becerdim. Bundan sonrası kolaydı; var gücümle yukarıya kaldırmaya çalıştım. Rezelerden biri yerinden çıktı ve içerde tahta zemine düştü. Onu görüyordum. Pencerenin de dengesi bozuldu. Şimdi bir yana yatmış duruyordu. Artık ikinci menteşeyi yerinden oynatmak kolaydı.

Az sonra bir hırsız gibi içeriye süzülmüştüm.

İçimde tatsız bir şeyle karşılaşacakmışım gibi duygular vardı. Pencere gürültüyle düşebilirdi. Sessizce camı indirdim.

Evin içini dinledim önce.

Dışardan akseden sokağın gürültüleri hariç derin bir sessizlik vardı.

Huzursuzluğum gittikçe artıyordu. Hiç hoşuma gitmeyecek bir olayla karşılaşmak korkusu benliğimi kaplamıştı. Vural'ın kaldığı odaya doğru yürüdüm. Kapı aralık duruyordu. Hafifçe kapıyı ittim. Odada kimsecikler yoktu. Yatak dağınıktı. Üzerine gazete kağıdı serilmiş eski tahta masada yarım bırakılmış bir çay fincanı, çaydanlık ve bütün bir ekmek vardı. Ufak bir tabağın içindeki az beyaz peynir ile zeytinler kurumuştu. Yine de emin olmak için eldivenimi çıkarıp çıplak tenle çaydanlığı elledim. Buz gibiydi. Ekmek de taş gibi bayatlamıştı. Masanın üzerindekilerin dün sabahtan kaldığı gün gibi aşikardı.

Keyfim iyice kaçmıştı.

Demek Vural gece eve dönmemişti.

Onun apar topar evden fırladığına karine teşkil eden şeyler vardı. Çayını bitirmemiş acele giyinmiş olmalıydı. Zira pazen çizgili pijamasının üstü yatağa fırlatılmış fakat altı yere düşmüştü. Demek Vural'ın onu yerden kaldıracak zamanı bile olmamıştı.

Acaba arkadaşımın bu kadar acele ile sokağa fırlamasına sebebiyet veren şey ne olabilirdi? Bir haber mi almıştı? Ya da birileri gelip onu zorla götürmüş müydü?

İkinci ihtimal bana biraz zayıf göründü.

Öyle olsa bana telefon edecek imkanı bulamazdı. Ama bundan da emin olamazdım tabii. Hesaba göre Vural dün sabah yaklaşık on, on buçuktan beri kayıptı.

Müthiş huzursuzdum ve aklım da iyice karışmıştı.

Bir an polise gitmeyi düşündüm. Şimdilik bu anlamsızdı; yetişkin bir adamdan dünden beri haber alamıyorum, diye ihbarda bulunmak komikti. Elimde ciddi bir olayın cereyan ettiğine dair en küçük bir emare de yoktu.

Galiba işin düğümü bir zamanlar Sevim Abla denen cafedeydi. Vural beni oraya niye çağırmıştı acaba?

Beynimi zorladım ama o metruk evle Vural'ın kaybolması arasında bir bağıntı kuramıyordum bir türlü. Aklımda da bazı karanlık sorular vardı kuşkusuz ve araştırmaya Sarıyer Tapusundan başlamam gerektiğini biliyordum.

Her ihtimale karşı evi iyice aradım. Bütün odalara baktım. Üst kata çıktım, Kerim'in odasını da inceledim. Hiçbir şey yoktu.

Girdiğim pencereden yine sessizce çıktım.

* * *

İşi gücü bırakıp doğru Sarıyer Tapusuna gittim. Mıntıka olarak Sevim Abla'nın Cafesi diye bilinen gayrımenkül o tapuya kayıtlıydı. Avukat kimliğimi göstererek memurdan Malikler Defterini istedim.

Bir köşeye oturup defteri maliklerin soyadı esasına göre incelemeye başladım.

Bulduğum sonuç cidden ilginçti.

Bina on sekiz sene önce Halis oğlu Vural Toksöz tarafından satın alınmıştı. Ama son malik hiç ummadığım biri çıktı. Vural iki ay evvel gayrimenkulü eski karısı Aysel Kalaycıoğlu'na hibe etmişti.

Nerede ise şaşkınlıktan küçük dilimi yutacaktım...

ÜÇÜNCÜ BÖLÜM

1

Tapu dairesinden çıktığımda aptal gibiydim. Neler olup bittiğini anlayamıyordum bir türlü. Vural yıllar önce boşandığı eski karısına o evi neden hibe etmişti? Bu bir muamma idi. Gayrımenkul eski bile olsa, yeri ve konumu itibariyle bu gün için çok para ederdi; satsa, kendisi de kaybolan oğlu da bu sefaletten kurtulur, ele güne muhtaç olmadan yaşamlarını sürdürebilirlerdi. Oysa o milyarla oynayan bir kadına evi hibe etmişti. Tam Vural'dan beklenecek bir jestti bu. O açlıktan geberirken, gururunu ve soyluluğunu her zaman ön planda tutacak kadar da alçakgönüllüydü. Ama bu büyük bir hataydı, kendisini düşünmese bile eğitimdeki oğlunun geleceğini hesaplamak zorundaydı.

Ve bana yalan söylemişti.

Bunu neden yaptığını da bilmiyordum.

Kapalı ve karlı hava ruhuma kasvet veriyordu. O gün işe gitmekten vazgeçtim. Eve dönmek istiyordum, yazıhaneye telefon edip yardımcılarıma durumu idare etmelerini söyledim.

Suadiye'ye yaklaşırken aklım hâlâ Vural'daydı. Jale'yi onun bu olayı vesilesi ile tanımamış olsam, belki de bu işin üzerine daha fazla düşmekten vazgeçebilirdim. Yalan söylemesine, geçmişi ile ilgili bazı şeyleri benden saklamasına sinirlenmiştim. Bir avukat müvekkilinden her şeyden önce dürüstlük ve açıklık beklerdi. Bana Aysel'den nefret edilecek bir kadın diye bahsetmiş sonra da ona çok para edecek evini hibe etmişti. Acaba aralarındaki ilişki şu veya bu şekilde devam mı ediyordu? Ne de olsa müşterek, yetişkin bir oğulları vardı. Fakat Vural, annesinin senelerdir oğlunu görmediğini söylemişti.

Henüz çözemediğim bir numara vardı bu işin içinde. Şayet Vural'ı ele geçirirsem bu defa fena sıkıştıracak, hattâ ağzımı açıp gözümü yumacaktım. Henüz bilmiyordu ama onun yüzünden dayak bile yemiştim.

* * *

Eve dönünce kıyafetimi değiştirdim, sırtıma ekose yün gömleğimi, kadife pantolonumu giydim, mokasenlerimi ayağıma geçirip sık kullanmadığım şömineyi yaktım. Eve doğalgazın sıcaklığı yetiyordu ama ben daha bu saatten Jale ile akşamleyin şömine karşısında geçireceğim romantik saatlerin dayanılmaz atmosferine kaptırmıştım kendimi.

Aklımca da ona uygulanacak özel bir strateji ayarlamıştım. Zevkten dört köşe olmuş vaziyette iri kütükleri şöminenin içine attım, gürül gürül yanmalarını sağladım. Sonra mutfağa geçip yiyecek bir şeyler hazırlamaya başladım. Saat daha dörttü. Epey zamanım vardı; yaptığım hesaba göre yedi buçuktan evvel gelmesi olanaksızdı, hatta yağan karı ve kötü hava şartlarını da hesaba katarsak sekizi bile bulurdu. Bir an onu hastaneye gidip almayı bile düşündüm, sonra vazgeçtim. Yeni stratejim gereği üstüne fazla düşüyormuş gibi görünmek, aşırı ilgilenmek istemiyordum.

Çeşitli soğuk sandöviçler hazırladım. Depomdan nefis bir California şarabı çıkardım. Gerçi Jale içkiye düşkün değildi ama şöminenin çatırdayan alevleri ve hazırlayacağım ortamda dayanamaz mutlaka keyifle şarabını yudumlardı.

Ne var ki, Jale umduğum saatte gelmedi.

Dakikalar ilerledikçe onu gidip hastaneden almadığıma pişman olmaya başlamıştım. İki de bir pencereye gidip yukardan bahçeyi kolluyordum. İşe giden apartıman komşularım birer ikişer dönüyorlardı. Önceleri uzaktan geldiğini, vesait sıkıntısı çektiğimi düşünerek, gecikmesi doğaldır, diyordum. Fakat saat dokuz olunca merak etmeye, kıfkıflanmaya başladım.

Bu kadar gecikmemesi lazımdı.

Yoksa gelmeyecek miydi?

Bu ihtimal beynimi karıncalandırdı. O olasılığı düşünmek bile istemiyordum. Yoksa emlakçı bahsettiğim evi ayarlamış mıydı? Hastaneden çıktıktan sonra daireyi görmeye de gitmiş olabilirdi. Belki gecikmesi o yüzdendi.

Saat dokuz buçuğa yaklaşırken dayanamayıp cep telefonundan aradım. Telefon hemen açıldı. Nerede olduğunu ve çok merak ettiğimi gerekirse arabayla gelip onu bulunduğu yerden alabileceğimi söyledim.

Bana kısa ve soğuk bir cevap verdi.

"On dakikaya kadar oradayım." dedi ve telefonu kapattı.

Biraz bozulmuştum; insan izahat verir, şayet işinden geç çıkmışsa onu söyler, hava şartlarından, zor vasıta bulunduğundan filan bahsederdi. Oysa hiç bir açıklama yapmamış, hatta aradığıma bozulmuş gibi davranmıştı.

Belki de ben bu konuda aşırı duyarlılık göstermiştim, onu sıkıştırmaya, nerede kaldığını sormaya hakkım yoktu. Davranışlarına karışamaz, hesap soramazdım, lakin benimki sadece endişeden kaynaklanan bir meraktı. Yine de davranışına gücendiğimi belli etmemeye karar verdim.

Gerçekten de on dakika sonra bahçe kapısının önünde göründü. Her halde otobüsle gelmiş olmalıydı. Caddede inmiş sokağı yürümüştü.

Kapıyı açtığımda yüzü soğuktan al al olmuştu ve lacivert gözlerinin derinliklerinde büyük bir gerginliğin ifadesi okunuyordu.

"Hoş geldin." dedim. "Çok üşümüşe benziyorsun?"

"Dondum, dondum.. Lanet olsun bu vasıtalara. Yağmur, kar yağdı mı bir tekini bulamıyorsun."

"Hemen üstünü değiş, ıslanmışsın."

Doğru odasına gitti. Neyse, onu sağ salim görünce rahatlamıştım. Kar yağışı devam ederse akşam iş çıkışı onu almayı teklif edecektim; her halde kabul ederdi. Şömineye gittim, yeniden canlandırdım. İri bir kütük daha attım.

Az sonra şöminenin yanına geldi. Sırtına eski bir eşofman, ayaklarına yün çorap giymişti. "Her halde açsındır?" dedim.

"Çok acım. Keşke bir sıcak çorba olsaydı."

"Üzgünüm ama o işi beceremedim. Tarif edersen bir denerim."

"Boş ver artık geç oldu. Ne varsa onunla idare edebilirim."

"Sen şöminenin başına otur, ısınmaya bak. Ben sandöviçler hazırlamıştım. Şimdi getiririm."

Yere iri yastıklar koydum, onu oturttum ve doğru mutfağa gittim.

Döndüğümde ısınmaya çalışıyordu. Titremesi hâlâ geçmemişti. Hemen tabaktaki sandöviçlere sarıldı. "Şarap içer misin?" diye sordum. "Seni ısıtır."

"Şarabı boş ver. Kanyağın var mı?"

"Tabii."

"Bana bir kadeh kanyak ver. O daha iyi gelir."

Yayvan bir kadehe Napoleon koydum. Ağzındaki lokmaları çiğnerken hoyrat bir yudum aldı. Üzerinde üşümüşlükten öte, sinirlilik sezinliyordum.

"Sinirli görünüyorsun."

Kısaca, "Çok yorgunum." dedi.

"Nöbetçi olduğun gecelerden sonra hep böyle mi dönersin?"

"Her zaman değil. Dün gece serviste çok iş vardı, sabaha kadar gözümü kırpmadım. Üstüne bütün bir günü de ayakta geçirdim. Daha ne olsun?" Zoraki cevap veriyormuş gibi geldi bana. Üstelemedim.

Ateşin karşısında yanakları bu defa da sıcaktan kızarmaya başlamıştı.

"Isındın mı biraz?"

"Tam olarak değil. Ayaklarım donuyor."

Birden bana döndü. "Sen yemeğini yedin, değil mi?"

"Hayır, seni bekledim."

Sıkılmış gibi yüzüme baktı. "Kusura bakma." dedi. "Benim yüzümden sen de aç kaldın. Peki, şimdi niye yemiyorsun?"

"Senin biraz rahatlamanı bekledim. Karnım da pek aç değil."

İlk defa gülümsedi. "Başka insanlardan beklemeyeceğim kadar anlayışlısın. Bazen beni şaşırtıyorsun. Senin gibisine hiç rastlamadım. Hadi al. Sen de ye şu sandöviçlerden."

Kâğıt peçeteye sararak jambonlu bir sandöviç uzatırken kadehinde kalan kanyağını bir dikişte bitirdi.

Sessizce onu seyrediyordum.

"Bu iyi geldi." diye mırıldandı. "Bir kadeh daha verir misin?"

"Nasıl istersen! Unutma ama, alışık değilsen sarsabilir."

"Hiç umurumda değil."

Dikkat ettim. Bana söylemediği bir sıkıntısı vardı. İkinci kadehin de yarısını bir dikişte içti. Her içişten sonra yüzü buruşuyordu.

"Benle dertleşmek ister misin?" dedim.

"Ne konuda?"

"Bugün hastanede olanlar konusunda."

Şaşırarak yüzüme baktı.

"Sen nereden biliyorsun?"

Gülümsedim. "Ben bilirim."

"Doğru söyle, nereden biliyorsun?"

"Kuşlar fısıldadı."

"Bırak dalga geçmeyi. Allahını seversen doğru söyle, kimden öğrendin?"

Yumuşak ve sevecen gülümsemem yüzüme yayıldı. "Kimseden öğrendiğim bir şey yok Jale, kimden ne öğrenebilirim ki? Ama müthiş gergin ve sinirlisin. Belli ki bu ne soğuktan ne de bulmaktan zorluk çektiğin vasıtalardan. Hastanede seni üzecek bir vaka olmuş. Bunu anlamak için kâhin olmaya gerek yok."

Önce başını dizlerine dayadı, kollarıyla bacaklarını sardı. Bir süre kımıldamadan oturdu.

"Allah kahretsin." diye homurdandı sonra.

"Ne oldu, anlatsana? Konuşursan açılırsın. Ben çok iyi bir dinleyiciyimdir."

Kararsız gibiydi hâlâ. Kadehte kalan son kanyağı da içip bitirdi.

"Bugün klinikte hoca ile tartıştım."

Daha fazla açıklama bekledim, vermedi.

"Hepsi bu mu?" dedim. "Amma büyütmüşsün. Hepimiz her gün çeşitli insanlarla tartışıyoruz. Ben de sık sık hakimlerle, iş yerlerimdeki patronlarla tartışırım. Fazla üzülmeye değmez."

"Ama benim ki tartışmadan öteydi."

"Nasıl yani?"

"Bayağı kavga ettim. Az kaldı elimdeki stetoskopu hocanın yüzüne fırlacaktım."

"Ama fırlatmadın, değil mi?"

Yine zaman zaman yaptığı o şımarık çocuk haline büründü. Dudaklarını sarkıttı, yüzünün yarısını örten saçlarının arasından, "Hayır, fırlatmadım." dedi.

"Aferin, benim yaramaz kızıma. Fazla birşey yapmamış sayılırsın. Bunun için bu kadar sinirlenmeye değmez. Üzme tatlı canını."

Masum masum yüzüme baktı. "Birşey olmaz değil mi?"

"Hiçbirşeycik olmaz. Takma kafanı. Alt tarafı mesleki bir tartışma bu. O hoca, sen asistansın. Her zaman böyle fikir ayrılıkları olur."

"Ama bu mesleki bir tartışma değildi ki."

"Nasıl yani? Hoca ile niçin tartıştın?"

Cevap vermedi.

"Söylesene, niçin tartıştın? Kavga etmenizin sebebi neydi?"

Yine ses yoktu Jale'de. Neden sonra, "Sarıl bana." dedi. "Kollarının arasına al. Himayene, benden esirgemediğin sıcak ilgi ve şefkatine ihtiyacım var."

Sesi yine o şımarık çocuk gibi çıkmıştı.

Biraz yaklaştım, kolumu omuzuna attım. "Oldu mu? Anlat bakalım şimdi."

"Hayır olmadı." dedi. "İki kolunla, sıkı sıkıya sarıl. Gücünü, kuvvetini bedenimde hissetmek istiyorum. Bana ufak, yaramaz bir çocuk gibi değil, sevdiğin arzuladığın kadın gibi sarılmanı istiyorum."

Galiba uygulamayı tasarladığım strateji boşa gidecekti.

"Jale!" diye mırıldandım.

"Lütfen Sinan!.."

İki kolumla sıkı sıkı sarıldım, altın saçlı başını göğsüme çektim. Bir kedi yumuşaklığı ile bana sokuldu. Ilık nefesini boynumda, göğsümde hissediyordum. Kanım damarlarımda çılgınca akmaya başlamıştı. Kendine özgü ten kokusu, dünyanın en hoş rayihası gibi genzime siniyordu. Uzun parmaklarıyla gömleğimin iki düğmesini açmış ellerini göğsümün kılları arasında dolaştırıyordu.

"Söyle şimdi" dedim. "Hoca ile niçin tartıştın?"

"Söylemek istemiyorum."

"Neden o?"

"Sinirlenebilirsin."

"Neden sinirleneyim canım?"

"Hayatımın en mutlu anlarından birini yaşıyorum şimdi. Yok yere seni kızdırıp aramızın açılmasını istemiyorum."

"Neden aramız açılsın ki?"

Dolgun dudaklarını uzatıp gömleğimin arasından göğsümü öptü. Sonra usulca:

"Çünkü hoca bana evlenme teklif etti." dedi..

Tamam.. Çümbüş başlamıştı yine.

Jale mükemmel bir aktör olmalıydı. Taktikleriyle insanı çileden çıkarmasını çok iyi beceriyordu. Daha şimdiden bu oyunlardan yorulmaya başlamıştım. Çılgın bir kızdı ve sanırım kendisine olan sevgi ve tutkumu, hiç alışık olmadığım tarzlarda sınıyordu. Her halde kızmam, sinirlenmem, umutlarımın kırılması, onu mutlu edecekti. Hoşlandığı garip bir oyundu bu..

Durumu kavramıştım. Hastanede asla bir münakaşa olmadığına emindim. Tabii hocanın evlenme teklif etmediğini de..

Hepsi uydurmaydı. Gecikerek eve dönerken yaratılmış fikri bir fantezi..

Bu sefer hazırlıklıydım ama.

"Ne kadar güzel! Çok sevindim. Aynı meslekten insanların birleşmeleri daima mutlu beraberlikler getirir. Umarım teklifi kabul etmişsindir?"

Yüzünü göremiyordum ama kollarımın arasındaki bedeninin irkildiğini hissettim.

"Yanlış duymadın, değil mi? Bana evlenme teklif etti dedim."

"Hayır, yanlış duymadım."

Bana sarıldığı kollarını gevşetmeden saçlarını silkeleyip aralayarak gözlerini yüzüme dikti.

"Sinirlenmedin mi?"

"Niye sinirleneyim ki? Ben senin mutlu olmanı isterim. Şayet o adamla mutlu olacaksan hiç durma evlen."

Bakışları dikleşti.

"Ne cevap verdiğimi merak etmiyor musun?"

"Sanıyorum bunu söyledin. Az kaldı stetoskopu yüzüne fırlatacaktın, değil mi?"

Hınzırca sırıtmaya başladı bu defa.

"O kavga tekliften önceydi." dedi.

"Ya öyle mi? Hoca çıkardığın marazadan çok etkilenmiş olmalı ki, ardından hemen evlenme teklif etti galiba?"

"Evet. Üç aşağı beş yukarı öyle."

"Bravo adama doğrusu!"

Yüzü ciddileşti birden. "Ne o komik mi buluyorsun? Alay eder gibi bir halin var?"

Gülümsemeye devam ederken, "Estağfurullah!" dedim.

"Ne yani? Normal mi bu? Herif nerdeyse büyükbabam olacak yaşta? Bir de karşıma geçmiş sırıtıyorsun?"

"Eee, buna şaşmamak lazım. Hem sen alışık olmalısın. Bana baksana, ben de senden yaşça epey büyüktüm ama aynı teklifi yaptım."

"Olsun, sen başkasın. Ayrıca o senden çok daha yaşlı."

"Boş ver yaşını. Beğendiysen hiç durma evlen."

Kollarını boynumdan çekti. Onu sarmalayan kollarımın arasından da sıyrıldı. Yüzüme hayretle bakıyordu.

"Ciddi misin sen?"

"Gayet tabii."

"Hani beni seviyordun? Tepkin bu mu olmalıydı? Başka söyleyecek sözün yok mu?"

"Ne diyebilirim sevgilim? Bükemediğin eli öpeceksin?"

İçimden kıs kıs gülüyor, hıncımı alıyordum. Bu kez onu faka bastırmış ve oyununu bozmuştum. Bakalım bu yalana ne kadar devam edecekti!

Aynı şaşkınlıkla bakmaya devam etti. Susam çiçeği rengi koyu gözler hiddetle parlamaya başladı. Bir an oyunu fazla uzattığımı düşündüm.

"Bana inanmadın, değil mi? Yüzündeki o sinsi sırıtıştan anlıyorum."

"İnandım, inandım.." dedim.

"Hayır inanmadın."

Birden yerinden fırladı. Hızlı hızlı odasına doğru yürümeye başladı.

Arkasından seslendim, "Nereye gidiyorsun?"

"Bekle." dedi. "Şimdi görürsün."

Nereye gidiyordu bu çılgın kız? Merak etmeye başlamıştım. Hemencecik geri döndü. Avucunun içinde bir şey getirdiğini anladım. Göstermiyordu bana. Yeniden yanıma çöktü, ama bu sefer benden uzak durdu.

"Bakalım şimdi bunu görünce ne diyeceksin?"

İtiraf edeyim ki yavaş yavaş heyecanlanıyordum. "Nedir o?" diye sordum.

Birden kapalı tuttuğu avucunu bana doğru uzattı ve parmaklarını açtı. Pırıl pırıl parlayan, oldukça iri taşlı bir pırlanta yüzük duruyordu avucunun içinde.

İrkilerek sordum, "Bu ne?"

"Ne olacak, kart hocanın bana hediye ettiği yüzük. İnandın mı şimdi?"

Yüzümün sarardığını, kanımın çekildiğini hissediyordum. Sertçe, "Niçin kabul ettin bunu?" diye sordum.

"Ne yapmalıydım yani? Red mi etseydim?"

Kanım tepeme sıçramıştı.

"Deminden beri adama kart herif deyip duruyorsun, madem evlenmeye niyetin yok, bu hediyeyi kabul etmek doğru mu? Ahlaken sakıncalı olduğunu anlamıyor musun?"

"Bırak şimdi bana ahlaki nutuk atmayı, söylediklerime inandın mı inanmadın mı, sen onu söyle."

Şömineden akseden alevlerin sarı ışığında avucundaki pırlanta ışıldıyordu.

Nutkumun tutulduğunu hissettim bir an. İçime beni hırs ve hiddete iten duygular üşüşür gibi oldu. Bu kız beni mahvedecekti. Düpedüz kıskanmaya başlamıştım. Bir yandan da yaptığı densizliğe bozuluyordum. Adamı istemiyorsa yüzüğü kabul etmesini ne mantığım ne de ahlâki değerlerim onaylamıyordu.

Suratım asıldı. Ona verilecek cevabım olamazdı. Yerden kalkmak istedim.

Hemen uzanıp kolumu tuttu.

"Kaçma!.. İşine gelmeyince, susup uzaklaşmaya bayılıyorsun. Cevap ver bakalım, hocanın evlenme teklif ettiğine inandın mı şimdi?"

Kolumu kurtarmaya çalıştım. Soğuk bir şekilde, "Evet" diye mırıldandım. Ama yerimden de kalkmadım. Jale'yi bir türlü anlamıyordum. Şimdiye kadar hiç rastlamadığım acayip bir kişiliği vardı. Güzelliği, dişiliği, hatta basit ve zaman zaman adileşen konuşma tarzıyla müthiş çekiciydi, fakat şimdi onun değişik ve genel ahlâk anlayışımla kesinlikle uyuşmayan, bana ters düşen başka bir yanıyla tanışıyordum.

"Ama bu yaptığın hiçbir zaman onaylanamaz." dedim.

"Yüzüğü kabul etmemi mi kastediyorsun?"

"Gayet tabii."

"Hoca'yı kıskandın değil mi?"

"Ne münasebet!"

"Yalan konuşma Sinan, bal gibi kıskandın."

"Lütfen benle biraz daha dikkatli konuş."

"Ne o beyzadem? Şimdi de sevdiğin, deli gibi aşık olduğun kızı küçümsüyor musun? İşine gelmeyince asalet damarların mı kabardı?"

"Jale yapma! Gittikçe basitleşiyorsun."

Yüzüne bakmak istemiyordum. İçimden Tanrı'ya isyan etmek geliyordu, yoksa başıma bu yaşta onu bir bela olarak mı göndermişti?

Parmaklarını uzatıp çenemden tuttu, direnmeme rağmen başımı kaldırarak göz göze gelmemizi sağladı. Mutlu ve muzafferdi şimdi. Şahane gözler zafer sevinci içindeydi.

"Yüzüme bak!"

Kendime kızıyordum, zaafım yüzünden elinde oyuncak olmuştum. Kocaman adamla adeta oynuyordu.

"Hadi söyle, kıskandığını söyle…"

"Evet, kıskandım. Kahroldum.. Rahatladın mı şimdi?"

"Henüz değil. Beni sevdiğini, çok sevdiğini de söyle."

Dudaklarımı ısırdım. "Evet" diye fısıldadım. "Seni çok seviyorum."

Uzun parmakları çenemden yanaklarıma uzandı. Usul usul okşadı, sonra tek parmağı dudaklarımın üzerinde dolaştı. Munis ve sokulgan bir edayla:

"Aptal!" dedi. "Benim gözü kör aşığım.. Hemen o yüzüğü kabul ettiğimi sandın. Sen beni ne zannediyorsun? Bu kadar kişiliksiz ve basit mi?"

Hayretle yüzüne baktım.

"Ama" diye geveledim. "Yüzük burada, yanında."

"Koca sersem! Önce beni bir dinlesene. Sözümü bitirmeme fırsat versene."

"Anlat şimdi, seni dinliyorum."

Jale bir soluk aldı. "Önce biraz daha kanyak ver. Boğazım kurudu."

Kadehe yanımdaki şişeden iki parmak daha içki koyarken anlatmaya başladı.

"O herifin bende gözü olduğunu eskiden de bilirdim. Daha talebeliğimde bana askıntı olur, sık sık yanıma gelir, sorular sorar ilgilenirdi. Maksadını hemen anlamıştım. Hiç yüz vermezdim. Staja başladığımda tabii daha sık karşılaşır olduk. Dün bana birden evlenme teklif etmez mi, beynimden vurulmuşa döndüm. Dedim ya neredeyse dedem yaşında herif. Gayet soğuk bir şekilde ve sinirlenerek reddettim. Siz yine de bir düşünün dedi. Bugün hastanede çalışırken odacılardan biri elinde bir zarfla odama geldi, bunu size hoca yolladı dedi. Zarfı elime aldım, yokladım, garip bir şey. Önce incelenecek bir rapor filan sanmıştım ama içinde garip bir kabartı vardı. Ne olabilir diye, açıp baktım. Allahtan o anda yanımda kimse yoktu. Ne çıktı içinden, beğenirsin? Yeşil bir mahfaza! Kapağını açtım, bu pırlanta yüzük. İçinde de

bir not. Bu naçizane hediyemin kabulü filan gibi abuk subuk ya-
zılmış satırlar. Kâğıdı büküp çöp sepetine attım, sonra çılgın gibi
odasına gittim. Niyetim hır çıkarmak, adamı rezil etmekti. Bak-
tım odası boş. Asistanı az önce hastaneden gittiğini söyledi. Hır-
sımdan çatlayacak gibiydim, adamı bulamamanın kızgınlığı ile
odama döndüm. Köpürüyor, yerimde duramıyordum. Sonra dü-
şünmeye başladım. Yüzüğü atamazdım, hastanedeki odamda da
saklayamazdım. Çaresiz yanıma aldım. Orada bıraksam kaybolur
birisi alır filan, al ondan sonra başına belayı. Adama nasıl dert an-
latabilirim, herif kabul ettiğimi filan düşünürdü. İşte, hikâye bu.
Anladın mı şimdi, benim kıskanç sevgilim?"

129

Yüreğime biraz su serpmişti. Utanarak ona sarılmak iste-
dim. Yok yere kızın günahını almıştım. Jale biraz delişmen,
hoppa, çocuksu hatta çılgındı. Ama kişiliği sağlam ve dobra bir
insandı.

"Dur!" dedi. "Acele etme! Şu lanet yüzüğü kaldırıp çanta-
ma koyayım. Zaten bütün günümü mahvetti bir de bu roman-
tik geceyi bize zehir etmesin."

Geldiği gibi acele adımlarla ona ayırdığım odaya gitti ve
yüzüğü ortadan kaldırdı. Rahatlamıştım şimdi. Olayı da hiç ya-
dırgamıyordum, hatta bir ara içimden hocaya acır gibi oldum.
Adamın çektiği sıkıntıları en iyi anlayacak mevkideki insanlardan
biri de bendim. Bilemezdim ama Jale muhtemelen en samimi
davranışlarıyla, istemeden bile olsa, adamı etkilemiş, aklını ba-
şından almış olabilirdi. Gayrı ihtiyari gülümsemeye başladım.

Arkamdan bir ses, "Ne o?" dedi. "Niye deliler gibi kendi
kendine gülüyorsun?"

"Zavallı Hoca'nın hali aklıma geldi de. Adamcağız karşın-
da feleğini şaşırmış olmalı."

"Bırak şimdi onu da, sen beni ısıtmaya bak. Hâlâ donuyo-
rum."

"Gel hayatım yanıma."

Jale yere çöktü, minderlerin üstüne oturdu. Bu defa iki
ayağını da kucağıma uzattı.

"Hadi, çoraplarımı çıkart da ayaklarımı ısıt. Buz gibiler."

Ayaklarını avuçlarımın içine aldım, ama çoraplarını çıkarmadım.

"Öyle değil." diye mırıldandı. "Çoraplarımı çıkar da, ovala."

Anlaşılan bana eziyet etmeye devam edecekti.

İhtiyatla ona döndüm.

"Bak Jale!" diye mırıldandım. "Bu çok tehlikeli bir oyun. Ateşle oynadığının farkında mısın? Kaç erkek sana gösterdiğim bu sabrı anlayışla karşılar. Seni ilk gördüğüm andan beri arzuluyorum, fakat bu ana kadar irademe hakim oldum. Lütfen beni daha da zorlama. Güzel ayaklarının beni baştan çıkartacağına, önüne geçemeyeceğim davranışlara sürükleyeceğini biliyorsun. Yapma bunu."

"Sevgilim zaten seni bu yüzden seviyorum. İradeli ve yaman bir erkeksin. Ve ben peki deyinceye kadar da o işi yapmayacağını biliyorum."

"Buna o kadar güvenme. Tahammülümün son kertesindeyim."

Sustu.

Sonra birden kendisi yün çorapları ayağından fırlatıp çıkardı.

"Hadi onları tut ve ovala."

"Hayır" dedim.

"İnat etme Sinan! Bunu seni tahrik etmek için yapmıyorum. Gerçekten üşüyorum."

"Öyleyse şöminenin alevine uzat, ısınırsın."

"Ben senin ısıtmanı istiyorum."

"Jale! Yeter artık bu işkence. Dayanamayabilirim."

"Bak ayaklarıma! Biçimli parmaklarıma, kırmızı ojeli tırnaklarıma bak. Ne güzel değil mi? Bir gün hepsi senin olacak, onları dilediğin gibi okşayıp, öpeceksin."

Beynim karıncalanıyordu.

Hırsla omuzlarından kavradım. "Söyle, ne zaman? Ne zaman benim olacaksın?"

"Evlenmeye evet dediğin zaman sevgilim."

"Çıldırtma beni. Evlilik dediğin sadece yasal bir formalite. Bugün binlerce çift evlilik öncesi yaşam sürüyor. Bizim yaptığımız nedir ki, aynı evi paylaşmaya başladık ama ben sana dokunamıyorum."

"Amma yaptın? Az önce kumrular gibi sarmaş dolaş koklaşıyorduk. Şimdilik bununla yetinmelisin. Söz veriyorum daha sonra seni dünyanın en mutlu erkeği kılacağım."

"Artık dayanamayacağımı hissediyorum, bitmesini istiyorum bu çilenin."

"Bitecek sevgilim. Biraz daha dişini sık."

Onu biraz daha kendime çekerken sordum, "Neden bana önce seninle evlenmem dedin?"

Dudaklarını yine şımarık çocuklar gibi büzdü, fakat salonun sessizliğinde çın çın öten telefon sesi sorumu cevapsız bıraktı. İsteksizce yerimden kalktım ve telefonu açtım.

Gönül'dü arayan.

Yarın akşam bizi yemeğe davet ediyordu. Gönül'ü severdim, ince, hassas ve kibar kızdı. İstanbul'un eski ve varlıklı ailelerinden birinden gelmeydi. Acaba Jale'yi nasıl karşılar, diye bir an aklımdan geçirdim. Biraz züppe ve kendini beğenmiş olduğunu da bilirdim. Kanımca daha Jale'nin dostlarımla tanışmaları için vakit çok erkendi fakat fazla umursamadım.

"Bir dakika, bir de Jale'ye sorayım, bakalım müsait mi?" dedim.

Reseptörün ağzını kapatıp, "Mahir'ler yarın akşam bizi yemeğe çağırıyorlar." dedim. "Ne cevap vereyim?"

Boylu boyunca şöminenin önüne uzandı. Çenesini ellerinin arasına dayadı.

"Bana sorarsan geceyi burada nonişkom'la baş başa geçirmeyi tercih ederim. Ama kararı sen ver."

Çıplak ayaklarını boşlukta çocuk gibi sallayıp duruyordu.

Ben de onunla aynı kanıdaydım. Ama şimdi teklife bir bahane uydurup gitmemek hoş olmayacaktı. "Teşekkür ederiz, geleceğiz." dedim...

2

Sabahleyin bahçeye Jale'den önce inmiş Passat'ı çalıştırmış, camlarda kümelenen karları temizlemeye başlamıştım. Dün gecenin mağlubu yine bendim. Jale öpüşmüş, koklaşmış fakat belirli bir ölçüden sonra kendisine yaklaşmamı engellemiş, yine beni yatma vakti gelince odama postalamıştı. Sabahın ayazında karları temizlerken gülerek onu düşünüyordum.

Bu sabah yola biraz daha erken koyulacaktık. Niyetim Nuh Kuyu'suna uğramak ve Vural'ı bulmak istiyordum. Onu görmem gerekiyordu zira soracağım çok şey vardı. Endişelenmeye de başlamıştım. Başına bir hal gelmesinden korkuyordum.

Jale aşağıya indi, arabaya dar attı kendini. Kar yağışı durmuştu ama yine doluydu ve hafta sonuna kadar yağışın devam edeceğini biliyorduk.

Bağdat Caddesi'ne çıktığımızda ilgisiz gibi görünerek, "Yüzüğü yanına almayı unutmamışsındır umarım?" dedim.

"Hiç unutur muyum, sevgilim." dedi. "Onu görür görmez yüzüne çarpacağım."

Sesimi çıkarmadım. Bir süre konuşmadan gittik.

"Ehliyetin var mı?"

Yüzüme baktı. "Yok. Niye sordun?"

"Sana bir araba almalıyız. İşinle Suadiye'nin arası uzak. Her gün umumi vasıtalarla gelip gitmen çok zor."

Gözleri ışıldadı. "Ciddi mi söylüyorsun?"

"Gayet tabii."

"Görüyorsun ya, senin hakkında hiç yanılmadım. Harika bir insansın. Başka bir erkek olsa karşılık görmediği, her dakika onu üzen bir kadına bunu yapmaz. Böyle bir jesti aklından bile geçirmez."

"Boş ver şimdi bunları da sana bir ehliyet çıkarmaya bakalım."

Uzanarak direksiyondaki elimi okşadı.

Farklı bir yol takip ettiğimi görünce de sordu, "Nereden gidiyoruz?"

"Önce Nuh Kuyusu'na uğrayacağız. Kahvaltıda söylemiştim, şu arkadaşımın evine."

"Evet, hatırladım." dedi. "Kerim'in babası."

"Bana şu oğlandan biraz daha bahsetsene."

"Nesinden? Onu iyi tanımıyorum ki. Bir veya iki defa gelmişti eve. Ben de pek ilgilenmemiştim. Sana söylemiştim, biraz silik, ürkek ve çekingen bir çocuktu."

"Emel'le yatıyorlar mıydı?"

"Aman Sinan! Senin de aklın fikrin orada galiba! Ne bileyim ben? Emel'in ilişkiye girdiği çocukların çetelesini tutacak değildim ya! Ama kanaatimce yatıyorlardır. Şimdi herkes birbiriyle yatıyor, olağan bu artık."

"Öyle mi?" diyerek gülümseyip yüzüne baktım.

"Hınzır, domuz!" diye sırıttı. "Aklınca benimle dalga geçiyorsun. Ama ben Emel türü kızlardan değilim."

"Evet, bunu çok iyi biliyorum."

Nuh Kuyusu'na kadar fazla konuşmadık. Ama sevgilim bu sefer söylediklerim için surat asmadı. Eve yaklaşırken bir ara, "Sinan bu akşamki davete gitmesek galiba daha iyi olacak," diye mırıldandı.

"Neden?" diye sordum.

"Şey.. öyle işte!"

"Bir sebebi olmalı ama?"

"Var tabii."

"Neymiş?"

"Seni orada mahcup etmek istemem."

"Beni neden mahcup edeceksin ki?"

"Yani demek istiyorum ki, senin mensup olduğun belirli içtimai seviyesi olan bir grup var. Henüz onların arasına girecek durumda değilim."

"Saçmalama. Sen okumuş, eğitim görmüş, doktor olmuşsun. Çekindiğin sınıfa mensup olan pek çok kadından daha üstün ve yeteneklisin. Yeter ki zaman zaman bana yaptığın..."

"Ben onu kastetmiyorum."

"Peki, söylemeğe çalıştığın nedir?"

"Biraz ayıp olacak.. Sana söyleyemem."

"Anlat bana hayatım. Sorun ne? Onlara telefonda geleceğimizi söyledik. Şimdi mazaret beyan etmemiz daha ayıp."

"Anlatamam.. Utanıyorum. Bana yaptığın bunca şeyden sonra bir de..."

"Lütfen Jale! Neyse şu problem söyle."

Lacivert gözler uyanmış gibiydi. Kekeledi.

"Ben fakir bir ailenin kızıyım. Maaşım da yetersiz."

"Eee? Bunun davetle ne ilgisi var?"

"Böyle bir yemeğe gidecek kıyafetim yok! Anladın mı şimdi?"

Kendimi tutamayarak bir kahkaha attım.

"Bu mu sorunun?"

"Yeterli değil mi? Orada mahcup olmanı istemem."

Hâlâ gülüyordum. "Bugün işten biraz erken çıkabilir misin?"

"Neden?"

"Seninle buluşuruz, sonra baştan aşağı seni donatırız."

"Daha neler? Zaten başına yeterince yük oluyorum. Bir de bana yeni giysiler alarak masrafa girmeni istemem."

"Kaçta işten çıkabilirsin?"

"Olmaz."

"Bal gibi olur küçükhanım! Gerçekten bu davete gitmek istiyor musun?"

"Sen yanımda olduktan sonra tabii isterim."

"Şu halde anlaştık."

Utanmış gibi sustu..

"Peki kıyafetimi nerde değiştireceğim?"

"Giysileri aldığımız mağazalarda."

Belki hâlâ itirazlarda bulunacaktı, fakat Vural'ın evinin önüne gelmiş ve frene basmıştım. "Sen beni arabanın içinde bekle. Dışarıya çıkmana lüzum yok." dedim..

* * *

Kapı yine açılmıyordu. Uykuda olabileceğini düşünerek ısrarla zili çalmaya devam ettim. İçerde de çıt yoktu..

Vural'ın iki günden beri ortalarda olmaması artık aklıma kötü şeyler getirmeye başlamıştı. Ne olursa olsun geçen seferki gibi arka bahçeye geçip, içeri girerek bir göz atmaya karar verdim.

Arkaya dolanmadan önce duvarların arasından görünen arabaya baktım. Jale dikkatle beni izliyordu. Ona el salladım, şimdi geleceğim gibi bir işaret vererek arka tarafa yürüdüm.

Rezelerinden biri kırık tahta pencereyi açmak hiç zor olmadı, zaten tekniğini de öğrenmiştim. Ev düne nazaran daha havasız geldi bana. Her taraf yine buz gibiydi. Vural'ın odasına yürüdüm, kapıyı vurmadan açtım. İçimde hep kötü bir şeyle karşılaşacağım gibi bir his vardı. Vural içerde yoktu ve oda dün bıraktığım gibiydi..

Yapacağım bir şey yoktu. Kapıyı çektim, suratım asık ve endişeli arabaya dönmeye karar verdim ve açık bıraktığım pencereye yürüdüm. Tam o sırada sanki biri tarafından uyarılmış gibi, içimden bir his, bir de oğlunun odasına bakmamı istedi. Kısa bir an kararsız kaldım. Orada da değişik bir şey bulamayacağıma emindim ama içimden gelen o uyarıyı dinleyerek Kerim'in odasına gittim.

Kapıyı araladığımda gözlerim hayretle irileşti. Fakirliğine rağmen gayet düzgün olan oda darmadağınık edilmişti. Sıra sıra raflara yerleştirilmiş kitaplar, duvar dibine dizilmiş roman, mecmua ve mektep kitapları yerlere saçılmıştı.

Buraya birileri girmişti.

Bundan hiç şüphem yoktu. Henüz bilmediğim bir şey aramış olmalıydılar. Hem de eşyası az olan oda didik didik aranmış, kitapların içi karıştırılmıştı. Birden aklıma bulduğum resim geldi. Acaba onu mu aramışlardı? O resmin bir önemi olabilir miydi? Şayet o resmi aramışlarsa, fotoğraf kimin için önemliydi?

Neden sonra tahta zemindeki çamurlu ayak izlerini farkettim. İzlerin bir kısmı yere saçılan kitapların altında kaldığından önce görememiştim. Dikkatle bakınca farklı büyüklükte iki ayak izi olduğu hemen anlaşılıyordu. Ayak tabanlarının karla karışık bıraktığı çamur izleri gayet netti. Kurumuş olmalarına rağmen belli oluyorlardı. Emin olmak için izlere parmağımı sürdüm. Kurumuşlardı..

Düşünmeye başladım; son geldiğimde yerde kar yoktu. Kar yağışı dün öğleden sonra başlamıştı; bu da meçhul ziyaretçilerin bu süre içinde gelmiş olduklarına işaretti. Dün gece de olamazdı, çünkü karanlıkta aradıkları şeyi bulamazlardı, ışık yakmaları ise böyle bir ev için komşuların dikkatini çekebilirdi. Hele Kerim'in odasının ışığının yanması daha da dikkat çekici olabilirdi, zira komşular da çocuğun uzun süredir kayıp olduğunu biliyorlardı. Öyleyse en kuvvetli ihtimal dün öğleden sonra ya da akşama doğru olmalıydı.

Bu eve girmek hiç de zor değildi, ama nereden girdiklerini düşünmeye başladım. Benim girdiğim pencereden olamazdı, çünkü girer girmez ayak izlerini mermer avluda görmem gerekirdi. Oysa orada hiç ayak izine rastlamamıştım. Yine de emin olmak için kapıyı açıp avluya baktım. Mermerler temizdi. Anlaşılan ziyaretçiler her ne arıyorlarsa, aradıklarını Kerim'in odasında bulacaklarına emindiler. Vural'ın odasına hiç geçmemişlerdi. Kerim'in odasının penceresine ilerledim.

Nereden girdiklerini anlamıştım. Çünkü pencere pervazının dış tarafındaki tahtalarda ezilmiş kar izleri vardı. Birileri tahtanın üzerinden aşarken oradaki karlar savrulmuş, dağılmıştı. Menteşelere baktım, ikisi de içten açıktı. Tekrar dönüp yerdeki ayak izlerini bir polis hafiyesi gibi tetkik ettim. Ziyaretçilerin biri en az 45 numara ayakkabı giyiyor olmalıydı. Diğeri ise ondan çok daha ufaktı.

İlk aklıma gelen, bu kişilerin evimde bana saldıran insanlar olduğuydu. Onlardan da biri iri yarı cüsseli, diğeri ise ufak tefekti. Tabii bu bir varsayımdı, emin olamazdım. Ayrıca Jale'nin evine giren insanlar da olabilirlerdi. Ne gariptir ki, onlar da Jale'nin evinde ne olduğunu anlamadığımız bir şeyin peşindeydiler..

İçimi bir ürperti kapladı.

Kerim Toksöz'ün kaybolması gittikçe tatsız bir olay olmaya başlamıştı ve şimdi baş vurabileceğim tek kaynak, arkadaşım Vural da sırra kadem basmıştı..

Geldiğim yerden evi terkettim..

* * *

Passat'ın kapısını açarken Jale, "Arkadaşını bulamadın, değil mi?" diye sordu. Başımı salladım. "Hayır, evde yok."

"Peki Allahını seversen, ne yaptın bahçede bu kadar zaman?"

Galiba içerde odayı dağınık görünce epey oyalanmıştım. İçerdeki manzaradan ve Vural hakkında gittikçe artan endişelerimden Jale'ye bahsetmek istemiyordum.

"İçeriye girecek bir yer aradım."

"Girebildin mi?"

"Hayır. Geciktik mi?"

"Eh, biraz," diye mırıldandı Jale.

Arabayı çalıştırdım ve yola koyulduk. Kar nedeniyle yollar berbat ve trafik arap saçı gibiydi.

"Kusura bakma." dedim.

"Boş ver. Böyle havalarda herkes biraz kaytarır."

Durgunluğumu ve düşünceli halimi farketmişti.

"Ne o? Konuşmuyorsun. Bir şey mi oldu?"

"Yoo!"

"Numara yapma, sen bir şeye bozulmuşsun. Yine bana mı taktın kafanı?"

"Hayır."

"Doğru söyle. Bak, bu sabah gayet uslu bir kızım ve seni kızdıracak bir şey yapmadım."

"Biliyorum."

"Öyleyse bu suratın ne?"

Bir an duraladım. Sonra, "Aklımı şu senin eve gelen adamlara taktım," dedim.

"Neden? Nerden geldi aklına şimdi?"

"Bilmem, anımsadım işte! Acaba eşyalarının içinde ne arıyorlardı?"

"Ne bileyim ben?"

Aklımdaki soruyu yönelttim. "Emel'le çektirdiğiniz fotoğraf var mıydı hiç?"

"Fotoğraf mı?"

"Evet."

Bir süre düşündü.

"Sanmıyorum. Niye sordun?"

"Hiç, aklıma geldi işte!"

Jale korkuyla yüzüme baktı birden. Kurt gibi zekiydi.

"Arkadaşının evine girdin, değil mi?"

"Hayır dedim ya."

"Yalan söyleme. Yüzünden anlıyorum. Korkmayım diye benden saklıyorsun; o adamlar o eve de girmişler."

Kararsız kaldım, sonra başımı salladım.

"Evet. Kerim'in odası darmadağınık. Tıpkı seninki gibi.

Heriflerin neyin peşinde olduğunu anlamıyorum. Bir şey aradıkları muhakkak ama ne?"

"Bir fotoğraf peşinde olduklarını nereden çıkardın?"

"Sana Kerim'le Emel'in fotoğraflarını göstermiştim, hatırlıyor musun?"

"Evet."

"Birkaç gün evvel o resmi bu evden almıştım. Çocuğun odasını görmek istemiştim, belki dişe dokunur bir ipucu bulurum, diye düşünüyordum. O resim elime geçti. Gizlice aldım; babası bile farketmedi."

"Niye gizlice?"

"Bilmiyorum. O an içimden gelen bir his yaptığımı babasının görmemesi gerektiğini söyledi. Ayrıca arkadaşım Vural'ın bana karşı pek dürüst ve açık olmadığını düşünüyorum."

"Ne demek bu? Senden yardım isteyen o değil mi?"

"Evet, fakat benden bazı bilgileri sakladığına eminim."

"Ne gibi bilgiler?"

"Boş ver şimdi. Kafanı bunlara takma."

"Nasıl takmayayım? Benim dairem de karıştırıldı, kapım kurcalandı evimde oturamaz oldum, apar topar yanına sığındım. Bir şeyler bilmeye hakkım yok mu?"

Jale haklıydı ama onun korkmasını istemiyordum.

"Üzme tatlı canını," dedim. "Kısa bir zamanda göreceksin, herşey gün ışığına çıkacak. Sana söz veriyorum."

"Ne zaman?"

"Bana evet demenden daha önce."

Yüzüme bakarak, hınzırca gülümsedi. Bu çocuksu gülüşüne bayılıyordum. İçimde bir şeylerin eridiğini hisseder gibi oldum..

* * *

Saat on bire doğru, on seneden beri müşavirliğini yaptığım Bo-Cessen firmasının idare heyetindeki iki dostum yazıhaneye geldi. Artık onlara müvekkilden çok, dost demeyi tercih ediyordum, zira aramızdaki on yıllık beraberlik bizi iyice yakınlaştırmıştı. Şirket esas mukavelesinin bazı maddelerinin değiştirilmesi konusunda hukuki mütalaamı almak için gelmişlerdi. Saat yarıma kadar büromda tartıştık.

Jale ile saat dörtte buluşacaktık, yazıhaneme gelmesini söylemiştim ama o nedense çekinmiş ve Nişantaşı'ndaki dört yol ağzında buluşmamızı istemişti. Misafirlerim öğleyin Hilton'a gidip yemek yiyelim dediler; vaktim vardı, nasıl olsa dörde kadar rahat rahat yemekten dönerdim. Yarımda büromdan çıkıp otele gittik. Vestiyere paltolarımızı bırakıp onlar Green House'a doğru yürürlerken ben de tuvalete girdim. İşimi bitirdikten sonra bir an geniş aynaların karşısında durup kendime bir çeki düzen verdim, yerinden kaymış kravatımı sıkıştırdım. Herşeye rağmen hayatımdan memnundum; yaşamak, güzel bir kadına aşık olmak dünyayı toz pembe görmeme yetiyordu. Hafif ıslık çalıyordum.

Tuvaletin kapısı açıldı.

İçeriye girenle hiç ilgilenmedim önce. Daha doğrusu dikkat bile etmedim. Ama arkamdan yaklaşan birinin aksini aynada farkedince birden irkildim.

Adam tanıdık gibi gelmişti gözüme.

Ellerim kravatımın düğümünde kaldı. O adamdı; bana evimde saldıran iri yarı herif. Yanılıyor muyum, diye dikkatle baktım yeniden. Yanılmamıştım. Zaten adam da doğru bana yaklaşıyordu.

Hızla arkamı döndüm. Bu sefer gafil avlanmak istemiyordum.

Burun buruna geldik.

Alaycı bir şekilde sırıtıyordu herif. O kadar yaklaşmıştı ki, sigara kokan nefesini duyabiliyordum. Saldırmaya niyeti yok gibiydi. Bir süre gözlerinde küçümseyen bir ifade ile beni baştan aşağı süzdü. Giyimi dikkatimi çekmişti. İlk karşılaştığımızda sırtında basit bir mont vardı. Bu defa ise lacivert, çizgili bir elbise giymiş, beyaz gömlek, kravat takmıştı. Kendinden öyle emindi ki sağ elini kruvaze ceketinin cebinden çıkarmamıştı.

Tetikteydim, ama susup konuşmasını bekledim.

"Ulan keriz!" dedi. "Sen dangalağın tekiymişsin."

Hakaretini duymazlığa geldim. Gayem bana vereceği mesajı öğrenmekti. Buraya sırf beni tahrik etmek için gelmiş olamazdı; tuvalete girişinin de tesadüf olmadığına emindim. Demek yazıhanemden çıktığımdan beri beni takip ediyordu. Arkadaşlarımdan ayrılıp tuvalete yalnız girdiğimi görünce arkamdan içeriye damlamıştı.

Burada bana saldıracağına ihtimal vermiyordum. Otel tuvaletleri her zaman giren çıkanın bol olduğu yerlerdi. Bana saldırmak istese, bu işi pekala daha tenha bir yerde de gerçekleştirebilirdi. Doğru bir mantık yürüttüğümü anlayınca daha rahatladım.

Adam konuşmaya devam etti.

"Aklını başına topla, bırak bu hıyarlığı! Yoksa seni lime lime doğrayacağız."

Sakin olmalıydım..

İçimden bir ses, herifin suratına okkalı bir yumruk atmamı söylüyordu. Ama bunun hiç de akıllıca bir iş olmadığını ise sağduyum bangır bangır bağırıyordu. Yumruklarımı sıktım, kabaran hiddetimi bastırmaya gayret ettim.

"Bana ne söylemeye çalıştığınızı anlamıyorum," dedim.

Sesimdeki sakinliğe kendim de şaşmıştım.

"Bırak şimdi bu ağızları," diye hırladı adam. Biraz yan tarafa kaymış, aynada kendi görüntüsüne bakmaya başlamıştı. Kendinden müthiş emin bir hali vardı. Aslında o anda içeriye bir başka kişinin girmesini istemiyordum. Birini görürse belki konuşmayı keser ve uzaklaşabilirdi, oysa onun içini dökmesini ve mesajını iletmesini bekliyordum.

Kruvaze ceketinin cebindeki elini çıkardı. Suriye işi oymalı, süslü bir sustalı belirdi elinde. İrkilmiştim birden. Pis pis sırıttı. Huylandığımı anlamıştı.

Hemen kendimi korumam gerekiyordu.

Fakat o sakin bir şekilde aynanın karşısında tırnaklarını kesmeye başladı. Sırıtıyordu.

"Aklın bokuna karıştı, değil mi?"

Cevap vermedim, ama korktuğumu sanmıştı.

İğrenç gülümsemesi bütün yüzüne yayıldı. Beni kıstırdığını ve fena halde korkuttuğunu düşünerek keyifleniyordu.

"Hâlâ benden ne istediğinizi anlamadım," dedim.

Gözleri iri iri açıldı. "Sahi mi? Hâlâ anlamadın mı?" dedi.

"Hayır anlamadım. Açıklarsan memnun olurum."

Şaşırmış gibi yüzüme baktı.

"Ulan teres, benimle dalga mı geçiyorsun? Yoksa beni tanımadın mı?"

"Daha evvel tanışmış mıydık?"

Adamın tepesi atmıştı galiba. Hiç tahmin edemeyeceğim bir hızla kravatımdan kavrarken sustalının sivri ucunu bir anda gırtlağıma dayadı. Bu kadar hızlı hareket edeceğini ummuyordum doğrusu.

"Ulan sabrımı taşırma! Yoksa emir memir dinlemem seni şuracıkta şişlerim!"

Zor da olsa gülümsemeyi başardım.

"Kimden emir alıyorsun sen? Kimin yardakçısısın?"

Kanlı gözlerini yüzümden ayırmıyordu. Konuştukça o pis ağız kokusu dalga dalga burnuma çarpıyordu. Dudaklarının her iki yanında tükürükçükler belirmişti.

"Senin gibi züppelerden nefret ederim. Karı kılıklı, ödlek pezevenk."

Boynumda birden bir acı hissettim.

Adam sustalının ucunu hafifçe itelemişti. Aynı anda da geri çekti. Ilık ılık kanımın akmaya başladığını duyumsadım. Ama hâlâ kımıldamadan hareketsiz durmayı başarmıştım. Zaten o an başka şansım da yoktu, herif her an elindeki sustalıyı köküne kadar gırtlağıma saplayabilirdi.

Tam bir sadist gibi yüzüme bakmaya devam ediyordu ve ben boynumda gittikçe artan yanma hissi duyuyordum. Elimde olmadan yutkundum.

"Bak bu sana son ihtarım.. O oğlanı unutacaksın!"

"Bunun kimin emri olduğunu söylemeyecek misin?"

"Benim emrim."

"Hiç sanmıyorum," dedim.

Sustalıyı yeniden aynı yere dayadı.

"Sana söylemedi mi?"

"Kim?"

"Vural denen hergele?"

"Hayır," diye mırıldandım.

Bir süre yüzüme baktı. "Belki de söylememiştir o bok soyu. Çünkü o senden de ödlek. Anlaşılan sen boku bokuna eşek cennetine gideceksin."

"Çocuk nerede? Onu siz mi kaçırdınız?"

Cevap vermedi. Sustalıyı da ani bir hareketle boynumdan çekerek kapattı.

"O hergele arkadaşına sor. Sana o anlatsın. Yalnız sana son bir ikaz; bir daha bu işe burnunu soktuğunu görürsek, alimallah seni doğrarız."

Sustalıyı el çabukluğu ile ceketinin cebine indirmişti. Gitmeye hazırlanıyordu. Ama ben işe yarar hiçbir şey öğrenememiştim.

"Bir açıklama yapmayacak mısın?"

"Ne açıklaması?"

"Bana bu ikazı kimin yaptığı hakkında."

"Hadi.. Kafamı daha fazla kızdırmadan siktir git!."

Onun kafası kızıyor muydu, bilmem ama, benim kafamın tasının attığı muhakkaktı. Sabrım iyice taşmıştı.

"Sahibin seni hiç iyi terbiye edememiş! Sokak köpeklerinden hiç farkın yok. Tam bir itsin sen." dedim.

Duyduklarına inanamamış gibi bana baktı. Ellerini beline dayayarak, "Ne dedin, ne dedin?" diye hırladı.

Ok yaydan çıkmıştı artık. Onu hemen buracıkta haklamam şarttı artık. Bundan sonra olacakları ne yazık ki sağlam bir mantık süzgecinden geçirecek, daha soğukkanlı davranacak gücüm kalmamıştı. Adamın deminden beri sustalı tehditi altında küfür edip durması kanımı beynime sıçratmıştı.

Adamın hayli atik ve hızlı olduğunu biliyordum, fakat ben de yaşıma ve akranlarıma göre oldukça hareketli ve spor yaptığım için de yeterince formdaydım. Sıktığım yumruğumu olanca hızıyla herifin suratına indirdim. Bu benim bile beklemediğim mükemmel bir yumruktu. Adamın suratının tam ortasına indi. Otelin tuvaletine yayılan hafif müziğe rağmen suratında çatırdayan kemiklerin çıkardığı sesi duyabildim. Aynı anda yumruğu attığım elim felç olmuş gibi hissizleşmişti.

Herif kütük gibi tuvaletin cilalı mermerlerinin üzerine yığıldı kaldı. Anında bayılmıştı. Zaten o yumruğa rağmen ayağa kalksaydı, hemen şişmeye başlayan sağ elimle dövüşmeye devam etmemin imkanı yoktu.

Adama bir baktım. Burun kemiği çarpılmış, yüzü kan içinde kalmıştı. Beyaz gömleğinin önü anında kızıla boyanmıştı. Hatta bir an adamın ölmüş olabileceğinden bile endişe duydum. Üzerine eğildim. Ağzı açık duruyordu; az önce tükürük saçan dudakları da kana bulanmıştı. İşin ilginç yanı tavşan dişi gibi uzun olan iki ön dişi ortalarından kırılmıştı. Ama hâlâ nefes alıyordu.

Keyiflenerek doğruldum. Elimin tarak kemikleri çok sızlıyordu ama doğrusu tam zamanında ve bir boksör gibi davranmış, terbiyesiz iti bir yumrukta devirmiştim. Demek yerini bulan tek bir yumruk bile insanı bayıltmaya yetiyordu.

Herifi tuvaletin tam ortasında o halde bırakmak istemedim. Her an içeriyi biri girebilirdi. Sağlam elimle ceketinin yakasından tutarak yerde sürükledim, kapalı tuvalet bölmelerinden birine soktum. Sonra sızlayan elimin yardımıyla herifi klozetin üstüne oturttum. Düşmemesini sağlamak için de arkaya itip duvara yasladım. Yine de baygın haliyle dik duramıyordu. Hafifçe sol yanına sarkmıştı. Kapıyı kapatıp, aynaların önüne geldim. Boynuma bir göz attım. Herif gırtlağımda ufak bir yara açmıştı ve ince bir kan şeriti gömleğimin yakasına doğru sızıyordu. Önce su ve sabunla yaramı temizledim. Sonra tuvalet kâğıdıyla kuruladım. Kan kurumuştu ama bir mücadeleden çıktığım belli oluyordu. En kötüsü sağ elim şimdiden şişmeye başlamıştı.

Tuvalette fazla oyalandığım söylenemezdi, bütün bu olup bitenler en fazla beş altı dakikaya sığmıştı. Arkadaşlarımın yanına dönmeye hazırdım artık. Baygın herifin daha saatlerce ayılamayacağı kuşkusuzdu. Sonra da esaslı bir tıbbi müdahaleye ihtiyaç duyacaktı.

Sağ elimi pantolonumun cebine soktum ve tuvaletten çıktım.

Dışarda beni bir sürpriz bekliyordu. Tuvalet kapısının tam önünde bir adam adeta içeriye girişi engellemek ister gibi kolunu duvara dayamış duruyordu. O adamı da hemen tanımıştım. Evimde bana saldıran kısa boylu herifti bu da. Beni bir an alaycı nazarlarla süzdü. Gömleğimdeki kan izlerini görmüş olmalıydı.

Ben de ona gülümsedim. Sonra kulağına doğru fısıldadım: "İçerde patronunuza gönderilmek üzere bir paket hazırladım. Lütfen ona saygılarımı iletin." dedim.

Bir an neyi kastettiğimi anlamayarak aptal aptal suratıma baktı. Neden sonra jeton düştü ve beni süzmeyi bırakarak hızla tuvalete daldı. İçerde "Hüsamettin... Hüsamettin... Neredesin yahu?" diye seslendiğini işitiyordum.

Green House'a doğru yürümeye devam ettim. Patronlarının adını öğrenememiştim, ama bu da hiç yoktan iyiydi; serserilerden birinin adı Hüsamettin'di...

* * *

Arkadaşlarım önce, "Nerede kaldın yahu?" diye serzenişte bulundular. Sonra boynumu, kanlı gömleğimi ve şişen elimi görünce garip garip beni süzdüler. Hilton gibi lüks bir otelde saldırıya uğrayabileceğime, biriyle boğuşacağıma ihtimal vermediklerinden ne oldu sana, diye sordular.

Tuvalette bir kaza oldu, diye geçiştirdim. Gerçekte olanları anlatamazdım. Beni beklemeden yemeğe başlamışlardı. Açık büfeye doğru ilerledim. Tabağıma yemek seçerken olayın heyecanını hâlâ üzerimden atamadığımı hayretle farkettim. Yeterince soğukkanlı davranmıştım ama şimdi bütün vücudum titriyordu. Yemek salonunun geniş camlı kapısından uzanan koridora gözüm takıldı. İki serserinin bundan sonra ne yapabileceklerini düşünmeye başladım. Acaba gözleri kararıp bana burada da saldırmaya kalkarlar mıydı? Bu çok zayıf bir olasılıktı; ayrıca Hüsamettin denen adamın değil saldıracak daha uzun süre kımıldayacak hali olmayacaktı. Ama bundan sonra daha dikkatli ve tedbirli olmak zorunda hissediyordum kendimi. Bu saldırı bu kadarla kalmayacaktı.

3

Hilton'daki yemekten ikiye doğru kalktık. İş arkadaşlarım beni Nişantaşı'nı kadar getirmişlerdi. Dört yol ağzında indim. Kanlı gömlekle dolaşamazdım. Sevgilimle buluşacak daha sonra da Mahir'lere yemeğe gidecektik. İlk rastladığım Abbate mağazasına girip kendime aynı renk bir gömlek aldım. Sonra yazıhaneye döndüm, hâlâ vaktim vardı. Füsun görmesin diye odama geçerken paltomun yakasını kaldırdım. Gömleğimi değiştirdikten sonra girişteki ufak buzdolabından buz çıkartarak şişmiş elimin üstüne koydum. Buz tedavisinin şişe uygulanacak en iyi çare olduğunu biliyordum; o serserinin bundan önceki saldırısında da aynı yöntemi yanağıma uygulamıştım. Bir yandan da zevkleniyordum, bu defa herife iyi bir ders vermiştim. Yumruğumun acısını uzun süre unutamayacaktı. Yüzü, anasından doğma tabii şeklini kaybetmişti.

Saat dörde on kala Jale ile sözleştiğimiz yere geldim. Kar yağışı devam ediyordu ve sevgilim henüz ortalarda yoktu. Bir süre vitrinlere bakarak oyalandım. On sekizindeki genç bir aşık kadar heyecanlıydım. Yerimde duramıyordum. Bugün ilk defa onunla alış veriş yapacaktık. Jale'nin yaşamıma ne kadar renk kattığını, hayatı bana sevdirdiğini, o zamana kadar ruhumun derinliklerinde bastırılmış ya da yüzeye çıkmamış duygularımı harekete geçirdiğini şaşkınlıkla farkettim. Kırk yaşıma geldiğim halde, frenlenemez, kontrolden çıkmış, hislerle boğuştuğumu anladım.

Dördü on geçe bir taksiden indi. Onu görmüştüm. Kendimdeki coşkuyu yadırgıyordum; onu gördüğüm anda çocuk gibi sevinmiştim. Hızlı hızlı yanıma geldi.

"Merhaba," dedi. "Yine beklettim mi seni?"

"Hayır," dedim. "Az önce yazıhaneden çıktım."

Gülümsedi, hemen koluma girdi. Fütursuz ve en az benim kadar coşkuluydu. Sabahleyin arabada gösterdiği utanma hissi kaybolmuş, kendisine yeni giysiler alınacak ufak bir kız çocuğunun zevk ve heyecanını yaşıyordu şimdi.

"Söyle bakalım, nereden başlayacağız?"

Muzip bir şekilde yüzüme baktı.

"Nasıl bir yere gideceğimizi, ne kıratta insanlarla tanışacağımızı bilmiyorum. Her şeyi sana bırakıyorum. Sen karar ver, ne seçersen ben kabule hazırım."

"Ama," dedim "Senin zevkin..."

Hemen sözümü kesti.

"İtiraz etme. Çok zevkli bir adam olduğunu biliyorum. Kalite kavramın benden çok daha iyi. Hiç itiraz etmeyeceğim."

Bana gösterdiği itimattan dolayı gururlandım.

"Pekala" dedim. "Önce elbiseden başlayalım. Daha sonra ona uygun palto, ayakkabı, çorap, çanta vesaire alırız."

"O vesaire nedir?"

"Yani ne bileyim, sözün gelişi işte!"

"İç çamaşırını mı kastediyorsun?"

"Niye olmasın? Gerekirse onları da tabii..."

Hoşlanmadığımı söylediğim ama aslında içimin gittiği o mahalle kızı tavırlarını yeniden takınmaya başlamıştı.

Dudaklarını büzerek sanki beni uyarıyormuş gibi, "Ama onları değiştirirken yanıma gelip bakmak yok! Utanırım ha!"

Sanki kızıyormuş gibi, "Jale!" dedim. "Yine başlama!"

Kızgın ve bozuluyormuş gibi davranışımın hiç de gerçekçi olmadığını pekala biliyordu. Koluma daha sıkı sarıldı, ışıldayan lacivert gözleriyle baktı. Sıcak sıcak bana sokuldu.

Kısa zamanda ne kadar zor bir alıcı olduğunu öğrendim. Zevklerimiz gerçekten uyuşmuyordu, o daha ziyade frapan, göz alıcı şeylere kayıyor, ben ise belki biraz da yaşımın verdiği alışkanlıkla daha klasik, koyu ve muhafazakâr giysilere bakıyordum. Sadece elbise seçiminde bile bir sürü dükkâna girip çıkmıştık. Tercihi bana bırakmış gibi görünmekle beraber sonunda onun beğendiği şeyleri seçeceğimizi anladım. Maçka'ya doğru ilerledik. Yeni açılmış, ünlü bir İtalyan mağazasına girdik sonunda. Marka olarak çok meşhurdu. Kulağıma eğilerek, "Ama burası çok pahalı," dedi. "Seni masrafa sokmak istemem."

"Hiç önemli değil. Beğendiğin bir şey varsa alabiliriz."

Çocuk gibi sevindi. "Burası harika bir yer. Daha önce görmüştüm ama utandığımdan sana söyleyemedim. Burada istediğim herşey var."

Gülümsedim. "İyi öyleyse" dedim. "Fazla dolaşmaktan kurtuluruz."

Pervasızca, hiç çekinmeden yanağıma bir öpücük kondurdu. Yanımızda dolaşan fakat mesafeli ve son derece kibar davranan tezgahtar kız Jale'nin içtenlikle beni öptüğünü görünce belli belirsiz tebessüm etti. Jale'nin davranışları o kadar doğal ve samimiydi ki, ayrıca olağanüstü güzelliği ve çekiciliği ile her göreni sihirli bir sevgi ağının içine çekiyordu. Bu onun doğal yapısında vardı, bir kere görünce etkisinde kalmamak, ona yakınlık duymamak olanaksızdı. Yalnız erkeklerin kapıldığı bir duygu, etkilenişim de değildi, kadın erkek farketmeksizin herkesi büyülüyordu.

Sonunda siyah güzel bir elbisede karar kıldı. Kapalı bölmelere girip elbiseyi giydi. Beni yanına çağırdı. Aynanın karşısında kendine bakarken fikrimi sordu. Bir içim su olmuştu. Hatta sırtındaki elbiseye çok ters düşen, ayağındaki karla karışık çamurlu eski botlara rağmen. Tezgâhtar kız bile hayranlıkla onu seyrediyordu.

Jale ayakkabılara henüz bakma fırsatı bulmadığımız halde kıza dönerek reyondaki siyah bir ayakkabıdan söz etti. Birlikte gidip tezgâhtara ayakkabıyı gösterdi. 38 numara giyordu; bu onun gibi uzunca boylu bir kız için oldukça ufak bir numara sayılırdı. Ayakkabı provasını kaçırmak istemezdim. O güzel ayakları yeniden görme fırsatını elde edecektim. Yine yıldırım gibi yanıma geldi. "Botlarımın içinde sakil yün çoraplar var," dedi. "Siyah fantezi bir çorap alabilirim, değil mi?" diye sordu.

"Tabii…" dedim.

Mağaza içindeki koşuşturmasını yalnız ben değil, şimdi onu farkeden bazı müşteriler ve diğer tezgâhtarlar da keyifle seyrediyorlardı. Bazı erkeklerin yan gözle ve hasetle bana baktıklarını hissettim. Yerimde olmak için can attıklarını sezinliyordum.

Daha sonra ayakkabı, çorap, manto ve onlara uygun şık bir çanta aldık. Hepsi siyahtı. Ve o renk Jale'yi yaşından biraz daha büyük göstermiş ve bir genç kızdan çok olgun bir kadına çevirmişti. Yeni giysileri ve aksesuarları içinde harika olmuştu. Tezgâhtarların hepsi artık etrafımızda toplanmıştı. Çapaçul bir öğrenci gibi girdiği mağazadan göz kamaştıran harika bir kadın gibi çıkacaktı.

Yorgunluktan geniş deri koltuklardan birine oturmuştum. Müthiş itibar görüyorduk. Jale yine yavaş yavaş yanıma yaklaştı. Yüzünü biraz mahcup ve utangaç bir ifade kaplamıştı. "Biraz acele edelim, çok oyalandık." dedim.

Kulağıma eğildi. "Vesaire ne olacak?" diye sordu.

Önce anlamamıştım. "Ne vesairesi?" dedim.

Çapkınca gülümseyerek, "Hani onlar canım, iç çamaşırları," diye fısıldadı.

"Haa, anladım. Dilediğini al tabii."

Başka bir tezgâhtar kızla farklı bir reyona gitti. Ben oturmaya devam ettim. Aldığı her şeyin yakışıp yakışmadığını soruyor, fikrimi alıyordu. Ama her halde iç çamaşırları hakkındaki kanaatimi sormaz diye düşünüyordum. Az sonra kapalı bölmeden akseden sesini duydum. "Sinan, hayatım! Biraz gelir misin, lütfen?"

Şaşırdım ve kızardım. Duymamış gibi davranmaya çalıştım. Bu hiç de böyle bir mağazada yakışık alacak davranış değildi. Tezgâhtar kız yaklaştı, "Beyefendi, eşiniz sesleniyor," dedi.

Sanki yeni duyuyormuş gibi ayağa kalktım. Biraz utanarak tezgâhtara baktım. Kızın yüz ifadesi yumuşacıktı. Büyük bir içtenlikle, "Şahane bir eşiniz var beyefendi," diye mırıldandı. "Doktormuş, Allah ayırmasın. Hepimizi güzelliği ve tabiiliği ile büyüledi."

İçimden öyledir, diye geçirdim. Herkesi büyülerdi. Bir de beni ne hale soktuğunu bilseler, diye düşündüm. Kıza teşekkür ederim diyerek kapalı bölmeye yürüdüm.

Kapıyı araladım ve derhal içeri girerek kapıyı örtmek zorunda kaldım.

Gerçeten çılgındı bu kız!

Sırtında bir sutyen ve bir külotla duruyordu. Bacaklarında siyah çoraplar ve yeni aldığı ince topuklu İtalyan papuçları vardı. Tahrik edici bir edayla dizini hafifçe kırmış kendini geri çekmişti.

"Nasıl buldun?" diye sordu gülümseyerek. "Çok hoş, değil mi? Mutlaka aklın başından gitmiştir."

"Deli misin sen?" diye homurdandım. "Bu yapılır mı hiç?"

"Utanılacak birşey yok! Hepsi seni kocam sanıyor."

"Ama ben kocan değilim."

"Terslenme. Nasıl olsa bir gün olacaksın."

Kızmış gibi bakıyordum ama çekiciliği karşısında nefesim tutulmuştu. Onu ilk kez bu kadar dekolte ve çileden çıkarıcı bir kıyafette görüyordum. Vücudu tahminimden çok daha güzeldi, bu kadar uzun bacaklı olduğunu düşünmemiştim. Elleriyle yeni aldığı sutyeni yanlarından sıkmış, göğüslerinin daha dik olarak ortaya çıkmasını sağlamıştı.

"Bu manzarayı görmeyi hak ettin," diye fısıldadı. "Seni çok masrafa soktum."

Bir an önce dışarıya çıkmalıydım; yoksa tezgâhtar kız hakkımızda kötü şeyler düşünmeye başlayacaktı. Ama o gücü gösterip çıkamıyordum. Jale bir an telâşa kapılarak, "Hadi bu kadarlık yeter, fazlası olmaz. Bu seni eve dönünceye kadar idare eder," dedi.

"Eve dönünce... söz veriyor musun?"

"Bilmiyorum. Şimdiden söz veremem."

Yine tepem atmaya başlıyordu. Bu kız beni deli edecekti.

"Söz vermezsen buradan çıkmam!"

"Saçmalama, rezalet mi çıkarmak istiyorsun?"

"Artık dünya umurumda değil! Yeter artık bana çektirdiğin bu işkence."

Gözleri korkuyla irileşti. Bir an kendisine sarılacağımı sandı. Oysa sadece onu korkutmak ve bana söz vermesini temin etmek istiyordum.

"Bana elini sürersen vallahi bağırırım, sen de rezil olursun."

Yerimde duraladım. Yapar mı, yapardı. Jale'nin sağı solu belli olmazdı. Her türlü çılgınlık ona özgü bir şeydi.

"Şimdi dışarıya çık sonra düşünürüz," diye mırıldandı.

Kapıyı itip dışarı çıktım.

Tezgâhtar biraz ilerdeydi, konuşmalarımızı inşallah duymamıştı. Ona Jale'nin sırtından çıkanları bir poşete koymasını, yeni aldığımız eşyaları eşimin şimdi kullanacağını söyledim. Kız koşarak bir yığın boş poşet ve kutular getirdi.

Az sonra sevgilim adeta bambaşka bir insan görünümünde mağazanın koridorunda yürümeye başladı. Her reyonda ona hizmet veren tezgâhtarları peşine takarak vezneye doğru ilerledik. Bütün personel takdirlerini ve giydiklerinin ona ne kadar yakıştığını ifadede adeta yarışa girmişlerdi. O ise mağrur ve dünyaları ben yarattım edası içinde yanımda yürüyordu. Ben bile afallamıştım.

Vezneye gerçek bir servet ödemem gerekti. Yanımda o kadar nakit olmadığı için kredi kartımla ödeme yaptım. Bu karlı havada ayağındaki ince topuklu ayakkabılarla yürümesi söz konusu olamazdı; hemen bir taksiye atladık ve arabamı bıraktığım garaja gittik. Takside yine bir kedi yumuşaklığı ve sıcaklığı içinde sokulup koluma girdi.

Teşekkürlerini bundan daha iyi ifade edemezdi.

* * *

Mahir'lerin Etiler'deki evine giderken saate baktım. Geç bile kalmıştık. Vaktin nasıl geçtiğinin farkına varmamıştım, saat sekiz olmuştu. İnsan Jale ile beraberken değil saatlerin, koca bir ömrün bile nasıl geçtiğini hissetmezdi.

Direksiyon kullanan elimdeki şişi o zaman farketti. Birden heyecanla, "Eline ne oldu?" diye sordu. "Şişmiş."

Hilton'da olanları ona anlatmaya niyetli değildim. "Yazıhanede kaza oldu," dedim.

"Ne kazası?"

"Elimi çekmeceye sıkıştırdım."

"Ver elini bakayım."

"Nesine bakacaksın, canım!"

"Unuttun mu ben bir doktorum."

"Ama ihtisasını çocuk hastalıkları üzerine yapıyorsun."

"Yine de bir göz atmama engel değil."

Elini direksiyona uzattı ve sağ bileğimi kendine çekti. Bir süre elimi inceledi.

"Ekimoz belirtileri var. Yumuşak doku zedelenmesi. Kemiklerin sızlıyor mu?"

"Evet," dedim.

"Bana yine yalan söylüyorsun. Bu çekmeceye sıkışma işi değil. Yoksa birileri ile mi dövüştün?"

"Yok canım! Onu da nereden çıkarıyorsun? Bugün yazıhanedeydim. Öğleyin de iki müşterimle Hilton'a yemeğe gittim. Ne zaman kiminle dövüşebilirim ki?"

"Allah bilir! Bugünlerde çok hızlı yaşıyoruz da. Ev basmalar, otomobille takipler gırla gidiyor."

Konuyu değiştirmek için hemen Mahir'le Gönül'den bahsetmeye başladım. Biraz huzursuz beni dinledi. Ama inkârıma pek inanmış görünmüyordu.

Etiler'e gelip arabayı tam bahçeye sokarken beni çileden çıkaran bir olay oldu. Gözüm tesadüfen Jale'nin eline takıldı ve parmağında evlenme teklif eden Hoca'nın hediye ettiği yüzüğü gördüm.

Sert bir fren yaptım.

Jale yerinde sarsıldı. Şaşırarak bana baktı. Arabanın önüne kedi filan mı sıçradı, diye pencerelerden etrafa bakındı. Bu ani ve sert frenin nedenini anlamamıştı.

Bağırarak, "O yüzüğü niye iade etmedin?" diye gürledim.

Meseleyi anlamıştı. Gözlerini bana çevirdi. Sırnaşır gibi yüzüme baktı.

"Ne yapayım? Böyle bir ziyarete giderken kullanacağım mücevherim yok."

Kafamın sigortaları yine atıyordu.

"Utanmıyor musun bunu yapmaya? Bu nasıl bir davranış? Ne duruma düştüğünü anlamıyor musun?"

Suçlu gibi önüne baktı. Sesini çıkarmadı.

Hırsımı alamamıştım. Elimden gelse onu orada parçalayabilirdim.

"Derhal çıkar onu," diye gürledim. "Görmek istemiyorum."

Önce kızardı. Sonra bir kaşı havaya kalktı ve "Hayır" dedi. Sesi gayet tok ve kararlı çıkmıştı.

"Hayır mı?"

"Hayır! Onu çıkarmayacağım."

"Yazık," dedim. "Senin bu kadar rezil ve pespaye biri olduğunu bilmiyordum."

Titremem devam ediyordu.

"Ne demek oluyor şimdi bu? Yaptığım adiyane davranışın benim anlayışsızlığımla ne ilgisi olabilir?"

Gözleri birden nemlenir gibi oldu.

"Benim yüzüğüm o... Daha doğrusu annemin. Babam yıllar önce evlendiklerinde anneme hediye etmiş. Bir tür yüz görümlüğü.. Onu bana verdiler. Ben zengin bir ailenin kızı değilim. Burada paraya çok sıkışırsam satıp tahsil masraflarıma katkısı olabilir diye.."

Şaşırıp kalmıştım birden.

Kekeleyerek, "Ama sen... bana yüzüğü Hoca'nın verdiğini söylemiştin. Ne bileyim, sandım ki..."

"Aptal!.. Anlamadın, değil mi? O yalanı sırf seni kızdırmak ve kıskandırmak için söylemiştim."

"Fakat Jale..."

"Fakatı filan yok. Dün gece aklınca bana numara yapıyor, benden etkilenmemiş gibi havalara giriyordun. Şuna haddini bir bildireyim, diye düşünmüş ve hemen o an aklıma gelen yalanı uyduruvermiştim. Ama sen hiç göründüğün kadar ince ve hassas bir adam değilmişsin. Bana yaptığın şu muameleye bak; beni kötü kadınlardan bile aşağılık hale soktun. Yazıklar olsun. Hemen buradan uzaklaşmak istiyorum. Davete sen yalnız git. Artık evinde de kalamam. Bu akşam aldığın bütün eşyaları da evine bırakırım. Sakın bir daha da beni arama."

Arabadan çıkmaya davrandı. Fena halde kırılmıştı ve gitmeye kararlıydı.

Hızla omuzlarından kavrayıp kendime çektim. Asıl kızması gereken bendim. Yerimde hangi erkek olsa böyle davranırdı.

Gerçeği nereden bilebilirdim? Her dakika böyle oyunlarla aklımı başımdan alıyor, yüreğimi hoplatıyordu. Böyle devam ederse kalp sektesinden gidebilirdim. Suçlu sanki benmişim gibi, "Affedersin sevgilim, beni bağışla." diye inledim. Beni terketmesine dayanamazdım; artık onsuz bir hayatı düşünmek bile istemiyordum. Aslına bakılırsa böyle bir Hoca'nın olmaması, sadece Jale'nin hayalinin yarattığı bir kişi çıkması, ne yalan söyleyeyim, beni rahatlatmıştı da.

Kollarımdan kurtulmaya çalıştı.

"Bırak beni... İstemiyorum," diye diretti.

Ona daha sıkı sarılmıştım. İnadını kırmalı, kendimi affettirmeliydim.

"Tamam, kabul ediyorum. Ben hatalıyım," diye inledim. "Yüreğime bile indirsen ağzımdan bir daha böyle laf çıkmayacak. Söz veriyorum sana."

"İnanmıyorum."

"Bir daha böyle bir davranışımı görürsen beni terketmekte serbestsin."

Biraz gevşer gibi oldu.

"Şeref sözü mü?"

"Evet, şeref sözü."

Arabanın içinde adeta boğuşmuştuk. Jale soluk soluğaydı ve şehvetli kalın dudaklarının arasından yükselen sıcak ve yakıcı nefesi yüzümü yalıyordu. Dayanamadım dudaklarını ağzımın içine aldım. Bana karşılık vermedi, taş gibi katı ve isteksizdi. Ama sonra yavaş yavaş rahatladığını ve önce o sivri dilini ağzımın içinde gezdirmeye başladığını hissettim, sonra kolları istek ve heyecanla boynuma dolandı. Çılgınlar gibi öpüşmeye başladık. Arabaya akseden bir farın ışıkları ile kendimize gelmesek, belki de oracıkta birbirimizin olacaktık.

İlk toparlanan ben oldum. Kollarımı bedeninden çektim.

Kendisini öylesine kaptırmıştı ki, ateşli dudaklarını benden ayırmıyordu.

Bir an bahçeye parketmek için giren adamın hakkımızda ne düşündüğünü merak etmeye başladım. Belki bizi tasvip etmeyen, geri kafalı, muhafazakâr ve anlayışsız biri olabilirdi. Belki bizi karanlıkta yeteri kadar göremeyip, gülümsemekle yetinen biri de olabilirdi. Ama kim olursa olsun o an çektiğim sıkıntıları asla anlayamazdı..

Mutlulukla bedbahtlık arasında sallanan biriydim..

Jale'ye aşık olmak, sırat köprüsünde turlamak gibi bir şeydi...

* * *

Mahir'i her zaman geveze, konudan konuya atlayan, şakacı biri olarak tanırdım. Karısı Gönül ise daha ağırbaşlı, ölçülü ve insanlarla çabuk samimi olmayan yaradılışta biriydi. Hatta biraz kasıntı ve kendini beğenmiş de diyebilirdim, ama bu genellikle karşısındakini yeterince tanıyıncaya kadar sürerdi. Güvendiği ve sevdiği insanlara yaklaşımı her zaman içten olurdu.

Mahir harıl harıl iş dünyası ile ilgili bir şeyler anlatıyordu yanımda. Onu dinler görünmekle beraber aslında karşımdaki kanepede yan yana oturan Jale ile Gönül'deydi aklım. Yemekten sonra salonda sohbet ediyorduk. Gönül'ün sevgilimden çok hoşlandığını hissediyordum. Evine gelen misafir bile olsa, Gönül yeni tanıdığı insandan pek hoşlanmasaydı, böyle kahkahalar atmaz, yakınlık göstermezdi. Belli ki Jale'ye ısınmıştı.

Onları süzerken Jale'yi ne kadar az tanıdığımı hissettim.

Herşey yıldırım hızıyla gelişmişti. Fakat garip bir ilişkiye girmiştik. Onun fiziki güzelliğinden etkilenmiş ve gözüm başka bir şey görmez olmuştu. Yüzüne ve fiziğine aşık olmuş ama ruhu ve karakteri hakkında yeterince bilgim olmamıştı. Jale insanları bu yönüyle etkilemeyi çok iyi beceriyordu. Erkekler için bu yanı geçerli olabilirdi ama şimdi karşımda, huyunu suyunu bildiğim Gönül, kırk yıllık bir dost gibi muhabbete girmişti onunla. Ne konuşuyorlar, diye kulak kabarttım. Bazen gülüyorlar, bazen suratları önemli bir konuyu tartışıyor gibi ciddileşiyordu.

Yanımda Mahir yüksek sesle konuştuğundan iki kadın arasındaki fısıldaşmaları tam işitemiyordum. Bir ara kulağıma James Joyce ve onun ünlü eseri Ulysses'ın adı çarptı. Demek edebi bir sohbete dalmışlardı. Kitabı okumamıştım, ama Jale'nin, yazarın gizemli hayatı ve ruh dünyasındaki çalkantılarını felsefi bir uslup içinde anlatmasından doğrusu etkilenmiştim. Gerçi okumuş, aydın bir doktordu; ama ben onu şimdiye kadar hep çekici kadınsal yanıyla görmüş, bilgi dağarcığı ve insani ruh zenginliği ile, kişiliğini ortaya çıkaran meziyetlerini hiç farketmemiştim.

Utanır gibi oldum.

O benim nazarımda yaramaz, uçarı, karşısındaki insana her zaman sürprizler hazırlayan çocuksu bir kişilikti. Güzelliğinin verdiği avantajları en mükemmel şekilde kullanan, hatta bundan zevk alan, sosyal yönü az gelişmiş delişmen bir kız. Ama bir mikrop, bir virüs gibi insanın bedenine girince yıkım yapan, kolay kolay kurtulamayacağınız, ömür boyu etkisini ruhunuzda duyacağınız bir canlı. Ne yapacağı, ne zaman ve ne şekilde patlak vereceği, sizi nasıl ve nerede öldüreceği de bilinmezdi. Çaresi ve panzehiri yoktu; bütün mesele yakalanmamak, ona esir olmamaktı.

Ne çare ki ben eline düşmüştüm.

Ruhumun en derin noktalarına kadar işlemiş ve hem beynimi hem de irademi esir almıştı. Tamamen silahsız ve müdafaasızdım.

Galiba Mahir kendisini dinlemediğimi anlamıştı. Konuyu değiştirmiş, karşısındaki iki güzel hanıma bir şeyler söylüyordu. Bunu da, Jale ile Gönül'ün gülerek ona "Evet, evet" demelerinden anladım.

Silkinerek düşüncelerimden sıyrıldım. Neden bahsettiklerinin farkında değildim. Baktım, Mahir yerinden kalkmış, "Tamam, şimdi getiririm," demişti. Boş nazarlarla Mahir'in ne getirmeye gittiğini anlamak için arkasından baktım. Hâlâ durumu kavramış değildim.

Az sonra arkadaşım elinde kalın bir albümle geldi.

Ortadaki cam sehpanın ortasına koydu ve heyecanla sayfaları çevirmeye başladı.

Tipik bir aile albümü olmalıydı. Mahir ile Gönül'ün çocukluklarından bugüne kadar gelen bir yığın sararmış fotoğraf. Nedense benim bu tür şeylere karşı pek ilgim yoktu. Ama yine de ilgileniyormuşum gibi onlarla beraber albümün üzerine eğildim.

Bir ara sevdiğim kadına kaçamak bir nazar attım. Jale dudaklarında mutlu bir gülücükle bana baktı. Beni nasıl buluyorsun, istediğin imajı ev sahiplerinin üzerinde yarattım mı, benden utanmadın, değil mi, dercesine. Şimdilik gerçekten de herşey yolunda gidiyordu. O çılgın çıkışlarından birini yapmamış, beni küçük düşürecek, mahcup edecek davranışı olmamıştı. Ama Jale bu, hiç belli olmazdı; kafası attı mı, sinirlenir insanı rezil edecek bir şey bulurdu.

Gülüşerek resimleri inceliyorlardı.

Mahir fotoğraflar hakkında Jale'ye açıklamalar yapıyor, komik şeyler anlatıyordu.

Ben hâlâ boş gözlerle bakıyordum ama birden bir fotoğraf dikkatimi çekti.

"Dur, bir dakika," dedim Mahir'e.

Kolej'deki basketbol takımımızın bir fotoğrafıydı bu. Dokuzuncu veya onuncu sınıfta olmalıydık. Bıyıkları yeni terleyen on iki genç önlü arkalı sıralanmış duruyorlardı. Ön sıradakiler dizlerini kırmış çömelmişlerdi.

Mahir işaret parmağıyla birini gösterip, "İşte, bu benim," dedi.

Ona hiç bakmadım. Bu fotoğrafı hatırlamıştım birden. Takımın as oyuncularından biri olarak grupta ben de vardım tabii. Ama beni asıl ilgilendiren Deve Vural'ın o tarihteki görüntüsüydü. Aslan gibiydi; aramızdaki en uzun boylu genç oydu. Omuzları geniş, başı dik, yere sağlam ve güvenli basan, geleceğinden emin, pamuk kralının oğlu. Fotoğrafın tam ortasında yer almıştı.

Yüreğim birden cız etti.

Onu son gördüğümdeki halini anımsadım. Çökmüş, tükenmiş, canlı cenaze haline gelmişti.

Mahir, gülerek fotoğraftaki görüntümü Jale'ye gösteriyordu.

"Şuna bakın hele! Ne kadar cılızmış o zamanlar."

"Sen kendi haline baksana! Daima yedek kalırdın. Coach oyuna alsın diye gözünün içine bakardın, ya da biri beş faul alsın da yerine gireyim diye can atardın."

"Hadi hadi, şahit yok diye palavra sıkma."

Gülüşerek resme bakmaya devam ettik. Guard'larımız Fazıl ve Semih'ti. Sol exterem ben oynardım. Sağda Oğuz vardı. Pivot'da Vural. Bu takımın değişmez beşlisiydi. Bir süre duygu dolu nazarlarla yirmi küsur yıllık resmi inceledim. Hepimiz dağılmıştık. Fazıl Amerika'ya gitmiş ve bir daha dönmemişti. Oğuz'u yıllardan beri görmüyordum. Tıpkı Vural gibi. Ama Semih'le sık sık Boğaz sırtlarındaki lokalimizde karşılaşıyorduk. Çok şişmanlamıştı. Resme dikkatle baktım. Mahir ve yine yedek oyunculardan Hulki ve Emre ile arkadaşlığımız devam ediyordu, ama diğer ikisinin adlarını bile anımsayamamıştım.

Mahir birden, "Yahu bizim Deve Vural'dan hiç haber alıyor musun?" diye sordu.

Birden irkildim ve elektriklenmiş gibi hemen Jale'ye baktım. Patavatsızlık edip pot kırmasından huylanmıştım. Çünkü Vural'ın olayını, Mahir'e söylemediğimi bilmiyordu.

Sevgilim kurt gibi zekiydi, bir an göz göze geldik ve ağzını açmayacağını hemen anladım. Yüreğime su serpildi.

"Hayır," diyebildim. "Yıllardır görmüyorum."

"Ben de. Geçenlerde Emre ile karşılaştık, o söyledi. Bir iş için Üsküdar'a geçmiş, orada birini ona benzetmiş, hatta arkasından seslenmiş ama adam dönüp bakmamış bile. Yemin ediyordu, oydu diye. Ama neden tanımazlığa geldiğini anlayamamış bir türlü."

Ne cevap vereceğimi bilemedim.

"Belki yanılmıştır," diye mırıldandım.

"Yok canım, Deve'yi tanımamak mümkün mü? O uzun

boyuyla kimse onu unutmaz."

Yanılıyordu Mahir. Mesela büroma geldiği ilk gün ben de onu birden hatırlamamış, şaşkın şaşkın yüzüne bakmıştım; kendini tanıtmasa belki yine de hatırlamayacaktım. Çok göçmüştü; sıkıntılı geçirdiği yıllar, üzüntüler ve parasızlık onu bambaşka biri yapmıştı. Zahir, Emre'nin sesini duymuş olsa bile, başını çevirip bakmamayı yeğlemişti. Eski tanıdıklarının arasına karışmak istemiyor, utanıyordu.

"Ne zaman görmüş?" diye sordum.

"Bilmem ama her halde bir ayı geçiyordur," dedi. "Gönül'le geçen hafta bir konsere gitmiştik, Emre ile orada karşılaştık, yine böyle eski arkadaşlardan açılmıştı konu o sırada söyledi."

Sesimi çıkarmadım. Demek ki yazıhaneme gelişinden önce olmalıydı bu karşılaşma. Her halde o sıralar hâlâ kendi başına oğlunu arıyor olmalıydı.

Göz ucuyla Jale'ye baktım. Resimleri incelemeyi bırakmış dikkatle beni süzüyordu. Bu olayı dostlarıma niçin açıklamadığımı merak ediyor olmalıydı. Bir süre daha resimlerle oyalandık, sonra gençlik anıları kapanarak başka konulara geçildi.

Bir ara Mahir yeni hatırlamış gibi, "Yılbaşı için bir programınız var mı?" diye sordu. Üç gün sonra yeni bir seneye girecektik.

"Henüz bir programımız yok," dedim. "Ya sizin?"

Gönül atıldı, "Romanya'ya kayağa gitmek istiyordum ama Mahir oyunbozanlık ediyor."

Şaka olsun diye, "Yahu Mahir, niye kızı üzüyorsun, götürsene kızı Romanya'ya," dedim.

"İş önce gelir," dedi.

"Ne işi yahu? Yılbaşında da iş mi olurmuş?"

"Olur tabii. O gece özel bir yere davetliyiz? Benim için çok önemli."

Gönül şikâyetini belirtmek istercesine, "Aman canım, sen de!" diye mırıldandı. "Davet dediği Cahit Kalaycıoğlu'nun sıkıcı balosu. Hiç hoşlanmıyorum. Geçen sene de gitmiştik. Kesinlikle eğlenemiyoruz. Bir yığın yağcı ve riyakar insanlar adamın çevresinde toplanıp, yağ çekme yarışına giriyorlar. Evet efendim, sepet efendim, siz en iyisini bilirsiniz efendim gibi tüylerimi diken diken eden konuşmalar. Karısı desen başka bir alem, dünyaları ben yarattım diyen görmemişin teki. Geçen sene sıkıntıdan patlamıştım. Konuşacak kimseyi de bulamamıştım."

Mahir'in yüzüne baktım. Aysel Kalaycıoğlu hakkında anlattıkları geldi aklıma. Bana bu davetten bahsetmemişti, hoş bahsetmesi de şart değildi ama çok geveze olduğu için anlatacağını düşünmüştüm.

"Kalaycıoğlu'ndan ayrıldığını sanıyordum," dedim.

Mahir omuzlarını silkti.

"Şu an onun hiçbir firmasında çalışmıyorum ama ne de olsa eski patronumdur. Adamcağız unutmamış, beni de davet etti. Gitmemek olmaz. Bunlar büyük ve forslu kişiler, sen Gönül'e bakma, o anlamaz, böyle insanlarla ilişkini tamamen kesmemek gerekir. Gün ola, harman ola."

"Adam sen de" dedi Gönül. "Orada yine sıkıntıdan patlayacağım." Sonra birden aklına gelmiş gibi, "Sahi" dedi. "Siz de gelsenize. Hiç olmazsa yanımızda konuşacağımız kafa dengi bir çift olur."

Aysel denen kadını tanımam için bu mükemmel bir fırsattı. Ama önce itiraz ettim. "Olmaz Gönül, biz davetli değiliz. Adamı da tanımam, nasıl gidebiliriz?"

"Aaa, hiç önemli değil. Bize de yazılı davetiye göndermediler ya. Zaten orada kim kime, dum duma. Gelenlerin çoğu birbirini tanımaz. Madem bir programınız yok birlikte gidelim."

Karar veremiyormuş gibi mütereddit davrandım.

Mahir'den, tabii ya, siz de gelin şeklinde bir ısrar çıkmamıştı. Nedense onun, karısının bu teklifine pek sıcak bakmadığını sezinledim.

Gönül bu fikre can simidi gibi sarılmıştı. Israrını sürdürdü. Jale'ye döndü:

"Ne dersin?" diye sordu. Yemekten sonra senli benli konuşmaya başlamışlardı.

Jale dönüp yüzüme baktı. Fikrini beyan etmeden önce onayımı almak ister gibiydi.

"Sinan ne derse ben ona uyarım," dedi.

Ben yalancıktan itirazıma devam ettim yine, olmaz diye.

Mahir sanki istemiyormuş gibi, "Yok canım bir mahzuru yok," diyebildi sonunda. Pek gönüllü gibi davranmayarak, "Pekala" dedim. "Israr ediyorsanız, gelebiliriz."

Gecenin sonraki bölümünü havadan sudan şeylerle konuşarak geçirdik. Mahir bir ara eski para koleksiyonuna ilave ettiği yeni parçaları gösterdi. Bodrum'da inşa ettikleri villanın projesi hakkında izahat verdi ve böylece saatler uzayıp gitti.

Saat yarıma doğru evlerinden ayrılırken herkes mutlu ve neşeliydi. Ya da bana öyle geldi..

* * *

Yola koyulduktan az sonra Jale esnemeye başladı.

"Uykun mu geldi?" diye sordum.

"Biraz. Yemekte içkiyi fazla kaçırdım galiba."

Oysa hiç de fazla içmemişti. Ve ben bir an önce eve dönmek için can atıyordum. Bu gecenin yaşamımın en mutlu ve en unutulmaz gecesi olacağının hayali içindeyim. Jale, düşünürüz demişti, ama daha şimdiden esnemeye başlaması, aramızdaki konuşmayı unutmuş gibi davranması, keyfimi kaçırmıştı. Anlaşılan yine bir şey olmayacaktı.

Üstüne varmadım. O istemediği sürece elimi bile sürmemeye kararlıydım artık. Ama ister istemez suratım asılmıştı. Farkettiğine emindim. Esnemesi numaradandı, sırf bu işi şimdilik istemediğini, ya da düşünmediğini bana dolaylı yoldan anlatmaya çalışıyordu.

İkimiz de konuşmuyorduk.

Zincirlikuyu'daki sapağa geldiğimizde, "Arkadaşınızın çocuğunun kaybolduğundan Mahir Beye neden bahsetmedin?" diye sordu.

"Bu müvekkilimle benim aramdaki mesleki bir gizliliktir."

"Biraz saçma değil mi? Belki sana bir yararı dokunurdu?"

"Bir doktor olarak bunu anlaman lazımdı. Siz hastalarınızın hastalıklarını başkalarına söyler misiniz?"

"Bu aynı şey değil."

"Bal gibi aynı şey."

"Sen bilirsin. Beni ilgilendirmez. Sadece yardımcı olabilir diye düşünmüştüm."

Tartışmayı uzatmak istemiyordum. Susmayı yeğledim. Bozulduğumu anlıyor fakat anlamamış gibi görünmeyi yeğliyordu.

Neden sonra, "Acaba o oğlanı gerçekten kaçırdılar mı?" diye sordu.

"Sanırım öyle."

"Kim yapmış olabilir bunu?"

"Henüz bilmiyorum. Muhtemelen Emel'i kaçıranlar," dedim.

Önce cevap vermedi, sonra, "Ben Emel'in kaçırıldığına pek inanmıyorum," diye mırıldandı.

"Neden?"

"Sen o kızı tanımıyorsun; fazla havai ve her türlü haşarılığı yapabilecek biridir. Belki de biriyle kaçmış olabilir."

"Öyleyse o meçhul kişiler senin evinde ne aradılar?"

Yine sustu.

Gözlerimi yoldan ayırmıyordum. Köprüye giren yola sapmıştık. Bir ara gözüm dikiz aynasına kaydı. Otuz metre kadar arkamda bej rengi bir Ford Mondeo gördüm. Jale'ye hissettirmeden dikkatle baktım. Yine o arabaydı; bizi daha önce de izleyen..

İnsanın belirli bir dayanma, sabretme sınırı var herhalde; ve ben o sınırı fazlasıyla zorladığımı birden anladım. Günlerdir süren bu takiplerden, ev baskınlarından, saldırıya uğramalardan bıkmıştım. Sinirlerimin yay gibi gerildiğini, içimin hırs ve şiddetle dolup patlamak üzere olduğunu hissettim. Gözüm kararmıştı artık. Sonuç ne olursa olsun, ilk fırsatta peşimdekileri bir yerde kıstırıp bu kez ben saldıracaktım. Topun ucu kaçmış, şerazem bozulmuştu.

Jale durumun farkında değildi. Esnemeye devam ediyordu.

Köprünün turnikelerine geldiğimizde birden arkamdaki arabayı, önüme almak için seri bir manevrayla daha kalabalık bir kuyruğun arkasına geçtim. Akıllarınca beni takip ettiklerini hissettirmemek için Ford yoluna devam etti ve daha az arabanın bulunduğu bir kuyruğa girdi. Şimdi bilet turnikelerinden benden önce çıkmak zorundaydılar. Arkadan onları sıkıştıracak ve ilk uygun yerde de önlerini kesecektim.

Jale'ye bir göz attım. Emniyet kemerini bağlamıştı. Genellikle hareket serbestisini engellediği için kemer bağlamayı sevmiyordu. Bu sefer nasılsa takmıştı.

Gözlerim hep Ford'daydı. Arabadakileri iyi seçemiyordum, ama gölgelerinden iki kişi olduklarını görebiliyordum. Şoför mahallindeki daha irice yanındaki ise oldukça minyon biri olmalıydı. Sadece bir kafa görüyordum.

Bilet parasını hazırlamıştım. Şoför mahallinde, oturağın altında gerektiğinde kullanmak için kalın bir sopam vardı. Eğilip yerinde durup durmadığını anlamak için el yardımıyla aradım. Oradaydı. Tabii silahlı insanlara karşı sopam hiçbir şey ifade etmezdi ama hiç yoktan da iyiydi.

Gözüm kararmıştı; ne olursa olsun saldıracaktım. Daha şimdiden sinirden dudaklarımı kemirmeye başlamıştım.

Ford bizden önce turnikelerden çıktı. Gözüm üzerindeydi. Benim önümde hâlâ iki araba vardı. Nihayet biz de geçtik ve gazı kökledim. Araba hızlandı. Ford'a gittikçe yaklaşıyordum. Sol şerit sollamak için müsaitti, fakat ben uzun farlarımı yakmış onları taciz için niyetimi şimdiden belli etmiştim. Uzun farlar Mondeo'nun arkasında yansıdığından içini yine iyi göremiyordum.

Ford'dakiler niyetimi galiba sezinlemişlerdi. Sağ sinyal lambası yanıp sönmeye başladı. Aklınca bana yol vermeye çalışıyordu. Keyifle sırıttım; bu kez numaralarını yutmadığımı anlamalıydılar. Arabaya biraz daha hız verdim.

Ford bulduğu ilk imkânda en sağ şeride kaçtı.

Hemen ardından ben de sağladım..

Sürücünün şaşkınlığını şimdiden hisseder gibiydim. Artık kaçacak yeri kalmamıştı.

Jale birden, "Ne yapmaya çalışıyorsun kuzum?" diye sordu.

Ona laf yetiştirecek durumum yoktu. Bütün dikkatimi önümdeki arabaya vermiştim. En ufak bir dikkatsizliğimde Ford'a arkadan bindirebilirdim.

Jale aynı sakinlikle, "Bu o Ford değil." dedi. "Plakasına baksana!"

Birden ayıldım. Ford, bej ve Mondeo idi. Bizi daha önce takip eden arabanın plaka numarasını ise çoktan unutmuştum.

"O" diye hırladım adeta.

"Hayır değil. O arabanın plakasını biliyorum. Ezberimde."

Hâlâ ısrar ediyor ve şuursuzca yaklaşıyordum. Ford'un sürücüsünün arabayı yan tarafa çekip duracağını anladım. Öylesine yakın takip ediyordum ki, adam frene bastığı anda arkadan çarpmamdan korkuyor olmalıydı. Altındaki araba benimkinden güçlüydü, istese pekala kaçabilirdi. Zar zor Acıbadem köprüsünün altındaki aralığa kayarak durdu.

Yıldırım hızıyla sopamı kavrayıp arabadan fırladım. Heriflerin de dışarıya çıkacaklarını sanıyordum. Arabayı kullanan adamın bulunduğu kapıya koştum. Adam söylenerek camı indiriyordu. Homurtularını duyuyordum şimdi.

"Deli misin be adam? Kaza mı yapmak istiyorsun? Böyle araba mı sürülür, zaten yollar sizin gibi trafik magandalarına kaldı. Allah sizin gibilere ehliyet verenleri kahretsin. Dağ başında mıyız? Ne istiyorsun bizden?"

Hafif hafif serpiştirmeye devam eden kar altında dona kalmıştım.

Adam altmış beş yaşın üstünde yaşlı biriydi. Yan koltukta da on, on iki yaşlarında ufak bir kız çocuğu vardı. Muhtemelen torunuydu...

Yanılmıştım...

Aptal aptal suratına bakakaldım. Neden sonra birine benzettiğimi söyleyen bir yığın laf edip özür diledim. Yaşlı bey haklı olarak söylenmeye devam ediyordu. Camı kapatıp homurdanarak yola devam etti.

Yanımdan vızır vızır arabalar geçiyordu. Bir süre ayaz altında derin derin soluklar alarak kendime gelmeye çalıştım. Sinirlerim gerçekten laçka olmuştu. Ne kadar gergin bir gün geçirdiğimi daha iyi anlıyordum şimdi. Bu durumun böyle devam etmesi olanaksızdı. En kısa zamanda duruma bir çözüm bulmalıydım. Galiba yapılacak tek şey polise baş vurmaktı. Aklıma başka çare gelmiyordu.

Arabaya dönüp kapıyı sertçe çektim.

Jale tek kelime etmedi.

Bir müddet sinirlerimin yatışmasını bekledim. Titremelerim biraz geçince el frenini indirip vitesi drive'a geçirdim.

* * *

Eve kadar hiç konuşmadık.

Ne Jale tek kelime etti, ne de ben.

Bu gün yaşadığım olayların gerginliği bir yana, iki dargın sevgili gibi ele girdik. Hiç olmazsa ondan biraz anlayış ve sıcak ilgi beklemek hakkım gibi geliyordu. Jale'nin suratı ise benden de fazla asıktı.

Dairenin ışıklarını yakıp salona geçtim. Paltomu çıkarıp koltuğun üstüne fırlattım. Sinirliliğimi hâlâ tam olarak üzerimden atamamıştım. Ama asıl gerginliğimin ne oteldeki dövüşten ne de az önceki yanılgıdan kaynaklanmadığını biliyordum. Aklım fikrim hâlâ Jale'de ve benden istemli bir şekilde uzak durmasındaydı. Bu kızı bir türlü anlamıyordum; ne istiyor, ne bekliyordu benden? Ona elimden geldiği kadar anlayışlı, sevecen ve müşfik davranıyordum. Bebek değildi, kocaman yetişkin bir kızdı. Üniversiteyi bitirmiş, hayatı yeterince tanıyacak yaşa gelmişti. Buraya biraz çaresiz olarak gelmiş sayılsa bile alt tarafı kendi isteğiyle bulunuyordu. Onun için yanıp tutuştuğumu, deli gibi arzuladığımı hatta evlenme teklif ettiğimi de biliyordu. Daha ne yapabilirdim?

Bir yaklaşıp bir uzaklaşması, beni kahrediyordu. En olmayacak, çıldırtıcı şeyler yapıyor, tahriklerde bulunuyor sonra "bekle" demekle yetiniyordu. Daha neyi bekleyecektik?

Onun da sinirli olduğunu görmüştüm. Tanıdığım kadarıyla içini boşaltmadan, kızgınlığını atmadan odasına çekilmez, birazdan yanıma gelip kavga bile çıkarırdı. Ona isteği dışında el sürmemeye kararlıydım, ama gelip hır çıkarmasını da bekliyordum. Bu gece esaslı bir münakaşa edecek ve gereksiz ağzıma geleni söyleyecektim. Hiç de onun sandığı kadar yumuşak ve sakin biri değildim aslında, bana meydan okuyorsa ben de ona cevap verecek, haddini bildirecektim.

Beklemeye başladım.

Odasına gitmişti doğru. Kendime sek viski doldurdum. Yudum yudum içmeye başladım. Yatmadığını odadaki çıkardığı seslerden duyuyordum. Az sonra gelirdi.

On dakika kadar geçti.

Hâlâ ortalarda yoktu. Yoksa yattı mı, diye düşünmeye başladım. İkimiz de hırsımızı alamamış, birbirimizi incitememiştik.

Bu gecenin perdesinin böyle kapanacağına ihtimal veremezdim. Benim tanıdığım Jale içini boşaltmadan uyuyamazdı.

Kapının kapandığını işittim. Sonra koridorda akseden ayak seslerini.

Geliyordu işte..

Kaşlarım daha da çatıldı. Aklımdan söyleyecek zehir zemberek bir kaç cümle hazırlamaya çalıştım.

Salonun kapısında göründü. Sırtında eski püskü bir sabahlık vardı. Kısa yün çoraplarını giymiş ayağına topuksuz kaba bir terlik geçirmişti. Yüzü asık, solgun ve hasta gibiydi. Eşikte durdu ve sadece "Allah rahatlık versin," dedi.

"Bütün söyleyeceğin bu mu?" diye sordum.

"Daha ne söylememi istiyorsun?"

"Sanırım önemli bir konuyu tartışmak zorundayız."

"Şimdi hiçbir şeyi tartışacak halim yok. Başka zaman."

"Hayır şimdi."

"Olmaz Sinan, hastayım."

Alaycı bir şekilde güldüm.

"Vah vah! Üşüttün mü yoksa?"

"Hayır hastalandım."

"Yok canım! Nazik bedeninizin neresi ağrıyor, doktor hanım?"

"Kabalaşmanın anlamı yok. Hem bu tür konuşmalar sana hiç yakışmıyor."

"Grip mi oldun, yoksa zatürree mi?"

"Biraz anlayışlı olamaz mısın?"

"Yeterince anlayış gösterdiğimi zannediyordum."

"Biliyorum sevgilim, ama regl oldum. Bu halde bana yaklaşmanı istemem. Biraz daha beklemelisin."

Şaşırarak yüzüne baktım.

"Regl mi oldun?"

"Evet. Bu kadar hayret edilecek şey mi bu? Her kadının belirli periyotta başına gelen şey. Niye garipsiyorsun?"

Ne diyeceğimi bilemedim. Hatta hafifçe kızardığımı bile hissettim.

"Affedersin," diye mırıldandım. "Onu düşünememiştim."

"Hep böylesin zaten. Önce günahımı alırsın."

"Şey" dedim. "Yani... benden hep kaçıyorsun da..."

"Yoksa buna da inanmadın mı? Eteklerimi kaldırıp ispat mı edeyim?"

"Yok canım! Ne münasebet!"

"Bilirsin işte, kadınlar böyle günlerde biraz sinirli ve gergin olurlar."

"Tabii hayatım bilirim," diye kekeledim.

Yine dangalaklık etmiş, böyle bir ihtimali hiç düşünememiştim. Saf saf, "Şey" diye kekeledim, "Hazırlıklı mıydın? Yani bir tedbirin var mıydı? Demek istiyorum ki bir eczaneye gidip sana şey... alayım mı?"

Lacivert gözleri ışıldadı yeniden.

"Ne alacaksın?"

"Şey... neydi o marka? Hani Orkid filan gibi şeylerden."

Gülümseyerek yaklaştı. Yanağımı okşadı.

"Merak etme sevgilim." dedi. "Her kadın buna hazırlıklıdır. Yine de ilgine teşekkür ederim."

Sanki ciddi bir hastalık geçiriyormuş gibi telaşlanmıştım.

"Kasıkların veya belin filan ağrıyor mu?"

"Biraz," dedi.

"Ayaklarına termofor veya sıcak su filan uygulayalım mı? İster misin?"

Çapkın çapkın yüzüme baktı.

"Bu konuda deneyimlisin galiba? Kaç kadına bu haldeyken yardım ettin?"

"Yapma Jale! Sadece ağrılarını dindirmek istemiştim."

"Az evvel bir ağrı kesici aldım. Hadi bakalım, şimdi sevgilini kucağına al, yatağına kadar taşı ve üstümü sıkı sıkıya ört."

Söylediklerini bir emir kabul ettim. Kucağıma aldım, tüy gibi hafif gelen bedenini odasına taşıdım, yatağa yerleştirdim. Üstünü örtüp sıkıştırdım. Bütün hiddet ve hırsım bıçak gibi kesilmişti. Bu döneminde ona anlayışsız ve kaba davrandığım için kendimi affedemiyordum. Bir süre yatağın önünde sanki vahim ve tehlikeli bir hastalığa kapılmış gibi durdum. "Sana daha başka ne yapabilirim?" diye sordum.

Yeniden güldü, "Benim tatlı sevgilim," diye fısıldadı. "Alnımdan öp ve elektriği söndür. Yarın daha iyi, zinde olacağıma eminim."

Söylediklerini yaptım ve dışarı çıktım.

Mutluluğun pembe bulutları yine etrafımı sarmıştı. Sevgilimin mazeretine anlayış göstermeliydim...

4

Bu sıradan, gelip geçici bir aşk değildi; ona fena halde tutulduğumu, sanki sihirli bir büyünün etkisinde kalarak çekiciliğine kapılmış, akan sular içinde kayıp giden bir yaprak misali, hızla sonu bilinmeyen bir kadere sürüklendiğimi hisseder gibiydim. Halk arasında yaygın bir benzetişle sırılsıklam aşıktım. Gözüm ondan başka bir şey görmüyordu. Yalnız onun ekseni etrafında dönüp durmak, günümün her dakikasını onunla geçirmek istiyordum. Yaşamı bütünüyle onunla paylaşmak, her an varlığını yanıbaşımda hissetmek vazgeçilmez bir tutku haline dönüşmüştü artık.

Acaba her aşık aynı şeyleri mi hissederdi? Şayet öyleyse, benim bugüne kadar hiç aşık olmadığım gerçeği çıkıyordu ortaya. Yeni bir gerçeği keşfediyormuş gibi irkildim yatağın içinde.

Saat sabahın altısıydı ama her taraf karanlıktı. Yorganı üstümden atıp fırladım; bu sabah erken kalkıp rahatsız olan sevgilime yardımcı olmalıydım. Traş olup duşumu almadan doğru mutfağa koştum. Çayı ocağa koyup kahvaltı hazırlamaya başladım. Elimden geldiğince sessiz davranmaya, onu uyandırmamaya çalışıyordum. Belki dün geceyi sancılı ve uykusuz geçirmiş olabilirdi. Mutfaktaki işimi bitirdim. Ekmekleri dahi o uyanınca kızartmak için makinenin içine yerleştirmiştim. Artık kalkmasını bekleyebilirdim ama gecikse de uyandırmayacaktım, varsın uykusunu alsındı.

Ayaklarımın ucuna basa basa sessizce banyoya gittim, traş oldum, yıkandım. Yatak odamın penceresinden baktım, hâlâ kar yağıyordu. Yavaş yavaş bir türlü açmayan karlı havadan sıkılmaya başladım. Giyinirken de bir yandan düşünüyordum; bugün yeniden alışverişe çıksak iyi olacaktı. Şu sıralar ayaklarını üşütmemesi gerekirdi; yanılmıyorsam eski püskü bir bot kullanıyordu. Karlı hava için pek uygun şeyler değildi, hatta hastaneye gelip giderken kaz tüyünden, ısıtıcı, soğuğa mukavim bir de anorak alsak iyi olurdu. Üşüdüğüne emindim, ama utanır ve bana ihtiyaçlarını söylemezdi. Dün İtalyan mağazasında alış veriş ederkenki çocuksu sevinci aklıma geldi. Ne kadar mutluydu! Hatırladıkça gülümsemekten kendimi alamadım. kravatımı bağlarken mutfaktan akseden sesler duydum. Kalkmıştı.

Hemen mutfağa koştum, gözlerinin içine bakarak, "Günaydın sevgilim," dedim. "Nasıl dün geceyi rahat geçirebildin mi? İyi uyudun mu?"

"Günaydın," dedi asık bir yüzle. "İçki biraz başımı ağrıttı. Pek alışık değilim de."

"Olabilir tabii," dedim. "Ya şeyin... Sancılandın mı?"

"Ne sancılanması?"

"Yani şeyi kastediyorum... regl sancılarını."

Yüzü daha somurtuk bir ifade aldı.

"Regl olmadım ki."

Bir an duraladım. Bazı kadınlarda gecikme olması ve bunun sıkıntılarını hissetmeleri gayet doğaldı. Belki bu sabahki aksiliği ve somurtkanlığı da ondandı.

"Tabii anlıyorum hayatım," diye mırıldandım.

Sertçe homurdandı, "Neyi anlıyorsun?"

"Gecikmesini yani. Seni sinirli yapıyordur."

"Reglim daha yeni bitti sayılır. Buraya taşınmadan bir iki
gün önce."

Şaşırıp kalmıştım.

"Ama bana dün gece demiştin ki..."

"Ne yapayım? Öyle söylemeye mecbur bıraktın beni. Israrın-
dan sıkılmıştım. Aklın fikrin hep orada. Sana biraz bekle dedim.
Böyle şeyler gönül rızasıyla, her iki tarafın da isteğiyle olmalı."

Asık suratıyla fincanına çay koyuyordu.

Bir anda kafamın sigortaları yeniden attı. Bu yalanlarından
bıkıp usanmıştım artık. "Yeter!" diye bağırdım. "Bu yalanların
canıma tak etti. Yalan söylemeye mecbur değildin. İstemediğini
söylemen yeterliydi. Sana saldıracak değildim ya. Bu yaptıklarınla
büsbütün gözümden düşüyorsun. Bunlar çok basit numara-
lar. Adi ve pespayece."

O sinirle mutfaktan çıktım.

Gerçekten de fena halde bozulmuştum. Sorun salt sevişme
meselesi değildi, bunu anlayabilirdim, ama bana iki de bir yalan
söylemesini ve sonra hiçbir şey olmamış gibi yalanlarını açıkla-
masını kabul edemiyordum. Beni karşısında talimli bir maymu-
na çevirmiş, adeta oynamaya başlamıştı.

Ağrıma giden buydu.

Kırk yaşında bir adam olarak bana yapılan bu muameleyi
kabullenemiyordum. Bu kız haince duygularımla oynuyordu.

Yatak odama daldım, gardrobumdan rastgele bir ceket çı-
kararak sırtıma geçirdim. Kahvaltı filan etmeyecektim. Sinirim-
den yüzünü bile görmek istemiyordum. Ne hali varsa görsün-
dü. Dilerse istediği anda çekip gidebilirdi de. Onunla beraber
olamazdım artık..

Asla birbirimizle uyuşamayacak iki karakterdik.

Benim uysal, biraz şekilci, muhafazakâr yaşantıma taban
tabana zıt bir yaradılışı vardı Jale'nin. Aslında bütün hata be-

nimdi; bunu hissettiğim anda bu ilişkiye bir son vermenin yollarını aramalıydım, oysa ben ne yapmış, kızın yanımda kalması için diller dökmüş, adeta yalvarmıştım.

Cüzdanımı, saatimi almak için yatağın baş ucundaki konsolo doğru yürüdüm.

Baktım, yatak odamın kapısı önünde sessizce duruyordu. Gelişini o hırs ve kızgınlık anında farketmemiştim.

Sanki hiçbir şey olmamış gibi, melodik, sesli bir şekilde mırıldandı.

"Sinan!! Sevgilim!!"

Bu kadarı da fazlaydı artık. Şimdi de benle alay mı ediyordu? Yaptıkları az bir şeymiş gibi karşıma dikilmiş şımarık ve yüzsüz bir şekilde mırıldanıyordu.

"Bu ilişki bitti Jale," dedim. "Kesin bitti. Artık sana katlanamayacağım."

Aynı ses tonuyla:

"Bu kadar çabuk mu pes ettin hayatım?" diye sordu. "Halbuki beni çok sevdiğini ve her türlü kaprisime katlanacağını sanmıştım."

"Her şeyin bir sınırı vardır."

"Ben sınır tanımam. Beni seven erkek bana tamamen teslim olmalı, her kaprisime katlanmalı ve yaşam boyu bunu sürdürmelidir."

Sinirli sinirli sırıttım.

"Ben buna katlanamam. Bunun için başka birini bulmalısın."

"Senden iyisi olur mu? Sen dünyanın en tatlı erkeğisin."

"Lütfen bu işi uzatmayalım artık."

"Benim uzattığım filan yok. Sen boşu boşuna sabahın köründe kendi kendini yiyip bitiriyorsun. Bundan vazgeç, ruh sağlığın için zararlıdır sevgilim. Sana hekim tavsiyesi."

Hâlâ alay etmeye devam ediyordu.

"Yani, ilişkimizin bittiğine inanmıyor musun?"

"Hayır sevgilim, elin mahkum."

"Ne demek bu?"

"Beni ölünceye kadar seveceksin, ruhuna nasıl işlediğimi biliyorum. Çok güzelim ve beni çılgın gibi arzuluyorsun. Benden artık kopamazsın."

"Sen öyle san!"

"İddiaya var mısın?"

"Hiçbir şeye yokum."

"Nasıl istersen! Beni gerçekten istemiyorsan çekip giderim tabii."

Sertçe mırıldandım.

"Evet, böylesi ikimiz için de daha hayırlı olur."

Hiç sesini çıkarmadı. Yüzüne bakmadan odadan çıktım. Gitmeye hazırlanıyordum. Arkamdan koridora geldi.

Her şeye rağmen içimde bir acıma hissi belirdi. Kalacağı bir yer yoktu, artık bundan sonrası beni ilgilendirmezdi. Ama yanında parası olduğunu hiç sanmıyordum, içim el vermedi. Cüzdanımı çıkardım, külliyetli bir miktar parayı aynanın altındaki ensiz masanın üstüne bıraktım. Mahcup bir eda ile, "Bir süre seni idare eder. Kabul edersen memnun olurum," dedim.

"Benim senin parana ihtiyacım yok! Al onu yanına."

Bu kez onun da sesi sinirli ve haşin çıkmıştı.

"Lütfen büyütme meseleyi. Benim için sorun değil."

"Parana dokunacağımı sanıyorsan yanılıyorsun. Yazık... Harika olacak bir ilişkiyi kabalığın ve bencilliğin yüzünden mahvettin."

"Tamam artık bu mesele kapanmıştır."

Kapıyı açtım, dışarı çıktım ve usulca kapıyı örttüm.

Asansörü yukarı çağırırken sinirden titremem geçmemişti. Fakat daha kapının eşiğinde ne denli bir aptallık ettiğimi anlamaya başlamıştım. Evin kapanan kapısı Jale ile arama bir mesafe koymuştu ve bu kapının bir daha asla açılmayacağı ve sevgilimi bir daha hiç görememenin acısı daha şimdiden bir kor gibi yüreğimi yakmaya başlamıştı...

* * *

Bahçeye inip arabamın yanına geldiğimde çoktan tüm yaptıklarıma, aptalca ağzımdan çıkan laflarıma pişmandım. Affedilecek bir yanım yoktu. Ne kadar bencil ve egoistçe davranmıştım. Ufak tefek yalanlarla beni oyalaması, aramızdaki ilişkiye değişik bir çeşni vermesi, aslında onun işlek ve pırıl pırıl zekâsının, hayal gücünün bir göstergesiydi. Her an beni yerimde duramaz, arzu ve coşkudan inleyen bir adam haline getirmişti. Bunun için ona kızmak değil, teşekkür etmeliydim. Söylediği yalanların sanki ne mahzuru vardı? Alt tarafı kıvrak manevralarla içime gün be gün nüfuz ediyor, kanımı ateşliyordu. İtiraf etmeliyim ki benden tamamen uzak da durmuyordu. Sevgisini, cinselliğini her vesileyle bana taşıyan ve bundan keyif duyan bir kızdı. Daha ne isteyebilirdim ki?

Ama kahrolası gururum şimdi yukarıya çıkıp af dilememe maniydi. Pişmanlığıma rağmen asla gidip özür dileyemezdim.

Arabaya bindim. Ama bir süre motoru çalıştırmadım.

Düşünmeye başladım. Acaba yukarı çıkıp bir şey unuttuğumu bahane ederek yeniden bir konuşma fırsatı icat etse miydim? Kim bilir yukarıda ne haldeydi? Bana güvenmiş, dürüstlüğüme inanmış ve beni sevmişti. Oysa şimdi onu bencil duygularım yüzünden terkediyordum; sevimli yalanları bahaneydi, gerçek nedeni ikimiz de çok iyi biliyorduk.

Şu anda yukarda perişan olduğunu tahmin edebiliyordum. Belki kendini yatağa atmış hüngür hüngür ağlıyordu. Bu bencil davranışımdan dolayı kendimi affetmeyecek ve belki de hayatımın sonuna kadar pişman olacaktım.

Onun da, en az benim kadar inatçı ve gururlu olduğunu biliyordum.

Birbirini tutmayan, çapraşık duygular içinde bocalayıp durdum. Sonunda haksız hiddetim ve anlamsız gururum galip çıktı. Bu kadar sıcağı sıcağına gidip özür dileyemezdim. Belki yarın hastaneye çiçek gönderir, telefon eder, gönlünü almaya çalışırdım, ama bunu şimdi yapamazdım.

Motoru çalıştırdım. Yola çıktığımda aptal aptal düşünmeye başladım. Bu kadar erken nereye gideceğimi bile bilmiyordum. Kahvaltı etmemiştim, karnım açtı. Gayesiz ve başı boş arabayı sürmeye devam ettim. Yollar tenhaydı ve kar yağmaya devam ediyordu..

* * *

Kızıltoprak'ı geçip çevre yoluna sapıncaya kadar bir kaç defa geri dönmeyi yine aklımdan geçirdim. Ama yapamadım.

Yazıhaneye geldiğimde sekreterim Füsun bile henüz gelmemişti. Odama girdim. Daha fazla tahammül edemeyecektim, belki yüz yüze olmadan telefon ederek daha kolay özür dilerdim. Evi aradım.

Telefon çaldı ama açılmadı.

Hemen arkamdan çıkmış olamazdı. Eşyalarını bu kadar çabuk toplayıp çıkacağını tahmin etmiyordum. Kasten açmıyordu; benim arayacağımı anlamış olmalıydı.

Çaresiz kapattım.

Yarım saat sonra cep telefonundan aradım. Yanında telefon taşıdığına göre başkasının da aradığını düşünebilirdi. Mahut terane kulağıma aksetti; kapalı veya kaplama alanı dışında diye...

Biliyordum, kasten açmıyordu.

Kara kara düşünmeye başladım. Acaba ne yapıyordu? Nereye gidecekti? Bir kaç gece hastanede kalabilirim demişti ama oraya gitmek istemediğini biliyordum. Bu kadar düşüncesiz davranmaklığım tam anlamıyla eşşeklikti. Kızı kovmuş, kapının önüne koymuştum. Yerinde kim olsa affetmezdi...

Öğleye kadar müteaddit kereler onu aradım ama bağlantı kurmak mümkün olmadı.

Hayatım zehir olmuştu bir anda.

Barut gibi her an patlamaya hazır, öğleye kadar yazıhanede volta atıp durdum. Bir şeyle meşgul olmam, çalışmam imkânsızdı. O gün iki duruşmam vardı. Yardımcılarımla ikisine de mazaret dilekçesi gönderdim. Eve dönmek istiyordum. Belki bana bir mektup ya da herhangi bir not bırakmış olabilirdi.

* * *

Evin yolunu tuttuğumda, gittiğini ve asla geri dönmeyeceğini biliyordum. Evde bana bırakılmış mektup ya da not bulamayacağımdan da emindim. O beni seviyordu ve onun sevgisi daha gerçek, daha içten ve mantıklıydı. Benden hoşlanmasa kesinkes evime gelip yerleşmezdi, mantıklıydı zira hayat arkadaşı diye seçeceği insanı denemesi, tanıması bir ömür sürecek evlilikte nasıl bir insanla neleri paylaşacağını bilmek istemesi doğaldı. Gerçekçiydi, çünkü şartların anormalliğini hissettiği için cinsellik açısından bana soğuk ve anlayışsız davranmamıştı.

Oysa ben evime kabul ettiğim kızı hemen cinsel ilişkiye sürüklemek için elimden geleni yapmıştım. Medeni bir insan isem ona gerekli anlayışı göstermeli, zaman tanımalı ve buna karşılıklı rıza ve anlayış içinde gerçekleştirmeliydik.

Ben ise manevi cebir uygulamış, bir saldırmadığım kalmıştı...

Meğerse şehvete ne düşkün, ne uçkur çözmeye meraklı biriymişim! Daha kendimi yeterince tanımıyormuşum...

Bu saatte eve dönmemeliydim. Hiç yararı yoktu. Anılarla dolu ev bana sadece onu hatırlatacaktı. Kaldığı odaya artık giremezdim. Mutfakta, koridorlarda, salondaki şöminenin önünde hep onun varlığını hissedecek, hayaliyle yaşayacaktım.

Dayanamazdım buna..

Pek çok erkeğin yaptığı gibi çareyi içkide aradım. Rastgele bir yere gidip içmeliydim. Neresi olursa olsun; hiç önemli değildi. Yeter ki, alkolün etkisiyle çektiğim acıdan bir nebze uzaklaşabilsem ve beynimden onu silebilseydim.

Yönüme değiştirdim, Boğaz'da deniz kenarı bir meyhaneye gitmek istedim. Ortaköy'e indim. Başka zaman olsa önünden bile geçmeyeceğim, üçüncü sınıf bir yere girdim. Rakı istedim. En hoşlanmadığım içkiydi rakı; belki anasonu sevmediğimden, belki de küçümsediğimden, fazla şark işi bulduğumdan.

Ama rakı içmenin tam zamanıydı şimdi. Ruh halime, zavallılığıma en uygun düşecek içkiydi.

İnsan sarrafı garson beni şöyle bir süzdükten sonra tek kelime etmeden masayı envai çeşit mezelerle donattı. Pilaki, muska böreği, lakerda, midye dolması, beyaz peynir vesaire...

İlk kadehi yüzümü buruşturarak içtim. Ağzımda berbat bir tat bıraktı. Hiç önemli değildi, Jale'yi unutacak kadar içmek istiyordum. İkinci ve sonraki kadehler şerbet gibi gelmişti. Rakı birden en favori içkim olmuştu. Tek kelime ile mükemmeldi. Züppelik nedeniyle niye şimdiye kadar bu denli nefis bir içkinin keyfine varamadığımdan hayıflanmaya başlamıştım.

Ucuz bir yerdi; haliyle müdavimleri de sıradan insanlardı. Az sonra yanımdaki masada oturan balıkçı kılıklı babayani bir adamla konuşmaya başlamış, kısa sürede kırk yıllık dost gibi samimi olmuştuk. Konuşmak, insanlara içimi dökmek zorundaydım. Yine de Jale'den doğrudan doğruya bahsetmeyecek kadar ayıktım. Tabii buna ne denli ayıklık denirse? Hayatın felsefesini yapmaya, mutluluk ve evlilik üzerine nutuklar atmaya başlamıştım. Sevgi, aşk, cinsellik üzerine konferans veriyordum sanki.

Konuşma değil, bir monologdu aslında.

Karşımdaki zat, bu tür durumlara alışık olmalıydı, sabır ve anlayışla dinlemesini çok iyi biliyordu. Ya da ben dinlediğini sanıyordum; tecrübemle bilirdim, dinlemek konuşmaktan çok daha zor bir şeydir. Sabır ve tahammül ister, hele karşındaki de alkollü ise. Çelebi görünüşlü, babacan zat sonra masasını bırakıp benim masaya geldi. Bu dünyada herkesin bir derdi vardı, ama zavallı onu gündüz vakti içmeye iten sebebi anlatacak sırayı bir türlü bulamadı. Zira iki kişiye yetecek kadar çok konuşuyordum.

Aralık ayında gün çabuk kararıyordu.

Meyhaneden çıktığımda etraf zifiri karanlıktı. Eni konu sarhoş olmuştum. Hani neredeyse sızacaktım. Yalpalayıp yalpalamadığımı bilmiyordum. Arabayı bıraktığım yeri zor buldum. Suadiye'ye kadar önümde uzun bir yol vardı. Arabanın içine girip oturdum. Yağan kara ve şiddetli soğuğa rağmen iki camı da açtım. Otomobilin içi bir anda dolan rüzgârla ayaz kesti. Derin derin soludum. Kontağı çevirdim.

Tek başıma bir ufak rakı bitirmiş, onunla yetinmeyerek sanıyorum üstüne iki duble daha çekmiştim. Üç de olabilirdi.

Kontağı çevirdim, parkettiğim kaldırımın kenarından zorlukla yola çıktım. Akıl, görüş ve kurallara uymaktan ziyade meleklerimle yol alıyordum. Başım dönüyor ve midem bulanıyordu. Arada sırada böyle zom olmanın gereğine inanmaya başlamıştım. İnsan rahatlıyordu, hatta öylesine ki, normal zamanlarda yapamadığımız davranış serbestisini, adam sendeciliği kazanıyor, tam bir boş vermişliğin içinde yüzüyor, bizi kısıtlayan etiket kurallarından bir anda sıyrılıveriyordunuz. Masadan kalkarken yeni dostumla üç kere sarmaş dolaş olup, öpüşmüş ve yarın aynı saatte yine buluşmaya karar vermiştik. Zar zor Suadiye'ye gelip evin bahçesine parkettim.

Saati ve zamanı tayin edemiyordum.

Tek amacım sızmaktı...

* * *

Dairemin kapısını güçlükle açtım.

Antrenin elektrik düğmesini çevirdim. Aynanın altındaki dar ve uzun masaya baktım. Ne mektup ne de bir not bırakılmıştı. Herşeye rağmen, zayıf da olsa içimde bir umut vardı, belki, diyordum. Son umudumu da yitirmiştim artık.

Evin içi çok sıcak geldi. Dışarının ayazından sonra içerinin sıcağı büsbütün başıma vurdu. Paltomu sırtımdan çıkardım, asacak halim yoktu, yere ayaklarımın dibine düştü. Antrenin elektriğini söndürecek vaziyette değildim, isterse sabaha kadar açık kalsındı. Sarsak sarsak yatak odama doğru yürümeye başladım.

Karanlık salonun önünden geçerken tatlı bir ses, "Geldin mi?" diye sordu.

Bana mı öyle gelmişti acaba? Yoksa hayal mi görüyordum? Bir tür halisünasyon da olabilirdi; zira aklım fikrim onunlaydı. Gaipten sesini işitiyor da olabilirdim.

Sallanarak yerimde duraladım.

İnanamıyordum... Yoksa sevgilim gitmemiş miydi?

Emin olmak için karanlığa seslendim.

"Jale!.. Sevgilim, sen misin?"

Cevap yoktu!.

Olmazdı tabii. Yoktu o. Evin içinde ruhu dolaşıyordu sanki. Anılarımda onu hâlâ burada yaşatıyordum. Burnum parfüm kokusunu alıyordu.

Dayanılmaz bir andı. Başım önüme düştü. Keşke daha fazla içseydim, aklımdan onu silecek, hayal bile göremeyecek kadar fazla.

Fakat salonun karanlığında belirgin bir siluet farkeder gibi oldum.

Gözlerimi kırpıştırdım. Kalbim duracak gibiydi. Hâlâ emin değildim, salondaki kımıldayan varlığın bir canlı mı yoksa beynimde yaratılmış bir hayal ürünü mü olduğunu kestiremiyordum..

Silüet biraz daha netleşti ve Jale bütün diriliği ve canlılığı ile karanlıktan çıkıp karşıma dikildi. Kapının pervazına sırtını dayayarak bana bakmaya başladı.

Gözlerime inanamıyordum.

Ağlamaya başladım. Gururum filan kalmamıştı. Ona yaklaştım ve önünde diz çöktüm. Beline sarılıp başımı karnına yasladım.

"Beni affet sevgilim," diye inledim. "Ben çok kaba, anlayışsız, sersem bencilin tekiyim. Herşeyi hak ettim. Ne istersen söyle. Yeter ki beni bağışla."

Hâlâ onu bulduğuma inanamıyordum. Belinin inceliğini, kaba etlerinin diri ve dolgun sertliğini avuçlarımın içinde hissetmesem rüya gördüğümü sanacaktım.

"Tamam, tamam," diye mırıldandı kırgın bir sesle. "Kalk ayağa. Seni affediyorum. Ama bana söz vereceksin. Bir daha asla beni üzecek, kıracak tek kelime çıkmayacak ağzından. O şey'den de ben isteyinceye kadar bahsetmek yok. Anladın mı?"

"Söz veriyorum," diye inledim.

Dünyalar benim olmuştu birden. Hiç ummadığım bir anda onu karşımda görmek çocuk gibi sevindirmişti beni. Göz yaşlarımı tutamıyordum.

Bir çocuk şefkati ile saçlarımı okşadı.

"Ağlama artık," dedi. "Sevgilin burada ve uslu olup onu üzmediğin sürece de seni terketmeyecek. Tamam mı? Hadi, kalk artık ayağa."

Dizlerimin üzerinde doğruldum.

Neden sonra makyaj yapıp süslendiğini farkettim. Alkolden bulanık şuurumla daha fazlasını idrak edemiyordum. Demek ki bütün gün evde kalmış, aslında evi terketmeyi hiç düşünmemişti.

Suratını ekşiterek yüzüme baktı.

"Bu halin ne? Leş gibi alkol kokuyorsun sen."

"İçtim," dedim. "Zil zurna sarhoş oluncaya kadar içtim. Senden ayrılmak beni perişan etti, dayanamadım. Seni kutlamak lazım, bu zamanda modern bir köleye sahipsin artık. Bir esire, hayat boyu peşinden gidecek bir zavallıya."

"Saçmalama... Öyle sarhoşsun ki, ne dediğini bilmiyorsun."

Dilim pelteleşerek, itiraz ettim.

"Sarhoşum ama ne dediğimi bilmeyecek kadar değil... Evet, bugün senden asla kopamayacağımı bir kere daha anladım. Benim halime esaret denir.. Kölelik.. Artık bundan böyle canımın, ruhumun, hayatımın efendisi sensin. Kendimi bir iblise bağladım."

Güldü. "İblis'e mi?"

"Evet. İnsan bir başka insana bu denli teslim olursa o kişi şeytanın ta kendisidir."

Gülüşü kahkahaya dönüştü.

"Ama ayılınca bu ettiğin lafları sana hatırlatacağım."

"Hiç unutmayacağım ki..."

Ellerini ellerimin arasına aldım.

"Sana tapıyorum Jale," diye mırıldandım.

Bu bulanık kafamın hatırlayabildiği son cümleydi. Sonra yığılıp sızmışım...

DÖRDÜNCÜ BÖLÜM

1

Boğaz'ın Anadolu yakasındaki yalılarının çoğunun özelliği, kara yolu ile deniz arasındaki seviye farkından görünmemesi, yüksek duvarlar arkasında gizlenmesiydi. İnsan adeta deniz ile bağlantısını kaybeder, Boğaz'ın akıntılı sularını rahat seyredemezdi. Gerçi manzara bazen ufak körfezlerde bütün ihtişamı ile karşınıza çıksa bile genelde durum buydu. Sanırım bu nedenle Boğaz'ın Anadolu yakasını pek sevmezdim. Bir İstanbul çocuğu için tabiatın güzelliği, görüntüde deniz ile bağlantısını kaybederse pek çekici olmuyordu. Bunca yıldır, kim bilir kaç kere bu yoldan geçtiğim halde Kalaycıoğlu yalısını ilk defa görüyordum.

Sanıyorum yalı kelimesi binanın gerçek anlamını vermiyordu, buraya olsa olsa kâşâne demek daha doğruydu. Zenginliği, görkemi tek kelime ile ifade eden, olağanüstü güzellikte bir yapı. Ehh, Türkiye'nin sayılı zenginlerinden birine de ancak böylesi yakışırdı.

İmar mevzuatı gereği dış görünümünün ahşap özelliği aynen muhafaza edilmişti, ama içine girilince insan kendini apayrı bir dünyada buluyordu. Sanki kabuk gibi dışın buram buram tarih kokan, Boğaz mimari karakteristiği aynen korunmuş, fakat içi oyulmuşcasına zamanın her türlü konfor ve ihtişamını aksettiren yabancı zevklere uygun şekilde donatılmıştı.

Geniş iç mekanın bu kadar davetliyi nasıl kabul ettiğini ancak içine girince anlamak mümkündü. Doğrusu biraz yadırgamış, para ve servetin nelere kadir olduğunu hayretle gözlemlemiştim. Oldum olası bu denli zengin insanların nasıl yerlerde yaşadığını merak ederdim. Şimdi merakım bir ölçüde yokoluyordu.

Cahit Kalaycıoğlu altmış yaşın üstünde, kısa boylu, göbekli bir adamdı. Tıpkı Gönül'ün söylediği gibi etrafı dalkavukları tarafından sarılmış, ev sahibi değil de, davetin en saygın konuğu gibi, çevresinde halka oluşturulmuştu. Gerçek şarlatanlar ve menfaatleri olan, yağcılar ordusu adamın etrafını kaplamıştı.

Bir an gülümsemekten kendimi alamadım.

İç içe geçerek büyütülmüş muazzam salonda misafirlere tahsis edilmiş U şeklinde muazzam bir sofra kurulmuştu. Henüz sofraya çağrılmayan davetliler topluluğu üst kata yükselen iki geniş merdivenin altındaki mermer antrede ellerinde içki kadehleriyle aralarında sohbet edip konuşuyorlardı.

Davetliler arasında İstanbul sosyetesinin sivrilmiş bir yığın siması mevcuttu. Dikkatimi iki Bakan ve ünlü bürokratlar çekti. Bu da normaldi herhalde. İlginç bir husus da, en az davetli kadar etrafı kontrol eden koruma personelinin olmasıydı.

İlginç bir yılbaşı gecesi olacaktı bu. Sanki içime doğuyordu.

Gönül'le Jale garsonların ikram ettikleri cin tonik kadehleri ile bir köşeye sıkışmış kendi aralarında konuşuyorlardı. Daha şimdiden Gönül'ün gevezeliğinden ve hararetli hararetli konuşmasından bir takım tenkitlere başladığını, çevredeki konukları çekiştirdiğini hisseder gibiydim. Yeni aldığımız lila rengi tuvaleti içinde Jale bir içim suydu. İlk defa katıldığı böyle bir baloda biraz ürkek biraz çekingen, bir köşeye çekilmiş, Gönül'ün kulağına fısıldadıklarını dinler gözükmekle beraber, aslında merakla çevresindeki insanları ve ortamın ihtişamını incelemekle meşguldü. Çok şükür, münakaşa ettiğimiz o sabahtan beri aramız iyiydi. Kavga etmiyor, birbirimizi kırmıyorduk.

Davetsiz olmamıza rağmen baloya gelişimiz hiç sorun yaratmamıştı. Daha doğrusu kapıda bizleri karşılayan ve teşrifat görevi yapan bir hanımla bir erkek, kimler olduğumuzu hiç sormadan güler yüz ve nezaketle içeri buyur etmişlerdi. Her halde ünlü Kalaycıoğlu'nun yalısına davetsiz bir kimsenin gelebileceğini düşünmemiş olmalıydılar.

Mahir her zamanki pişkinliği ve sokulganlığı ile bir süre sonra bizi yalnız bırakmış ve tanıdığı bir yığın insanla sohbete dalmıştı. Tabii benim de davetliler arasında hem simaen hem de şahsen tanıdığım kişiler vardı. Ama bu daveti asıl kabul etme maksadım, hiç kuşkusuz Aysel Kalaycıoğlu'nu daha yakından tanıma fırsatı bulmak istememdi. Böyle bir fırsatın doğup doğmayacağını bilmiyordum ama ümidim o doğrultudaydı.

Aysel Kalaycıoğlu gerçekten muhteşem biriydi.

Dergilerde, gazetelerde çıkan resimlerden onu hemen tanımıştım. Tanımasam da, balonun patroniçesi olduğu hemen davranışlarından ve insanlar üzerindeki etkileyici ve otoriter havasından anlaşılıyordu. Mağrur, dik başlı ve hükmedici bir edası vardı. Beyaz tenli simsiyah saçlıydı. İri ve kara gözleri yaptığı makyajla daha canlı ve dikkat çekici görünüyordu. Ördek başı rengi dekolte tuvaletini, zenginliğiyle orantılı taktığı nefis zümrüt bir setle tamamlamıştı. Boynundaki gerdanlık, hele kulaklarındaki iri küpelerin ihtişamı nefisti.

Bir süre uzaktan hayranlıkla ve nefesimi tutarak seyrettim. Ne yazık ki yanına yaklaşılacak gibi değildi. Ayrı ayrı bulunmalarına rağmen karı koca ev sahiplerinin çevreleri daima misafirlerle kaplıydı. Belki ilerleyen saatlerde bir fırsat çıkar yanına yaklaşabilirim, diye düşündüm. Hoş böyle bir fırsat da çıksa ne diyeceğim hakkında fikrim yoktu.

Kırk yaşına yaklaşmış olmalıydı ama doğrusu daha genç gösteriyordu. Hemen yanı başımda ayakta laflayan bir grup misafirin yaptığı dedikodulara çaktırmadan kulak misafiri oldum. Kadınlardan biri Aysel Kalaycıoğlu'nu kabul edilemez bir kıskançlıkla kötülüyordu. "Aman hayatım, ben gözlerimle gördüm, tasavvur edemeyeceğin kadar pespaye biri. Hem söylenenleri duydun mu, kocasını şoförü ile aldatıyormuş. Rezzan'dan işittim." Yanındaki kısa boylu, sevimsiz bir kokana, benim mevcudiyetime aldırmadan, "Ben de duydum." dedi. "O bir şey mi, rivayete göre holding'in bütün yakışıklı üst düzey yöneticileri ile mercimeği fırına veriyormuş." İlk konuşan bir kahkaha attı, "Neyse ki, bizim kocalarımız artık yüzlerine bakılmayacak kadar yaşlandılar. Bizler için tehlike yok."

Biraz daha ilerledim.

Ellerindeki tepsilerle kalabalık arasında dolaşarak içki ikramı yapan garsonlardan birinden bir kadeh şampanya aldım. İçkimi yudumlarken yavaş yavaş Jale ile Gönül'ün yanlarına doğru yaklaşmaya çalıştım.

Balo yükünü almaya başlamıştı. Kalabalık iyice artmıştı. Bir ara gözüm yine Aysel Kalaycıoğlu'na takıldı. Zarif yürüyüşüyle kalabalığın arasından sıyrılarak yandaki dar koridora doğru yürüyordu. Hemen yanı başında kapıda davetlileri karşılayan teşrifatçılardan biri vardı. Yalının ana girişine doğru gittiklerini anladım. Her halde önemli konuklarından biri gelmiş olmalıydı. Gayrııhtiyari ben de yönümü değiştirerek kadının peşinden yürüdüm. Yanılmamıştım; girişin önü hareketlenmişti birden. Camlı bölmenin başında siyasi kodamanlardan biri belirdi. Yeni gelen davetliyi tanıyordum; hükümetteki Devlet Bakanlarından biriydi ama adını çıkaramamıştım. Bakan büyük bir nezaketle Aysel'in elini öptü. Kısa bir konuşmadan sonra ev sahibesi onu kalabalık salona alırken, kadının hafifçe aksadığını hisseder gibi oldum. Sanki ayakkabısı ayağını vuruyordu. Büyük salonun girişinde Cahit Kalaycıoğlu Bakan'ı karşılarken, kadın hafifçe sekerek geri döndü ve yanında beliren hizmetkârlardan birine bir şeyler mırıldanarak az önceki dar koridora kıvrıldı. Burası nisbeten tenhaydı ve yemek için hazırlıklar yapan personel ağırlıklıydı.

Aysel Kalaycıoğlu dar koridor üzerindeki bir kapının önünde durdu. Tam kapı ağzında iri yarı bir adam duruyordu. Kadına gösterdiği saygıdan evin hizmetkârlarından biri olması gerekiyordu. Aysel kapıyı açarken yanılmadığımı anladım, hemen eğilmiş ve sağ ayağındaki papucunu çıkarıp eline almıştı.

Kapı aralığından yukarıya doğru yükselen bir merdiven gözüme çarptı. Kadın kapıyı kapatınca onu göremez oldum.

Ayakkabılarını değiştirmeye gittiğinden emindim artık. Beklemeye karar verdim. Belki aşağıya indiğinde kısa da olsa onunla görüşme imkânım olabilirdi. Bu dar koridor misafirlerin fazla dolaşmadığı bir yerdi, fazla dikkat çekmezdim. Yanımda garsonlar, hizmetkârlar hızlı hızlı geçiyorlardı ama kimse orada ne aradığımı sormuyordu.

Cesaretlenmiştim.

Yalnız yukarıya kimsenin çıkmamasını temin etmek için bekleyen o iri yarı adam zaman zaman belli etmemeye çalışmakla beraber beni süzmeye başlamıştı. Benden şüphelenemezdi, beni tanımıyordu çünkü, olsa olsa burada niçin ve kimi beklediğimi merak etmiş olabilirdi.

İki üç dakika kadar bekledim.

Az sonra kapı aralandı ve Aysel Kalaycıoğlu göründü. Ayaklarına baktım. Az önce tuvaletinin kumaşından yapılmış ayakkabılarını değiştirmiş, dekolte rugan bir ayakkabı giymişti şimdi.

Salona gitmesi için yanımdan geçmesi gerekiyordu. Benimle hiç ilgilenmedi. Tam yanımdan geçerken tüm cesaretimi toplayarak, "Ayakkabınız vurdu galiba?" dedim.

Bir an kara gözlerini yüzüme çevirip gülümsedi.

"Nereden anladınız?"

"Çünkü hep sizi izliyordum."

Yüzü birden gölgelenir gibi oldu. Tebessümü kayboldu.

"Tanışıyor muyduk?" diye sordu.

"Evet," diye mırıldandım. Yalan söylemiştim tabii...

Dikkatle beni süzmeye devam etti.

"Sizi anımsayamadım," dedi. "Yoksa gazeteci misiniz?"

"Hayır."

Bir an gözleri parıldadı. Tanımaması gayet doğaldı.

"Kusura bakmayın," dedi. "Çıkaramadım."

"Bu çok doğal, zira birbirimizi görmeyeli yıllar oluyor."

Bu cevabım hoşuna gitmemişti. Yüzünde huzursuz bir ifade hisseder gibi oldum.

"Kendinizi tanıtmayacak mısınız?"

"Sinan Okyay, avukatım. Ama beni ismim veya mesleğimle de hatırlayabileceğinizi sanmıyorum."

Hafifçe dudağını büzüp bir kaşını kaldırarak, "İlginç" dedi. "Sizi nasıl hatırlamalıyım?"

"En az bir yirmi sene evveline gitmeniz lazım."

O kadar eski bir tarihe gitmemden hiç hoşlanmamış gibi bir tavır takındı.

"Yirmi sene evveli mi?"

"Evet... Ben ilk eşiniz Vural Toksöz'ün kolejden arkadaşıyım."

Suratı bir anda bembeyaz kesildi.

Önce hiç sesini çıkarmadı. Geçmişinin bu pek bilinmeyen sayfasına dönmekten hoşlanmadığını hemen anladım. Birden dikleşti.

"Sizi tanımıyorum. Ne söylemek istiyorsunuz?"

"Affedersiniz," diye mırıldandım. "Böyle bir gecede sizi rahatsız ederek eski anılara götürdüğüm için beni bağışlayın. Sinirlendirmek istemezdim."

Hemen sözümü kesti.

"Sinirlenmiş değilim. Ama o adamdan bahsetmek istemiyorum. Çok eskide kaldı."

"Gerçekten mi?"

"Evet."

"Eski eşinizden hiç haber alıyor musunuz?"

"Haber mi?"

Garipseyerek yüzüme bakmıştı. Başımı salladım.

"Hayır. Onunla yıllardır görüşmüyorum. Ayrıldığımızdan beri."

Yalan söylüyordu; ama nedenini henüz bilmiyordum. Bir an duraladı. Sonra:

"Bunları niye soruyorsunuz bana? Tamamen benim geçmişimle ilgili özel konular bunlar. Sizi ilgilendirir mi?"

"Eskiden olsa hiç ilgilendirmezdi. Arkadaşlarımın geçmişini öğrenmek gibi bir merakım hiç yoktur. Ama şimdi öğrenmek zorundayım."

Dik dik yüzüme baktı.

"Bu evde misafir bulunuyorsunuz. Saygısızlık ettiğinizin farkında mısınız?"

"Saygısızlık ettiğimi sanmıyorum hanımefendi," diye mırıldandım. "Ben, Vural'ın avukatıyım."

"Bu neyi değiştirir ki?"

"Öyleyse kısaca özetleyeyim. Vural bir haftadır kayıp."

"Bu beni ilgilendirmez. Onu yıllardır görmediğimi söylemiştim."

Gayet sakin bir şekilde fısıldadım, "Ama yalan söylediniz."

Beti benzi uçtu.

"Küstahlık ediyorsunuz," dedi. "Bu düpedüz bana hakarettir. Sizi şimdi adamlarıma bu evden attırırım."

Omuzlarımı silktim. "Evet bunu yapabilirsiniz. Ama doğabilecek rezaletleri düşünebiliyor musunuz?"

"Ne rezaleti?"

"Yarın ya da öbür gün bütün gazeteler bu olayı manşetten verir ve saklamaya çalıştığınız geçmişiniz bütün detaylarıyla ortaya çıkar. Sanırım çevrenizdeki muteber dostlarınız bir zamanlar bir otobüs şoförünün kızı olduğunuzu bilmiyorlardır."

Müthiş sinirlenmişti. Gözleri alev alev yanmaya başladı.

"Küstah!" dedi. "Bana şantaj mı yapıyorsun?"

"Kesinlikle hayır. Gerçek niyetim bu değil. O ihtimali ancak mecbur kalırsam deneyebilirim."

Yutkundu önce. Yüzündeki gerginlik ve nefret ifadesi kaybolmamıştı.

"Açık konuşun; benden öğrenmek istediğiniz nedir?"

"Tüm gerçekler" dedim. "Hatta Vural'ın bana bile söylemedikleri."

"Hâlâ tam olarak neyin peşinde olduğunuzu anlayamadım."

"Pekala, özetleyim. Kayıp oğlunuzu arıyorum hanımefendi. Geçmişiniz beni sadece bu noktadan ilgilendiriyor."

Göstereceği reaksiyonu anlamak için nazarlarımı kömür karası gözlerine diktim.

Vural haklıydı galiba. Kadının kılı bile kıpırdamamıştı. Yaşamındaki ilk evliliği de Vural'dan olma çocuğunu da tamamen silmiş olmalıydı. Ama iki ay evvel Vural'ın kendisine hibe ettiği Rumelihisarı'ndaki evi nasıl kabul ettiğini anlayamıyordum.

Neden sonra içini çekip derin bir nefes aldı.

"Kerim kayıp mı?" diye sordu.

"Haberiniz yok muydu?"

"Şimdi sizden işitiyorum."

"Vural söylemedi mi?"

"Onunla hiç görüşmediğimi size ifade etmiştim."

Hâlâ yalan söylediğini hissediyordum. Bu kadından hiç hoşlanmamıştım. Mesele gittikçe çatallaşıyor ama ben olayı çözümleyecek yeni birşey bulamıyordum.

Aysel Kalaycıoğlu biraz dalgınlaştı. Hiddetle parıldayan gözleri buğulandı sanki, bir an mazisinin ağırlığı altında ezilir gibi oldu. Titrek bir sesle:

"Sizinle görüşmeliyiz," diye fısıldadı. "Fakat çok kötü bir zamanlamanız oldu. Bu gece ve burada olmaz. Takdir edersiniz her halde."

"Tabii, hanımefendi. Ne zaman ve nerede isterseniz."

"Bana bir kartınızı verebilir misiniz?"

Elimi cüzdanıma attım ve kartvizitimi çıkararak uzattım.

"İstediğiniz zaman arayabilirsiniz. Yalnız mümkün olduğunca çabuk olmasında yarar var."

"Anlıyorum Sinan Bey," dedi.

Kartımı uzun kollu tuvaletinin dar ve sıkı kol ağzından içeriye tıktı.

"Sizi en yakın zamanda arayacağım."

"Çok sevinirim, efendim."

"Bağışlayın, şimdi misafirlerimle meşgul olmalıyım."

Aysel Kalaycıoğlu sessiz ve bir gölge gibi yanımdan ayrılıp dar koridoru terketti. Bir süre bulunduğum yerde kımıldamadan öyle kaldım. Beynimde cevaplandıramadığım bir yığın sorular vardı. Nedense içimden bir ses bu kadının Vural'ın hayatında hâlâ önemli bir yeri olduğunu söylüyordu.

Bir an zihnimi henüz akıl erdiremediğim esrarengiz olaylar zincirinden uzaklaştırarak çevreme bakındım. Jale ile Gönül'ün yanına dönmem de yarar vardı. Daha fazla oyalanırsam Jale'ye ayıp olacaktı. Sevgilimi tanımadığı insanların arasında yalnız bırakmıştım. Gözüm birden yukarı kata çıkan kapının önündeki iri yarı adama takıldı. Nedense kötü kötü beni süzüyordu. Oysa bu kadar dikkatle bakması için bir sebep göremiyordum. Şık smokinimin içinde diğer misafirlerden hiçbir ayrıcalığım ya da adamın şüphesini çekecek bir yanım yoktu. Ayrıca az evvel evin sahibesi ile konuştuğumu görmüştü. Aramızdaki konuşmayı işitmiş olabileceğini ise hiç sanmıyordum, zira kısık sesle konuştuğumuza emindim.

Adam nedense benden hoşlanmamıştı. Aldırmadım ve büyük salona döndüm.

* * *

Yanlarına döndüğümde Jale de, Gönül de nerelerdeydin, diye sitem ettiler. Mahir hâlâ ortalarda yoktu. Onlara sırıtarak, "Eee, her zaman Cahit Kalaycıoğlu'nun evine girilmez, hazır fırsatını bulmuşken iyice bir tetkik edeyim," diye takıldım.

Gönül burun kıvırdı, Jale kulağıma eğilerek, "Bari güzel şeyler gördün mü?" diye sordu. Bir an yüreğimi bir çarpıntı aldı, acaba beni Aysel'le konuşurken görmüş olabilir mi, diye düşündüm. Sorusu biraz manidar gelmişti. Ama görmesi olanaksızdı; bulundukları yerden dar koridoru kesinlikle göremezdi.

"Zenginlik ve debdebe" dedim. "Etrafta olağanüstü nefis antikalar var."

Jale pek üstelemedi, anlaşılan Kalaycıoğlu'nun antikaları onu cezbetmemişti. Üç kişilik bir grup hafif yemek müziği çalıyordu. Saat on sularında yemeğe oturuldu. Mahir nihayet yanımıza dönebilmişti. Gönül kendisini yalnız bıraktığı için yine kocasına surat asmıştı.

İlerleyen saatlerde trio yerini dans müziği yapan başka bir gruba terketmişti. Bir ara dansa kalktık. Jale yaşamından memnundu; onun için çok değişik ve ilginç bir baloydu bu. Bu kadar ihtişam, şatafat, zenginlik, ünlü kişilerin ortamı, müzik ve içki kızı coşturmuştu. Dans ederken sıkı sıkı sarıldı ve kulağıma "Seni seviyorum" diye fısıldadı. Uzun süre hafif müzikle dans ettik, hatta bir ara ritmi hızlanan tempoya uyarak çılgınlar gibi tepindik. Kan ter içinde kalmıştık. Oturalım artık, dedim ama Jale daha bir süre masaya dönmemek için diretti. Ben de hayatımdan memnundum, dünyanın en güzel kızıyla çılgınlar gibi eğlenerek dans ediyordum.

Sonunda yerimize döndük. Mendilimle alnımdaki terleri silerken ikimizin de mutluluğu yüzümüzden okunuyordu. Bir ara Mahir masanın üzerinden eğilerek:

"Kraliçeyi nasıl buldun?" diye sordu.

Jale hemen Mahir'e dönerek, "Kraliçe de kim?" dedi.

Gönül asık bir suratla, "Kim olacak; şu kokonayı kastediyor," diye Aysel'i gösterdi.

Aysel o sırada genç bir adamla pistte hızlı müziğe ayak uydurmuş dansediyordu. Kadını bir süre süzdü sonra bana dönerek, "Evet, söyle bakalım fikrini?" dedi Jale.

İlgisiz davranarak, "Valla hoş bir kadına benziyor," dedim. "Herşeyi yerli yerinde. Yaşını kestiremiyorum ama bir kadının arzuladığı her şeyi elde etmiş baksana. Güzellikse güzellik, para ise para, şöhret ise şöhret; daha nesi olsun? Sakın beğenmedik demeyin, haksızlık edersiniz."

Gönül dudaklarını büzerek sesini çıkarmadı. Onu hafife aldığını hissediyordum, hatta bir ara Mahir'in onunla ilgisine bile bozulduğunu düşündüm. Tam o sırada Aysel ile kavalyesi bulunduğumuz masaya bir hayli yaklaşmışlardı. Kadının bakışları benim üzerimde yoğunlaştı. Gülümsedi, ya da beni tanıdığına dair herhangi bir imada bulunmadı. Ama bakışları bizimkilerin dikkatini çekmişti. Hatta masanın etrafından uzaklaşınca Mahir biraz hayretle bana dönerek, "Onu tanıyor musun?" diye sordu.

"Yoo," dedim.

"Ama sana nasıl baktı, farkettin mi?"

İnkar cihetine gittim. "Hayır, dikkatimi çekmedi, bana mı baktı, farketmedim."

"Amma yaptın yahu! Hepimiz farkettik. Seni gidi, yere bakan yürek yakan. Yoksa bir numara mı var, anlayalım?"

Mahir gülerek Jale'ye takıldı. "Ayağını denk al Jale, yoksa sevgilini Kraliçe'ye kaptırabilirsin ha!"

Bozuntuya vermeyerek sırıttım. "Eee," dedim. "Ne de olsa serde yakışıklılık var."

Jale'nin tırnakları birden avucuma battı.

"Mahir haklı galiba. Sahiden o kadını tanıyor musun?"

"Yok canım," diye kendimi savundum. "Nereden tanıyacağım. Sizin tanıdığınız kadar işte. Gazetelerden, mecmualardan resmini görmüşlüğüm var."

Jale lacivert gözlerini yüzüme dikmişti.

"Sana nasıl yiyecek gibi baktığını hepimiz gördük. İnkâr etme."

Tırnakları hâlâ canımı yakıyordu. Kulağına eğildim.

"Yoksa kıskandın mı?"

"Kıskanırım tabii. Benden başka gül koklamana asla izin veremem."

Gülümsedim, "Hayır sevgilim, o kadını ilk defa görüyorum."

İnanmış olmalıydı, tırnaklarını çekti.

Konu kapandı sandım fakat Mahir hâlâ yüzüme garip garip bakmaya devam ediyordu. Sanırım aramızda geçen eski konuşmaları hatırlamıştı.

Bana inanmadığına emindim...

* * *

Yılbaşı balosu tamamen neşeli ve eğlenceli bir gece olarak geçecekti; şayet Jale tuvalete gitmek istediğini son anda kulağıma fısıldamasaydı. Bu masumane isteğin başıma ne işler açacağını o an düşünemezdim tabii. Mahir'le Gönül'e döneceğimizi söyleyerek masadan kalktık. Geniş yemek salonundan çıkınca etrafta dolaşan garsonlardan birine tuvaletin ne tarafta olduğunu sordum. Adamcağız, misafirlere tahsis edilen tuvaletin yerini gösterdi. Ne de olsa o sırada hepimiz biraz çakırkeyiftik. Ufak bir merdiveni inerek yalının bodrum katına isabet eden taş bir avluya geldik. Tuvaletin önünde bizden evvel gelip de sıra bekleyen başka misafirler de vardı.

Sakin sakin sıramızı bekledik. Jale içeriye girdi; zaten her şey de o an oldu.

Dışarıya çıkmasını beklerken, geldiğimiz merdivenlerden bir adam indi, tuvaletin tam aksi istikametteki ufak bir kapıya yöneldi. Adam tuvalet kapısı önünde bekleyen misafirlerle hiç ilgilenmemiş, hatta başını çevirip bakmamıştı bile. Bir an adamın ışıklı avluda yüzünü görmüştüm. Sanki onu tanıyordum, ya da daha evvelden görmüşlüğüm vardı. Bu pek çok insana olan birşeydir; belki bir bellek oyunu ya da hafıza yanılması gibi ne olduğunu tıbben izah edemediğimiz bir olay. Sanki gördüğümüz o çehreyi daha evvelden tanıyormuş ya da konuşmuşluğumuz varmış gibi bir hisse kapılırız. Bana da aynı şey oldu. Adamı daha evvel görmüşlüğüm hissine kapıldım.

Her halde yanılıyordum, adamın kıyafetine bakılırsa misafir olamazdı, zira bütün davetliler smoking giymişlerdi. Evin müstahdemlerinden biri olmalıydı; evi iyi tanıdığı hareketlerinden belliydi. Bizler gibi nereye gideceğini bulmak için oyalanmamış, kimseyle ilgilenmeden hemen karşıdaki kapıya yönelmişti.

Yine belleğimin yanıldığını düşünürken birden bir şimşek çaktı beynimde. Adamı hatırlamıştım. Yanılmıyordum, o adam

Hasan Torlak'dı. Şu, Jale'nin evinde nüfus cüzdanını düşüren adam! Tüylerim diken diken oldu aniden..

Hasan Torlak araştırmamıza göre Cahit Kalaycıoğlu'nun iş yerlerinden birinde çalışan bir sabıkalıydı ve burası Cahit Kalaycıoğlu'nun yalısıydı. Onun sıradan bir işçi olmadığını ve patronun emri ile muhtemelen karanlık işlerini yöneten bir sabıkalı olduğunu zaten tahmin etmiştim.

İşin aslına bakılırsa onu burada görmek beni şaşırtmamalıydı. Fakat Kerim'in arkadaşı Emel Soylu ile Cahit Kalaycıoğlu arasında bir bağ kuramıyordum. Onun gibi kalburüstü bir zengin, gariban talebe bir kızın niye peşine düşerdi ki?

Heyecandan nefesim kesilir gibi oldu. Bir an çılgınca bir arzu ile adamın arkasından gitmek geldi aklıma. Acaba çıktığı o kapı nereye gidiyordu? Kendimi zor tuttum; şimdi Jale tuvaletten çıkardı, ona haber vermeden ortadan kaybolamazdım. Düşünmeye başladım. Hem Jale'ye gördüğümü anlatmak istemiyordum; korkar, heyecana kapılabilirdi. Böyle bir gecede keyfini kaçırmak hiç de hoş olmazdı.

Belki az sonra adam çıktığı kapıdan geri gelir, diye düşündüm. Beklemeye başladım. Adam dönmedi ama Jale tuvaletten çıktı. Gülerek koluma girerken, "Oh dünya varmış," diye mırıldandı. "Az kaldı çatlayacaktım."

Yüzüme baktı. Suratımdaki garip gerginliği anlamış olmalıydı ki, "Ne var? Ne oldu?" diye sordu. "Suratın çarşamba pazarına dönmüş, bir şeye mi bozuldun yine?"

Ona bir açıklama yapamazdım şimdi. "Yok bir şey," dedim.

"O adama mı bozuldun yoksa?"

Afalladım birden. "Hangi adama?"

"Şu karşımızda bütün gece beni hayran hayran süzen adama."

Neden bahsettiğini anlamamıştım; daha doğrusu öyle bir adamı farketmemiştim bile. "Hayır" diye söylendim.

Jale ısrar etti. "Seni bilirim, muhakkak o adama bozuldun. Ama sevgilim ne yapabilirim, yüzümü peçe altında saklayacak değilim ya? Bakıyor işte."

Şimdi bir de böyle anlamsız bir olayı tartışacak değildim. "Peki sevgilim, hadi yerimize dönelim," dedim. Kolkola salona döndük. Masamıza yaklaşırken onu kolundan tutup, "Hayatım sen masaya git, ben de bir tuvalete ineyim," dedim.

Tuhaf tuhaf yüzüme baktı.

"Aşağıdayken niye girmedin?"

"Ne yapayım?" diye sırıttım. "Şimdi geldi."

İnanmamış gibi suratıma baktı ama sesini çıkarmadan masamıza yöneldi.

Yıldırım gibi merdivenleri indim. Tuvaletin önü yine kalabalıktı. Sanırım davetin tek fiyasko yanı buydu. Mevcut tuvalet ihtiyacı yeterince karşılamıyordu.

Benimle ilgilenen yoktu. Başlar bir an bana çevrildi, tanınmadığım için de ilgiyi kaybettim. Sırasını bekleyen biri gibi ufak avluda dolaşmaya başladım.

Ağır ağır Hasan Torlak'ın çıktığı kapıya doğru yaklaşıyordum. Kapı kilitli de olabilirdi. Adamın çıkarken anahtar kullanıp kullanmadığına hiç dikkat etmemiştim. Daha doğrusu o an karşılaştığım adamın Hasan Torlak olduğunu çıkaramadığım için ilgisiz kalmıştım.

Kapıya iyice yaklaştım.

Dönüp bir daha arkama baktım. Evin hizmetkârlarından biriyle karşılaşmak en büyük korkumdu. Beni gören birinin, yanıma gelerek, orayı kullanmayınız efendim, demesi mümkündü. Büyük bir olasılıkla kapı, daha evvel gördüklerimden biri gibi üst kata çıkan bir merdivene açılıyor olacaktı.

Tam o sırada tuvaletten biri çıktı; kapının önündeki bekleyenler arasında bir hareketlenme oldu. Kimse bana bakmıyordu. Tam zamanıydı, tokmağı çevirdim. Kapı kilitli değildi. Aynı anda buz gibi bir rüzgar yüzüme çarptı. Bunu hiç beklemiyordum, zira kapı bahçeye açılmıştı. Şaşırdım birden. Açık kapı önünde fazla duramazdım. Hemen dışarıya çıktım ve kapıyı ardımdan kapattım.

Bir an aptallaşarak karlar altındaki geniş bahçeye bakakaldım. Bu hesapta yoktu. Kar yağmıyordu ama müthiş bir ayaz vardı dışarda. Dışarıya çıktığımı biri görmüş olsa bile, belki çok sıkıştığımı ve ihtiyacımı görmek için bahçeye çıktığımı düşünebilirdi.

Soğuk kendime getirdi beni.

Hasan Torlak çoktan gitmiş olmalıydı. Yapacağım bir şey yoktu artık. Daha da önemlisi ne yapacağımı bilmiyordum zaten, benimki sadece bir meraktı. En akıllıca şey geri dönmekti.

Üşümeye de başlamıştım. Kapıyı açıp içeri girmek için elimi tokmağa attım. Yerdeki ayak izlerini de o sırada gördüm. Dikkatle izlere baktım. Bütün gece kar yağdığı için yerdeki ayak izleri netti. Anlaşılan Hasan Torlak kar yağışı kesildikten sonra dışarıya çıktığı için izleri henüz örtülmemişti.

Dikkatle izleri inceledim. Adamın ayak izleri bahçenin arka tarafına doğru gittiğini gösteriyordu. Onunkinden başka iz yoktu. Biraz ürkerek etrafıma bakındım. Bulunduğum bölümde bahçeyi aydınlatan üç fener vardı. Biri hemen kapıya yakındı. Diğerleri bahçenin daha uzak köşesindeydi.

İlk tahminime göre adam bahçeyi dolanarak deniz tarafına doğru gitmiş olmalıydı. Belki orada evin personelinin giriş çıkışını sağlayan başka kapılar da olabilirdi. İçime kurt düşmüştü ve adamın nereye gittiğini müthiş merak etmeye başlamıştım.

Bir an kararsız kaldım, sonra usul usul ayak izlerini takibe başladım.

Aslında bu yaptığım son derece saçma bir şeydi. Adamı bulsam ne değişecekti? Emel ile Jale'nin evinde ne aradığını soramazdım ya?

Ama içimden gelen ses, izleri takip et diyordu.

Yumuşak karlar üzerinde yürümeye başladım. Elimden geldiğince ses çıkarmamaya çalışıyordum fakat yine de gecenin bu saatinde buzlanmaya başlayan kar taneciklerinden çatırdılar çıkıyordu.

İnce köseleli rugan papuçlarım ıslanmış, ayaklarım buz kesmişti.

Yola devam ettim.

Yalının denize bakan ön cephesine geldim. Burası gündüz gibi aydınlıktı. Balonun kalabalığını taşıyan büyük salonun tüm ışıkları, geniş pencerelerden bahçeye sızıyor ve karlar altındaki toprağı aydınlatıyordu.

Bu noktadan sonra görülme ihtimalim fazlaydı. O ışıklı bölmeye girmemeliydim. Ayrıca bu tür eğlencelerin yapıldığı gecelerde bahçede silahlı korumalar da bulunabilirdi. Duvarı kendime siper alarak başımı uzatıp beton sahil şeridine baktım.

Yanılmıştım. Bahçede benden başka tek bir canlı yoktu. Biraz garibime gitti ama birileri olsa mutlaka görürdüm. Bahçede dolaşıp tur atmaları gerekirdi, bu da normal olarak karlar üzerinde iz yapardı. Zaten işin garipliğini de o an farkettim.

Bahçede tek bir adama ait iz vardı, yani Hasan Torlak'ın ayak izleri. Fakat onlar da deniz kenarında son buluyordu.

İşte bu çok tuhaftı! Zira adamın geri döndüğünü gösteren başka ayak izi yoktu..

Adam uçarak geri dönmeyeceğine göre, ayak izlerine ne olmuştu?

İlk aklıma gelen Hasan Torlak'ın yalının sahilinden bir deniz aracına binerek gittiği ihtimali oldu. Akla en yakın gelen şey buydu. Başka bir şey düşünemiyordum. Ama bu karlı havada adam deniz yoluyla nereye gidebilir ki? Şaşırıp kalmıştım.

Bir süre daha ayaz altında titreyerek bekledim. Geri dönmekten başka yapılacak birşey kalmamıştı. Bizim masadakiler beni merak etmeye başlamış olmalıydılar. Tam arkamı dönüyordum ki gözlerim birden denizdeki tekneye takıldı.

Yalının önündeki rıhtımdan yaklaşık elli metre ilerde demirli bir kotra duruyordu. Karanlık sular üstündeki teknede ani bir aydınlık olmasa hiçbir şeyin farkına varmayacaktım. Teknenin güvertesinden bir ışık huzmesi etrafa yayıldı. Dikkatimi o çekmişti. Gözlerimi kıstım, ne olduğunu anlamaya çalıştım. Gecenin karanlığında yeterince rahat görmem mümkün değildi, yine de bir gölgenin alttaki kamaradan güverteye çıktığını hayal meyal seçebildim.

Şüphelendim; acaba demirli tekne Kalaycıoğlu ailesine ait olabilir miydi? Olsa bile bu ne ifade edecekti? Ne var ki şüphe tohumları içime yerleşmişti bir kere. O tekne ile olaylar arasında bir bağ kurmak istiyordum. Belki saçmaydı fakat Hasan Torlak oraya gittiyse böyle bir bağ kurmakta haklı olabilirdim.

Zaman zaman uğuldayarak esen dondurucu rüzgâr olmasa etrafta çıt çıkmayacaktı. Teknede beliren gölgenin, kotraya bağlı ufak bir sandala atlayarak rıhtıma doğru kürek çekmeye başladığını gördüm. Yanılmıyorsam Hasan Torlak dönüyordu.

Sandal yaklaşmaya başladı.

Karanlıkta içindeki adamı seçmem hâlâ imkânsızdı. Fakat burada da duramazdım. Hemen binaya dönmeliydim. Koşarak bahçeye çıktığım kapıya geldim, usulca aralayıp içeriye girdim. Tuvaletin önünde hâlâ misafirler bekleşiyordu. İçlerinin sıcaklığı çok tatlı geldi, ellerimin soğuktan kızardığını görebiliyordum, her halde yüzüm gözüm de öyleydi. Ellerimi ovuşturup, nefesimle hohlayarak ısıtmaya çalıştım. Pantolonumun paçalarında birikmiş karlar vardı. Ayaklarımı yere vurarak silkeledim. Hasan Torlak az sonra içeri girmeliydi. Tuvalet kapısı önündeki kalabalığa karışıp beklemeye başladım.

Kapı aralandı ve adam göründü.

Soğuktan adeta buz kesmişti. Yüzü gözü benden de beterdi. Sırtında kahverengi bir elbise vardı. Kravatlıydı ve palto giymemişti. Bu kılıkta, korkunç ayazda ve o soğuk denizde elli metre kürek çekmesi adamı dondurmuş olmalıydı. Kuyrukta bekleyen davetlilerin yüzüne bile bakmadı. Hızlı adımlarla üst kata çıkan merdivenlere yürüdü.

Beni asıl şaşırtan şey elindeki boş büyük tepsiydi.

Onu bahçeye çıkarken gördüğümde elinde tepsi olmadığına adım kadar emindim. Tepsiyi tekneden getirmiş olmalıydı.

Önce basit bir muhakeme yürüttüm beynimde. Bu gece yılbaşıydı; belki ev sahipleri teknede bulunan nöbetçilere, kaptan miço her kim ise, ekstradan yiyecek içecek bir şeyler göndermiş olabilirlerdi. Bu pek büyütülecek bir olay değildi. Tabii içinde saklanan ya da zorla alakonulan birileri yoksa...

Bu düşünce içimi yakmaya başladı.

Önce iki öğrenci, şimdi de Vural kayıptı. Ve hiç kimse, onların özel bir kotrada alakonulduğunu düşünemezdi.

Belki yanılıyordum ama son derece rahatsız olmaya başladım.

Artık her ihtimali hesaba katmak zorundaydım..

Masama döndüğümde Gönül ile Mahir pistte dansediyorlardı. Jale'nin suratını asık buldum. Geciktiğime bozulmuş olmalıydı.

"Aşağıda çok bekledim," diye mırıldandım.

Hiç cevap vermedi..

* * *

Saat ikiye doğru yalıyı terkettik. Aramızda en eğlenen ve gecenin keyfini çıkaran Mahir'di. Jale'nin arkadaşlığı bile Gönül'ü mutlu etmemişti. Jale ise galiba ilk defa böyle lüks ve ihtişamlı bir baloya iştirak etmesi nedeniyle biraz şaşkın ve durgundu. O tabii neşesini ve canlılığını benimle dans ettiği dakikalar hariç, pek gösterememişti.

Yavaş yavaş gidenlerin sayısı arttığından ev sahipleri çıkışta yer alarak hepsine ayrı ayrı teşekkür edip selametliyorlardı. Cahit Kalaycıoğlu beni ilk defa gördüğü halde bozuntuya vermeden, elimi sıkarken sırtımı okşayıp, daha sık görüşelim filan gibi sıradan laflar etti. Sanırım aynı şeyleri herkese tekrarlıyordu.

Karısı Aysel yanı başındaydı.

Jale'ye "Umarım hoşça vakit geçirmişsinizdir?" dedi. Ama sevgilimin güzelliğinden etkilenmiş gibi gayet soğuk bakmıştı. Ağzından çıkan kelimelerle yüzündeki ürpertici ifade hiç uyuşmuyordu.

Jale kısaca teşekkür etti. Aysel elimi kavradığında bir süre gözlerimin içine baktı. "Tanıştığımıza çok memnun oldum beyefendi," diye fısıldadı.

Gözlerinde yine aynı ifade vardı. Merak, şüphe, endişe ve sabırsızlık dolu bakışlar. Nazarları insanın içini titretiyordu. Bir an elimde olmadan ürperdiğimi hissettim.

Bu kadından korkmalıydı.

En kısa zamanda beni arayacağına emindim. Ve daha şimdiden tedirgin olmaya başlamıştım..

Villanın kapısı önünde Mahir'lerle vedalaştık, yeni yıllar temennisinde bulunarak arabalarımıza bindik. Eve doğru hareket ettiğimizde Jale aynı soğuk ve mesafeli tutumunu devam ettiriyordu. Bir şeylere bozulduğu belliydi.

Anlamazlığa gelerek, "Uykun mu geldi?" diye sordum.

Sert bir şekilde, "Hayır, hiç uykum yok," dedi.

Başka da ağzından tek kelime çıkmadı...

2

Genellikle senenin ilk gününün sabahı, şehrin en sakin ve sessiz olduğu saatlerdir. Geceyi geç saatlere kadar eğlenerek geçirenlerin, ya da sabahın ilk ışıklarıyla evlerine dönenlerin pek sokağa çıkacak halleri yoktur; halbuki ben evde dört beş saat kuş uykusuna yattıktan sonra, erkenden kalkmış ve sokağa fırlamıştım.

Uykusuzluktan başımda hafif bir ağrı vardı ama iplediğim yoktu. Çıkmadan önce mutfakta kendime şekersiz bir kahve hazırlamış ve iki asprin yutmuştum. Ayrıca Jale uyandığında merak etmesin diye bir de kısa not bırakmıştım. Acele bir işim çıktığını ve çabuk döneceğimi yazmıştım.

Sabahın yedi buçuğunda trafik yok denecek kadar azdı. Bomboş sokaklarda hızla Nuh Kuyusu'na yollandım. Vural'ı yine evde bulamayacağıma emindim. Ama bu kez kararlıydım, evi son bir kere kontrol ettikten sonra polise müvekkilim kayıp diye, resmi müracaatta bulunacaktım.

Eski evin kapısını çaldım, sırf iş olsun diye. Açılmayacağını

biliyordum. Fakat yanılmışım, içerden ayak sesleri gelmeye başladı. Şaşırdım. Tahta kapı gıcırtıyla açıldı ve Vural'ın mahmur yüzü göründü. Sakalları uzamış, yüzü sanki daha çökmüş ve gerilmişti. "Buyur, geç içeri," dedi.

Dik dik yüzüne baktım. Sesimi kontrol edemeyerek, "Nerelerdeydin kaç gündür?" diye sertçe söylendim.

Kolumdan tutarak içeriye çekti. "Gir içeri. Konuşuruz."

Somurtarak girdim. Ciddi ciddi hayatından endişe etmeye başlamıştım. Bozulmakta da haklıydım.

Beni odasına aldı. Oda bu kez sıcaktı. Saç soba güldür güldür yanıyordu. Sedirin üzerindeki yatak derlenip toplanmıştı ve tahta masanın üzerinde buğusu tüten taze demlenmiş çay duruyordu.

"Bir bardak içer misin?" diye sordu.

Başımı salladım. Belki uykusuzluktan, ya da dışardaki soğuktan sıcak bir çayı canım çekmişti doğrusu. Temiz bir bardağa çay koyarak bana uzattı. Şekeri karıştırırken hâlâ aksi yüzüne bakıyordum.

"Her halde bana anlatacak bir yığın şeyin olmalı?" dedim.

"Haklısın. Var zaten.."

"Seni dinliyorum."

"Beş altı günden beri İstanbul'da yoktum."

Yine yalan söyleyip söylemediğini anlamak için yüzüne baktım. Galiba bu sefer doğru söylüyordu.

"Peki hangi cehennemin dibine gittin? İnsan gitmeden önce bir telefon etmez mi?"

Birden heyecana kapılarak yüzüme baktı. Çay bardağını tutan parmakları titremeye başlamıştı. Kekeleyerek, "Yoksa Kerim'den bir haber mi var?" diye sordu.

Bir babanın kapıldığı heyecanı ve üzüntüyü anlamaya çalıştım. Belki onun hissettiklerini asla anlayamazdım, çünkü benim evladım yoktu.

"Henüz bir haber yok." diyebildim.

Yüzünde derin bir ümitsizlik belirdi. Ama sesini çıkarmadı. Ağır ağır bardağından bir yudum çay aldı.

"Dün gece döndüm," dedi. "Adana'ya gitmiştim."

"Neden?"

"Zayıf bir olasılık da olsa oğlumun Adana'ya gitmiş olacağını düşünmüştüm."

"Akrabalarının yanına mı?"

"Fazla bir akrabamız yok. Orada iki halam var. Onlarla da aram pek iyi değildir zaten. Yıllardır görüşmüyorduk. Kerem en son onları yedi sekiz yaşlarındayken görmüştü. Umutlu da değildim ama denize düşenin yılana sarılması misali şansımı bir denedim."

"Sonuç?"

"Hiç haberleri yok tabii."

Dikkatle onu süzüyordum. Vural'ın benden bir şeyler gizlediğini biliyordum, özellikle boşandığı karısı hakkında. Fakat insanın yardım istediği avukatından niye bazı şeyleri sakladığını anlayamıyordum. Ben polis hafiyesi değildim, yardımım ancak ihtisasım olan hukuki çerçeve içinde gerçekleşebilirdi. Bunun için de doğruyu bilmeliydim.

"Sende yeni bir gelişme var mı?" diye sordu.

"Evet, var," dedim.

Yeniden ümitlenerek yüzüme baktı. Açıklama bekliyordu.

"Önce eski arkadaşımın yalancı olduğunu anladım."

İrkildi. "Ne demek istiyorsun?"

"Niye bana yalan söyledin?"

"Ne demek istediğini anlamadım Sinan. Hangi konuda?"

"Eski karın hakkında."

"Ne olmuş ona?"

"Onunla hiç görüşmediğini söylüyordun, oysa iki ay önce Rumelihisarı'ndaki kıymetli bir mülkünü ona hibe etmişsin."

Kıpkırmızı kesildi birden. Önüne baktı. Sesi çıkmadı.

"Bak Vural" dedim. "Benden yardım istiyorsan olayları bütün çıplaklığı ile bana açıklaman gerekirdi. Halbuki sen öyle davranmıyorsun. Ya işin ciddiyetini kavrayamadın ya da senin niyetin başka. Önce bunu bir tesbit edelim. Ortada genç bir çocuğun hayatı söz konusu."

Bakışlarını yerden kaldırmadan sordu, "Bunu nasıl öğrendin?"

"Bir avukat için çok kolaydı. Tapudan tahkik ettim."

"Haklısın," dedi.

"Şimdi söyle bakalım, beni o eve aceleyle niye çağırdın? O gün orada ne oldu? Neden birden ortadan kayboldun? Adana'ya gitmeden önce hiç olmazsa beni niye çağırdığını söyleyebilirdin?"

Önce hiç sesini çıkarmadı. Susup düşüncelere daldı.

"Beni bağışla dostum," diye fısıldadı sonra. "Galiba seni bu işlere hiç karıştırmamalıydım. Hata ettim."

"Artık çok geç. Zira bu işe gırtlağıma kadar bulaştım."

"Anlayamadım? Neden?"

"Önce sen soruma cevap ver. O gün Rumelihisarı'na beni neden çağırdın?"

"Şey" diye mırıldandı kesik kesik. "Tanımadığım bazı insanlar bana saldırdı."

Buna hiç şaşmamıştım.

"Hisar'daki terkedilmiş evde mi?"

"Evet."

"Seni oraya mı çağırdılar?"

Vural yeniden bir bocaladı. Utanarak, "Pek öyle sayılmaz," diyebildi.

"Peki, nasıl oldu? Şunu doğru dürüst anlatsana."

Derin derin içini çekti. "Bunları sana anlatmaya utanıyorum, ama ne çare ki artık konuşmaktan başka çarem yok. Çaresizim Sinan ve insanlığımdan utanıyorum. Ben bir zavallıyım, insanlığın yüz karası, rezil, sefih bir yaratık. Bir kadın uğruna şerefimi, haysiyetimi, aklına gelebilecek tüm değerlerimi sattım. Hatta öyle ki oğlumun geleceğini belki de hayatını da mahvettim. Bunları hep Aysel'i unutamadığım için yaptım."

"Tahmin etmiştim zaten."

"Hayır tahmin edemezsin. Kesinlikle edemezsin. Onu asla unutamadım. Beni terkedip gittikten sonra da onu hiç bırakamadım, her zaman çevresinde ve ona yakın olmaya çalıştım. Kovuldum, horlandım, hakarete uğradım fakat ondan vazgeçemedim. Evet onu hâlâ seviyorum, bunu saklamayacağım, ama bu onun kişiliğini değiştirmiyor, o çok hain, gaddar ve acımasızdır. Benden hiç hoşlanmadı ve asla sevmedi. Evlendiğimiz ilk günden beri."

"Şu halde?"

"Bütün servetimi onun uğruna harcadım. Aslında babamla bir ihtilafım yoktu. Babam eceliyle öldü. Ben koleji bitirdikten bir yıl sonra. Babam ölür ölmez onunla evlendim. Babamın işlerini devam ettirebilmek için Adana'da yaşamak zorundaydık. Aysel Adana'da yaşamak istemiyordu, devamlı bana baskı yaparak İstanbul'a nakletmemiz için beni sıkıştırdı. Herşeyi satıp savarak buraya naklettim. Belki anımsarsın benim ticarete pek aklım ermezdi, hep hazırdan yemeğe başladık. Haris ve gözü hep yukarlardaydı. Neyse bunlar geçti artık, sonunda meteliksiz kaldım, elde avuçta kalan bütün parayı yedik."

"Hepsini mi?"

"Sadece Rumelihisarı'ndaki o cafe kalmıştı. Onu da özellikle satmak istemiyordum."

"Neden?"

"Hatırlarsın, oranın özel anıları vardı bende. Aysel'le orada tanışmıştım ve sık sık o cafede buluşurduk."

"Onu da satman için ısrar etmedi mi?"

"Etti tabii, etmez olur mu? Onun indinde hiçbir değeri yoktu. Zaten kanıma girerek satın aldığım bazı mülkleri kendi adına tescilini yaptırmıştı. Yani daha evliyken pek çok malıma o sahip çıkmıştı. Ama gözüm hiçbir şeyi görmüyordu ve benden boşanacağını hiç düşünmüyordum."

"Sonra?"

"Elimdeki para suyunu çekince birden bir gün elime dava dilekçesi tutuşturdular. Boşanma davası açmıştı. Kerim o tarihlerde çok küçüktü. Çılgına dönmüştüm. Durumu yeniden düzeltebileceğimi, servetimin büyük bir kısmının onun elinde olduğunu, yardım ederse ekonomik gücümü kurtarabileceğimi söyleyip yardım rica ettim. Beni reddetti. Oğlumuzun velayetini mahkeme ona bıraktığı halde çocukla hiç ilgilenmiyordu. Sonra birden bir banka müdürüyle eleniverdi. O zaman bütün umutlarım yıkıldı. Artık gerçekleri kabul etmek zorundaydım. O kadından ne bana ne oğluma hayır yoktu."

"Peki ne yaptın?"

Vural utanmış gibi gözlerini benden kaçırdı.

"Hiç," dedi. "Şeytanın elinde oyuncaktım. Ondan bir türlü kopamıyordum."

"Ara sıra görüşüyor muydunuz?"

"Ne gezer! Tabii bunu denedim, birkaç kez yolunu kestim, konuşmak istedim."

"Netice?"

"Beni tehdit etti."

"Ne diye?"

"Bir daha karşıma çıkarsan seni öldüresiye dövdürürüm diye."

"Denedi mi?"

"Evet. Hem de iki kere. Fena halde dayak yedim."

"Peki vazgeçtin mi onu takipten?"

"Bir süre. Kerim büyümeye başlamıştı. Ona hem analık hem babalık yapıyordum. Uysal, seveen ve çalışkan bir çocuktu. Hiç bir işde dikiş tutturamıyordum. İçkiye de o sıralarda başladım."

Dikkatle dinliyordum. Vural geçmişini anlatırken gerçekten utanıyordu. Suratının iki de bir renkten renge girdiğini görüyordum. Geçmişinin bu utanç verici yanlarını sanırım şu ana kadar kimseye anlatmamıştı.

"Ya oğlun? Annesi hakkında sana sorular sormuyor muydu?"

"Önceleri sorardı tabii. Psikolojik bir ezikliğe düşmesin diye ona gerçekleri anlatamaz, annesinin ne aşağılık bir yaratık olduğunu söyleyemezdim. Ruhen anlaşamadığımızı ve ayrılmak zorunda kaldığımızı ifade ederdim hep. Çocuk, ruhen anlaşmazlığın ne olduğunu anlayamadığı için susardı çoğunlukla. Sonunda büyüyerek aklı ermeye başlayınca artık soru sormaz oldu."

"Annesini görmek, onunla tanışmak istemez miydi?"

"Orta okul çağlarında bir iki kez böyle bir şey istedi."

"Ne yaptın?"

"Ona annesinin ne denli para düşkünü, her türlü insani duygulardan yoksun, hissiz ve sorumsuz bir kadın olduğunu anlattım."

"Tutumu ne oldu?"

"Bir daha onunla ilgili hiçbir sual sormadı bana. Allahtan yaradılış olarak bana benziyordu. Kötü kaderini kabul etmişti."

"Peki, Rumelihisarı'ndaki evi niye hibe ettin öyleyse?"

Vural sorumu cevaplamadan önce kendine demli bir çay daha koydu.

"Dedim ya, ben dünyanın en aşağılık karakterde adamıyım. Aslında Aysel'i suçlamaya hakkım yok, en az onun kadar bayağı biriyim. O ev son umudum ve hayattaki desteğimdi. En zor günlerde bile onu elimden çıkarmamaya çalışmıştım. Benim için hayat bitmiş, yaşam tükenmiş ve gelecek birşey ifade etmez olmuştu. Ama Kerim'in istikbali ve ilerde tahsili ya da kuracağı iş için bir teminattı. Tabii bir de benim geçmişimle aramdaki son manevi bağdı. İki ay evveline kadar dayandım. Bir gün Aysel karşıma dikiliverdi."

"Sonra?"

Vural bundan sonrasını anlatmakta zorlanıyordu. Ellerindeki titreme gözle görülür derecede artmıştı. Elindeki çay bardağını düşürmemek için masanın üstüne koydu. Cevap veremiyordu. Sorumu tekrarladım.

"Sonra ne oldu?"

"O evi kendisine hibe etmemi istedi."

"Ne karşılığında? Oğlunun tahsil masraflarını ve geleceğini mi karşılayacaktı?"

"Hayır!"

"Peki ne istiyordu?"

"Sadece evi."

"Ama bunca sene sonra o evi vermeyeceğini düşünemedi mi?"

Vural kızararak önüne baktı.

"Bana bir teklifte bulundu," diye inledi sonunda.

Tam olarak anlamamıştım. "Nasıl bir teklif?" diye sordum.

"Benimle bir seferlik yatmayı önerdi."

Tüylerim diken diken olmuştu. Dehşetle yüzüne baktım.

"Ve korkarım sen de kabul ettin?"

Vural önüne bakarak cevap vermedi.

"Sen çılgınsın," diye bağırdım. "Bunca yıl sonra bunu nasıl kabul ettin? Onun nasıl biri olduğunu hâlâ anlamamış mıydın? Hiç geleceğini ve oğlunu düşünmedin mi?"

"Ne söylesen haklısın! Ama o sıralar deli gibiydim. Ve gözüm hiçbir şey görmüyordu. Yalnızca hayvanlar gibi onu arzuluyordum."

"Buna inanamıyorum," diye bağırdım.

"Dedim ya haklısın! Ben çok aşağılık biriyim. Bir meczup, ihtiraslarına esir düşmüş, acınacak biri. Teklifi onayladım ve evi ona hibe ettim."

Doğrusu merak etmiştim, "Sözünü tuttu mu?" diye sordum.

Vural'ın titremesi daha da arttı. Sanki sinir krizine giren biri gibi titriyordu. Dişleri kenetlenmiş gibiydi. Beyninde o anı yeniden yaşadığını hissediyordum. Güçlükle:

"Evet," diye mırıldandı. "Sözünü tuttu."

Bir an dün gece baloda tanıdığım Aysel Kalaycıoğlu gözümün önünde canlandı. Bu kadar sefil bir yaratık olduğunu tahmin etmemiştim. Çok da garibime gitti. Para içinde yüzen bir kadının o eski evi elde etmek için, hiçbir zaman sevmediği eski kocası ile yatağa girmesi çok tuhaftı. Kocasından istese ondan çok daha iyi yerlere rahatlıkla sahip olabilirdi. Bu inanılması zor bir hikâye idi. Kuşkuyla Vural'a baktım.

"Doğru mu söylüyorsun? Aynen böyle mi oldu?" diye sordum.

"Evet, yemin ederim. Sana gerçekleri anlatıyorum."

Düşünmeye başladım. Aysel'in muhteris bir kadın olduğu su götürmezdi. Fakat yeni öğrendiğim bu hikâyenin mutlaka başka bir boyutu olmalıydı. Bu sadece mala duyulan hırs olamazdı, dün gece tanıdığım kadının sırf o eve sahip olmak için Vural'la yattığını sanmıyordum, başka bir nedeni olmalıydı. İlk aklıma gelen şey, kadının Vural'dan intikam almak, onu bütünüyle kurutmak, elindeki son olanağı da tüketmek arzusu olabilirdi belki. Ama böyle bir intikama başvurması için bir nedeni var mıydı? Zaten ondan boşanmak suretiyle hayattaki en ağır darbeyi ona vurmuştu, hem de Vural'ın bütün servetini elinden alarak. Şimdiki mükemmel evliliğini o köhne ev için neden riske soksundu ki? Meşhur ve tanınmış biriydi, olay duyulursa rezil olabilirdi. Böyle insanların peşinde her zaman gazeteciler, olayı afişe edecek insanlar dolaşırdı.

Vural'a dönerek, "Neden böyle bir şeye tevessül etti?" diye sordum.

Arkadaşımın dudakları gerildi. "Sen onu bilmezsin," diye homurdandı. "O şeytanın ta kendisidir. Daima aç ve haristir.

Beni tamamen yok etmeye çalışıyor."

Dayanamadım, "Sen zaten yok olmuşsun Vural," diye bağırdım.

"Belki haklısın. Ama o öyle düşünmüyordu. O ev elimde olduğu sürece hâlâ tutunacak bir dalım olduğunu biliyordu."

Merakım devam ediyordu. "Sonra olaylar nasıl gelişti?" diye sordum.

"Benimle yattığı gün yeniden onun esiri oldum. Ruhumu ikinci kez satın almıştı sanki. Bunları sana anlatmaya utanıyorum ama ona olan düşkünlüğüm, heyecanlarım ve arzum bin kere daha artmıştı. Bu birleşmenin bir kereye mahsus olduğunu bana ısrarla tekrarladı ve bir daha asla karşısına çıkmamamı tembih etti. Ama dayanamıyordum ve onun tembihlerini dinleyecek halim yoktu. Peşini bırakmadım. Sık sık onu görmek için evlerinin civarına gidiyor, dolaştığı, alışveriş ettiği yerlerde karşısına çıkıyordum. Uzaktan görmek bile bana yetiyordu. Ama rahatsız olmaya başlamıştı. Bir gün beni çevirerek, peşinde dolaşmaktan vazgeçmemi yoksa fena olacağını söyledi. Yani beni tehdit etti."

"Sen ne yaptın? Onu dinledin mi?"

"Bir süre peşinde dolaşmaktan vazgeçtim. Ama sonra yine başladım. Onu görmeden duramıyordum. Gözüm karaydı, değil dövdürmek, öldürse bile razıydım. Ta ki, Kerim kayboluncaya kadar. Oğlumuz kaybolunca durumu ona haber vermek zorunda kaldım. Kerim on sekiz yaşını bitirmemişti ve yasalara göre kanuni velisi oydu. Durumu bilmesi lazımdı. Oğlan dönmeyince evine telefon ettim."

"Görüştünüz mü?"

"Evet. Her sabah muntazam yürüyüşler yapar, anlarsın ya fiziğini ve dinçliğini korumak için. Vaniköy'e bir sabah yürüyüşüne beni çağırdı. Buluştuk."

"Ne dedi?"

"Sadece beni suçladı. İnanılmaz bir anlayışsızlık içinde. Onu iyi yetiştiremediğimi, gereken eğitimi veremediğimi, oğlanın ya uyuşturucuya alışmış, ya da karı kız peşinde koşup evi terketmiş olabileceğini söyledi. İnanılır gibi değildi. Hiddetten köpürdüm, oğlunun varlığından bile haberdar olmayan bir ananın böyle suçlamaları beni çileden çıkarmıştı. Hiddetimi ağzıma geleni söyleyerek boşalttım."

"Ne cevap verdi?"

"Hiç! Yüzüme acıyarak baktı ve yürüyüp gitti."

"Oğlunu merak ederek bir daha aramadı mı?"

"Ne yazık ki hayır. Yine ben aradım onu."

"Ne zaman?"

"Seni Rumelihisarı'na çağırdığımdan bir gün önce."

"Karını niye aradın?"

Vural tıslar gibi bir ses çıkardı ağzından.

"Para için Sinan, para için... Meteliksizdim. Ve kendim için değil Kerim'i bulmak için paraya ihtiyacım vardı. Önce sana zırnık koklatmam dedi, sonra nedense fikrini değiştirip, pekala bu sefere mahsus olmak için sana para vereceğim ama bunu Kerim'i bulmak için harcayacaksın, diye kabul etti. Ertesi günü beni Hisar'daki o eski eve çağırdı. Saf saf inanarak gittim bende. Hiç şüphelenmemiştim. Orada sabahın köründe bekliyordum. Birden bir araba önümde durdu. İçinden iki herif çıktı, Vural Toksöz sen misin, diye sordular. Bir an kendisinin gelmeyip o adamlarla para gönderdiğini düşündüm. Yanılmışım tabii. O iki serseri üstüme çullanıp beni iyice hırpaladılar."

"Doğru mu bu söylediklerin?"

"İnanmıyorsan bak!"

Vural eski kazağını yukarıya doğru kaldırdı. İskelete dönmüş zayıf vücudunda iri iri mor dayak izleri görünüyordu.

"Sopayla mı vurdular?" diye sordum.

"Sopa kullansalar her halde bütün kemiklerim kırılırdı. Şu halime baksana artık dövüşecek halim mi var benim? Herifler iki yumruk atınca boylu boyunca yere serildim. Birkaç da tekme savurup söylenerek gittiler."

Biraz düşündükten sonra, "Geldikleri arabaya dikkat ettin mi?" diye sordum.

"Önce etmedim, fakat herifler beni yere serip uzaklaşırlarken arkalarından baktım."

"Bej rengi bir Ford muydu? Mondeo?"

Hayretle yüzüme baktı.

"Sen nereden biliyorsun?"

"Boş ver şimdi," diye mırıldandım. Cüzdanımdan çıkardığım Hasan Torlak'ın nüfus cüzdanını ona uzattım. "Bak bakalım şu resme, saldırganlardan biri bu muydu?"

Resmi inceledi. "Evet," diye mırıldandı. "Biri bu adamdı."

"Anlaşıldı," diye mırıldandım. Vural'ın bu kez doğruları söylediğine inanmıştım.

O hâlâ şaşkınlığını üzerinden atamamış, aptal aptal yüzüme bakıyordu.

"Onu nereden buldun? Yoksa beni döverlerken orada mı düşürmüş?"

Şimdi gelişen olayları uzun uzun Vural'a anlatacak halim yoktu. Kısaca evet, dedim. Artık olay yavaş yavaş şekillenmeye başlıyordu ama hâlâ aklımın almadığı bir yığın soru cirit atıyordu beynimde.

"Hayret," diye homurdandı Vural. "Sokaktan gelip geçen insanlar bana yardım ederek kaldırdılar ama hiç kimse o nüfus cüzdanını görmedi, sen nasıl buldun?"

"Tesadüf işte!" diye mırıldandım.

İnanmamış gibi yüzüme bakıyordu.

"Sinan, sen galiba bir şeyler öğrenmişsin. Lütfen ne biliyorsan söyle; zor da olsa katlanırım, benden saklama."

"Henüz ciddi, dişe dokunur bir şey öğrenemedim."

"Öyleyse beni döven adamların arabasının rengini, markasını nerden biliyorsun?"

"Çünkü onlar beni de zaman zaman takip ediyorlar."

Bu defa dehşetle yüzüme baktı.

"Takip mi ediyorlar dedin?"

"Evet."

"Bu çok garip! Seninle bir zorları yok ki."

"Aramızdaki bağı öğrenmiş olmalılar."

"Nasıl?"

"Bilmiyorum. Belki seni daha evvelden de kontrol ediyorlardı."

Çok şaşırmıştı. Kendi kendine "Allah Allah" diye homurdandı. Aramızda kısa bir sessizlik olmuştu. Vural'ı huzursuzluk kapladı. "Çok üzgünüm," diye mırıldandı. "Senin de başını derde soktum."

"Aldırma," dedim. "Biz eski dostuz."

İçini çekti. "Sen gerçekten iyi bir arkadaşsın Sinan. Senin gibilerini bulmak artık çok zor."

"Kolej yıllarında oynadığımız takımı hatırla Kaptan," dedim. "Üç silahşörler gibiydik, herkes birbirine yardım ederdi, unuttun mu?"

Zoraki gülümsedi.

"O yıllar önceydi, dostum. O anlar hayal oldu şimdi. Zaten o Vural'da yok artık."

Konuyu değiştirdim.

"Oğlunu araştırırken mektep arkadaşlarıyla konuşmuştun, değil mi?"

Başını salladı.

"Emel denen kızın evine gittin mi?"

"Hem de kaç kez! Kapı duvardı. Açan olmadı."

"Emel'in adresini nasıl buldun?"

"Fakültedeki arkadaşlarından."

"Tekrar tekrar gitmedin mi? Yani onu buluncaya kadar."

"Son kere gittiğimde merdivende yaşlı bir adamla karşılaştım. Emekli bir albaymış. Kız uzun zamandan beri eve gelmiyor artık dedi. Niçin arıyorsunuz, diye sordu. Oğlumun bir arkadaşıydı deyince manidar bir şekilde gülümseyip, acaba hangisi, diye sordu. Yüzünde garip, alaycı ve kızı hafife alan bir hava vardı. Utandım, üsteleyemedim. Sonra bana kızın İzmirli olduğunu ve belki de İzmir'e gitmiş olabileceğini söyledi."

"Kız yalnız mı oturuyormuş?"

Bu soruyu sorarken Vural'ın Jale hakkında bir bilgisi olup olmadığını öğrenmek istemiştim.

"Bilmem," dedi. "O komşuya sormak aklıma gelmedi."

"Adam sana başka bir şey söylemedi mi?"

"Ne gibi?"

"Daireyi biriyle paylaştığı filan gibi?"

Vural düşünmeye çalıştı. "Hayır sanmıyorum. Öyle olsa onu da arardım."

Başımı salladım. "Emel o daireyi Jale diye bir doktorla paylaşıyordu. Staj yapan genç bir hanım."

Vural'ın gözleri parıldadı.

"Aslan arkadaşım!" diye bağırdı. "Avukatlık başka işte, bak kısa zamanda benden çok fazla yol katetmişsin. Konuştun mu o hanımla?"

Vural'a olanları anlatmak istemiyordum.

"Evet," diye mırıldandım. "Ama ne yazık ki bizden fazla bir şey bilmiyor."

"Oğlumu tanıyor mu? Hiç görmüşlüğü var mı? Sordun mu?"

İşleri daha da karıştırmak istemiyordum.

"Sordum," dedim. "Kerim'i tanımıyor."

Yüzündeki sevinç ifadesi ve ümidi birden kayboldu.

"Yaaa!" diyebildi.

Onu morallendirmek için, "Takma kafana" dedim. "Oğlunu bulacağız."

Omuzları çökük, "İnşallah," dedi. "Umarım söylediğin gibi olur."

Vural'a son bir soru daha yöneltmek istiyordum.

"Buraya seni aramaya gelip giden oluyor mu? Ya da oğlunu arayan soran kimseler?"

Vural bir an irkildi. Gözümden kaçmamıştı bu.

"Hayır," diye kekeledi. "Kimse gelmedi."

İşte, yine yalan söylemeye başlamıştı. Demek hâlâ benden gizlediği bir şeyler vardı. Çünkü o yokken iki defa bu eve girmiştim ve bir keresinde Kerim'in odasının nasıl allak bullak edildiğini, odadaki karla karışık ayak izlerini gözlerimle görmüştüm.

"Pekala, ben şimdilik gidiyorum. Seni yine arayacağım," dedim.

Arabama binerken benden ne sakladığını çözmeye çalışıyordum...

3

Eve döndüğümde Jale yataktan yeni kalkmış olmalıydı. Mutfakta çay pişirmekle meşguldü. Mutfak kapısından ona gülümsedim, "Günaydın sevgilim. Yeni mi kalktın?"

"Uyanalı epey oldu, ama tembellik ederek yataktan çıkmak istemedi canım."

Sesinin tonu hâlâ biraz kırgın gibiydi.

"Bu tür gecelerin sabahı hep böyle olur. Uyku düzeni bozulur, saatini şaşırır, sersemlik hisseder insan."

"Doğru!" dedi. "Ben bir çay içeceğim. Sana kahvaltı hazırlayayım mı?"

"Teşekkür ederim hayatım. Kahvaltı istemem ama seninle bir çay içerim."

O fincanlara çay koyarken yanına yaklaştım.

Benimle ilgilenmez görünüyordu.

"Senden bir yeni yıl öpücüğü alabilir miyim?" dedim.

Soğuk bir şekilde fısıldadı. "Dün gece on ikiden sonra öpüştük ya."

"O sayılmaz. Kalabalıkta, herkesin arasındaydı. Ben şimdi, evimizde, başbaşayken istiyorum."

Lacivert gözler üzerime çevrildi. Soğuk soğuk baktı. Hayır, diyeceğini sandım ama münakaşa etmekten çekinirmiş gibi diliyle içerden avurdunu şişirirken parmağının ucuyla yanağını işaret etti.

"Sadece buradan ve bir tane."

Bozuk çalıyordu.

Yanına sokuldum. Kollarımı ince beline sardım ve gösterdiği yere dudaklarımı değdirdim. O kadarla yetineceğimi sandı. Hâlâ yatağın sıcaklığını taşıyan diri vücudunu kendime doğru çektim ve yarı aralık dudaklarını ağzımın içine aldım.

Ellerini hemen göğsüme dayayarak beni itmek istedi. Dudaklarını kurtararak:

"Hayır, öpüşmek istemiyorum," dedi.

"Neden ama? Bu sinirliliğine bir anlam veremiyorum. Ne oldu? Dün geceden beri bana kızgın görünüyorsun."

"Demek nihayet anlayabildin!"

"Hayır, henüz anlayabilmiş değilim."

Kollarımın arasından sıyrıldı. Onu tutmak için gayret sarfetmedim. Önce sorunu anlamalıydım. Jale elinde çay fincanını alıp salonu doğru yürüdü. Ben de peşinden gittim.

Geniş kanepeye oturdu.

Onu inceliyordum. Dün gece yatarken makyajını tam olarak silememişti. Gözlerinde, yanaklarında hâlâ dün geceden kalma izler vardı. Derbeder giyinmekten hoşlanıyordu. Sırtında body'lerin üstüne giyilen cinsten uzun, kalçalarına kadar inen bir penye vardı. Çocuk giysisi gibi üzerinde hayvan resimleri olan şeylerden biri. Altı çıplaktı. Ayaklarına ise kırmızı yün bir çorap giymişti. Terlikleri yoktu. Evin içinde çorapları ile dolaşıyordu.

Çay fincanını sehpanın üzerine koyarken, bacaklarını toplayıp altına aldı. Bir açıklama yapmasını beklerken homurdandı.

"Bana öyle arzu dolu bakışlarla bakma."

Sanki bir emirdi.

"Ne yapayım, elimde değil!" diye gülümsedim.

Gözlerini yeniden üzerime çevirdi. Patlamamak için kendini zor tutuyordu.

"Siz erkekler hepiniz aynısınız. Asla, güvenilmeyecek kişilersiniz. Bir de seni farklı, sıra dışı biri sanmıştım. Ahh, aptal kafam."

Biraz da merakla söylendim. "Kuzum ne olduğunu söyler misin artık? Neye bozuldun yine?"

"Bilmezliğe gelme!"

"Hakikaten anlamış değilim."

Lacivert gözler bir kaplanınki kadar vahşileşmişti.

"Söyler misin bana, benim ondan ne eksiğim var?"

Meseleyi anlamıştım. Hiç bozuntuya vermeden, "Kimden?" diye sordum.

"O kart karıdan!" dedi.

"Yoksa Aysel Kalaycıoğlu'nu mu kastediyorsun?"

"Çok şükür! Beyefendi nihayet anlayabildiler galiba?"

Yapmacık olarak gülümsemeye çalıştım.

"Eksiklik ne kelime? Sen onlan mukayese bile edilemezsin Jale."

Sapsarı kesildi birden.

"Öyle mi? Demek ne tiynetsiz biri olduğunu kabul ediyorsun? Karı baygın baygın gözlerinin içine baktı diye hemen ona da mı tutuldun?"

"Dur biraz! Yanlış anladın galiba. Yani o senin eline su bile dökemez demek istedim. Ne kadar fesatsın? Söylediklerimi hemen yanlış yorumladın. İkinizin mukayese edilemeyeceğini söylerken bunu kastetmiştim."

Bir an kuşkuyla yüzüme baktı.

"Çevir kazı, yanmasın!"

Bu halk deyimini hiç işitmemiştim. Ne anlama geldiğini bilmiyordum ama manasını çıkarmak kolaydı, zor durumda kalınca durumu idare etmek için yalan söylediğimi ima etmek istiyordu her halde.

Yanına oturdum.

"Sakın bana dokunayım deme. Çok sinirliyim," diye homurdandı.

Ellerimi kaldırdım, yalancıktan teslim oluyormuş gibi, "Tamam tamam, her şartı kabul ediyorum. Kraliçeme tabla teslim esirim. Kendileri nasıl emrediyorlarsa öyle davranmak boynumun borcudur."

Yine o şımarık mahalle kızı ağzıyla, "Yalancı," dedi.

"Yemin ediyorum doğru söylüyorum."

Biraz rahatlamış gibiydi ama ısrar etti.

"Hadi ordan. Yalnız ben değil, Gönül de, Mahir de anladı zaten."

"Neyi anladılar?"

"O kadınla aranda bir şey olduğunu."

"Kuru iftira. Uydurmuşlar."

"Gözüme mi inanayım sana mı? Karı yiyecek gibi bakıyordu sana."

Durumu şakaya boğmak için takıldım.

"Senin gibi okumuş, eğitimli bir kıza hiç karı demek yakışır mı? Hiç olmazsa Aysel hanım ya da kadın desen."

"Damarıma basma. Ben böyleyim işte. Sıkışırsam küfür bile ederim. İşine gelirse."

Kızgınlığı bir alemdi. Jale her ruh halinde güzelliğini kaybetmeyen bir kızdı. Seçtiği ve kullandığı kelimeler ne kadar basit olursa olsun, tabii güzelliğini büründüğü ruh haliyle kaybetmiyordu. Onu keyifle seyretmeye başladım.

"Ne o, sustun! Kendini savunmayacak mısın?"

"Ne yapabilirim sevgilim! İnanmak istemiyorsun."

"Olsun! Sen yine de bir şeyler söyle. Müdafaa et kendini. Avukat değil misin? Ağzın laf yapar. Uydur bakalım."

İçimi çektim. "Ben seni seviyorum Jale. Ve gözüm başka kimseyi görmüyor."

"Palavra!.. Onun için mi dün gece beni hep ihmal ettin?"

Jale'ye bazı şeyleri açıklamamın zamanı gelmişti artık. Yoksa iş tatsızlaşacaktı.

"Şimdi beni iyi dinle," dedim. "Evet, dün gece Aysel denen kadınla biraz ilgilendim ama bu işimin gereğiydi."

Sinirli bir kahkaha attı.

"Demek işinin gereğiydi, öyle mi?"

"Aysel Kalaycıoğlu'nun kim olduğunu biliyor musun? O Vural'ın karısıydı."

Önce gözleri dehşetle açıldı. Bön bön yüzüme baktı. Müthiş şaşırmış, adeta sersemlemişti. Sonra kendisini toparlayarak gevrek bir kahkaha attı.

"Yalanın da böyle sunturlusunu hiç işitmedim. Sen çocuk mu kandırıyorsun?"

"Vallahi doğru söylüyorum."

Gözleri gözbebeklerimde odaklandı. Yalan söyleyip söylemediğimi anlamaya çalışıyordu.

"Doğru mu bu?"

"Sana niye yalan söyleyeyim?"

"Dün geceki hatanı affettirmek için tabii."

"Seni dün gece biraz ihmal etmiş olabilirim ama yalan söylemiyorum."

"Neden daha önce bahsetmedin?"

"Ne yararı olurdu ki? Nasıl olsa ikisini de tanımıyordun."

"Olsun yine de bahsetmeliydin. Unuttun mu, ne de olsa ben de bu işe bulaşmış biriyim."

"Seninkine bulaşma denmez."

"Nasıl denmez yahu? Evimden barkımdan oldum."

Sırıttım. "Bu da işin güzel yanı. Böylece birlikte yaşamaya başladık."

Jale ilgilenmeye başlamıştı; kızgınlığını unutup, hemen bana döndü. Elimden çekerek yanına oturttu.

"Anlat," dedi. "Hepsini en başından anlat."

"Bunlar pek hoş şey değil; bilmesen daha iyi olur."

"Deli misin sen? Bunca şeye karıştıktan sonra öğrenemezsem çıldırırım."

Yaramaz bir çocuk gibi yerinde duramıyordu. Uzanıp kolumu omuzuna attım, kendime doğru çekerek dudaklarından öptüm.

"Artık surat asmak yok, değil mi?" diye sordum.

Kaşlarını kaldırıp, muzip bir edayla mırıldandı.

"Dur bakalım, düşüneceğiz. Belki bağışlayabilirim, ama bütün bir gece beni üzüp uykusuz bıraktığın için tabii yine de bir ceza düşüneceğim."

Korkmuş gibi yalancıktan sordum. "Nasıl bir ceza?"

"Her halde yüreğini hoplatacak bir şey bulurum. Sen şimdi anlatmaya başla."

Kısa kısa Jale'ye, olayları en başından alarak hikayeyi naklettim. Hiç sözümü kesmeden beni dinledi. Noktayı koyunca pek rahatlamamış gibi yüzüme baktı.

"Aysel ararsa onunla konuşacak mısın?" diye sordu.

"Her halde böyle bir konuşmada yarar var."

"Ne bekliyorsun ki? Kadın çocuğun yüzünü bile görmek istememiş. Analık hislerinden mahrum, aşağılığın teki. Kocasını soyup soğana çevirip kapının önüne koymuş, ondan ne beklenir? Bu görüşme çok anlamsız."

"Yoksa hâlâ kıskanıyor musun?" diye güldüm.

"Artık değil, ne kıratta biri olduğunu anladım. Bence bu görüşme çok anlamsız."

"Haklı olabilirsin. Fakat hâlâ aklımı kurcalayan bir şey var."

"Nedir o?"

"Şu dün gece yalının önünde demirli duran tekne."

"Olaylarla teknenin ne ilgisi var?"

"İçimden bir his çocukların onun içinde saklı tutulduğunu söylüyor."

Gözleri iri iri açıldı.

"Delisin sen? Yani Aysel'in oğlunu sakladığını mı düşünüyorsun?"

"Olamaz mı?"

"Çok saçma bir fikir. Hayatı boyunca oğlunu aramayan biri şimdi çocuğunu niye saklamaya kalksın? Hem kimden saklayacak? Alt tarafı onun annesi, yanına almak istese bunu gizli yapmak zorunda değil ki. Üstelik söylediğine göre velayeti de ondaymış."

"Biliyorum, bana da biraz ters geliyor ama Vural'ın hâlâ benden bazı şeyleri de sakladığına eminim."

Jale fikrime pek sıcak bakmamakla beraber düşünmeye başladı.

"Acaba son kocasından gizliyor olabilir mi?" diye sordu. "Belki herkese söylediği gibi kocasına da yalan söylemiştir."

"Nasıl yani?"

"Cahit Kalaycıoğlu'na bir çocuğu olduğundan hiç bahsetmemiştir."

Bunu hiç düşünmemiştim. "Belki," diye mırıldandım.

"Ama bence zayıf bir olasılık," dedi.

"Neden?"

"Yaşamı boyunca çocuğuna ilgisiz kalan bir anne birdenbire niye onunla ilgilensin?"

"Bunu bilemeyiz. Belki bir nedeni vardır."

"Aklına bir sebep geliyor mu?"

"Şimdilik hayır."

"Ayrıca bütün bu faraziyeler bir yanılgı da olabilir."

"Nasıl?"

"Sen bir varsayımla çocuğun o teknede olduğunu düşünüyorsun; ya yoksa?"

Suratımı buruşturdum.

"Evet, haklısın," dedim.

Jale kısa bir tereddüt geçirdi.

"Gel, gidip o tekneyi araştıralım."

"Biz mi? İkimiz mi?" diye sordum.

"Tabii, niye olmasın?"

"Çıldırdın mı? Senin ne işin var orada? Olmaz!"

"Sen gitmeyi düşünüyor musun?"

Yüzüne baktım. Aslına bakılırsa bir yolunu bulup tekneyi araştırmayı düşünüyordum. Ama bunu asla Jale ile yapmayacaktım. Yine de fikrimi söyledim.

"Evet ama seninle değil."

"Yalnız mı gitmeyi düşünüyorsun?"

"Ha şunu bileydin!"

"Bence hata edersin."

"Nedenmiş o?"

"Çünkü ikimiz daha az dikkat çekeriz."

"Ne dikkati? Neden bahsediyorsun Allahını seversen?"

Kararlı halimi görünce hemen hücuma geçti. Yüzü parladı, gözleri ışıldadı, kalın dudakları gülücükler dağıtarak kıvrıldı ve kucağıma uzandı.

"Tekneye gökten inecek değilsin ya? Her halde başka vasıta ile gideceksin. Deniz motorun filan var mı?"

"Hayır, yok."

"Öyle ise muhtemelen bir kayık kiralayacaksın."

"Olabilir."

"Teknedekiler seni tek başına görürlerse şüphelenirler. Oysa bir kadın bir erkek görürlerse yanlarına başka bir sebeple yaklaştığımız akıllarına gelmez."

"Yok canım? Sonra?"

"Sonra ben kayıkta kalırım sen içeriye girersin."

"Daha sonra?"

Dalga geçtiğimi anladı.

"Domuz! Benimle alay ediyorsun, değil mi?" diye surat astı.

Gülerek yüzüne baktım.

"Buna izin vereceğimi aklın kesiyor mu? Sahiden seni böyle bir tehlikenin içine atacağımı düşünebiliyor musun?"

Somurtuk bir edayla, "Ne yapayım? Ben de merak ediyorum," diye söylendi. "Bak yüreğim heyecandan nasıl atıyor?" Elimi tutup göğsünün üstüne yasladı. Ama kalbinin değil sağ memesinin tam üstüne koymuştu. Sutyensiz diri göğsü avucumun içindeydi. Hınzırca verilmiş bir rüşvetti bu. Heyecandan irkilmiştim.

"Kuralları bozuyorsun," dedim.

Tebessümü bütün yüzüne yayıldı.

"Sana yeni yıl hediyesi. Beğenmedin mi yoksa?"

"Çok baştan çıkarıcı bir hediye."

"Evet öyle."

Elimi çekmek istedim, bırakmadı.

En az benim kadar tahrik olmuştu. Göz kapaklarının titrediğini, lacivert gözlerinin zevkten kayar gibi olduğunu gördüm. Elimin memesine yaptığım tazyik artınca inledi.

Kısık kısık, "Hediyeni açmayacak mısın?" diye sordu.

Ben de dayanamıyordum. Giydiği uzun penyeyi bir çekişte omuzlarına kadar çekip sıyırdım. Çıplak vücudu ortaya çıkmıştı. İçinde sadece bir külot vardı. Düzgün ve pürüzsüz cildi gözlerimin önündeydi. Hayranlıkla bu kıvrak vücuda bakakaldım. Dizlerimin üzerinde yılan gibi kıvranıyor, devam etmemi, öpüp okşamamı bekliyordu.

Hareketsiz kaldığımı görünce, "Lütfen sık onları, okşa sev beni," diye inledi tekrar.

Hiçbir erkek daha fazlasına dayanamazdı. Zaten aptallık olurdu bu. Dudaklarımı pespembe meme uçlarına değdirdim. Dilim üzerlerinde dolaşmaya başladı.

"Şimdi beni de götürecek misin?" diye sordu.

Kendimi zor frenleyerek durdum ve gözlerimi Jale'ye diktim.

"Yoksa bu yaptığın bana verilen bir rüşvet mi? İsteğini yerine getirmekliğim için bana bir parmak bal mı veriyorsun?"

Birden kucağımdan fırladı, sert sert yüzüme baktı.

"Bazı zamanlar bu kadar kaba ve anlayışsız olmanı aklım almıyor. Herşeyi bir anda berbat ediyorsun. Aklından zorun mu var senin?"

Tepem atmıştı.

"Ya senin yaptığın? Bu anda sorulacak soru mu bu? Bütün keyfimizin içine okudun. Sanki beni kullanıyormuşsun gibi geldi."

"Aptal!" diye söylendi. "Asıl bütün heyecanımı mahveden sensin."

Penyesini indirerek hızlı hızlı salondan uzaklaşmaya başladı.

Arkasından seslendim. "Dur biraz. Konuşalım. Kaçmakla sorunlarımızı halledemeyiz."

Arkasına bakmadan homurdandı, "Sorun morun yok. Zaten hata bende. Bir anlık boş bulunmaklığım az kaldı başıma dönülmez hatalar açacaktı."

"Jale, dur," diye peşinden seğirttim. Ama benden önce davranıp odasına daldı ve kapıyı kilitleyiverdi.

Yeni senenin ilk gününe yine tartışarak girmiştik...

4

Bütün gün odasından çıkmadı Jale. Uyuduğunu düşündüm. Benim de sinirlerim tepeme üşüşmüştü ama saatler geçip de biraz yatışınca, hata ettiğimi o sihirli anı benim bozduğumu anladım. Bana göre o hâlâ coşku ve heyecanlarının esiri bir çocuktu. Aşkı ve sevgiyi bile bir tür oyun gibi algılıyordu sanki. Pişman olmuştum, odasından çıktığı an gidip özür dileyecek, hatalı olduğumu söyleyecektim.

Ama inatçı bir çocuk gibi odasından çıkmıyordu.

Öğle yemeği yemedi. Akşam üstü beşe doğru dayanamadım kapısını tıklattım. Ne açtı, ne cevap verdi. Uyumadığını biliyordum. Çünkü içerden hâlâ kesik kesik hıçkırıklar aksediyordu.

İçimi suçluluk duygusu kapladı. Haksızlık etmiştim. "Beni duyuyor musun?" diye seslendim. Yine cevap yoktu. Duyduğunu biliyordum. Dilimin döndüğü kadar özür diledim, hatanın bende olduğunu söyledim. Belki yumuşar, dışarıya çıkar diye bekledim.

Çıkmadı.

Akşam yemeği vakti geldi. Yine ortalarda yoktu.

Kapıya dayandım. Taktik değiştirdim. "Acıktım, evde yemek yok. Dışarıya çıkalım bir şeyler yiyelim," diye seslendim.

İçerden, "Ziftin pekini ye, anlayışsız adam," diye bağırdı.

"Seni seviyorum," diye mırıldandım.

"Ben seni sevmiyorum," diye karşılık verdi.

Sesinin tonundan biraz yumuşadığını, sinirlerinin yatıştığını anlamıştım. Yine o çocuksu şımarıklığıyla konuşmaya başlamıştı ve söyledikleri ciddi değildi.

Kapının önünden çekildim. Çıkmıyordu dışarı.

Ama içimdeki o suçluluk duygusu azalmaya başlamıştı. Jale'nin yavaş yavaş teskin olmaya başladığını hissetmiştim. Birbirlerini çılgın gibi seven ve farklı karakterlerinden ötürü sık sık kavga eden evli çiftler gibiydik. Tabii buradaki evlilik kavramı sadece beynimden geçen bir yakıştırmaydı.

Saat on olduğunda kapının kilidinin döndüğünü işittim. Nihayet dışarıya çıkıyordu. Hemen yerimden fırlayıp koridora çıktım.

Hiç yüzüme bakmadan tuvalete doğru yürüdü.

Önünü kestim. "Barıştık mı?"

"Hayır."

"Ama senden özür diledim. Kilitli kapının önünde saatlerce dil döktüm."

"Çekil önümden."

"Çekilmeyeceğim."

"Bana biraz daha engel olursan yerdeki halıların berbat olacak. Çok sıkıştım."

"Hiç umurumda değil."

"Sinan! Çekil diyorum!"

Kollarımın arasına aldım. Sıkıca belinden kavradım.

"Beni sevdiğini söyle."

"Söylemeyeceğim."

"Ben de bırakmayacağım."

Gözlerini benden devamlı kaçırıyor ve gözgöze gelmemeye çalışıyordu. Eğilip dudaklarından öpmeye başladım. Önce karşı koydu, dudaklarını kaçırmaya çalıştı, hatta beni ısırmaya kalkıştı. Ama yavaş yavaş direnci kırılıyordu, sonra kendisini bıraktı ve aynı ateşli şekilde karşılık vermeye başladı.

Bir ara etli dudaklarını kurtarıp soluk soluğa, "Çok aptalsın," diye mırıldandı. "Sabahleyin senin olacaktım; karar vermiştim. Ama elimize geçen bir fırsatı boşu boşuna heba ettin."

"Henüz geç kalmış sayılmayız. Gün daha bitmedi," diye fısıldadım.

"Hayır o sihiri, o büyüyü bozdun," dedi. "Kim bilir böyle çılgınca bir kararı ne zaman veririm bir daha?"

"Umurumda değil. Beklerim. Sonsuza kadar beklerim. Yeter ki kırgın olmayalım, birbirimizi incitmeyelim. Bu münakaşalarımız beni kahrediyor. Surat asmana dayanamıyorum."

"Hah şöyle yola gel.. Ama bu gün beni çok üzdün. Bu yaptığını yanına bırakmayacağım."

"Ne demek istiyorsun?"

"Bir yolunu bulup ben de seni üzeceğim. Kanını beynine sıçratacağım."

"Yapma, lütfen bunu yapma. Seninle münakaşa etmek istemiyorum. Hatta..."

"Hatta ne?"

"Beni üzmezsen seni yanımda tekneye bile götürebilirim."

"Sahi mi?"

Öyle çocuksu bir sevinç içinde sormuştu ki, bir an karşımda yetişkin bir doktor değil de, alacağı hediyenin sürpriz sevincini yudumlayan bir ilkokul öğrencisi var sandım.

Parlayan lacivert gözlerini yüzüme dikti.

"Bana şaka yapmıyorsun, değil mi? Gerçekten götürecek misin?"

"Beni üzmezsen, evet."

"Yaşşa!" diye bir nara attı. Sonra birden sıçrayarak uzun ve mevzun bacaklarını belime doladı. Boş bulunsam, yuvarlanabilirdik. Bir ağaç gibi ayakta sarmaş dolaş olmuştuk. Ellerinin arasına aldığı yüzümü öpücüklere boğuyordu.

Yeni bir şehvet girdabının içine doğru çekildiğimi hissettim. Bu kız beni öldürecekti. Ona bu kadar yakın olduğum halde sahip olamamak beni çıldırtıyordu. Ellerim nazik bölgelerine doğru kayınca, "Dur bakalım." diye homurdandı. "Çek ellerini kalçalarımdan."

"Ama Jale..." diye fısıldadım.

Hâlâ bacakları belime sarılı duruyordu.

"Bu gece bana dokunmayacaksın. Ben niye izin veriyorsam onunla yetineceksin."

"Ama sevgilim, benim arzu dolu bir erkek olduğumu unutuyorsun."

"Hiç itiraz istemiyorum."

"Fakat..."

Dudaklarını dudaklarıma kapatıp konuşmamı engelledi. Çılgınlar gibi öpüyordu beni. Elimde olmadan ellerim yeniden kalçalarına uzandı. Sağ elimin üzerinde müthiş bir çimdik hissettim. Canım yandı.

Kısa bir süre dudaklarımı bırakıp mırıldandı.

"Oralarımı okşamak yok, anladın mı?"

"Neden sevgilim?"

"Çünkü beni çıldırtabilir. Oralarıma dokununca aklım başımdan gidiyor."

Allahım, diye inledim. Asıl aklı başından giden bendim. Ve beni çıldırtmak için elinden geleni yapıyordu yine. Ona duyduğum sevginin beni acınacak, zavallı bir erkek haline getirdiğini hissediyordum.

Nedense o an birden aklıma Vural geldi.

Ona hak verdim. Demek insan çılgın gibi sevince böyle komik durumlara düşebiliyordu. Zihnimden inşallah onun haline düşmem, diye geçirdim...

* * *

Ertesi sabah saat on bir sularında yazıhanemde otururken beklediğim telefon geldi. Aysel Kalaycıoğlu umduğumdan da erken, ilk iş gününde aramıştı beni. Öğleden sonra saat ikide yazıhanemde buluşmak üzere anlaştık.

İtiraf edeyim ki heyecanlanmaya başlamıştım. Bunun çok önemli bir görüşme olacağı içime doğuyordu. Nedense muammanın bu kadında düğümlendiği gibi bir his vardı içimde. Kadının nasıl bir tutum takınacağı ve neler anlatacağını merak ediyordum. İşin en kötü yanı, hâlâ beynimde nasıl bir yol izleyeceğime ve uygulayacağım stratejiye ait şekillenmiş bir plan yoktu. Sonunda işi biraz da olacağına ve kadının anlatacaklarına göre bir tutum takınmaya karar verdim. Bunun yanlış olduğunu sezinliyordum ama elimdeki yetersiz ipuçlarıyla başka bir şey yapamazdım.

Saat tam ikide sekreterim, Aysel Kalaycıoğlu'nu içeriye aldı.

Çok sade giyinmişti. Sırtında iyi cins astragan bir palto vardı. İçine siyah bir kazak ve yeşil dar etek giymişti. Evlilik yüzüğü hariç hiç mücevher takmamıştı. Yüzünde de belli belirsiz hafif bir makyaj vardı.

İlk intibaım oğlu kaybolmuş üzüntülü bir anne rolü oynadığı idi.

Tabii bu numarayı yemeyecektim.

Nezaketle yerimden kalkıp ayakta karşıladım ve elini sıkarak tam masamın karşısındaki koltuğu oturması için gösterdim.

Teşekkür etti ama şık döşenmiş büromla hiç ilgilenmedi. Biraz tedirgin olduğu her halinden belliydi. Yine de söze önce o başladı.

"Demek Vural'ın eski okul arkadaşısınız?" dedi.

"Evet hanımefendi. Kolejin hazırlık yılından beri beraber okuduk."

Kısa bir an yüzüme baktı.

"Beni o yıllardan mı tanıyorsunuz?"

Hafifçe gülümsedim.

"Benim de o yıllarda bir flörtüm vardı ve biz de zaman zaman Sevim Abla'nın cafesine takılırdık. Gençlik yılları işte, başımızda kavak yellerinin estiği zamanlar."

Tekrar beni süzdü.

Rahatlar gibi olduğunu hissettim. Belki de benden daha saldırgan, daha sert bir davranış biçimi bekliyordu, göremeyince de rahatlamıştı.

"Sizi oradan anımsamıyorum. Çok sık gelir miydiniz?"

"Pek fazla değil," dedim. "Bir kere Vural beni size tanıştırmıştı. Sanırım hatırlamıyorsunuz; fakat şaşmamak lazım, aradan çok zaman geçti ve bizler de değiştik."

Bu kadarcık bir yalan kıvırmamda mahzur yoktu.

"Haklısınız," dedi.

Tebessüm ettim. "Fakat geçen zamanın sizdeki etkisi müsbet olmuş, yıllar sizi daha güzelleştirmiş ve olgunlaştırmış."

"Teşekkür ederim," diye mırıldandı.

Bu kere ne kadar samimi olduğumu anlamak için bakışlarını gözlerimin içinde daha fazla tutmuştu.

"Bir sigara içebilir miyim?"

"Affedersiniz," diye yerimden fırladım. "Ben kullanmadığım için ikramı da hep unutuyorum."

"Hiç önemli değil."

Sehpanın üzerindeki kristal sigaralığa uzanırken, "Müsaade ederseniz kendiminkinden alayım, diğerleri öksürtüyor."

diye mırıldandı. Çakmağı alıp sigarasını yakmak için uzandığımda, çakmağın alevini sallandıracak en ufak bir esinti olmadığı halde ellerimiz birbirine değdi.

Bir an huylandım.

Bana kasdi yapılmış bir davranış gibi gelmişti. Dumanı çekip üflerken gözleri yine yüzüme takıldı. Dudaklarını büzüp teşekkür ederim derken, bakışları sanki bana özel bir mesaj iletir gibiydi.

Güzel, çekici ve havalı bir kadın olduğu münakaşa götürmezdi. Ama ona karşı en ufak cinsel bir heyecan hissetmediğim gibi, hakkında Vural'dan işittiklerimden sonra şimdi bana itici ve ürkütücü geliyordu.

"Şimdi konumuza gelelim," dedim.

"Evet, iyi olur."

"Oğlunuz için polise baş vurdunuz mu?"

Aysel önüne baktı. Birkaç saniye söyleyeceklerini tartmak ister gibi düşündü.

"Hayır," dedi sonra.

"Neden?"

"Önce sizinle görüşmeyi yeğledim."

"Sebebini sorabilir miyim? Bu ciddi bir durum. Oğlunuz uzun bir süreden beri kayıp."

"Mesele de bu. Ben onun kayıp olduğuna inanmıyorum."

İrkilerek yüzüne baktım.

"Neden böyle düşünüyorsunuz?"

Karşımdaki havalı kadın sinirli bir şeklide sigarasından çektiği dumanı salıverdi.

"Belki söyleyeceklerim hoşunuza gitmeyebilir. Vural ne de olsa eski bir arkadaşınız ve sizin müvekkiliniz, ama ona inanmıyorum."

"Galiba ne demek istediğinizi iyi anlayamadım?"

"Başka bir ifadeyle Kerim'in kayıp olduğunu sanmıyorum."

Şaşırmış gibi yüzüne baktım.

"Ama çocuk altı aydan beri ortalarda yok. Ben bizzat araştırdım. Babasının polise müracaat zaptını inceledim, devam ettiği fakültede araştırma yaptım, arkadaşları ile konuştum. Kimse altı aydan beri onu görmemiş."

"Bu pek önemli değil. Vural çok kurnazdır."

"Bağışlayın ama yine neyi kastettiğinizi çıkaramadım."

"Bu bir tertip. Vural'ın oyunu."

"Oyun mu?"

"Evet. Vural'ın arkadaşıyım diyorsunuz ama onu ne kadar yakından tanıdığınızı bilmiyorum. Vural çok kötü bir insandır. Bu tamamen onun düzenlediği bir tertip. Gayesi benden intikam almak. Bana neler yaptığını bilemezsiniz. Evet, oğluna karşı olan görevlerini hakkıyla yerine getiren bir anne olduğumu iddia etmeyeceğim; ona karşı manevi borçlarımı eda edemedim ama maddi görevlerimi fazlasıyla ödedim."

"Nasıl yani?"

"Her halde biliyorsunuzdur, Kerim'in velayeti yasal olarak bende. Fakat hayatımın o safhası, yani Vural ile olan evliliğim, geçmişimdeki en büyük yaptığım hatadır. Tecrübesiz ve toy bir kızdım o yıllarda. Onu sevdiğimi düşündüm. Erkekleri yeterince tanımazdım. Zengin ve varlıklı bir ailenin oğluydu, bana erişilmez gelecekler vaad ediyordu. Teklifini kabul ettim. Ne var ki kısa bir süre sonra ne büyük bir yanılgıya düştüğümü anladım. Vural heyecanları tükenir tükenmez içki ve kumara başladı. O tarihlerde kayınpederim öldüğü için maddi durumu çok iyiydi ve elindeki bütün parayı kumara yatırıyordu. Bir süre sonra aramızda çok ciddi tartışmalar ve kavgalar başladı. Kerim yeni doğmuştu. Her gece eve içkili olarak döner ve beni döverdi. Ne itiraz edebilirdim ne de sesim çıkardı. Boşanmak istiyordum. Ama evvelki gece yüzüme vurduğunuz gibi ben bir otobüs şoförünün kızıydım. Babamın maddi şartları çok kısıtlıydı ve evlenip ayrıldığım baba ocağına dönemezdim artık. Zaten babam da ayrılmamı istemiyor ve sabret kızım, kocan bir gün düzelir, diye hep durumu geçiştiriyordu. Vural'a olan nefretim yüzünden, çocuğuma da bir türlü ısınamıyor, ona iyi bir anne olarak bakamıyordum. Bir gün dayanamayacağımı anladım ve boşanmaya karar verdim. Evlenmeden önce liseyi zar zor bitirebilmiştim. Eski bir dostumuzun yardımlarıyla bir bankada iş buldum ve boşanma davası açtım. Vural'dan boşanmam kolay oldu. Herşeye rağmen Vural işi gurur meselesi yapmış ve oğlumu vermeyeceğim diye tutturmuştu. O sıra da çocuğa bakacak durumum yoktu, çalışıyordum ve Kerim'in Vural'ın yanında kalmasına ses çıkarmadım. Sonra bunun bir hata olduğunu anladım ama iş işten geçmişti artık. Velayet bana bırakıldığı için manevi bir eziklik hissediyordum, maddi durumum biraz düzelince zaman zaman Vural'a çocuğuma sarfedilmesi için para göndermeye başladım. Ne yazık ki gönderdiğim paraları hep kumarda yediğini sonradan öğrendim. Elindeki maddi varlığının tamamını yiyip bitirmişti. Gün be gün durumunun kötüye gittiğini işitiyordum. Bir süre sonra beni arayıp rahatsız etmeye başladı. Devamlı para istiyordu benden."

Aysel durarak derin bir nefes aldı. Ardından da yeni bir sigara çıkardı. Bu kez sigarasını kendi çakmağıyla yaktı.

"O tarihlerde çalıştığım banka şubesinin müdürü bana ilgi duyuyordu ve evlenme teklif etti, ben de kabul ettim. Vural bunu haber alınca küplere bindi ve beni tehdit etmeye başladı, çünkü hâlâ bende gözü vardı. Ama tahmin ettiğiniz gibi sevgiden değil, incinen gururundan ve biraz da ona muntazaman gönderdiğim paranın kesileceği korkusundandı. İki günde bir yolumu kesiyor, tehditler savuruyor, hatta öldüreceğini bile söylüyordu."

Hiç sesine kesmeden dinliyordum kadını.

İkisinden birinin yalan söylediği kesindi, ama bunu henüz çıkaramamıştım.

"Yeni kocama durumu açıklayamıyordum zira daha üzücü ve vahim hadiselerin olmasından çekiniyordum. Öyle ki kocama ilk evliliğimden bir çocuğum olduğunu bile söyleyememiştim."

İşte bu sunturlu bir yalan, diye düşündüm.

Saklanabilecek bir sır değildi söylediği. Hiçbir kadın doğurduğu çocuğu sonsuza kadar gizli tutamazdı. Hiç bozuntuya vermeden dinlemeye devam ettim.

"Yeni eşimle birlikte çalışıyorduk. Bu arada eşim mesleğinde sivrildi, hatta bir süre sonra banka yönetiminde çok üst mevkilere çıktı. Parasal durumumuz gittikçe iyiye gidiyordu. Buna karşın Vural tehditle benden daha çok paralar koparmaya başlamıştı. Sırrımı bildiği için de istediği rakamları ödemezsem gerçekleri kocama söyleyeceği tehdidini savuruyordu. Bir ara kanuni hakkımı kullanarak çocuğumu yanıma almayı bile düşündüm. Gözüm kararmıştı, hatta kocamın göstereceği tepki bile umurumda değildi."

"Çok ilginç," diye mırıldandım. "Sonra ne oldu?"

Aysel hırsla sigarasını önündeki tablaya bastırarak söndürdü.

"Ve bir gün Vural bankanın umum müdürlüğüne giderek kocamla konuştu. Adamcağız şoke olmuştu. Bunca yıllık eşinin ilk izdivacından bir çocuğu olduğunu öğrenmesi onu çileden çıkarmıştı. Çok tatsız şeyler yaşadım. Vural ikinci evliliğimin de köküne kibrit suyu ekmişti. Bankacı eşim benden ayrılmak istedi. Yine de şanslıymışım, bunu itiraf etmek zorundayım. Çünkü o sıralarda Cahit Bey, yani şimdiki eşim sık sık bankaya gelir, bazen de ben ödemeler yapmak için onun evine giderdim. Meğerse bana ilgi duyarmış. Boşanmak üzere olduğumu öğrenince bana derhal evlenme teklifinde bulundu. Bu her kadının ancak rüyalarında görebileceği, erişilmesi zor bir hayaldi. Peki dedim. Ama bu kez akıllılık etmiş ve hayatımın tüm sırlarını Cahit'e açıklamıştım. O son derece anlayışlı ve hoş görü sahibi biridir. Beni olduğum gibi kabul etti. Hatta bir ara oğlumu yanıma almamı bile teklif etti."

"Kabul etmediniz mi?"

"Etmedim. Belki böyle davrandığım için beni kınayabilirsiniz. Ne var ki bu çocuğun ruh sağlığı için daha iyiydi. Henüz çok gençti ve yıllar sonra yüzünü bile görmediği bir kadının anne olarak birden karşısına çıkmasının psikolojik sıkıntıları olabilir ve bir daha telafisi mümkün olamayan yaralar açabilirdi ruhunda. Biraz daha beklemeli ve daha erişkin bir çağda onunla karşılaşmalıydım. Hayat garip ve sürprizlerle doluydu, bir anda çok zengin bir kadın oluvermiştim. Cahit Bey bir dediğimi iki etmiyordu. Ondan saklamadan açık açık oğluma parasal destek sağladım. Nadir de olsa Vural'la arada sırada görüşmek zorunda kalıyordum. Kerim'in iyi okuduğunu ve başarılı bir öğrenci olduğu haberlerini alıyordum."

"Sonra ne oldu?"

"Vural birden benimle ilişkisini kesti ve aramaz oldu."

"Öyle mi?"

Bu soru sanki biraz manidar çıkmıştı ağzımdan. Zira Vural'ın anlattıkları ile Aysel'in söyledikleri hiç birbirini tutmuyordu.

Yine gözleri yüzümde odaklandı.

"Ta ki" dedi "Geçen haftaya kadar."

"Yaa? Geçen hafta ne oldu?"

"Vural'dan bir telefon aldım."

Aysel rahatlığını kaybetmiş gibi çantasını açarak mendilini çıkardı ve üst dudağının üzerinde birikmiş ter damlalarını siler gibi yaptı. Terlemediğine emindim. Hava yapıyordu, sanki anlatmaya sıkıldığı tatsız bir konuya girecekmiş gibi.

O telefonun mahiyetini sormamı bekledi, ama sormayarak dinlemeye devam ettim.

"Benden çok büyük miktarda para istedi."

Şimdi sorabilirdim artık. "Ne kadar?" dedim.

"On milyon dolar."

Gayri ihtiyari dudaklarımın arasından bir ıslık yükseldi.

"Evet, tam o kadar. Size söylemedi mi?"

"Hayır. Ne yapacakmış o kadar parayı?"

Aysel sinirli sinirli güldü: "Sözde bu günkü acınacak halinin sebebi benmişim gibi kumarda tükettiği servetinin ceremesini benim çekmemi istiyordu. Artık çok zengin bir kadın olduğum için bu parayı rahatlıkla ödeyebilirmişim. Böylece yıkılan hayatını yeniden kurabilir ve oğlumuza düzenli bir hayat sağlıyabilirmiş."

"Ne cevap verdiniz?"

"Tabii müthiş tepem attı. Gerekirse oğlum için bu parayı verebilirdim. Ama asla onun geleceği için kullanılmayacağını biliyordum. Yine bütün parayı kumara yatıracaktı. Asla o alışkanlığından vazgeçemezdi. Ödemeyeceğimi söyledim."

"Tutumu ne oldu?"

"İşte o zaman bardağı taşırdı. Beni öldürmekle tehdit etti."

"İnandınız mı?"

"Bilmiyorum.. Vural müthiş dengesiz biri olmuştu. Bunu her halde siz de görmüş olmalısınız. Onun okul yıllarından tanıdığınız insan olmadığını farketmeniz gerekir. Daha fazla kaybedeceği bir şey yoktu. Böyle bir çılgınlığa kalkışabilirdi. Korkmuştum."

"Ne cevap verdiniz?"

"Biraz düşündüm ve sonra peki dedim. Niyetim ona para vermek değildi. Vural'ı iyi tanırdım, aslen korkak ve pasif biridir. Gözünü yıldırmak istedim."

"Nasıl?"

Aysel kısa bir tereddüt geçirdi.

"Adamlarımıza dövdürmeye karar verdim. Belki bunları size açıklamam sakıncalı, siz onun avukatısınız. Ama eski bir dostu olarak, onun yeni yüzü ve bütün çarpıklığı ile tanımanızda yarar görüyorum. Belki gerçekleri bu şekilde daha iyi anlarsınız."

"Devam edin lütfen," dedim.

"Ona bir randevu verdim."

"Nerede?"

"Rumelihisarı'ndaki o eski cafede."

"Neden orayı tercih ettiniz?"

Aysel birden afalladı. Kuşkuyla yüzüme baktı. Sonra kekeleyerek:

"Bilmiyorum," diye fısıldadı. "Özel bir nedeni yok. Aklıma ilk olarak orası geldi. Belki geçmişte eski anılarımızın olduğu bir yer olduğundandır. Birden ağzımdan orası çıktı."

"Cafe hâlâ açık mı?"

"Onu da bilmiyorum."

"Sonra ne oldu?"

"İki adamımız oraya gitti ve Vural'a gereken dersi verdiler. İnşallah akıllanmış ve bir daha böyle münasebetsiz şeylere kalkışmaması için gereken dersi almıştır."

Hiç renk vermeden sordum.

"Oraya Hasan Torlak'la arkadaşını mı gönderdiniz?"

Bu sorum tam bir şok etkisi yaratmıştı Aysel Kalaycıoğlu'nda. Bir anda yüzü sapsarı kesiliverdi. Bakışları değişti. Şimdi yüzüme kin ve şiddetle bakıyordu. Önce hiç sesi çıkmadı. Sonra alaycı bir şekilde homurdandı.

"Galiba çok şey biliyorsunuz avukat bey?"

"Evet," diye mırıldandım. "Tahmininizden de fazla."

"Bu bana inanmadığınız anlamına mı geliyor?"

"Öyle de diyebilirsiniz hanımefendi."

Birden yerinden kalktı. "Öyleyse sizinle konuşacak bir şeyimiz kalmamış demektir," diye mırıldandı.

"Bu size kalmış bir konu. Nasıl değerlendirirseniz."

Uzanıp yan koltuktaki astran mantosunu aldı. Sessizce kapıya doğru yürüdü. Sinirden titrediğini hissediyordum.

Kapıda durarak bana döndü:

"Yazık," diye homurdandı. "Burada anlayışlı bir dost bulacağımı ummuştum, ama yanılmışım. Artık ayağınızı denk alın. Kalaycıoğlu ailesi karşısında bir düşman buldu ve sizi asla affetmeyecektir."

"Şimdi de beni mi tehdit ediyorsunuz?"

"Yorumu size kalmış."

Kapıyı açtı ve arkasından sertçe kapatarak çıkıp gitti...

5

Aysel'in arkasından bir süre koltuğumda oturarak düşündüm. Yalan söylediğine emindim. Bana Vural'ın tablosunu farklı çizmeye kalkışmıştı. Vural'ın kumara düşkün olduğunu hiç işitmemiştim. Gerçi kolej yıllarının üzerinden çok geçmiş, hepimiz çeşitli şekillerde toyluktan kurtularak gerçek kişiliklerimizi kazanırken, haliyle bazı kötü alışkanlıklar edinmiş olabilirdik. Ama o yıllarda Vural'ın eline iskambil kâğıdı bile almadığına emindim, daha da ötesi biriyle bahse bile girdiğini hatırlamıyordum.

Öyleyse bu kadının arkadaşıma düşmanlığı nereden kaynaklanıyordu? Bu kin ve nefret niye idi? Kanımca her ikisinin de ifadelerinde tek anlaştıkları nokta Rumelihisarı'ndaki dayak olayıydı. Farklı yorumlarla da olsa bunu gizlememişlerdi.

İşin içinden çıkamamıştım.

Daha da kötüsü bir de tehdide uğramıştım. Aslına bakılırsa Aysel'in adamları bu tehditten de önce bana saldırmışlardı. Benim için bu tehlike yeni değildi. Ama şimdi daha ciddi boyutlarda olası bir saldırıyı düşünmek zorundaydım. Bu şehirde parası olan herkes beline bir silah takabiliyordu; silahlanmak bakkaldan peynir ekmek almak kadar kolaylaşmıştı. İçimi bir ürküntü aldı; mesleğim gereği ruhsatlı bir silah tedarik etmem mümkündü. Fakat silahtan hiç hoşlanmazdım ve askerlik yaptığım devre hariç elime silah almamıştım. Boş ver, diye omuz silktim. İşin daha da dramatik hale geleceğini düşünmek istemiyordum.

Aklımı başka şeylere vermek, bu olaylardan uzaklaşmak istedim. Birkaç dosya kurcaladım, canım sıkıldı. Oyalanmak, daha değişik şeylerle uğraşmak istedim. Aklıma sevgilim geldi.

Keşke çalışmayan, evine oturan, tipik bir ev kadını olsaydı. Şimdi doğru koşa koşa yanına giderdim. Varlığına öyle alışmıştım ki, her an özlüyor, daima yanımda olmasını istiyordum. Birden onunla konuşmak sevdasına kapıldım.

Cep telefonunun numarasını çevirdim. Hemen açtı.

"Seni özledim," dedim.

"Ben de."

"Konuşmaya müsait misin?"

"Ehh, idare edebilirim."

"Bu akşam canım sıkılıyor. Dışarda yemek yemeye ne dersin?"

"Ne güzel olur."

"Biraz erken çıkabilir misin?"

"Kaytarabilirim."

"Ala... Seni gelip hastaneden alayım mı?"

Biraz düşündü.

"Nereye gideceğiz?"

"Şimdilik bir fikrim yok. Senin düşündüğün bir yer var mı?"

"Hayır ama ben sana geleyim. Yazıhanende beni bekle. Çalıştığın büronu da görmüş olurum."

"Oldu," dedim.

Çapkınca sordu. "Büronda çalışan kadın eleman var mı?"

"Bir sekreterim var."

"Güzel mi?"

"Niye sordun?"

"Şu sıralarda pek moda, cinsel tacizde bulunuyor musun?"

"Kıskanç köpek!"

"Gelip göreceğim, güzel bulursam o ofisi başına yıkarım ama."

Gülüştük. Benden adresi aldı ve saat beş buçukta geleceğini söyledi. Tam telefonu kapatırken, "Biliyor musun?" dedi. "Sana verdiğim yılbaşı hediyeleri çok sızlıyor."

Boş bulunup ne kastettiğini anlayamamıştım.

"Hangi hediyeler?" dedim.

"İkizlerim. Mıncıklanmak istiyorlar."

Ne çılgın kızdı Jale? Ne zaman ne yapacağı, ne söyleyeceği belli olmazdı. Acaba yalnız mıydı? Umarım bu tarz bir konuşmayı doktorların ya da hastaların arasında yapmıyordu. Ama o çocuksu rah halini taşıdığına göre keyfi yerinde olmalıydı.

"Anlaşma hükümlerini ihlal ediyorsun," dedim.

"Ben her zaman ihlal edebilirim, önemli olan senin etmemen sevgilim. Bu kadarcık avans buluşuncaya kadar sana yeter. Belki seni bürondaki çalışanların yanında da uzun uzun dudaklarından öpebilirim. Kesin değil ama ayağını denk al," dedi ve telefonu kapadı.

Onunla kısacık konuşmam bile her şeyi unutturmuştu.

Ne Aysel, ne Vural, ne de kayıp çocuklar umurumda değildi artık. Saatin beş buçuk olmasını bekledim...

* * *

Beş buçuğu beş geçe büromun kapısı çalındı. Doğrusu Jale beklenmedik bir davranışta bulunabilir, beni çalışanların yanında utandırır, diye odamda beklemeyi tercih ettim. Az sonra Füsun'la Jale kapıda göründüler. Yerimden kalktım. Füsun, "Bu doktor hanımın sizinle randevusu varmış efendim," dedi.

Jale'ye kaçamak bir nazar attım. Gayet ciddiydi. Rahatladım.

"Evet, Füsun" diye mırıldandım. "Yabancım değildir."

Sekreter kapıyı kapatıp çekildi. Sevgilim kıkırdadı. "Kaknem, kokananın teki. Endişelenmeme gerek yokmuş. O kadınla ilgilenmezsin."

Sadece başımı sallayıp gülümsedim.

"Peki, o dışardaki genç kim?"

"Yardımcım."

"Avukat mı o da?"

"Evet."

"Bak o hoşuma gitti. Bana da ağzı açık ayran budalası gibi baktı. Onu da patronu gibi bir bakışta büyüledim. Kazancı yerinde mi bari?"

"Niye sordun?"

"Seninle evlenmezsem onu yedekte tutmakta yarar var. Yakışıklı bir oğlan."

Gülümsemeye devam ettim.

"Ne kadar gevezesin sevgilim?"

Çapkınca göz kırptı. "Ne o? Yoksa kıskandın mı?"

"Şaka yapmadığını bilsem kıskanabilirim."

Tevekkülle boyun eğdi. "Ehh, bu da doğru söylediğini gösterir. Şimdi mükâfatı hak ettin."

Kedi gibi sokularak kollarımın arasına girdi ve dudaklarımdan öptü. Ona mukabele ettim ama ne de olsa iş yerinde bulunduğumuzdan öpüşüm yeteri kadar ateşli olmamıştı.

"Ne o?" diye fısıldadı. "Beni özlemedin mi?"

"Hadi" dedim. "Bırak şimdi bunları da dışarıya çıkalım."

Kollarını boynumdan çözerken, "Yemek için henüz erken değil mi?" diye sordu.

"Erken ama sana bir şeyler almayı düşünüyorum."

"Yine mi?"

"Yoksa memnun olmadın mı?"

Dudaklarını büzdü. "Benim için çok masrafa giriyorsun. Gönül'lerin evine giderken baştan aşağı beni donattın. Yılbaşı gecesi için nefis bir tuvalet aldın. Artık biraz fazla olmuyor mu? Utanıyorum."

"Sen benim sevdiğim kadınsın. Seni daima şık ve bakımlı görmek istiyorum."

"Ne alacaksın?"

"Günlük kıyafetler, hastaneye giderken giyebileceğin yeni ve sıcak tutacak bir kaban ya da anorak, sağlam bir bot. Gecelik falan da alırız."

"Tahrik edici şeyler mi?"

Manidar bir şekilde yüzüme baktı.

"Yoksa istemiyor musun?"

Çocuk gibi gülümsedi. "Evet, evet istiyorum." dedi...

* * *

Alış veriş uzun sürmüş ve tahminimden de fazla oyalanmıştık. Beğendiği her şeyi alıyordum. Elimiz kolumuz poşetlerle doldu. Yorulmuştuk. "İstersen evde başbaşa bir şeyler atıştıralım," dedi. "Televizyonda da güzel bir film var. Kalabalık arasında yemek yemektense, evimizde başbaşa, kucak kucağa film seyretmeyi tercih ederim, ne dersin?"

"Fena fikir değil."

Aldıklarımızı yüklendik, arabayı parkettiğim garaja doğru yürüdük. Peşimizde biri olduğunu da o sırada farkettim. Adamı en son girdiğimiz mağazadan çıkarken görmüştüm. Bizi dikkatle gözlüyordu. Önce önemsememiştim; ne kadar sade ve iş giysilerinin basitliği için de olsa bile, Jale güzelliği ile dikkat çekici bir kızdı. Ona baktığını sandım. Fakat adam peşimize takılmış ve araya bir mesafe koyarak bizi takibe başlamıştı. Huylandım. Bazen ilgisiz bir vitrinin önünde duruyor, cama akseden görüntülerden adamı izliyordum. Biz durunca o da oyalanmaya başlıyordu.

Bu sabahki Aysel Kalaycıoğlu'nun ziyaretinden sonra daha dikkatli olmam gerektiğini biliyordum. Jale hiçbir şeyin farkına varmamıştı. Adam bizi garaja kadar takip etti. Dönüşte boy boyunca peşimdeki arabaları kontrol etmeye çalıştım. Özellikle de o Ford Mondeo'yu arıyordum. Belki peşimize başka bir araba takmışlardı. Jale, hayatından memnun, başta yeni giysileri olmak üzere konuşup durdu. Bütün safiyeti, o çocuksu havası üstündeydi. Gülüyor, şakalaşıyor, her vesile ile neşesini gösteriyordu.

Kazasız belasız eve geldik.

Yanılmış da olabilirdim. Belki o adam sadece Jale'nin etkisinde kalarak peşimizde dolaşan, işsiz güçsüz serserinin teki olabilirdi.

Eve dönünce Jale, dediği gibi yiyecek bir şeyler hazırladı, televizyonun karşısına geçtik, bir yandan atıştırırken bir yandan da hissi bir Amerikan komedisini izlemeye başladık. Yediklerimiz bitince bana sarıldı, kanepeye uzandı, yeni evli bir çift gibi o vaziyette filmi seyrettik. Film boyunca kâh güldü, kâh gözleri yaşardı. Sonuna doğru da günün yorgunluğundan uykusu geldi.

Odalarımıza çekilirken yanağımdan öptü.

"Benim uysal ve tatlı sevgilim," dedi. "Sana tatsız bir haberim var. Yarım akşam bu mutluluğu yaşayamayacağız."

"Neden?" diye sordum.

"Yarın gece nöbetçiyim."

Saçlarından öperken, "Ne yapalım, katlanacağız. Elim mahkum."

O esneyerek odasına çekilirken, ben düşünmeye başladım. Jale'nin nöbetçi olması elime bir fırsatın geçmesine olanak sağlayacaktı. Yarım akşam tekneyi kontrole gidebilirdim. Belki bana bozulacaktı ama onu yanımda götüremezdim...

BEŞİNCİ BÖLÜM

1

Ertesi gece soğuk ve yağışsız bir hava vardı. İstanbul'un uzun süren karlı havası sona ermişti ama şimdi de çamurla mücadele etmek zorunda kalmıştık. Gece saat ona doğru Vaniköy'e gitmiştim. Ama kiralık sandal bulamamak hesapta yoktu. Çengelköy'e gittim, orada da bulamadım. Bayağı bozulmuştum, sahilde kolaylıkla kiralık bir vasıta bulacağımı düşünmüştüm. Çaresizlik içinde Beylerbeyi'ne uzandım. Kıyıda balığa çıkma hazırlığı yapan birkaç balıkçı vardı, ama hiç biri bana yüz vermedi ve sonunda biri homurdanarak, "Burada kiralık sandal bulamazsın" dedi.

Apışıp kalmıştım. Ümitsiz nazarlarla etrafıma bakındım. İskele meydanı gecenin ayazında bomboştu. Neredeyse vazgeçmek üzereydim, zaten yaptığım işin yasalara aykırı ve başımı derde sokacak cinsten bir şey olduğunu biliyordum; itiraf edeyim ki biraz da korkuyordum. Fakat merak denen illet bir defa insanın içine çöreklenmemeliydi. Aklıma takılan meseleyi çözümlemeden rahat edemeyeceğimin farkındaydım. O teknenin içine girmeli ve araştırmalıydım. Çocuğu bulamasam bile onunla ilgili bazı ipuçlarını ele geçireceğim içime doğuyordu.

Köşede bir kahve vardı. Bu mevsimde ve gecenin bu saatinde içerde sadece semt sakinleri bulunuyordu. Giyimlerinden balıkçı, dükkanlarını kapatmış kağıt ve tavla oynayan esnaflar olduğunu düşündüm. Bir kısmı da bütün gününü kahvede geçiren emekli memurlar olabilirdi.

Doğruca çay ocağına yürüdüm. Tezgâhın arkasında şişman ve yaşlıca bir adam vardı. Yabancı olduğumu hemen anlamıştı. Beyazlaşmış pala bıyıklarını sıvazlayarak, "Buyrun beyim" dedi.

Müşteri olmadığımı ve içeriye bir şey sormak için girdiğimi o saat çakmıştı.

Biraz çekinerek, "Kiralık sandal arıyordum" diye mırıldandım.

Garipseyerek yüzüme baktı.

"Bu saatte mi?" dedi.

"Saat önemli mi?" diye sordum.

"Pek balıkçıya benzemiyorsunuz da."

"Doğru. Balıkçı değilim."

"Eee, ne yapacaksınız sandalı."

Herif ahret suali sormaya başlamıştı ama yok da demiyordu. Ümitlendim.

"Bir saat için kayığa ihtiyacım var. Denize açılacağım."

Adam büsbütün pirelenmişti. Dik dik yüzüme baktı.

"Ehh, her halde" diye homurdandı. "Sandalla karada dolaşacak değilsiniz ya."

Abuk subuk ve yetersiz konuştuğumu hissettim.

"Gazeteciyim" dedim. "Bazı incelemeler yapacağım."

Adam tezgahın üstünden biraz öne eğildi.

"Bak efendi, sana bir sandal bulabilirim ama aklından kötü bir şey geçmiyor değil mi?"

Saf saf yüzüne baktım.

"Nasıl bir şey?"

"Yani şu köprüden atlayanlar gibi. Sende ayağına bir taş bağlayıp kendini denize atmayı filan düşünmüyorsun, değil mi? Yoksa başıma iç açarsın."

Zoraki gülümsedim. "Yok canım, öyle karamsar, dünyadan bezmiş bir halim mi var?"

"Belli olmaz" dedi kahveci. Sonra ciddi bir edayla, "Gece tarifesi, on kağıdını keserim, tamam mı?"

İtirazsın kabul ettim.

Adam, "Rıfkı, buraya bak!" diye seslendi.

Bıyıkları yeni terleyen gençten bir garson yanımıza yaklaştı. Kahveci:

"Bu beyi, Salih ağabeyin kayığına götür, brandayı kaldır, kürekleri ıskarmoza geçir sonra bir koşu buraya dön" diye emretti. Sonra bana dönerek, "Beyim para peşin. Ayrıca bir de hüviyet bırakmanız gerek" dedi.

Para ve sürücü lisansımı adama uzattım.

Beş dakika sonra karanlık sularda Vaniköy'e doğru kürek çekiyordum..

* * *

Aslında bana verdikleri ufacık bir bottu. Dengesiz, oynak ve eski. Bir yerinden su almaya başlarsa hiç şaşmayacaktım. Sağ küreğe ıskarmoza bağlayan yağlı deri fazla boldu, her kürek çekişte bot biraz sola kayıyordu. Neyse, şikayet etmemeliydim, bunu bulmam ne nimetti. Beylerbeyi'nden Vaniköy'e doğru ağır ağır ilerlemeye başladım.

Deniz üstü tam bir felaketti! Sert poyraz dondurucu esiyordu. Allahtan sırtıma kaz tüyü kalın anorağımı giymiştim. Rüzgarla kabalaşan dalgalardan korunmak içinde elimden geldiği kadar sahile yakın gidiyordum. Parmaklarım donmuştu.

Önce yalıyı ayarladım.

Bulmakta da biraz zorluk çektim. Sanki denizden çoğu birbirine benziyordu. Ama uzun rıhtımı ve bahçesindeki fenerleriyle Kalaycıoğlu yalısını diğerlerinden daha büyüktü. Yalının hemen hemen bütün ışıkları sönüktü. Galiba her zaman bu binada kalmıyorlardı. Tek ışık bahçeye açılan zemin kattan geliyordu. Muhtemelen evin personelinin yaşadığı yan bölüm olmalıydı.

Asıl sıkıntıyı tekneyi tesbitte çektim. Birbirine yakın üç tekne demirliydi. İlk bakışta ve karanlıkta hangisinin Hasan Torlak'ın gittiği tekne olduğunu anlamam çok zor oldu. Yılbaşı gecesi tekneden ziyade adamla ilgilenmiştim. Hafızamı zorladım, o gece beynime nakşolan görüntüleri anımsamaya çalıştım. İstanbul çocuğu olmama rağmen tekneler hakkında fazla bilgi sahibi de değildim. Sonunda içlerinden birini seçtim. Seçtiğimin aradığım tekne olması çok mümkündü. Rotamı ona çevirdim ve küreklere asıldım. Her üç tekne de boştu. Işıkları yanmıyor ve dışardan bir hayat emaresi görünmüyordu. Bu hem iyi hem de kötüydü. İyiydi, zira içerde biri olursa tekneye çıkmam imkansız olacaktı; kötüydü, çünkü Kerim'in teknede olmadığını gösteriyordu.

İyice yaklaştım.

Yanılmamıştım. Teknenin kıçında sarı metal harflerle *Aysel'im* yazıyordu. Tahminim tutmuştu. Cahit Kalaycıoğlu teknesine karısının adını vermişti. İçinde kimsenin olmadığı belliydi. Ama yine de yüreğim deli gibi çarpmaya başlamıştı. Hayatımda hırsız gibi bir tekneye ilk defa girecektim. Bodoslamadan yanaştım. Güverte yüksek değildi. Botun baş tarafındaki bağlama ipini yatın metal korkuluğuna düğümledim. Bir süre tedbir olarak hareketsiz kaldım. Bir yandan da gözlerim tekneyi inceliyordu.

Ne ses vardı, ne de seda. Kamaralardan ışık da aksetmiyordu. Cesaretim arttı. Teknenin küpeştesine tutunup kendimi yukarı çektim. Amma umduğum kadar kolay olmadı. Bir süre ıslak tahtalara yapışıp kaldım. Bacaklarım boşlukta sallandı, sonra ayağımı küpeştenin nemli sathına dayadım. Kollarımdaki takat kesilirken kendimi yukarıya çektim. Anorağın cebindeki el feneri böğrüme battı. Yüzükoyun yerde yatıyordum. Soğuktan üşüyen ellerim şimdi de sırılsıklam ıslanmıştı.

Bir süre o vaziyette bekledim, sonra usul usul doğrulup ayağa kalktım. Teknenin kıç tarafındaydım ve önümde aşağıdaki kamara bölümüne giden kapı vardı. Tabii ışıkların sönük oluşu kimsenin bulunmadığına delalet etmezdi. Yılbaşı gecesi burada birilerinin bulunduğunu gözlerimle görmüştüm.

Kerim'i burada alakoyuyorlarsa mutlaka başına birini nöbetçi olarak dikmeleri lazımdı. Saat on buçağa geliyordu. Uyumak için henüz erken sayılabilirdi. Bu riski göze almalıydı. Kapıya yaklaştım, usulca kendime doğru çektim, açılmadı. Sarsıntıdan kilitli olduğunu anladım. Keyfim kaçtı. Kilidi açamazdım. Elimi kapının üzerinde dolaştırdım. Parmaklarım sert bir kütleye değdi. Hayret, kapıda kocaman bir asma kilit vardı.

Sonra aklıma başka bir ihtimal geldi.

Tekneyi bu vaziyette bırakacaklarını aklım kesmedi. Yoksa içerdeki bekçi karaya mı çıkmıştı? Öyle ise her an geri dönme olasılığı mevcut demekti.

Ne yapacaksam, acele etmeliydim.

Hemen bir karar vermeliydim; ya kimsenin olmadığını kabul ederek geri dönmeliydim ya da gözümü karartıp kilidi kırmalıydım. Aklım, işi daha fazla uzatıp başımı belaya sokmadan dönmekliğimi söylüyordu, ama içimdeki o kahrolası merak ne olursa olsun kamaraya inmemden yanaydı. İçgüdülerim çok önemli şeyler bulacağını fısıldıyordu sanki.

Lanet olası kilidi kurcalamaya karar verdim.

Elimdeki feneri yakamıyordum. Zira ışık, karanlık denizde her yandan gözükürdü. Teknede kimse olmadığını aklım kesmişti artık, gürültü çıkmasına aldırmadan kilidi çekiştirdim, bana mısın demedi. Parmaklarım hem soğuktan hem de ıslaklıktan sızlıyor, hissini kaybetmiş gibi zor hareket ediyordu.

Karanlık teknenin içine göz atarak kilidi kıracak bir araç aradım. O zifiri karanlıkta bir şey bulamadım tabii, tam umudumu kaybetmeye başlıyordum ki sol kıç oturağın altında gözüme çarpan şeye dikkatle baktım. Yere eğildim, elimi uzattım. Elli santim uzunluğunda keski gibi demir bir çubuktu.

İçime yeniden bir umut doğdu. Bununla kilidi kırmam çok vakit alırdı ama kilidin geçtiği halkaların perçinlerini zorlayabilirdim. Hiç vakit geçirmeden demir çubuğu halkaların arasına geçirdim ve olanca gücümle asıldım.

Halkalar yerinden kımıldamadı. Bir daha denedim, yine olmadı. Ama üçüncü asılışta kapıdan bir çatırdı geldi. Şevklendim. Son bir gayretle yeniden demir çubuğa abandım. Perçinler yerinden fırladı ve kilit gürültüyle yere düştü.

Çıkan gürültüyü poyraz rüzgarı alıp götürdü.

Heyecandan nefesim duracak gibiydi. Kapıyı ittim. Deniz üstünde olmamıza rağmen ekşimsi pis bir koku burnuma çarptı. İçerisi havasızdı. Cilalı tahta, üstübü ve içki kokusu karışımı ağır bir hava vardı. Ne olursa olsun yanımdaki el fenerini yakmalıydım, çünkü etrafımı göremiyordum. Cebimden çıkarıp fenerin düğmesine bastım.

Teknenin içi tahminimden de büyük çıktı.

Dar bir koridor üzerindeydim ve koridora açılan dört ufak kapı gözüküyordu. Hiç tereddüt etmeden ilk kapının tokmağını çevirdim. Kilitli değildi. Ufak bir kamaraydı burası; iki kişilik bir yatak vardı. Derli topluydu ama ilgimi çekecek hiçbir şey göremedim.

Hemen diğerine geçtim. O da ilkinin aynıydı. Yavaş yavaş umudum kırılmaya başlıyordu. Üçüncü kamaradan çıkarken buraya boşuna geldiğimi düşünmeye başlamıştım. Ama dördüncü kamaraya girince birden kanaatim değişti.

Burası dağınık ve pisti. Yataklar kullanılmış fakat toplanmamıştı. Yere çakılı masanın üzerinde kirli yemek tabakları duruyordu. Yere yuvarlanmış bir boş rakı şişesi, teknenin dalgaların etkisi ile muntazam sallanması sırasında bir ileri bir geri gidip geliyordu. Kokunun bu kamaradan etrafa yayıldığını anladım.

Beni ilk ürperten şey boş yataklardan birinin üzerinde gördüğüm ipler oldu. İki parçaydılar. Uzunlukları el ve ayakları bağlamaya çok müsaitti. İlk anda neden böyle bir şey düşündüğümü bilemiyordum, belki de hep burada birinin zorla alakonulduğuna şartlanmış olduğumdandı.

Feneri yanık tutmaya devam ettim. Başka çarem yoktu. Işığın yalıdan görünme riskine rağmen etrafı incelemek için onu yakmak zorunda kalıyordum. Fenerin ışığını kamaranın içinde dolaştırdım. Yatağın üstünde gördüğüm ipler tek başına bir şey ifade etmezdi tabii, bir teknede çok çeşitli sebeplerle kullanılırdı. Daha başka, daha somut şeyler bulmalıydım düşüncelerimi kuvvetlendirmek için. Gömme iki dolap vardı duvarda. İkisini de açtım. Biri boştu, diğerinden ise yığınla eski gazeteler çıktı. İşime yaramazdı, kapattım.

Gördüklerimin yetersiz olduğunu biliyordum.

Burada birileri kalmıştı ya da kalmaya devam ediyorlardı. Teknenin kaptanı veya tayfaları olabilirdi. Akla gelen en güçlü ihtimalde oydu.

Daha fazla oyalanmamın anlamı kalmamıştı. Ne yazık ki bu teklikeli araştırmadan eli boş dönecektim. Feneri tam söndürmeye karar vermiştim ki gözüm yataklardan birinin altındaki bir spor çantaya takıldı. Basketçilerin kullandığı tarzda, omza atılan, ağzı büzgülü eski bir çantaydı. Meraka kapıldım, son bir ümit çantayı yatağın altından çektim. Önce elimle yokladım. Yumuşaktı. Belli ki içinde kirli eşyalar türü bir şeyler tıkılıydı. Her halde burada kalanların kirli çamaşırları olmalıydı.

Çantanın ağzındaki kordonu çektim, feneri içine tuttum. Tahminimde yanılmamıştım. Önce bir kazak, altından desenli bir gömlek çıktı. Daha sonra sıkıştırılmış bir blujin buldum. Ama daha sonra gördüklerim beni şaşkına çevirdi. Blujinin altından bir sutyen ve ders kitabı çıkmıştı. Kitaba bir göz attım. "Yüksek Matematiğe Giriş" yazıyordu üstünde..

Donup kaldım birden..

İlk şaşkınlığım geçince bunların kadın giysileri olduğunu anlamıştım. Bu hesapta yoktu. Her halde buldularım kaptanın gizlice tekneye attığı bir kadına ait olamazdı. Olsa bile kaptanın getirdiği kadın her halde yüksek matematikle ilgilenmezdi.

Aklıma gelen ihtimal tüylerimi ürpertti.

Bu eşyalar Emel Soylu'ya ait olmalıydı..

Ama bu çok saçma bir düşünceydi. Emel'in burada ne işi olabilirdi? Emel ile Kalaycıoğlu ailesi arasında bir ilişki kuramıyordum. Tekneye girerken hep Kerim'e ait bir iz bulacağımı ummuştum, oysa karşıma Emel'e ait olduğunu sandığım eşyalar çıkmıştı. Kız da mühendislik eğitimi görüyordu. Kitap onun olmalıydı. Acele ile kitabı incelemeye başladım. Ad, imza gibi birşeyler aradım; yoktu.

Çömeldiğim yerde düşünmeye başladım.

İşler şimdi daha da karışmaya başlamıştı. Burada Kerim'in kaçırıldığı ve annesi tarafından göz altında tutulduğunu düşünmüştüm hep, sebebi önemli değildi, onu sonradan da öğrenebilirdim. Ama Aysel hanım, oğlunu değil de Emel'i niçin saklamıştı? Beynim o anda buna uygun bir cevap bulamıyordu.

Belki de bulduğum eşyaların kıza ait olduğuna hükmetmekle erken karar vermiştim. Bunu anlamak kolaydı, Jale'ye gösterir ve eşyaları tanımak için onun bilgisine başvurabilirdim. Nasılsa o tanırdı.

Aklım iyice karışmaya başlamıştı.

Eşyaları burada ise kız neredeydi? Kerim'e ne olmuştu? Şimdiye kadar hep ikisinin birlikte ortadan kaybolduğunu düşünüyordum. Ama teknede Kerim'le ilgili tek bir şey bulamamıştım.

İçimden bir ses, hemen buradan uzaklaşmamı söylüyordu. Torbanın ağzını büzdüm ve yanıma alıp beraberimde götürmeye karar verdim. Kesin bir sonuca varmak için bulduklarımı Jale'ye göstermeye kararlıydım. Şayet kızın başına bir hal geldiyse bunlar suç delilleriydi. Hukukçu mantığımla delilleri suç mahallinden uzaklaştırmamın tam bir hata olduğunu biliyordum. Ama başkalarını suçlamak için delillerin kaybolmaması ve ortadan kaldırılmaması gerekiyordu. Kalaycıoğulları teknenin kapı kilidinin kırıldığını farkedince nasıl olsa uyanacak ve birilerinin gizlice tekneye girdiğini anlayacaklardı. Şayet kızı onlar kaçırdıysa ilk işleri delilleri yok etmek olacaktı. Ayrıca Aysel Kalaycıoğlu bu çılgınlığı benim yaptığımı derhal sezinleyecekti.

Kısa bir tereddüt geçirdim. Ama olacakları fazla düşünmeden torbayı omzuma astım. Burada bırakamazdım. Çok önemli bir ipucu bulduğuma inanıyordum. Feneri söndürüp kendimi dışarı attım.

Heyecandan soluk soluğa bordaya koştum. Sert rüzgar biraz kendime gelmemi sağladı. Etrafa bakındım. Karanlıkta hiçbir tehlike görmedim. Herşey bıraktığım gibiydi. Tekneye bağladığım bota atladım. Ağırlığımı çekmeyen bot sallantıdan az kaldı beni denize yuvarlayacaktı. İpi çözdüm, küreklere asıldım.

Lanet tekneden uzaklaştıkça biraz daha rahatlıyor, kendime geliyordum. Soluklarım normale dönmüştü. Heyecandan soğuğu eskisi kadar hissetmiyordum. Geriye döndüğümde kahveci çırağını iskelede beni beklerden buldum.

"Ağabey biraz geciktin" dedi.

Denizde ne kadar oyalandığımı bilmiyordum. "Aldırma telâfi ederiz" diye mırıldandım. Kahveye döndük, palabıyık kahvecinin eline bir beşlik daha sıkıştırdım, teşekkür ettim. Adam ehliyetimi iade ederken çırağına bir göz attı, sanki botta bir vukuat yok, değil mi, dercesine. Çırak başını salladı.

Az sonra arabama oturmuş evimin yolunu tutmuştum.

Arka kanepede bu akşam bulduğum ganimet vardı. Esaslı bir iş yaptığıma inanıyordum artık...

2

O geceyi ve ertesi günü sabırsızlıkla geçirdim. Bulduklarımı Jale'ye göstermek ve onun onayını almak için dört göz nöbetten dönmesini bekliyordum. Teknede bulduğum eşyaların Emel'e aidiyetini en iyi tesbit edecek insan oydu. Öğleden sonra dayanamadım ve cep telefonundan aradım.

Billur gibi parıldayan sesi kulaklarımda yankı yapınca, "Merhaba sevgilim" dedim.

"Merhaba" diye mukabelede bulundu ama ne kadar yorgun olduğu sesinden belli oluyordu.

Kendimi zor tutarak, "Çok yorulmuşa benziyorsun" diye fısıldadım. Haberi ona iletmek için can atıyordum. Tekneye yalnız gittiğim için bana atıp tutacaktı ama artık huyunu suyunu öğrenmeye başlamıştım. Onun kızgınlığı kısa ve geçici oluyordu. İlk öğrendiği anda köpürecek, belki biraz bağırıp çağıracak sonra da affedip unutacaktı.

"Ölü gibiyim. Dün gece de çok hareketliydi, iki saatlik uykuyla duruyorum."

Telefonda konuyu açmam, hele yorgunluktan geberirken hoş kaçmayacaktı. Beklemeyi, eve dönmesini yeğledim. Biraz daha sabredebilirdim.

"İş çıkışı istersen gelip seni hastaneden alayım" dedim.

"Hiç gereği yok. Doktor Hakan bu akşam Bostancı'ya geçecek, konuştuk beni de eve o bırakacak, yolunun üstü."

"Dr. Hakan da kim?"

"Bizim bölümün Baş Asistanı."

Takıldım, "Ooo, anlayalım! Artık eve özel servisler mi başladı?"

"Hayatım, inan konuşacak halim ve vaktim yok, kusura bakma kapatacağım. Evde görüşürüz."

Telefonu kapattı. Ben de biraz daha oyalanıp evin yolunu tuttum. Yol boyunca dalgın dalgın araba sürerken bir yandan Vural'ın meselesini bir yandan da Jale ile olan ilişkimizi düşünüyordum. İşin aslına bakılırsa araya giren uzun ayrılık yılları, gençlik senelerinin yarattığı o arkadaşlık bağlarını büyük ölçüde yok ediyor, dostluktan çok geriye bir takım tutarsız ve silik anılar kalıyordu. Acaba ben mi vefasız, hissiz ve geçmişinden kopuk bir adamdım? Düşündükçe Vural'a ait mektep yıllarındaki anılarımın hiç de öyle abartılacak bir yanı olmadığını görüyordum; hatta o kadar ki seneler sonra karşılaştığımızda onu tanıyamamıştım. Ya da gözden ırak olmak, zaman içinde bağlılık ve vefa duygularını törpülüyor, insanı geçmişten uzaklaştırıp katılaştırıyordu. Muhtemelen bu olay Jale ile tanışmama ve ona çılgınca aşık olmama sebebiyet vermese, bu benim işim değil diye, sıradan, basit bir araştırmadan sonra işi bırakabilirdim. Varlıklı, iyi kazanan bir avukattım, tabii ki eski arkadaşıma yine maddi yardım yapardım ama dün geceki gibi bir çılgınlığa asla kalkışmazdım.

Direksiyon başında yine düşüncelere daldım.

Teknede bulduğum eşyalara mantıki bir izah getiremiyor, Emel ile Kalaycıoğlu'lar arasında bağ kuramıyordum. Emel gibi havai ve sıradan bir kızı tanımaları imkansızdı. Onları birbirine bağlayan sosyal bir ilişki söz konusu olamazdı. İki taraf arasındaki tek bağ Kerim'di. Ama oğlunu bile senelerdir görmeyen bir anne, Emel'i niye o teknede saklasındı ki?

* * *

Jale'nin gelişini dört gözle bekledim.

Saat yediye doğru yorgun argın eve döndü. Uykusuzluktan güzel gözlerinin altında siyah halkalar oluşmuştu. Yine de beni görünce yüzü güldü.

"Bir banyo yapmak ister misin?" diye sordum.

"İyi olur. Sen ne yaptın dün gece? Uslu oturdun mu?"

Kabahatli gibi bıyık altından gülümsedim.

"Galiba seni kızdıracak bir şey yaptım."

"Çabuk söyle, ne yaptın?"

"Dün gece gizlice tekneye gittim."

Suratını asarak bana baktı.

"Hani beraber gidecektik? Bana söz vermiştin."

"İyi ki seni götürmemişim. Gidiş dönüş çok zordu. Gecenin karanlığında denize açılacak vasıta bulmakta zorlandım. Tekneye girmek tam bir dert oldu. Velhasıl iyi ki yoktun."

"Böyle bir şeye kalkışacağını tahmin etmiştim zaten."

Neyse ki tepkisi fazla olmamıştı. Belki de yorgunluğundandı.

"Oğlana ait bir iz buldun mu bari?"

Başımı salladım. "Hayır, Kerim'e ait en ufak bir iz yok. Ama görmeni istediğim çok ilginç bir şey buldum."

Merakla yüzüme baktı.

"Benim mi görmemi istiyorsun?"

"Evet. Bana ancak sen yardımcı olabilirsin."

"Allah Allah! Neymiş bu?"

Doğru yatak odama giderek spor çantasını getirdim.

"Bu çantayı daha evvel gördün mü?"

Garip garip yüzüme baktı.

"Hayır" dedi. "Kimin bu?"

"Emel'in olduğunu düşünmüştüm. Ona ait olmadığına emin misin?"

"Hatırlamıyorum. Olabilir de. Ama onu teknede bulman tuhaf değil mi?"

"Evet, çok tuhaf."

İçindeki eşyaları ve kitabı çıkarıp gösterdim.

"Ya bunlar? Bunları anımsıyor musun?"

Jale'nin gözleri irileşti, rengi kül gibi sarardı.

"Evet.. Gömlek ve kazak onun. O gömleği hep giyerdi, hatırlıyorum."

"Her halde bu mektep kitabı da ona ait olmalı."

"Onu bilemem" dedi. "İçinde ya da üzerinde adı filan yazılı mı?"

"Baktım. Ama yok."

Gözü birden blujin pantolonun altından askıları gözüken sutyene takıldı.

"Bu ne?"

"Sanırım o da Emel'in" dedim.

Dudaklarını ısırdı. Endişeyle yüzüme baktı.

"Yoksa... kıza tecavüz mü etmişler?"

"Hiçbir bilgim yok."

"Ama durup dururken sutyenini niye çıkarsın ki? Aklına böyle bir ihtimal gelmiyor mu?"

"Daha da kötüsü düşünüyorum."

"Yani öldürüldüğünü mü düşünüyorsun?"

Sesimi çıkarmadım.

Jale iki eliyle yüzünü örttü.

"Aman Allahım" diye inledi. "Gerçi ondan pek hoşlanmazdım ama genç yaşında da öldürüldüğünü kabul etmek çok feci."

Yaklaşıp ona sarıldım.

"Henüz bunu bilmiyoruz" diye fısıldadım.

Ellerini çekip yüzüme baktı. Gözleri yaşlanmıştı.

"Ama neden?" dedi. "Onu kim öldürmüş olabilir? Aysel Kalaycıoğlu neden böyle bir şey yapsın ki? Aklına her hangi bir sebep geliyor mu?"

"Hayır."

"Hemen polise baş vurmalısın."

Kararsız kaldığımı görünce irkilerek yüzüme baktı.

"Yoksa polise gitmeyecek misin?"

Üzüntüden sarsılan sevgilime açıklama yapmak zordu.

"Henüz erken diyebildim."

"Erken mi? Daha ne bekliyorsun ki? Kız altı aydır kayıp ve eşyaları çok itibarlı bir ailenin yatında bulundu. Bundan iyi delil mi olur?"

"Sorun da bu ya."

"Anlamadım? Sorun neresinde bunun?"

"Kızın cesedi bulunmadıkça bu eşyalar hukuken pek bir şey ifade etmez."

"Dalga mı geçiyorsun? Bundan iyi delil mi olur?"

"Bunlarla bir şey isbat edemeyiz. Ya inkar ederlerse?"

"Gerekirse ben şahitlik ederim, eşyaların Emel'e ait olduğunu mahkemede söylerim."

"Dedim ya yetmez. Bu çantayı polisin suç mahallinde bulması gerekirdi. Oysa onları ben oradan gizlice aldım."

"Bu neyi değiştirir ki?"

"Anlamıyor musun Jale? Biz bunları hiç görmedik derlerse aksini nasıl isbat edebiliriz."

Hiddetle yüzüme baktı.

"Öyleyse onları oradan niçin aldın?"

"Sana göstermek ve onların Emel ait olduğuna kesin emin olmak için. Anlasana, bak ben dahi, bulduklarımın kıza aidiyetinden şüpheliydim; savcıyı dava açması için nasıl ikna edebilirim? Üstelik Türkiye'nin en ünlü ve tanılan bir ailesinin aleyhine. Olacak şey değil, güler geçerler."

Jale isyan edercesine homurdandı.

"Yahu bunlar Emel'in, ben biliyorum. Sözüme inanmazlar mı? Onunla aynı evi paylaştık."

"Şimdilik yetersiz hayatım."

Sevgilimin mantığı ve adalet duygusu bir türlü açıklamamı kabul etmiyordu.

"Ne yapacağız şimdi?" diye sordu.

Omuzlarımı silktim. "Bekleyeceğiz."

"Neyi?"

"Şayet Emel öldürüldüyse cesedinin bulunmasını."

"Aman ne saşma! Kız altı aydır kayıp bir de cesetin bulunmasını bekleyeceğiz."

Saçlarını okşadım.

"Şimdilik mecburuz."

Birden gözleri yeni bir şey bulmanın sevinci ile parıldadı.

"O halde biz de çantayı aldığımız yere bırakırız, sonra da durumu polise ihbar ederiz? Nasıl, bu iyi fikir mi?"

"Ne yazık ki değil?"

"Neden?"

"Bir sürü sebebi var. Birincisi özel mülkiyete habersiz olarak girmek kanunlar karşısında suçtur. Ben onu yaptım. Teknenin her tarafında parmak izlerim bulunabilir. İkincisi teknenin içinde bir kapının kilidini kırdım. Mala tecavüzden beni içeri atarlar. Üçüncüsü ceset bulunamazsa delilleri ortadan kaldırdığımdan suçlu bulunurum."

Jale, "Tamam tamam" diye mırıldandı. "Daha fazla saymana gerek yok. Sizin bu hukuk mantığınız bizim gibi insanlara anlaşılmaz geliyor. Bana göre herşey apaçık ortada ama anladığım kadarıyla polise gidersek neredeyse sen suçlu çıkacaksın."

Gülümsedim. "Yine de önemli bir şey öğrendik. Kerim'le Emel'in kaybolmasında bir bağlantı var. Daha da önemlisi şu veya bu şekilde Aysel Kalaycıoğlu bu işe karışmış. Henüz nedenini bilmiyorum. Fakat elimde bu deliller oldukça Aysel Kalaycıoğlu'nun başını bir hayli ağrıtabilirim."

"Nasıl? Ona şantaj mı yapacaksın?"

"Bir bakıma öyle. Yani kadını gerçekleri anlatması için zorlamam mümkün."

"Al başına bir bela daha! Sonuç çıkar mı bari?"

"Bilmiyorum. Deneyip göreceğiz."

"Şimdi ne yapacağız?"

"Sen önce bir duş alacaksın. Yeterince sarsıldın. Yorgunluğu ve üzerindeki stresi atmak için tek çare bu."

"Haklısın galiba" diye söylendi. Sonra banyoya doğru yürümeye başladı. Jale gerçekten üzülmüş ve sarsılmıştı. Salonda soyunmaya başladı. Eve girdiğinden beri yeni aldığımız anorağını bile daha üstünden çıkarmamıştı. Anorağı yere attı. Bir iki adım sonra da sırtındaki kazağı çıkardı. Onu da kanepenin üstüne fırlattı.

Sanki peşinden hizmetçisi geliyormuş gibi rahattı ve üstünden çıkardıkları ile ilgilenmiyordu. Gülerek başımı salladım ve küçük bir çocuğun peşinden giden ebeveyni gibi oraya buraya fırlattığı giysilerini toplayarak peşinden yürüdüm. Banyoya giden koridora çıktığımızda önce botlarını ayaklarından çıkardı sonra da eteğinin fermuarını indirerek zarif bir kalça hareketiyle eteği yere bıraktı.

Arkasından bakıyordum.

Eşyalarını toplayarak peşinden geldiğimin farkında değildi. Ayağımın ucuyla botlarını kenara ittim, eğilip eteğini de kaldırdım yerden. Jale o sırada bluzunu da çıkarmış yarı çıplak kalmıştı. Onu seyretmek apayrı bir keyifti. Banyoya girerken ten rengi külotlu çorabının içindeki uzun bacaklarını ve yürürken iki yana ahenkli şekilde sallanan kalçalarına bakıyordum. Kendisini seyrettiğimi biliyordu muhakkak. Böyle çok ender elime geçen bir göz ziyafetini kaçırmayacağımı düşünmüş olmalıydı. Banyo kapısını kapatmadı. Bu düpedüz içeri girmeme ses çıkarmayacağı anlamına geliyordu.

Banyoma üç ay kadar önce İtalyan malı yeni jakuzili duşa kabin yaptırmıştım. Dış kapıları bombeli ve saydamdı. Elimde sırtından çıkardığı giysilerle banyonun kapısına yaslanıp durdum.

Jale hiç oralı değildi.

Önce eğilerek çoraplarını çıkardı. Nerdeyse nefesim kesilecekti. Sonra desenli sutyen ve külotu çıkardı. Aynı şekilde yere attı.

Tam bir umursamazlık içindeydi.

"Onları da kaldır sevgilim" dedi.

Cevap verecek halim kalmamıştı. Onu ilk defa çırılçıplak görüyordum. Özellikle geriye dönüp vücudunun diğer mahrem yerlerini bana göstermekten kaçınıyordu. Söylediğini yaptım. Taş gibi hareketsiz kalarak onu seyrediyordum. Harika bir cildi vardı. Işık altında parıldayan teni, ince bedeni, tek kelimeyle kusursuzdu. Sağ kalçasının üstünde ufak bir beni mevcuttu.

Geriye dönmeden sordu, "Nasıl buldun?"

"Harika" diyebildim yutkunarak.

"Sakın çağırmadan yaklaşma."

Anlayamadım ne demek istediğini. Yoksa beni de yanına mı çağıracaktı? Birlikte duş mu yapacaktık?

Kabinin kapısını yana çekip bacağını içeriye atarken, "Sadece harika mı? Başka bir şey demeyecek misin?"

"Ne dememi istiyorsun? Bu kelime her şeyi ifade etmiyor mu?"

"Bir başkası için belki. Ama ben senin ağzından daha başka beğeni ifadesi beklerdim doğrusu. Daha güzel, hislerini daha hoş anlatan laflar. Öyle tek kelime değil."

Sustum.

Yine oyun başlıyordu galiba.

Kapıyı kapatırken fısıldadı. "Ne o, memnun olmadın mı? Aklından böyle bir şey göreceğin geçiyor muydu? Sana hiç ummadığın bir sürpriz yaptım, hoşuna bile gitmedi."

Homurdandım.

"Bir gün beni ya çıldırtacaksın, ya da elimden bir kaza çıkacak!"

"Nasıl yani? Yoksa sen de beni mi öldüreceksin? Yazık olmaz mı sevgiline? Sonra bensiz ne yaparsın?"

Bu kız gerçekten beni çıldırtabilirdi. Daha ne beklediğimizi anlamıyordum? Heyecanımı bastırmak için banyodan uzaklaştım ve elimdeki giysileri odasına taşıdım. Banyoda daha fazla durursam dayanamayacağımı biliyordum. Salona doğru yürürken duşun sesi açık banyo kapısından koridora aksediyordu. Tam salona dönmüştüm ki sesini duydum. "Sinan!"

Salondan bağırdım, "Ne var yine?"

"Biraz gelir misin, lütfen?"

Kendimi aldatıyordum. Sanki oraya dönmek istemiyormuş gibi ağır ağır banyoya yürüdüm. Oysa onu çıplak haliyle görmek için can atıyordum.

Haşin bir sesle, "Ne istiyorsun?" dedim.

"Biraz sırtımı sabunlar mısın?"

Cevap vermemi beklemeden kabinin buğulanan kapısını açmıştı bile. Jakuzinin kenarına oturmuş, sırtını bana dönmüş ve eliyle sabunlu lifi uzatıyordu.

Sırtından gördüğüm ıslak vücudu çok daha tahrik ediciydi. İrademin son kırıntılarını da yitirmek üzere olduğumu hissediyordum. Sarı saçları ıslanmış ve yapışmıştı. Su damlacıkları oluk oluk sırtından aşağılara kayıyordu. Başını çevirip bana bakmadı.

Güçlükle elinden köpüklü lifi aldım ve sırtını sabunlamaya başladım. Sol elimle omzunu tutmuş, lifin bol köpüğünü sırtına yaymaya başlamıştım.

"Biraz zayıfım, değil mi?" dedi.

Yine cevap vermedim.

"Konuşsana ayol! Küs müyüz?"

"Lütfen bırak bu ağızla konuşmayı. Senin gibi bir doktora hiç yakışmıyor."

"Mahalle kızı tavrı mı?"

"Evet" diye homurdandım hırslı hırslı.

"Ne yapayım? Ben senin gibi soylu ve zengin bir aileden gelmedim. Okumam, doktor olmam bana asalet vermiyor. Basit ve fakir bir ailenin çocuğuyum. Beni istiyorsan bu halime katlanacaksın."

"Sana yakışmıyor."

Çapkınca başını yan çevirip göz kırptı.

"Numara yapma. Bu halime bayılıyorsun."

"Hayır!" diye bağırdım. "Kesinlikle hayır!"

Tam bir mahalle kızı ağzıyla, "Pışıkkk!" dedi.

Aslında haklıydı. Gösterdiğim kızgınlık numaraları palavraydı. Bu hiç alışık olmadığım bir davranıştı ve Jale bu gösterinin dozunu çok iyi ayarlıyor, ne zaman ve nereye kadar sürdüreceğini mükemmel beceriyordu.

Susup sabunlamaya devam ettim. Ama her geçen an tahammülüm azalıyordu. Her an onun çıplak vücudunu kollarımın arasına alıp jakuzinin içinde sevişmeye başlayabilirdim. Hem de hoyratça ve kabaca.

Bir ara sol elim istemeyerek sabunlu cildinde göğüslerine doğru kaydı.

"Yaramazlık etme!" dedi. "O kadarına izin vermedim."

Lifi jakuzinin içine fırlattım ve kendimi banyodan dışarıya attım. Biraz daha kalırsam tatsız şeylerin olacağını biliyordum.

Bütün gece surat astım. O ise kedi gibi etrafımda siftinip durdu. Ama bu defa hiç yüz vermedim, hatta içim gittiği halde...

3

Sonraki üç dört gün olaysız geçti. Ta ki, o lanet çarşamba gününe kadar..

İki yardımcı avukatımla önümüzdeki iki iş gününün programını düzenlemek ve plan yapmak için büroda konuşuyorduk. Bu tür müşterek planları ayarlamak için kullandığımız ufak bir odamız vardı. Oval masanın etrafında toplanıp dosyaları inceledik. Önemsiz addettiğim bazı duruşmaları onları gönderiyordum. Bir süre işlerimiz hakkında konuştuk sonra havadan sudan laflamaya başladık. O gün de, artık sık sık yapmaya ve adet haline getirmeye başladığım gibi yine eve erken dönmeyi tasarlıyordum.

Dosyalarımı masadan kaldırmaya hazırlanırken Erhan'ın Yalçın'a dönerek, "Bugün Hürriyet'teki haberi okudun mu?" dediğini duydum. Erhan, "Hangisini?" diye sordu.

"Şu denizde ceseti bulunan kızı?"

O ana kadar aralarındaki konuşmalara pek dikkat etmemiştim.

Ama son cümle kulağıma çarpınca birden elektriklenmiş gibi irkildim. "Ne cesedi?" diye sordum.

Fazla hayret belirtisi göstermiş olmalıyım ki ikisi de şaşırarak bana baktılar.

Erhan sanki olmayacak bir şey söylemiş gibi kekeledi. "Şey.. Sinan ağabey" diye geveledi. "Bugün gazetede bir haber çıktı da.. Denizde bir kız cesedi bulunmuş."

Heyecanla, "Getir hemen şu gazeteyi bana" dedim. Yardımcım gazeteyi bana getirmek için odasına koşarken Yalçın sesini çıkarmadan gözucuyla bana baktı.

Gazeteyi masaya yaydım, haberi yutarcasına iki kere soluksuz okudum. Sonunda korktuğum başıma gelmişti. Habere göre dün gece Yenikapı açıklarında henüz kimliği tesbit edilemiyen genç bir kız cesedi sahile vurmuştu. Cesedin yaşı ilk tahminlere göre on sekiz ile yirmi iki arasında olduğu sanılıyordu. Ölüm sebebi henüz kesinleşmemişti. Boğulma olabileceği gibi başındaki darp izinden bir cinayete kurban gitme olasılığı da söz konusuydu. Şu ana kadar maktuleye sahip çıkacak kimsenin polise baş vurmadığından bahsediliyordu. Gazetede bir resim de vardı ama resme bakarak kızı teşhis etmek olanaksızdı. Kız, Adli Tıp morguna kaldırılmıştı.

Beynimden vurulmuşa döndüm. Acaba bulunan ceset Emel'e mi aitti?

Aslında bu kadar şaşırmam yersizdi. Üç aşağı beş yukarı böyle bir neticeyi beklediğimi itiraf etmeliydim. Ama yine de dehşete kapılmıştım.

Yardımcılarım şaşkınlıkla beni süzüyorlardı.

Erhan dayanamadı. "Ağabey, yoksa o kızı tanıyor musunuz?" diye sordu.

"Galiba tanıyorum" diye mırıldandım.

İkisi de kim, diye sormadılar. Sessizce bir açıklama yapmamı beklediler.

Yalçın'a döndüm. "Sen böyle işlerden biraz anlıyorsun, değil mi?" dedim. "Yani polisle nasıl temas kuracağımızı, işin prosedürünü falan filan."

"Biraz ağabey" dedi.

"Yürü öyleyse" dedim. "Hemen Adli Tıp morguna gidiyoruz. Kızın cesedini görmek istiyorum."

Yalçın hiç itiraz etmedi. "Tabii Sinan ağabey" dedi. "Hemen gidelim."

Yazıhaneden çıkıp son sürat Adli Tıp'a yollandık.

* * *

Adli Tıp morgu kasvetliydi. Beyaz duvarların soğuk ve üşütücü havası insanı adeta ürpertiyordu. Müracaattaki görevli polis memuruna Yalçın meramını anlatmak için epey dil döktü. Memur avukat kimliklerimizi gördükten sonra ancak ikna oldu ve alt kattaki yetkiliye götürdü.

Aşağısı cesetlerin muhafaza edildiği ve otopsinin yapıldığı yerdi. Keşif formaldehit kokuyordu her yer. Koku bu yere alışık olmayanlara daha da rahatsız edici bir etki yapıyordu. Karşımıza bir hademe çıktı. Ortalarda başka kimse de görünmüyordu zaten.

Görevli memur isteğimizi ona anlattı. Sıska, çipil gözlü, sarışın hademe, bizi bir süre süzdü. Sonra bekleyin, diyerek bölümün dibindeki bir kapıdan içeriye girdi. Kapının üzerinde "Uzman doktor Tarık Obalı" yazıyordu. İçerde bir iki dakika oyalandıktan sonra dışarıya çıktı ve beni takip edin, diyerek ısısı düşük başka bir bölmeye soktu. Sanki bir mezbahanın buzhanesine girmiş gibi titredim. Hademe duvara gömülü kapaklardan birini açtı ve raylı bir sisteme oturtulmuş çinko kaplı sedye gibi bir nesneyi dışarıya çekti.

Sedyenin üzerinde plastik bir örtüye sarılı ceset ortaya çıkmıştı. Bir an cesede bakıp bakamayacağımı düşündüm. Daha şimdiden midemde bulantı öncesi garip bir kabarma başlamıştı. Bu işlere alışık polis memuru, cesetten çok garip garip Yalçın'la bana bakıyordu. Hademe işinin verdiği rahatlıkla plastik örtüyü açtı.

Kendimi zorlayarak metal sedyeye yaklaştım. Teşhis için cesede bakmak zorundaydım. Midemdeki bulantı daha da artmıştı. Yalçın zaten tanımadığı bir insana bakmak zorunda olmadığından bir iki adım geri kaçmıştı. Gözlerim önce cesedin yüzüne takıldı. Yüz şişmiş ve bir göz yok olmuştu. Manzara korkunçtu.

Midemden yükselen ifrazatı önlemek için yutkundum.

Sonra zorlanarak cesede bir daha baktım.

Otopsi uygulanmıştı. Cesedin boynundan karnının dibine kadar inen geniş bir dikiz izi vardı. Göğüs ve karın boşluğu önce açılmış sonra da dikilmişti. Daha dikkatli bakamıyordum ama bedende ufak ufak bir yığın diş izleri vardı. Bunun cesedin uzun süre denizde kaldığından balıklar tarafından yapılmış olduğunu düşündüm.

Kerim'in odasında kitaplar arasında bulduğum fotoğraftaki gülerek objektife bakan suratı anımsamaya, beynimde hayal etmeye çalışıyordum. Hiç kuşkusuz resimdeki görüntü ile şu an metal sedyede yatan ölü arasında bir ilişki kurmak olanaksızdı. Ama galiba bu ceset Emel'e ait olmalıydı. Saç rengi, burnunun dişlenmemiş sol yanı ve ovalliği bozulmuş çene yapısı kızınkine çok benziyordu.

Hademe kanıksamış bir edayla, "Tamam mı, gördünüz mü?" diye sordu. Bir an önce işini bitirip uzaklaşmak ister gibi bir hali vardı." Sonra Yalçın'a dönerek, "Beyim siz bakmayacak mısınız?" diye sordu.

Ben, yeter, gördüm anlamında başımı sallarken, Yalçın, "Hayır" diye mırıldandı boğuk bir sesle. Sıska hademe kendinden beklenmeyen bir maharetle cesedi soğuk hava dolabına itti ve bana dönerek, "Doktor beyle görüşmelisiniz" dedi. "Size sorulacak bir kaç suali var."

Yanımızdaki polisle beraber Doktor'un odasına girdik.

Adam elli yaşlarında, oldukça şişman ve güler yüzlü biriydi. İnsan sanki böyle bir yerde onun gibi sempatik birisinin bulunacağını düşünemiyordu.

Geniş fakat loş bir odası vardı. Bizi görünce parmaklarının arasındaki sigarayı izmarit dolu tablaya bastırırken hiçbir giriş yapmaya lüzum görmeden, "Siz şu denizde bulunan kız için geldiniz, değil mi?" diye sordu.

Başımı salladım.

"Teşhis edebildiniz mi?"

"Tam emin değilim" dedim.

Büyük bir iyimserlikle, "Bazen böyle olur" diye söylendi. "Denizde uzun süre kalan cesetler deformasyona uğrar."

"Suda ne kadar kalmış?"

"Kesin bir süre veremem ama tahminimce bir aydan fazla."

"Boğularak mı ölmüş?"

"Hayır" dedi.

Biraz şaşırarak suratına baktım.

"Ölüm sebebi kafa travması. Sert ve ağır bir cisimle kafasına vurulmuş. Kafatası kırılmış ve beyin tahribata uğramış."

Kekeleyerek, "Yani sizce önce öldürülüp sonra denize mi atılmış?" diye sordum.

"Evet, aynen öyle."

Manidar bir şekilde yüzüme baktı.

"Onu teşhis edemedinizse niçin ilgileniyorsunuz?"

Uyanmıştım. Doktoru ve yanımızda dikkatle bizi dinleyen memura açık vermemek zorundaydım.

"Ben avukatım" dedim. "Benim de bu yaşlarda kayıp bir müvekkilem var. Bulunan cesedin o olmasından endişe ettim."

Doktor pek inanmamış gibi bir bana bir de Yalçın'a baktı.

"Peki bu bey kim?"

"Yardımcı avukat arkadaşım."

"Hımm" dedi. "Bey de tanıyamadı mı?"

"O zaten müvekkilemi hiç görmemişti."

Bana pek inanmadığını sezinliyordum. Keşke Yalçın için başka bir şey söylesem, o da tanıyamadı filan deseydim, diye aklımdan geçirdim. Ama artık geçti.

Bozuntuya vermeden, "Acaba otopsi raporunun bir kopyasını alabilir miyim" diye sordum.

"Üzgünüm ama olmaz" dedi doktor. "Bunu ancak cesedin birinci dereceden yakınlarına verebiliriz. Fakat madem ki avukatsınız savcılık kanalıyla tedarik edebilirsiniz."

"Anlıyorum" diyerek kapıya yöneldim.

"Bir dakika" diyerek seslendi arkamdan. Doktora döndüm. Adam yarı mütebessim bir ifadeyde, "Madem yakını değilsiniz, size otopsi raporunun en ilginç yanını söyleyebilirim" dedi. "Gerçi bu bilgiyi yabancılara sızdırmak kurallara aykırıdır ama kız öldürüldüğü zaman dört aylık hamileymiş."

Yerimde donup kaldım.

Vaka şimdi çok farklı bir boyut kazanmıştı...

* * *

4

Her şeyden önce bir insan olarak üzülmüştüm. Zavallı Emel'in kimliği, kişiliği, ailesi ve toplum içindeki itilmişliği daha sonra gelebilirdi; ne var ki o yirmi yaşında gencecik bir fidandı ve karnında bir bebek taşıyordu. Şimdi ise bütün ileriye yönelik umutları, planları ve yaşama isteği ile beraber yok olmuştu. Hem de hunharca öldürülerek.

Kızı hayattayken hiç görmemiştim; yaşam tarzı, ahlaki değerleri ve bunu yaşama uygulama şekli beni ilgilendirmiyordu. O bir insandı ve yaşaması gerekirdi. Hukuk formasyonu ile eğitilmiş bir kişi olarak adalet duygularım galeyana gelmiş, buna sebebiyet veren her kimse, mutlaka cezalandırılması gerektiğini düşünmeye başlamıştım.

Passat'ı Nuh Kuyusu'na doğru sürüyordum.

Önce Vural'la görüşmeliydim. Kızın karnında bir bebekle öldürülmesi beni iyice çileden çıkarmıştı. Şimdi olayın rengi değiştiği için aklıma bin bir senaryo geliyordu. Tabii ilk önce de kızın hamile kaldığı için öldürülmüş olma ihtimali ağırlık kazanıyordu.

İnşallah Vural'ı evde bulurum diyordum. Birine patlamam ve boşalmam gerektiğini biliyordum. Boşalamazsam sinirden kahrolacaktım.

Eski evin kapısına dayandım ve paslı zilin kulpunu birkaç defa çevirdim.

İçerden Vural'ın "Geldim, geldim" diyen peltek sesini işittim. Biraz rahatladım, çok şükür evdeydi. Kapıyı açar açmaz biraz rengi attı, çekinerek yüzüme baktı.

"Sen miydin, Sinan'cığım?" dedi.

Sanırım suratımdaki sert ve sinirli ifade onu korkutmuştu. Yarım ağız, isteksiz bir ifadeyle, "Geç, buyur içeri" dedi.

Doğru odaya daldım.

Odun sobası gürül gürül yanıyordu. İçeri sıcak ve sigara dumanından gözgözü görmüyordu. Ufak tahta masanın üzeri yiyecek doluydu ve kerevetin üzerinde otuz yaşlarında, tanımadığım iri yarı bir adam rakı içiyordu. Adam aniden içeriye dalmam üzerine birden huylanarak yerinden fırladı. Gözleri hemen arkamdan içeriye giren Vural'a çevrildi. Vural mahcup şekilde, "Arkadaş komşumdur" dedi. "Malum, iş güç yok, efkar dağıtıyorduk."

İkisini de süzdüm. Yabancının tipini hiç beğenmemiştim. Bana bir sokak serserisi gibi görünmüştü. Vural'a dönerek, "Biraz görüşmemiz lazım" dedim sertçe.

"Görüşelim kardeşim. Oturmaz mısın?"

Nazarlarımı yabancıya çevirerek mırıldandım. "Yalnız görüşmeliyiz."

Adam içki aleminin en keyifli anında huzurlarını kaçırdığım için önce bana bozuk bir şekilde baktı, sonra Vural'ın ne karar vereceğini anlamak istercesine bakışlarını ona çevirdi. Vural bir baş hareketiyle adama dışarıya çıkmasını işaret etti.

İri yarı adam kerevetin üzerindeki paltosunu alarak tek kelime etmeden odadan çıktı. Az sonra kapısının sertçe kapandığını işittim.

Vural toparlanır gibi olmuştu.

"Otur şimdi. Haline bakılırsa bana tatsız bir haber getirdin galiba" dedi.

Önce masanın üzerindeki rakı şişesine baktım. Büyük şişenin dibinde üç parmak kalmıştı. Hesaba göre bir hayli alkollü olması lazımdı.

"Evet" diye homurdandım. "Gazete okur musun?"

Omuzlarını silkti. "Elime geçtikçe. Ara sıra yani. Bazen kahveye gittiğimde eşden dosttan alıp okuyorum."

"İki gece evvel Yenikapı açıklarında bir kız cesedi bulundu."

Vural'ın alkolden kızarmış yüzü sapsarı kesildi. Yarı uyuşmuş beyni bu haberin mahiyetini idrak edecek kadar açık olmalıydı.

Sesi titreyerek sordu, "Emel mi?"

Başımı salladım.

Yığılır gibi kerevete çöktü.

"Ya Kerim? Ondan da bir haber var mı?"

"Yok henüz."

Rahatlar gibi derin bir nefes aldı. Gözleri daldı. Bir süre konuşamadı. En nihayet, "Nasıl olmuş?" diye sordu.

"Başına sert bir cisimle vurularak öldürülmüş."

"Aman Allahım" dedi. "Kim yapmış bu vahşeti? Kendi halinde bir kızdı o."

İçimi boşaltmak sırası bana gelmişti.

"Bak Vural" diye homurdandım. "Bu olay beni gittikçe rahatsız etmeye başladı. Mesele bununla da bitmiyor. Bugün morgda korkunç bir şey daha öğrendim."

Merakla yüzüme baktı.

"Öldürüldüğünde kız gebeymiş!"

Aklımdan geçenleri anlamış gibi ayağa fırladı.

"Olamaz" diye inledi.

"Bal gibi de olmuş işte. Şimdi bana açık söyle. Bu oğlunun marifeti mi?"

Vural'ın gözleri büyüdü.

"Sen neler diyorsun Sinan? O asla böyle bir şey yapmaz. Kesinlikle yapmaz."

"Nasıl emin olabilirsin?"

Kekelemeye devam etti. Öğrendiği onun için tam bir şok olmuştu.

"Ben babayım, oğlumu tanırım. Unuttun mu, onu ben büyüttüm hem de tek başıma. Huyunu suyunu davranışlarını bilirim. O kızla da ilişkilerin o raddede ileri gitmiş olduğuna ihtimal vermem."

"Öyle mi sanıyorsun?"

Hiddetimden korkarak yüzüme baktı ama cevap vermedi.

Hep cüzdanımda taşıdığım adada çekilmiş resimleri burnuna dayadım.

"Bu fotoğraflara ne dersin öyleyse?"

Resimleri alıp bakmadı bile. Onları daha evvel gördüğü belliydi.

"Şimdi tekrar soruyorum, bana dürüst cevap ver. Kızı oğlun mu hamile bıraktı?"

Vural'ın omuzları çöktü, ağlamaklı bir sesle, "Bilmiyorum" dedi.

"Ama olabilir, değil mi?"

Bu kez sorum havada kaldı.

Hiddetimden ufak odada turlamaya başlamıştım. Sonunda bağırdım.

"Bana niye hep yalan söylüyorsun? Seni ikaz etmiştim. Benden yardım bekliyorsan bildiğin her şeyi dürüstlükle anlatmalıydın."

"Ne yalanı?"

"Geçen gelişimde oğlunu ya da seni arayan olup olmadığını sormuştum, sen de hayır yok demiştin. Yalandı verdiğin cevap. Sen yokken bu eve gizlice girip eve araştırdım. Oğlunun odası darmadağınıktı ve birileri bir şeyler aramıştı. Niye benden sakladın?"

Vural ağlamaya başlamıştı. Koca adamın omuzları sarsılıyordu.

"Bunu sana söyleyemedim Sinan, korktum."

"Kimden? Birileri yine seni tehdit mi etti?"

"Hayır. Ama belli ki peşimde birileri var. Az önce burada gördüğün adamı ne sanıyorsun? Onu bana yardımcı olsun diye evde tutuyorum. Anlayamadığım bir şeyler dönüyor etrafımda. Ben Adana'da iken bu eve girmişler. Söylediğin gibi Kerim'in odasını dağıtarak bir şeyler aramışlar. Ne aradıklarını bilmiyordum, inan bana."

Ağlayan arkadaşıma baktım. Yufka yüreğim ezilmişti yine.

"Bu resmin peşinde olabilirler miydi?" diye sordum.

"Bilmiyorum. Şu fotoğrafa bakabilir miyim bir daha?"

Fotoğrafı uzattım. Yaşlı gözlerini silerek elini uzattı. Resimlere uzun uzun baktı.

"Bunları ne zaman buldun?"

"Oğlunun odasını ilk incelediğimde."

Şaşırmış gibi bana sordu. "Niye bana söylemedin?"

Suçluluk burukluğu hissettim içimde. Aslında böyle sitemkar bir soru yöneltmekte haklıydı. "Bilmiyorum" diye homurdandım. "O sıra benden bazı şeyleri gizlediğini düşünüyordum."

"Ne gibi?"

"Mesela Emel'le oğlunun arasında ciddi bir ilişki olmadığını iddia etmiştin. Oysa resmin altındaki yazı ifadeni yalanlıyordu. Oğlun düpedüz kıza aşıkmış, baksana!"

Vural dalgın nazarlarla resme bakmaya devam etti. Sonra düşünceli bir şekilde mırıldandı. "Bu işte bir terslik var."

"Nasıl bir terslik?"

"Oğlumun kıza aşık olduğunu ve onu hamile bıraktığını düşünelim bir an" dedi. "Şayet aşıksa ve kızı gebe bıraktıysa onu niye öldürsün?"

"Ben sana öldürdüğünü söylemedim."

Yine şaşkın şaşkın yüzüme baktı. "Onu ima etmek istemedin mi?"

"Hayır."

Yüzü aydınlandı birden. "Anlatmaya çalıştığın nedir?"

"Şimdilik hiçbir şey. Benimki sadece bir faraziye."

"Nedir o faraziyen?"

Sustum. Beynimde şekillenen çeşitli düşünceleri bir türlü rayına oturtamıyordum. Vural'a cevep vermedim. "Temiz bir bardağın var mı?" dedim.

Garip garip yüzüme baktı. Ne için istediğimi ya da ne yapacağımı anlamamıştı.

"Ben de bir kadeh içki içmek istiyorum" diye söylendim.

Yüzü güldü, onunla içki içmeme sevinerek dışarıya fırladı. Sanki onun fakir ve mütevazı sofrasına oturmamı bir onur gibi değerlendirmişti. Az sonra elinde temiz bir limonata bardağı, eğri büğrü bir çatal ve çatlak bir porselen tabakla geri döndü. Büyük şişedeki arta kalan rakıyı bardağa koydu, sonra eğilip kerevetin altından bir ufak rakı şişesi daha çıkardı. Çocuk gibi sevinip heyecanlanmıştı. Bardağıma su koydu, ortadaki beyaz peyirin yenmemiş köşesinden bir parça kesip tabağıma bıraktı. Biraz da kıvırcık salata koydu.

İçkiden kocaman bir fırt çekerken, "Biliyor musun?" dedim. "Aysel'le görüştüm."

Benimle beraber içmek için kaldırdığı kadehi havada kaldı. Donmuş gibi, "Ne zaman?" diye sordu.

Ağır ağır anlatmaya başladım. "Mahir'i hatırlıyor musun? Mahir İçöz'ü. Kolejde aynı sınıftaydık."

Bir an gözlerini kısıp anımsamaya çalıştı. Belli belirsiz hatırladığını göstermek için başını salladı.

"Parlak bir mali müşavir şu sıralarda."

"Bilmiyordum" dedi. "Mezun olduğumuzdan beri görmedim."

"Mahir, bir zamanlar Cahit Kalaycıoğlu ile çalışmış. Onları iyi tanıyor. Gerçi şimdi onların yanında değil ama eski dostlukları hâlâ devam ediyor."

Hiç sesini çıkarmadan dinliyordu.

"Onunla arkadaşlığımız hâlâ sürüyor. Sık sık görüşüyoruz. Yılbaşında bizi bir baloya çağırdı. Nereye gittiğimizi tahmin edebilir misin? Vaniköy'deki yalılarına."

Vural yutkundu. Nefesini tutmuş devam etmemi bekliyordu.

"Orada Aysel'le tanıştm."

Dayanamadı sordu. "Ona benden bahsettin mi?"

"Evet, ona avukatın olduğumu söyledim."

Gururla yerinde dikleşti.

"Sağol Sinan. Sana minnettarım ve yaptığın bu iyiliği, inan, nasıl ödeyeceğimi bilmiyorum."

Gülümseyerek, "Senin bana yaptığın iyilik benimkinden kat be kat fazla" dedim.

Ne kasdettiğimi anlamadığından saf saf yüzüme baktı.

"Benim yaptığımdan mı dedin? Ne demek istiyorsun?"

"Boş ver, şimdi sırası değil, sonra konuşuruz o konuyu."

Üstelemedi. "Aysel sana nasıl davrandı?" diye sordu hemen.

"Tam anlamıyla afalladı."

"Afallamıştır, tabii kaltak."

"Ona Kerim'in kaybolduğunu söyledim."

"Kılı bile kıpırdamamıştır orospunun. Ana değil, bir canavar o." Sonra mahcup bir ifadeyle, "Küfürlü konuştuğum için beni bağışla, kendimi tutamadım" dedi.

Bir süre dikkatle Vural'ı inceledim. Rakı bardağını masaya bırakırken sakin bir şekilde ilave ettim.

"Onu görüşmek için büroma çağırdım."

"Yaa! Geldi mi?"

"Evet."

"Bunu nasıl başardın?"

"Çok basit. Kerim'in kayıp olduğunu söyleyince benimle görüşmek istedi."

Vural homurdandı. "Yıllar sonra anne olduğunu mu hatırladı yani?"

"Olabilir."

"Hiç samam."

"İşin garibi, bana seninkinden çok farklı bir hikaye anlattı."

"Nasıl yani?"

"Özetle kumara çok düşkün olduğunu ve bütün servetini kumarda kaybettiğini söyledi. Doğru mu? Evliliğinizi senin kumar tutkun mu sona erdirdi?"

"Allahını seversen Sinan, yoksa ona inandın mı? O ne sinsi aşiftenin tekidir! İnsanın beynine yılan gibi sokulup kandırır. Belli ki senin de fikrini çelmiş. Hiç olmazsa aklında bazı kuşkular yaratmış. Gerçi sinirlerimin bozuk olduğu yıllarda biraz kumar oynadım, bunu inkar etmiyorum ama asla evimin huzurunu bozacak ölçüde değil. Her erkek biraz kumar oynar, bilirsin."

"Ama Aysel öyle demiyor."

"Yalan söylüyor."

"İkinizden birinin yalan söylediği muhakkak."

"Hâlâ bana inanmıyor musun yoksa?"

Rakımdan bir yudum daha aldıktan sonra, "Ne bileyim? Kime inanacağımı şaşırdım artık! İkiniz de bana yalan söylediniz." diye bağırdım.

Başını önüne eğdi. Suçlu gibi sordu:

"Hâlâ çok güzel, değil mi? Hem de ilerleyen yaşına rağmen."

Bağırıp çağırması, Aysel'e küfür etmesi filan palavraydı. Kadına aşıktı ve unutamadığı zihninden silip atamadığı açıkça belli oluyordu. Belki de sinirle oturup içtiğim rakıdan olsa gerek, birden acıdım ona. Şu anda Vural'ı en iyi anlayacak insanlardan biri de ben olmalıydım. Onunla aynı yaştaydım ve dünyanın en güzel kızına tutulmuştum. Aşkın o ilahi gücünü bütün şiddetiyle ruhumda yaşıyordum. Hem benimki çok daha değişik bir aşk hikayesiydi; kişiliğini anlayamadığım, benden ne istediğini çıkaramadığım, ne sebeple uzak durduğunu kestiremediğim genç bir kıza abayı yakmıştım. Beni gerçekten sevip sevmediğini bile kestiremiyordum. Hem sevdiğimi söylüyor, hem de evlenme teklifimi geri çeviriyordu. Sanki benim durumum Vural'dan daha mı parlaktı? Eve her gidişimde yüreğim çarpıyor, acaba yine münakaşa edecek miyiz diye ödüm kopuyordu. Beni terkederse halimin Vural'dan daha beter olacağını çok iyi biliyordum.

Arkadaşıma anlayışla baktım.

"Evet" diye mırıldandım. "Gençliğini bilmiyorum ama şimdi çok güzel bir kadın. Keşke onu talebelik yıllarımda görseydim. Mukayese imkanım olurdu."

Vural'ın gözleri zaten ıslaktı.

"Fazla değişmedi o" dedi. "Tıpkı gençliğindeki gibi. Büyüleyici ve kahredici."

Aslında Aysel asla tipim değildi, ama aşkın sihirli tutkusunu çok iyi anladığımdan Vural'a saygı duyuyordum. Onun gözünde dünyanın en güzel kadınıydı o.

Derin bir soluk aldım.

"Şimdi sana önemli bir şey daha söyleyeceğim. Bunu bilmen lazım."

"Söyle kardeşim" dedi.

"Kalaycıoğulların Vaniköy'deki yalılarının önünde demirli duran bir tekneleri var, biliyor musun?"

"Bilmiyordum, ama bunun şaşılacak bir yanı yok. Herif Türkiye'nin en zengin ilk onu içine giriyormuş. Onun olmayacak da, benim mi olacak?"

Bir an olayı Vural'a nasıl açıklayacağımı düşünmeye çalıştım.

"O teknede esrarengiz bir takım olaylar oldu Vural."

Gözlerini yüzüme çevirdi. Uyuşuk alkollü beynine rağmen koku almış tazılar gibi nereye varmak istediğimi anlamak için dikkat kesildi.

"Ne gibi olaylar?"

"Sanırım Emel o teknede öldürüldü."

Bir an ağzı açık kaldı.

"Sen ne dediğinin farkında mısın?"

"Benimki sadece bir tahmin, ama kuvvetli bir tahmin" dedim.

Haberi bir süre içine sindirmeye çalıştı. Tıpkı benim gibi olaylar arasında bir bağ kuramıyordu. Şaşkın şaşkın yüzeme bakmaya devam etti.

"Senin boş konuşmadığını bilirim. Elinde mutlaka bir kanıt vardır."

"Evet var."

"Ne buldun?"

"Kıza ait bazı eşyalar."

Yüzü sararmıştı.

"Emel'e ait olduğuna emin misin?"

"Kızı tanıyan birine gösterdim"

"Kime?"

"Son oturduğu daireyi paylaşan kıza."

"Şu Jale dediğine mi?"

"Evet. Kız bulduğum giysilerin Emel'e ait olduğunu onayladı."

Vural şaşkınlığını üzerinden atamamıştı.

"Buna inanamıyorum" diye fısıldadı. "Elbiselerde kan lekeleri filan var mıydı?"

"Hayır. Elbiselerde kan izi görmedim."

"Şu Jale dediğin kız yanılmış olmasın, zira Emel'le Kalaycıoğulları arasında en ufak bir bağlantı kuramıyorum. Emel'in onlara ait teknede ne işi olabilir?"

"Sonunda burada Vural. Benim aklıma çok değişik bir şey geliyor. Acaba oğlu senden habersiz annesine sığınmış olabilir mi?"

Vural'ın yüzü bir anda acı ile kıvrıldı.

"Hayır, asla" diye itiraz etti. "Kerim öyle bir soysuzluk yapmaz. Para veya sevdiği kız için hayatı boyunca kendisini aramayan annesine gitmez. Oğlumu tanırım."

"Ama unuttuğun bir şey var."

"Neymiş o?"

"Kız gebeydi. Bunun Kerim'in başına ne tür bir problem açabileceğini düşündün mü hiç?"

Vural inanmazlık içinde sıktığı yumruğunu dişlemeye başladı.

Böyle bir ihtimali asla kabul etmek istemiyordu.

"Yani oğlumun annesine sığındığını ve bana haber vermeden ortadan kaybolduğunu mu anlatmaya çalışıyorsun? Aylardır beni merak içinde bırakacak ve en ufak bir haber vermeyecek öyle mi? Hayır, Kerim o tiynette bir çocuk değildir; bunu bana yapmaz, kabul edemem."

"Sakin ol Vural ve mantıklı düşünmeye çalış. Kız gebe kaldığı için Kerim'i sıkıştırdıysa, oğlun ne yapabilir? Alt tarafı Aysel onun annesidir, belki ondan yardım istemeye gitmiş olabilir. Sence mümkün değil mi? Tamamen olanaksız mı?"

Arkadaşım sesini çıkarmadan, bu ihtimalin kabul edilmezliğini anlatmak istercesine kafasını sallayıp duruyordu. İçine sindirememişti bir türlü.

Birden kaşlarını çatarak bana sordu.

"Ne anlama geliyor şimdi bu? Yoksa Emel'in katilinin Kerim olduğunu mu bana anlatmaya çalışıyorsun?"

Hani aklımdan da geçmiyor değildi. Ama yapım itibariyle hiçbir zaman elimde kesin bulgular olmadıkça kimseyi suçlamazdım.

"Hayır. Şimdilik öyle bir iddiam yok."

"Ne yani? Sonra mı oğlumu suçlayacaksın?"

"Kendini toplamaya çalış Vural" diye fısıldadım. Kızın eşyaları o tekneye gökten zembille inmedi ya? Belli ki Aysel de bu işe karışmış. Ama kızın kimin öldürdüğünü henüz bilmiyoruz."

Vural'ı titreme aldı. Bardaktaki rakıyı bir dikişte bitirdi. Küçük şişeden kadehin yarısına kadar yeniden içki doldurdu. Kaşları çatık, inanılmaz bir şeyle yüz yüze gelmiş gibi yüzünde garip bir seyirme başlamıştı. Durumu uzun bir zaman muhakeme ettikten sonra, "Belki haklı olabilirsin" diye fısıldadı.

Galiba nihayet sonunda olasılıkla kabul etmeye başlamıştı.

"Ne düşünüyorsun? Şimdi aklından geçenleri bana anlat" dedi.

"Henüz hiçbir fikrim yok. Ama bence polise yeniden gitmende yarar var."

"Polise mi? Onlara ne anlatabilirim ki? Ünlü sanayici Cahit Kalaycıoğlu'nun karısını cinayetle suçladığımı mı söyleyeceğim yoksa oğlum bir katildir mi diyeceğim? Benimle alay mı ediyorsun? Bunu yapamam. Öz oğlumu cinayetle itham edemem. Aysel katildir desem polis bir yeriyle bana güler. Sen çıldırdın mı? Hem bu iddiayı neyle kanıtlayacağım?"

"Emel'in giysileri elimde."

"Ben hukukçu değilim ama onları tekneden çaldığımızı her halde söyleyemeyiz."

İşte bu noktada Vural haklıydı. Bu benim hatam olmuştu. Düşünmeye başladım.

"Böyle elimiz kolumuz bağlı duramayız Vural" dedim. "Ortada bir cinayet var ve katillerin kim olduğu hakkında yaklaşık bir de kanaatimiz. Bunu polise bildirmek zorundayız."

"Ben yapamam. Düşünmeliyiz."

"Daha neyi düşüneceğiz?"

"Belki başka bir çıkar yol buluruz Sinan. Acele etme."

Ona anlayış göstermek istiyordum. Bir yanda oğlu, öbür yanda da herşeye rağmen hâlâ sevmeye devam ettiği eski karısı. Bu gerçekten zor bir seçimdi.

Yalvarır gibi, "Biraz daha bekleyelim Sinan" dedi...

5

Dairenin kapısını araladığımda mutfaktan gelen nefis yemek kokuları çarptı burnuma. Jale eve erken dönmüş ve yemek pişirmiş olmalıydı; birkaç gecedir dışarda yemek zorunda kalmıştık. En önemlisi, şeytan kulağına kurşun, şu son geceleri münakaşa etmeden aramızda hır çıkmadan geçiriyorduk.

Beni kapıda karşıladı, sarılıp bir hoş geldin öpücüğü kondurdu dudağıma. Sonra ufak bir çocukmuşum gibi yarı kızgın bir edayla, "Ne o? İçkilisin galiba? Ağzın kokuyor" dedi. Başımı salladım. "Vural'a uğradım. Bir iki kadeh rakı içtik."

"Tok musun? Ne güzel yemekler yapmıştım sana."

Aslında yemek yiyecek halde değildim. Jale'yi üzmemek için haberi hemen vermedim. "Açım" dedim. Niyetim sofrada konuya temas etmekti. Ben duş alırken o sofrayı kurdu. Sıcak su gergin sinirlerime iyi geldi.

Yemeğe başladığımızda lacivert gözlerini yüzüme dikti.

"Bu gece sende bir tatsızlık var. Sinirli görünüyorsun."

Tatsız haberi vermenin sırası gelmişti. "Sana kötü bir haberim var" dedim.

"Tahmin etmiştim zaten. Ne oldu?"

"Polis Emel'in cesedini denizde bulmuş."

Önce hiç sesini çıkarmadı. Yüzü kırıştı. Gözleri buğulandı.

"Ben de bundan korkuyordum zaten" diye mırıldandı. "Pek hoşlanmazdım, ama yine de üzüldüm. Yazık, çok gençti daha. Arkadaşından mı öğrendin?"

"Hayır. Gazeteden. Yenikapı açıklarında cesedi karaya vurmuş."

"Ne zaman?"

"Hesaba göre evvelki gece. Polis henüz kimliğini tesbit edememiş."

İştahı kaçmış gibi tabağını ileriye itti.

"Bugün morga gittim ve cesedi gördüm."

"Otopsi yapılmış mı?"

"Evet."

"İntihar mı?"

"Hayır. Cinayet."

"Şaşmamak gerekir. Emel intihar edecek kız değildi."

"İşin daha da ilginç yanı var. Kız dört aylık gebeymiş."

Jale omuzlarını silkti.

"Bana hiç şaşırtıcı gelmedi. Bir sürü gençle ilişkisi vardı."

"Ne dersin, Kerim onu gebe bırakmış olabilir mi?"

"Mümkündür tabii, ama bana sorarsan o olamaz."

"Neden?"

"Kız ona pek yüz vermezdi. Asıl eve sık gelip giden bir oğlan vardı, Tamer'di adı, bence bu işi o yapmıştır. Kaç gece bizim evde birlikte kalmışlardı. Jale'yi birkaç defa bir köşeye çekip uyarmıştım ama oralı bile olmamıştı. Üzüldüm ama doğrusu pek de hayret etmedim."

"Bu Tamer dediğin de öğrenci miydi?"

"Hayır. Yanılmıyorsam Şişli'de bir mağazada tezgahtardı. Çalıştığı yerin adını da söylemişti ama şimdi hatırlayamıyorum. Lise son sınıftan terketmişti. Bir gece hep beraber çay içerken söylemişti de öyle duydum. Gamze'de vardı o gece."

"Gamze kim?"

"Tamer'in kız kardeşi. Asıl Emel'in arkadaşı oydu. Oğlanı onun vasıtasıyla tanımıştı."

"Sence başka şüpheliler de olabilir mi?"

"Sorduğun suale bak Sinan, ne bileyim ben? Bu iş bu kadar aleni yapılmaz ki! Emel'in bir yığın erkek arkadaşı vardı, hangisiyle yatağa girecek kadar yakınlığını nasıl bilebilirim? Allah rahmet eylesin ama hafif bir kızdı. Yine de ben, bu işi Tamer'in yaptığını sanırım, çünkü ortadan kaybolmadan önce onunla çok sıkı fıkıydı."

Düşünmeye başladım.

Jale haklı olabilirdi. Ama beynimi kurcalayan nokta Emel'in teknede bulunan giysileriydi; ve bunun tek bir izahı olabilirdi.

"Ya Kerim?" dedim. "Sence o katil olamaz mı?"

"Mümkündür. Niye olmasın, teknede bulduğun elbiseleri unuttun mu?"

Jale de aynı şeyi düşünüyordu.

Kanımca başka katil adayı aramamız mantıksızdı. Ama şimdi aklıma yeni bir sürü soru takılmaya başlamıştı.

"Jale" dedim. "Acaba bu cinayeti Kerim'in üzerine yıkmak için bir komplo ile karşı karşıya olabilir miyiz?"

"Nasıl yani?"

"Mesela diyelim ki, Tamer dediğin genç Emel'i hamile bıraktı, kız da oğlana evlen benimle diye baskı yapmaya başlasın. Şayet oğlan Emel'in Kerim'le de ilişkisi olduğunu biliyorsa kızı öldürüp, suçu ve şüpheleri onun üzerine atamaz mı?"

"Biraz mantıksız değil mi?" dedi Jale.

"Neden?"

"Tamer, Kerim'in Aysel Kalaycıoğlu'nun çocuğu olduğunu nereden öğrenmiş olabilir ki? Kadın bütün dünyadan geçmişindeki bu sırrı saklamış, Tamer gibi bir zibidi nasıl bilebilir."

"Belki Kerim bir vesile ile Emel'e söylemiş olabilir. Emel de Tamer'e."

"Bence çok zayıf bir olasılık. Öyle bile olsa Tamer kızın giysilerini o tekneye nasıl bırakabilir? O teknenin Kalaycıoğlu'na ait olduğunu nereden bilecek?"

"Onu da Kerim'den öğrenmiş olabilir, mümkün değil mi?"

"Fazla uzak bir ihtimal. Ayrıca bütün bunları Kerim'in söylediğini farzedersek, bu da bize oğlanın annesiyle yakın temas içinde olduğunu göstermez mi? Oysa sen ikisinin hiç görüşmediğini söylüyordun."

Bu da doğruydu. Benimki gerçekten saçma bir teoriydi. Fakat Tamer denen genç midemi bulandırmıştı. Ne var ki, hiç yanılmadığım önsezilerim bu delikanlı üzerinde durmamı söylüyordu.

Yemekten sonra kanepenin üzerinde yanyana oturarak televizyondaki kanalları zaplarken Jale'ye, "Şu oğlanın çalıştığı dükkanın adını hatırladın mı?" diye sordum.

"Hatırlamadım" diye somurttu. Sonra, "Şimdi işi unut da biraz sevgilinle meşgul ol. O seni çok özledi" diye biraz daha yaklaşıp kucağıma uzandı.

Usul usul altın sarısı saçlarını okşarken, "Sen yine de hatırlamaya çalış" diye kulağına fısıldadım.

* * *

Ertesi gün allem ettim kallem ettim Jale'ye hastaneye göndermedim. Önce epey itiraz etti, olmaz, işime gitmeliyim, dedi ama sonunda benimle, Şişli'de Tamer'in çalıştığı dükkanı bulmayı kabul etti. Yol boyunca Tamer'den şüphelenmemizin saçma olduğunu, ortada Emel'in bulunan giysileri varken, başka katil adayı düşünmenin anlamsızlığını vurguladı durdu. Sonra da mağazanın adını anımsamadığını, ezbere vitrinlere bakarak dükkan isimlerinin çağrışım yapmasının beklemenin, saçmalığını tutturdu.

Belki haklıydı da. Ama sana yeni ciciler de alırım deyince, hemen sustu, gözleri ışıldadı. Aslında giyinip süslenmeye bayılıyordu, bu hevesini de gayet normal karşılıyordum. Her genç kız gibi yeni şeyler giyip dolaşmak, ona mutlu bir heyecan veriyordu. Maddi durumu pek parlak olmadığından istediği pek çok şeyi alamıyordu.

Bana dönüp, "Sahi mi?" dedi.

"Tabii" dedim. "Şayet istersen."

O yaramaz kız halini takınıp, "Evet, evet istiyorum" diye mırıldandı.

Surat asmayı bırakmıştı. Heyecanla sordu, "Ne alacaksın?"

"Ne istiyorsan?"

"Ayakkabı."

"Tamam. Başka?"

"Beni şımartıyorsun. Sana yük oluyorum ve biraz da utanıyorum."

"Saçmalama, seni sevdiğim için alıyorum. Ayrıca itiraf edeyim, alışveriş sırasındaki çocuksu heyecanına da bayılıyorum."

Zevklenerek direksiyon kullanmama aldırmadan koluma girdi..

* * *

Arabayı Şişli'de bırakarak Osmanbey'e doğru yürümeye başladık. Önce caddenin sol tarafını tarayacaktık. Jale, her mağazanın adını dikkatle okuyor ve hatırlamaya çalışıyordu. Bütün dikkatini verdiğini hissediyordum. Ama Rumeli Caddesi'nin kavşağına geldiğimizde hünez dükkanı bulamamıştık.

Bu iğneyle kuyu kazmak gibi bir şeydi.

"Tamer'in Şişli'de çalıştığını söylediğine emin misin?" dedim.

Yüzünü ekşiterek, "Evet" dedi. "Öyle demişti."

"Belki de yalan söylemiştir."

"Neden söylesin ki? Yalan söylemesi için bir sebep var mı?"

"Bilmem!"

Pangaltı'ya doğru ilerliyorduk, birden irkildi. "Dur!" diye bağırdı. Baktım, gözleri az ilerdeki bir dükkanın vitrinindeki yazıya takılmıştı.

"Ne var? Buldun mu?" diye sordum.

"Yanılmıyorsam, şurası." Eliyle ilerdeki bir mefruşatçıyı işaret ediyordu.

Dükkanın üzerinde "Ak Zambak" yazıyordu.

"Emin misin?"

"Evet. Baksana garip bir ismi var. Bu yüzden aklımda kalmadı."

"Gel benimle."

"Ne yapacağız şimdi? Bir planın var mı?"

"Gelirken yolda bir şeyler düşündüm. Bu Tamer denen genç seni anımsar her halde, değil mi?"

"Bilmem, hatırlaması lazım tabii. Kaç kere Gayrettepe'deki eve geldi."

"Şimdi sakin ol. Birlikte içeriye gireceğiz ve sen bana Tamer'i göstereceksin."

"Sonra?"

"Gerisine sen karışma. Çocukla ben konuşacağım."

Jale heyecanlanmaya başlamıştı. Yüzünün sararmaya başladığını farkettim.

"Ne o, korkuyor musun yoksa?"

"Ne bileyim? Şimdiye kadar bana oyun gibi geliyordu. Ama..."

"Ama ne?"

"Ya sen haklıysan? Ya Emel'i cidden o öldürdüyse?"

"Dur bakalım, birazdan anlarız."

Sevgilimi kolundan tutup içeriye girdik. Pek büyük bir mağaza değildi. Kasada saçları sarıya boyanmış, aşırı makyajlı orta yaşlı bir kadın duruyordu. Geride tezgahın arkasında kel kafalı, zayıf bir adam elindeki desenli bir top perdeliği rafa yerleştirmeye çalışıyordu. İçerde ne müşteri ne de aradığımız Tamer vasfında biri vardı.

Adama doğru yürüdük. Bizi müşteri sandı, sahte bir gülümseme ile yaklaştı.

"Burada çalışan Tamer isimli bir genci arıyoruz" dedim.

Adamın yüzündeki tebessüm anında kayboldu. Kaba bir şekilde, "Ayrıldı" dedi.

"Ne zaman?"

"İki aya yaklaşıyor."

Tatsız bir haberdi bu. Anlaşılan çalıştığı yerlerde dikiş tutturamayan biriydi.

"Şimdi nerede çalıştığını biliyor musunuz?"

"Hayır."

Adam biraz pirelenmiş gibi bizi süzüyordu. Konuşmasından onun Musevi asıllı olduğunu tahmin etmiştim. "Niçin arıyorsunuz onu?" diye sordu.

"Ben avukatım."

Adam başını sallarken, "Anladım" diye mırıldandı. "Başkalarını da dolandırdı her halde."

"Sizi de mi?" dedim.

Pişkin pişkin sırıttı yeniden. "Deneyecekti ama ben uyanık davrandım."

"Ev adresini biliyor musunuz?"

Kısa bir tereddüt geçirdi.

"Evet, isterseniz verebilirim. Ama benden öğrendiğinizi söylemeyeceksiniz. O itle başımın derde girmesini istemem."

"Tamam" dedim. "Söz veriyorum, açıklamam."

* * *

Az sonra arabayı parkettiğimiz yerden almış ve elimizdeki adresi bulmak üzere Büyükdere'ye yollanmıştık. Jale'ye söz verdiğim alışverişi ister istemez başka bir güne ertelemiştik. Önce bir çocuk gibi dudaklarını büzüp somurttu. Ama giriştiğimiz araştırmanın heyecanı da ona yeni bir zevk vermişti. Kısa sürede somurtukluğu geçti.

Büyükdere'ye gelince, adresteki sokağı araştırmaya başladık. Arabadan inmeden birkaç kişiye sordum. Adresi bulmak zor olmadı. Denize paralel uzanan dar Büyükdere asfaltına dik inen sokaklardan biriydi. Sokağa saparken az kaldı, hızla giden bir minibüse çarpacaktım. Şoför hem suçlu hem güçlü, durmadan uzaklaşırken bir de küfür etti.

Aradığımız ev üç katlı bir apartmandı. Yan tarafına tamirat nedeniyle bir iskele kurulmuştu ve üzerinde iki işçi çalışıyordu. Arabayı münasip bir yere çektim. İkimiz de dışarı çıktık.

Apartmanın dış kapısı açıktı. Mefruşatçıdan aldığım bilgiye göre ikinci katta oturuyordu. Merdiveni çıkıp, dairenin zilini çaldım. İçerden bir sesler geldi. Kadının biri, "Ayol kapı çalınıyor, baksanıza şuna" diye bağırıyordu. Nihayet kapı açıldı. Elli yaşlarında görünen, başı beyaz örtülü, şişmanca bir kadın kapıda belirdi. Elinde bir bıçak ve iki tane havuç tutuyordu. Kapı açılır açılmaz mutfaktan geldiğini sandığım kesif bir soğan kokusu burnuma çarptı. Bir an bizi görünce afallayarak suratlarımıza baktı. İçerden sonuna kadar açık televizyonun sesi aksediyordu.

Bizim tipimizde bir insanla karşılaşacağını sanmamıştı.

"Kimi aramıştınız?" diye sordu.

"Tamer beyi" dedim.

Kadın huzursuz bir ifadeyle, "Niçin arıyorsunuz?" dedi.

"Kendisiyle görüşmem lazım."

Sanki kadının huzursuzluğu artmıştı.

"Şirketten mi geliyorsunuz?" diye sordu bu defa.

Kısa bir tereddüt geçirdim. "Ben avukatım" dedim. Bu kadının sorusuna cevap değildi; bahsettiği şirketin ne olduğunu bilmiyordum, ama bu yuvarlak lafımdan şirket avukatı olduğumu da düşünebilirdi. Nitekim, "Bir dakika" diyerek kapıyı açık bıraktı ve odalardan birine yürüyerek, "Oğlum kıssana şu meredi biraz" diye bağırdı. "Bak dışarıda bir avukat seninle görüşmek istiyor. Galiba şirketten gelmiş."

İçerdeki televizyonun sesi kısıldı önce, sonra yirmi beş yaşlarında yakışıklı, yeşil gözlü bir genç yanımıza yaklaştı. Blucinin üzerine sarkıtılmış ön düğmeleri açık, yeşil buruşuk bir gömlek vardı sırtında. Terlik giymemişti ve yüzündeki sakal en azından üç günlüktü.

Önce bana baktı fakat arkamda duran Jale'yi görünce birden yüzü bembeyaz kesildi. Jale'yi görmekten memnun olmadığını hemen anladım. Ne söyleyeceğini, nasıl davranacağını şaşırdı birden. Nitekim konuşamadı, put gibi durdu karşımızda.

Jale, "Merhaba Tamer" demek zorunda kaldı.

Delikanlı neden sonra güçlükle kendini toparlayarak, "Merhaba" diyebildi. Gözleri bana dikilmişti. "Benden ne istiyorsunuz?" diye sordu.

Adeta panik başlamıştı çocukta. Annesi de arkadan merakla bizleri süzüyordu.

"Sana birkaç soru sormak istiyorum delikanlı" dedim.

"Ne hakkında? Ben sizi tanımıyorum."

"Bu hiç önemli değil. Ben bir kanun adamıyım ve sorularımı cevaplamak zorundasın."

Düpedüz blöf yapıyordum. Hele *kanun adamı* lafı bayağı etkileyiciydi. Paniğe kapılmak üzere olan bir insan, yasal olarak böyle bir yetkimin olmadığını o şartlar altında kolay kolay idrak edemezdi.

"Ben hiçbir şey bilmiyorum" dedi.

Bu kadarı bile, onun çok şey bildiği fikrini doğurdu bende.

Kendini suçlu hissetmeyen bir insanın aniden paniğe kapılması ve hiçbir şey bilmediğini söyleyerek inkara sapması, bir şeyler gizlediğinin göstergesiydi. Daha oğlana tek soru bile sormamıştım ama yüzü boncuk boncuk terlemişti.

Bir iki adım geri attı antrenin içinde ve aynı şeyi tekrarladı.

"Vallahi olayla bir ilgim yok.. Onu çok uzun zamandan beri görmemiştim. İnanın doğru söylüyorum."

"Neyi doğru söylüyorsun? Daha ne için geldiğimizi bile bilmiyorsun ki?"

Durakladı birden. Bu sefer kekeleyerek, "Siz.. şey için gelmediniz mi?" dedi.

Ağır ağır başımı salladım.

"Evet, onun için geldik."

"Yani Emel için?"

"Hı hıh."

Delikanlının annesi olan kadın devreye girdi. Birden oğlunun yanına geçti.

"Neler oluyor burada?" diye sordu. "Ne istiyorsunuz bizden?"

Bu defa kadına bakarak söylendim.

"Oğlunuz cinayetle suçlanıyor, hanım."

Kadının gözleri faltaşı gibi açılarak Tamer'e baktı.

"Neler diyor bunlar oğlum? Ne cinayeti?"

"Onlara inanma anne! Palavra sıkıyorlar. Ben kimseyi öldürmedim."

Jale arkadan lafa karıştı.

"Bize suçsuz olduğunu isbat edebilir misin?

Delikanlı pis pis sevgilime baktı.

"Bu adamı buraya sen mi getirdin?"

"Evet" dedi Jale.

Başı yemenili anne, tatsız olayların olacağını anlamıştı. Başka bir odaya koşarak bağırmaya başladı. "Gamze uyan! Kalk diyorum sana. Doğru babana koş. Onu hemen al buraya getir."

Daha kapıya varmadan eşikte genç bir kız göründü. Genç ve güzeldi. Esmer tenli ve ağabeyi gibi iri yeşil gözlüydü. Uyku mahmurluğu dolu nazarlarla bize baktı. O da Jale'yi görünce biraz sarsıldı. Bozuntuya vermemeye çalışarak, "Merhaba Jale abla" dedi.

Anne daha da şaşırmıştı. Onun olanlardan hiç haberi olmadığını anlamıştım. Bu defa kızına dönerek, "Tanıyor musun gelenleri?" diye sordu.

Kız cevap vermedi, ürkek şekilde ağabeyine bakmaya devam ediyordu.

"Dur! Babama gitmene lüzum yok. Önce avukat beyi dinleyelim bir kere."

Tamer yavaş yavaş toparlanıyordu. Uğradığı ilk şoku atlatmıştı. Hâlâ tedirgin ve şüpheli bakışlarla süzüyordu bizi ama o ilk korkuyu atlatmış gibiydi.

"İki gün evvel Emel Soylu'nun cesedi denizden çıkarıldı" dedim.

"Biliyorum. Gazeteden okudum."

Sırıttım. "Bunu gazeteden öğrenmem imkansız delikanlı, çünkü henüz cesedin kimliği tesbit edilemedi. O cesedin Emel'e ait olduğunu nereden biliyorsun?"

Tamer kızardı.

"Biliyorum işte.. Resmi gördüm ve tandım."

"Yalan söylüyorsun. Ben cesedi gördüm ve yine de tanımakta zorlandım. Sen nasıl tanıyabilirsin? Gazetelerde çıkan resimler teşhis için çok yetersizdi. Şimdi bana doğruyu söyle, onu sen mi öldürdün?"

"Hayır, ben yapmadım. Emeli niye öldüreyim ki? O benim arkadaşımdı."

"Ama onu öldürmen için bir sebep vardı."

Kızararak yüzüme baktı.

"Nasıl bir sebep?"

"Çünkü gebeydi."

Tamer'de hiçbir değişiklik olmadı. Kardeşi Gamze "Aman Allahım" diyerek elleriyle yüzünü örttü. Belli ki kız da bu haberi ilk benden alıyordu. Anne hâlâ şaşkınlığını üzerinden atamayarak, "Kız babanı çağır" diye Gamze'yi iteklemeye başlamıştı.

Delikanlı nihayet, "Biraz yalnız konuşabilir miyiz?" dedi bana.

"Tabii neden olmasın?"

Beni soldaki ufak bir odaya aldı. Jale ve ana kız antrede kalmışlardı. Tamer'in beni aldığı oda gayet basit döşenmişti. Duvar dibinde çekyat olarak kullanılan bir kanepe vardı. Üzerinde hâlâ toplanmamış bir yatak duruyordu. Oğlan beni oturtabilmek için aceleyle yatağı toparlayıp üstündekileri bir yere yığdı, kanepeyi oturulacak hale getirdi. Ben oturunca da bir iskemle çekip karşıma geldi.

"Bak avukat bey, onu ben öldürmedim. Size yemin ederim. Jale'yi çok uzun bir zamandan beri de görmüyordum.

"Ne kadar uzun zamandır?"

"En azından altı, yedi ay olmuştur."

"Onunla cinsel ilişkiye girdin mi?"

Biraz utanır gibi oldu.

"Evet, bunu saklamayacağım. İki üç kere yattık."

"Ne zaman?"

"Tam olarak hatırlamam imkansız. Ama çok oldu. İnanın doğru söylüyorum.. Hem o pek sağlam bir ayakkabı değildir. Hafif bir kızdır. Onunla tek yatan ben değilim."

"Senden gebe kalmadığını nasıl bilebilirsin?"

"Şey.." diye mırıldandı. "Ben böyle bir kazadan korunmak için hep prezervatif kullanırım. Başıma bir şey gelmesinden korkarım."

289

Dikkatle suratına baktım.

Nedense bana doğru söylüyor gibi geldi.

"Hem Emel'le son zamanlarda aramız pek iyi değildi, hatta görüşmüyorduk" diye devam etti.

"Neden?"

"Şu içerdeki kız yüzünden. O benden hiç hoşlanmazdı. Emel'e bunu kaç defa söylemiş, o oğlandan sana hayır gelmez, ona takılma, diye uyarmış. Ne zaman evlerine gitsem, suratı asılır, hemen odasına çekilirdi. Ben de hep o yokken gelirdim."

"Yani Emel'in gebe olduğunu bilmiyordun?"

"Hayır. Gençliğimin üzerine yemin ederim ki bilmiyordum."

"Peki" dedim. Seninle beraberken de başkalarıyla kırıştırıyor muydu?"

Bu sorumu beğenmemiş gibi suratı asıldı.

"Onu bilemem. Belki de. Dedim ya pek sağlam bir ayakkabı değildi."

"Kerim Toksöz isimli birini tanıyor musun?"

Tamer suratına bir yumruk yemiş gibi sarsıldı birden. Kerim'in adı bile onu titretmeye yetmişti. Gözlerini kırpmaya başladı.

"Hayır, tanımıyorum."

"Yalan söyleme, tanıyorsun."

Bocalaması devam ediyordu, düşünürmüş gibi yaptı. Nedense tanıdığını itiraftan çekinen bir hali vardı.

"Haa" dedi. "Şu tıfıl oğlan mı? Hani Emel'in okul arkadaşı? Evet, bir iki kere görmüştüm. Adını çıkaramadım birden. Ne olmuş?"

"Emel'i o gebe bırakmış olabilir mi?"

Bir Aşk Masalı - F: 19

"Ne bileyim avukat bey? Ona sorun."

"Ben sana soruyorum, çünkü Kerim kayıp."

"Kayıp mı? Hiç bilmiyordum."

Oğlanın titremesi daha da artmıştı. Üsteledim.

"Bana bak! Bildiklerini tam olarak anlatmazsan seni tutuklarım. Anladın mı?"

Şüpheyle yüzüme bakıyordu. Korkunun tüm benliğini kapladığını sezinledim.

Birden yerinden fırladı. Avazı çıktığı kadar bağırarak konuşmaya başladı.

"Ne yapacaksanız yapın ulan! Beni yine dövmeye mi geldiniz? Yetti artık canıma! Hadi durma.. Vur bana.. Öbür herifler nerede? Aşağıda mı bekliyorlar?"

Tamer sinir krizine tutulmuş gibi yumruğunu göğsüne indirip duruyor, adeta kötü talihine meydan okuyordu. Direnme gücünü yitirmişti.

Odanın kapısı açıldı dışarda bekleyenler içeriye daldılar. Anne oğluna sarılarak onu teskin etmeye çalışıyordu. Kadın ve Gamze denen kız, kötü kötü Jale ile bana bakmaya başlamıştı. Kadın da bağırmaya başladı. "Çıkıp gidin evimizden. Oğlumdan ne istiyorsunuz, defolmazsanız şimdi polis çağıracağım."

Hiç aldırmadım.

"Ben de onu istiyorum zaten" dedim sükunetle.

Oğlan zayıf düşmüş, iradesini kaybederek nihayet açık vermişti. Demek birileri onu hırpalamış ve üstüne varmışlardı.

Hayrettir fakat aramızda ilk toparlanan yine Tamer oldu. Polis lafını duyunca hemen sinmişti. Annesini bastırmaya çalıştı.

"Tamam ana tamam.. Bağırmaya lüzum yok. Ben iyiyim. Polis filan çağırmaya gerek yok. Konuşuyorduk sadece. Siz dışarı çıkın."

Kadın çıkmak istemedi. Tamer anasıyla kardeşini iterek çıkardı ve kapıyı kapadı. Jale odada kalmıştı. Delikanlı nefesini ayarlamaya çalışıyordu. Soluk soluğaydı.

Jale ile bakıştık. Ona göz kırptım. İşler yolunda der gibi.

"Tamam!" dedi Tamer. "Ben ağzımı kapattım. Kimseye bir şey söylemedim. Ama bu kızın burada işi ne? Onu niye getirdiniz?"

Göz ucuyla Jale'yi işaret ediyordu.

"Kerim'i asıl ona sorun. Oğlanı asıl o biliyordur. Emel'le aynı evi paylaşıyordu."

Bozuntuya vermeden devam ettim.

"Onu da sıkıştırdık. Ama o fazla bir şey bilmiyor."

Keyifle sırıttı. "Onu da okşadınız mı, bana yaptığınız gibi?"

"Evet hem de daha fazlasını."

İrkilerek Jale'ye baktı.

"Demek ondan hiç sesi çıkmıyor. O zaman benim masum olduğumu anlamış olmanız lazım. Ben bir bok yemedim. Size o kızı ben gebe bırakmadım diyorum."

"Öyleyse soruma cevap ver. Kerim mi yaptı?"

Oğlanın yeniden tepesi atmaya başlıyordu.

"Yahu siz neyin peşindesiniz?" diye homurdandı. Ben bildiğimi anlattım, bütün bunları adamlarınızla konuştuk. Bir çuval da dayak yedim. Hâlâ benden ne istiyorsunuz? Canımı mı? Şimdi de karşıma avukatını gönderiyor. Söyle o karıya artık bana bulaşmasın. Bak, yemin ediyorum, başıma geleceklere aldırmam, ben polise giderim."

"Dur biraz! Hangi kadından bahsediyorsun. Karı dediğin de kim?"

Dik dik yüzüme baktı oğlan.

"Kim olacak, seni buraya gönderen karı. Patronun."

Gözlerim bir an Jale'ye takıldı. Sevgilim de oğlanın kimi kasdettiğini anlamıştı galiba. Heyecandan sarardı.

"Aysel hanım mı?" diye sordum.

"Adı her ne boksa, nereden bileyim?"

"Onu ne zaman gördün?"

"Ne yani? Sen bilmiyor musun?"

"Bilmiyorum."

Kızgın kızgın yüzüme baktı.

"Aklınca ağzımı mı arıyorsun? Konuşup konuşmayacağımı mı merak ettiniz? Tabii ya, kızın cesedi ortaya çıkınca pirelendiniz, değil mi?"

"Demek o kadının adını bilmiyorsun?"

"Yahu nereden bileyim? Beni apar topar arabanın içine atıp götürdünüz. O kilitli dükkana sokup konuşturdunuz. Hiç birinizi tanımıyorum zaten. Karı da o pis dükkana geldi. İlk defa görüyordum. Bana kimliğini açıklayacak değildi ya?"

"Dükkan Rumelihisarı'nda mıydı?"

"Evet.. Biliyorsun işte!"

"Kadını daha evvelden tanımadığına emin misin? Gazetelerde veya mecmualarda hiç resmini görmedin mi?"

"Boş versene sen! Ben mecmua filan okumam. Gazeteler de, elime geçerse sadece spor sayfalarına bakarım."

"Esmer güzel bir kadındı, değil mi? Otuz ile kırk yaşları arasında. Bakımlı ve çekici."

"Ehh, öyle sayılır. Ama şeytan görsün yüzünü."

"Söyle bakalım şimdi.. Sana ne sordu ve neden dövdürdü?"

Oğlan başını iki yana sallayarak homurdandı. "Hey Allahım! Yine aynı şeylere döndük. Ne soracak, sizin sorduklarınızı tabii. Emel'i sen mi gebe bıraktın dedi. Ben de hayır dedikçe, yanındaki o heriflere yumruklattı."

"Ama yüzünde hiç yara izi görmüyorum. Ne kırık var, ne çürük."

"Sizinkiler bu işin ustası. Bak!."

Tamer gömleğini ve fanilasını yukarı kaldırdı. Jale ile gözlerimiz oğlanın çıplak gövdesine kaydı. İri iri enine darp izleri hâlâ duruyordu.

Acı acı sırıttı: "Bir buçuk ay kan işedim."

"Peki niye polise gitmedin?"

"Yahu dalga mı geçiyorsun benimle? Yoksa kafayı bulmaktan hoşlanıyor musun? Daha yirmi beş yaşındayım. Yaşamak istiyorum. O karı konuşursam beynime bir kurşun sıktıracağını söyledi."

Sonra birden aklına gelmiş gibi Jale'ye döndü.

"Sana ne yaptı bunlar? Dayak yemekle mi kaldın?"

Jale profesyonel bir oyuncu gibi, "Daha da beterini" dedi.

"Yoksa bir de düzdüler mi seni?"

Başını salladı Jale.

Tamer nerdeyse zil takıp oynayacaktı. Jale'nin başına gelenlere adeta sevinmişti. Ondan hiç hoşlanmadığı belliydi.

Jale'nin hazırladığı mizansene de bayılmıştım doğrusu. Oğlanın yerinde olsam ben de inanırdım.

"İyi olmuş doktor hanım" diye homurdandı. "Yoksa bunlara beni sen mi ihbar ettin, ha?"

Böyle bir ithamı hiç beklemeyen Jale'nin birden tepesi attı.

"Deli misin sen? Başka işim gücüm yoktu da seni mi ispiyonlayacaktım serseri" dedi.

Jale ile uğraşmaktan vazgeçen Tamer yeniden bana döndü.

"Bana söyler misiniz kuzum; dövüldüğümden beri hep bunu düşünüyorum. Siz kimsiniz? O kadın, Emel'in nesi olur? Kızı o kadar düşünüyor, korumak istiyorsa, neden ölümüne mani olmadı? Hem bana bir cinayetten bahsediyorsunuz, gazeteler öyle demiyor, ama bir cinayetse onu kim öldürdü?"

Oyun şimdilik iyi gidiyordu. Tamer yakışıklı bir gençti ama zeki olmadığı kuşkusuzdu. Durumu bozmak istemedim.

"Orası seni ilgilendirmez" diye terslendim.

"Yoksa namus davası mı? Emel kimsesi olmadığını söylerdi, galiba yalanmış. O kadın yakını mıydı? Yoksa Emel'i siz mi öldürüp denize attınız?"

"Bu işi fazla kurcalama" diye homurdandım.

Delikanlının artık Emel'in katili olmadığını biliyordum. Yine de çok önemli bir şey öğrenmiştim. Aysel Kalaycıoğlu, Tamer'i bir köşeye çekip kızı gebe bırakanın o olup olmadığını anlamak için onu dövdürmüş ve tıpkı bizim gibi gerçek failin o olmadığını anlayınca susması için öldürmekle tehdit etmişti.

Şu anda, katil henüz belli değildi. Fakat şüphelerim gittikçe dağılıyor ve beynimde olaylar biraz daha aydınlanıyordu. Artık muammanın pek çok noktasını birbirine bağlayabiliyordum. Yine de beynimi kurcalayan bir sürü nokta açıktaydı.

Gerçek anahtarın Kerim de olduğunu anlamıştım. Onu bir bulsam bütün düğüm çözülecekti.

Jale'ye "Hadi gidelim" dedim.

Evden çıkarken bütün aile sessiz fakat husumet dolu nazarlarla bizi süzüyorlardı.

ALTINCI BÖLÜM

1

Kefeliköy'den Hacı Osman Bayırı'na vuruncaya kadar konuşmadık. Passat bayırı hızla tırmanırken Jale bir bacağını kıvırıp bana döndü.

"Konuşmuyorsun.. Söyle bakalım, ne tilkiler dolaşıyor beyninde?"

Gözümü yoldan ayırmadım.

Yol tenhaydı, yağış olmamakla beraber gök koyu kurşuni bulutlarla kaplıydı.

"Ne düşünceğimi bilmiyorum" diye homurdandım.

"Bilirsin, bilirsin" dedi. "Sen kurt gibi zekisindir."

Şaka olsun diye takıldım. "Sen başımda akıl mı bıraktın? Aklım bir karış havada."

Önce zevkle gülümsedi.

"Ben öyleyimdir işte! İnsanın aklını başından alıveririm" dedi. Sonra, "Bence bu iş aydınlandı artık. Hiç şüphem kalmadı. Emel'i Aysel Kalaycıoğlu öldürtmüş. Bunun başka izahı yok" diye kendinden emin bir şekilde devam etti.

"Ama neden? Aysel Kalaycıoğlu gibi bir kadının cinayet işlemesi için çok önemli bir neden olmalı. Durumunu, içtimai mevkiini, evlilik huzurunu tehlikeye atacak kadar mühim bir sebep."

"Daha sebep mi arıyorsun? Düşünsene, oğlu bir kızı gebe bırakıyor. Bu onun imajını ve toplum içindeki itibarını sarsmak için yeterli bir sebep değil mi?"

"Ama onun oğlu bulunduğunu kimse bilmiyor. Bunu istismar edecek ya da şantaj olarak kullanacak kimse yok."

"Belki basından korkmuştur?"

"Hiç sanmıyorum."

"Ona şantaj yapacak kimse aklına geliyor mu?

"Hayır, böyle biri aklıma gelmiyor."

"Ya şu arkadaşın? Vural mıydı adı, neydi? O yapabilir mi?"

"Ne olursa olsun, Vural'ın böyle bir işe kalkışacağını sanmam. Unutma ki bir yanda oğlu diğer yanda da sevdiği kadın var. O asla yapmaz. Ayrıca unuttuğun bir nokta daha var. Kadının Emel'i öldürtmesi en az maruz kalacağı şantaj kadar tehlikeli. Eğer cinayeti o işlediyse bence çok daha geçerli bir sebep olmalı. Kimse cinayet riskini kolay kolay üstlenmez."

Jale sustu. Düşünmeye başladı.

"Acaba oğlana ne oldu?" diye sordu.

"Kerim'e mi?"

"Evet. O da ortada yok. Sakın o da öldürülmüş olmasın."

"Hiç zannetmiyorum."

"Neden?"

"Oğlanın öldürülmesinde kimsenin menfaati yok ki?"

"Hiç belli olmaz. Belki Aysel onu da öldürtmüştür."

"Öz oğlunu mu? Saçma!"

"Niye öyle diyorsun? Evlat katili ilk ana o değil her halde!"

"Sevgilim! Çok saçma bir fikir bu!"

"Niye? Bana hiç de öyle görünmüyor."

"Bilmiyorum, biliyorum" diye güldüm. "Sen Aysel'i ilk gördüğün andan itibaren ısınamadın."

"Bak, bu doğru işte. Yüzde yüz isabet!"

* * *

Ani bir kararla Tarabya kavşağından yeniden sahil yoluna inmeye karar verdim. Işıklardan aşağıya sapınca Jale, "Nereye gidiyoruz?" dedi.

"Nasılsa yapacağımız bir iş kalmadı şimdilik, zamanımız bol, önce Tarabya'da bir yemek yiyelim, ne dersin?"

"Peki" dedi Jale, ama pek memnun olmamış gibiydi.

"Ne o? Memnun olmadın mı?"

Çocuk gibi dudaklarını büzdü.

"Hani bana söz vermiştin, unuttun mu?"

"Alış verişi mi?"

"Evet." Sesi kırgın ve küskün gibi çıkmıştı.

"Unutmadım sevgilim" dedim. "Ama Boğaz'a kadar gelmişken önce bir yemek yeriz sonra bütün öğleden sonrayı da sana ayırırız. Tamam mı?"

Hemen uzandı, kollarını boynuma doladı ve yanağımdan öptü.

"Seni seviyorum" dedi.

İçimden gülmek geldi. Yirmi yedi yaşındaki bir doktordan çok, on altı yaşlarında yeni yetme bir kız çocuğu gibiydi. Yanağımdan öpmekle de kalmadı, dudaklarıma uzandı. Az kaldı direksiyon hakimiyetini kaybediyordum. Allahtan yol tenhaydı ve indiğimiz yolda pek trafik yoktu.

Yalancıktan, "Uslu dur!" diye çıkıştım. Ama o aldırmadı ve bir süre daha beni öpmeye devam etti. Dünya umurunda değildi.

Öpüşme faslını bitirdiğinde arabanın radyosunu kurcalamaya başladı. Tarabya'ya iniyorduk. Birden ona sordum. "Ne zaman evleneceğiz?"

Radyoda istasyon aramaya devam etti. Cevap vermemişti.

"Sana bir soru sordum, beni duydun mu?"

"Duydum."

"Ama cevap vermedin."

Ciddileşir gibi oldu. "Niye beni bu kadar sıkıştırıyorsun Sinan? Sana biraz sabırlı olmanı söylemedim mi?"

"Söylemesine söyledin, ama durumumuzu anlamıyor musun? Çok komik bir yaşantımız var. Hiç etrafında ilişkisi bizimkine benzeyen bir çift biliyor musun?"

"Ne varmış ilişkimizde?"

"Güldürme beni Jale! Durumumuz çok komik. Birbirimizi seviyoruz ama sana yaklaşmama izin vermiyorsun. Bu daha ne kadar sürebilir ki?"

"Ne demek istiyorsun?"

"Sanırım yeterince açık konuşuyorum. Artık tahammülüm kalmadı. Seni arzu ediyorum. Bir erkek olarak bu heyecanımı takdir etmen lazım."

"İnsafsızlık etme. Sana ilgisiz mi davranıyorum."

"Hayır, ama bu bana yetmiyor."

Radyonun düğmesini kapattı. Koltuğuna yaslandı, suratını astı.

"İşin kolayını buldun" diye mırıldandım. "Bu konu açılınca hemen suratını asıp köşene çekiliyorsun. Hiç olmazsa sebebi öğreneyim, ne beklediğimizi bileyim?"

Soğuk bir sesle, "Eve dönmek istiyorum" dedi.

Yüzüne baktım.

"Yemek yemeyecek miyiz?"

"Hayır!"

"Ya alışveriş?"

"Onu da istemiyorum."

"Bak gördün mü? Yine başladın. Sebepsiz surat asma, iş o noktaya gelince hır çıkarma. Hep bunu yapıyorsun."

Konuşmadı.

"Anlayamıyorum" diye fısıldadım. "Çok garip bir durum. Bir kız kendini bu kadar seven bir erkekten niye esirger? Artık hayatını kazanmış, olgun ve yetişkin bir kızsın. Seni bundan alıkoyan hiçbir neden olmamalı. Şayet beni gerçekten seviyorsan, tabii."

Hışımla bana döndü.

"Yoksa sevgimden de mi şüphe ediyorsun?" diye hırçın bir şekilde bağırdı.

"Hayır," dedim. "Beni sevdiğini biliyorum bu nedenle de yaptıklarına bir anlam veremiyorum."

"Bekle o halde?"

"Tamam da ne zamana kadar? Hiç olmazsa onu söyle de bileyim."

Ağlamaya başladı. Başını dışarıya çevirip gözyaşlarını saklamaya çalıştı. Dedim ya, yufka yürekliydim, sevdiğim insanın gözyaşına dayanamazdım.

"Pekala" diye fısıldadım. Tamam, ağlama.. Üzülmeni istemiyorum. Anlaşıldı bu konuyu kapatacağız."

Genellikle böyle münakaşalarda üstüne varmazsam, hemen toparlanır, eski neşesi avdet ederdi. Fakat bu sefer ağlamaya devam etti. Gözlerinden sicim gibi sessiz gözyaşları akıyordu.

"Ağlama artık" dedim. "Kapattım artık konuyu."

Bir süre daha içini çekerek ağlamaya devam etti. Neden sonra:

"Sen haklısın" diye mırıldandı. "Hiçbir erkek bu duruma katlanamaz. Ne kadar güzel ve çekici bir kadın olduğumu biliyorum. Yerinde hangi erkek olsa bu tepkiyi gösterirdi. Belki ben yanıldım, seni diğerlerinden daha farklı sandım. Ama artık dayanamayacağım, sana gerçeği anlatacağım."

"Hangi gerçeği?"

"Seninle sevişmemiz... yani o şeyi ... yapmamız imkansız. Hiç olmazsa, şimdilik imkansız."

"Neden?"

Hıçkırmayı kesti. Ama yüzüme bakmıyordu.

"Söyler misin Jale, neden imkansız?"

"Ben özürlüyüm."

Hiçbir şey anlamamıştım. Garip garip yüzüne baktım.

"Özürlü mü? Ne demek o?"

"Doğuştan yani.. Anatomik ve fizyolojik bir kusur. Ciddi ve önemli bir ameliyat geçirmem lazım. Ancak ondan sonra o şeyi yapabilirim."

Birden donakaldım. Sanırım ne demek istediğini anlamıştım.

"Ciddi mi söylüyorsun? Yoksa bu da beni oyalamak için uydurduğun bir yalan mı? Malum ya, beni atlatmak için bir sürü uyguladığın taktik vardır."

Hâlâ gözlerinden yaşlar akıyordu.

"Sevgilim benim de seni ne kadar arzuladığımı hissetmiyor musun? Konuşturma şimdi beni, bazen düz duvara tırmanacağım geliyor. Çıldıracak gibi oluyorum."

Bu sefer numara yapmadığını anlamıştım. Yüreğim parçalanır gibi oldu.

"Niye o bahsettiğin ameliyatı olmadın?" diye sordum.

"Önce uzmanlık stajımın bitmesi gerekiyor."

"Ameliyatın stajla ne alakası var?"

Kalın dudaklarını büzdü. "Senin gibiler için sorun değil, tabii. Fakat ben önce hayatımı kazanmalı ve gerekli parayı temin etmeliyim."

"Para mı? Bu hiç önemli değil. Ne kadar lazım? Ben hemen ödeyebilirim."

"Bunu diyeceğini tahmin ediyordum. Olmaz.."

"Ne demek olmaz! Böyle bir konuda paranın lafı mı olur?"

"Tahmin ettiğin gibi değil sevgilim. Bu çok nadir rastlanan bir hal. İstatistiklere göre on milyonda bir; ne yazık ki Tanrı onu da bana verdi. Ameliyat çok özel bir uzmanlık gerektiriyor. Bunu sadece Cleveland'de yapabiliyorlar."

"Ne farkeder? Biz de oraya gideriz."

Jale dalgın dalgın önüne baktı.

"Yine de hiçbir doktor kesin garanti veremez."

İçimde bir şeylerin cız ettiğini duyumsadım. Kızın feci problemini şimdi anlıyordum.

"Ne olursa olsun, denemeliyiz. Şansımız nedir?"

"Tıbbi istatistiklere göre yüzde yetmiş."

"Oldukça yüksek bir oran. Mutlaka derhal ameliyat olman lazım."

"Ama.. nasıl olur? Stajım ne olacak?"

"Şimdi stajı düşünmenin sırası mı?"

"Oraya gitmek çok para gerektirir. Benim için bunu yapamazsın."

"Yine saçmalamaya başladın. Seni seviyorum."

Jale sustu. Yüzü parıldadı birden.

"Hiç Amerika'ya gittin mi?" diye sordu.

"Üç defa."

"Orayı ben de çok görmek isterdim."

"Göreceksin hayatım ve sıhhatine orada kavuşacak, benim olacaksın. Yarın ilk iş olarak pasaport muamelelerine başlayacağım."

Uzanıp minnetle elimi tuttu.

"Hadi şimdi istediğin yerde yemek yiyelim" dedi.

Üzüntü ile sevinci aynı anda yaşıyordum.

Gençti ve sağlıklı bir bünyesi vardı. Bu ameliyatı başarıyla atlatacağına emindim.

* * *

Önce yemek yedik, öğleden sonra da bizim tarafa geçip Bağdat Caddesi'nden alış veriş yaptık. Jale ameliyat dahil, her şeyi unutmuş mutluluk içinde yüzüyordu. Ben ise aklımdan işlerimin durumunu geçiriyordum. Aslında önümüzdeki bir buçuk ay içinde önemli duruşmalarım vardı. Yardımcılarımın halledemeyeceği cinsten bazı davalar. En kötü ihtimalle mesleki başarısına güvendiğim başka bir arkadaşımı yerime vekil tayin etmeyi düşündüm. Ameliyatın süresi, nekahat devresi ve de sonrası için uzun bir zamana ihtiyacımız olabilirdi. Ve başımda bir de Vural'ın sorunu vardı. Farkında olmasam da beni bir hayli uğraştırdığını biliyordum.

Akşam altıya doğru yorgun argın eve döndük. Jale yeni aldığı giysilerini paketlerden çıkarıp sırtında denerken, ben de çalışma odama geçip bankalardaki para durumumu bir gözden geçirdim. Amerika'da en azından bir buçuk ay kalıp zorlu bir ameliyat geçirmek epey masraflı olacaktı. Dolar hesabıma bir göz attım.

Akşam yemeği yiyecek halimiz yoktu. Ben bir meyveli yoğurt yedim, Jale de bir elma ve bir muzla yetindi. Biraz televizyon seyrettik ve erken sayılacak saatte odalarımıza çekildik. Bir süre uyuyamadım. Bugün sevgilimin sıhhatı hakkında öğrendiklerim neşemi epey kaçırmıştı. Gözlerim kapanırken saate baktım, bire geliyordu.

* * *

Ertesi sabah uyandığımda aklım hâlâ biraz karışıktı. Jale'nin şu doğuştan sahip olduğu fizyolojik sıkıntının ne biçim bir şey olduğunu hâlâ tam olarak anlamamıştım. Dün kızı daha da üzmemek için üstüne varıp işin aslını soramamıştım ama şimdi düşündükçe bu işte bit yeniği sezinler gibi oluyordum. Neyi eksikti? Ya da ne tür bir anatomik kusuru vardı? Şunu ağzından bir dinlesem hiç de fena olmayacaktı.

Traş oldum, duşumu aldım, giyinirken o da kalktı. Tuvalete girdiğini duydum.

Doğru tuvalet kapısına dayandım. Daha uykusunu alamamış, mahmur gözlerle dışarıya çıktı. Saçı başı dağınıktı ama yine de o haliyle bile çok güzeldi. "Günaydın hayatım" dedi. Elinden tutup salona doğru yürüttüm.

"Hayrola? Sabah sabah nereye gidiyoruz?" diye sordu.

"Bana bir açıklama yapacaksın. Şu sorununu iyice bir anlamak istiyorum. Bunun utanılacak bir yanı yok. Fazla tıbbi bir açıklama istemiyorum, yalnızca anlayabileceğim bir dille sorununu bilmek istiyorum. Öğrenmek istediğim şey çok basit; cinsel ilişkiye neden giremiyorsun? Bu nasıl bir fizyolojik sıkıntı?"

"Aaa! "dedi. "Sen daha hâlâ orada mısın?"

"Anlayamadın? Ne demek o?"

"O dünkü numaraydı?"

"Ne? Numara mı?"

"Tabii ayol! Baksana, bende öyle yarım bir kadın hali var mı? Allah korusun, sapasağlam bir kadınım ben."

"Yani bana yine oyun mu oynadın?"

"Kızma sevgilim. Dün arabada birden aklıma geldi. Hem gerçekten Amerika'ya gitmek hiç de kötü bir fikir değildi. Ne dersin, evlenince balayımızı Amerika'da geçirelim mi? Düşünsene hem gönlümüzce gezer hem de bol bol sevişiriz. Ben orayı hiç görmedim. Hayalimde hep Amerika'ya gitmek fikri vardı.

Birden çıldıracak gibi oldum. Gerçekten de oynatabilirdim. Bütün geceyi rahatsız bir uyku içinde geçirmiş, aptal gibi ona inanarak içim içimi yemişti. Gözlerimden hiddetimi hemen anladı. Ona unutamayacağı bir ders vermeliydim. Asla şiddeti benimsemeyen biriydim, ama bu sefer onu dövmeyi kafama koydum. Bu kadarı fazlaydı artık.

"Seni çılgın, arlanmaz, utanmaz yaratık!" diye kolundan yakaladım.

"Dur! Sinirlenme hemen!" diye karşı koymaya çalıştı. "Ne yapayım, elinden kurtulmak için, arada sırada, ufak, zararsız yalanlar kıvırıyorum. Sen de hepsine hemen inanıveriyorsun hayatım. Kabahat bende mi?"

"Zararsız yalanlar mı? Dün bütün geceyi uykusuz geçirdim."

"Böyle olacağını bilseydim, söylemezdim."

"Bunu sana ödeteceğim."

"Ne yapacaksın? Beni dövecek misin?"

"Evet" diye bağırdım.

"Hiç senin gibi kültürlü, nazik, anlayışlı bir beyefendiye kadın dövmek yakışır mı?"

Hiddetimden söylenmeye devam ediyordum.

"Bak yakışır mı, yakışmaz mı, şimdi göreceksin!"

Kararlı ve ciddi olduğumu anladı. Lacivert gözleri irileşti. Bir an korkuya kapılarak yüzüme baktı. Sonra bir ceylan gibi sıçrayarak elimden kaçtı. Fakat kafama koyduğumu yapmaya kararlıydım, başka türlü rahatlayamayacağımı, içimi kaplayan öfkeden kurtulamayacağımı biliyordum.

Peşinden seğirttim. Hızla odasına doğru kaçmaya başladı. Salondan fırladı ama koridorda ona yetiştim ve omuzlarından kavradım. Direndi. Birlikte yere yuvarlandık.

"Bana vurursan bağırırım. Komşulara rezil olursun" dedi.

"Hiç umurumda değil. İstersen bütün dünyayı ayağa kaldır. Yetti artık bu yaptığın maskaralık."

Elimden kurtulmak için yerlerde altalta, üstüste boğuşuyorduk. Keçi gibi inatçı ve güçlüydü de. Halının üzerinde nefes nefese kalmıştık.

"Isırırım" dedi.

"Gücün yetiyorsa ısır."

Ağzını açıp, bembeyaz dişleri ile kolumu ısırmaya çalıştı ama kolumu ağzından uzak tutmayı başarıyordum. Sonunda yavaş yavaş takati azalmaya başladı. Yenik düşüyordu. "Tamam" dedi. "İllaki öfkeni bastırmak için beni tokatlayacaksan kabulüm. Cezayı hak ettim, ama yüzüme vurmak yok."

Nefes nefese "Tabii" diye homurdandım. "Yüzüne vurmam."

Aslında yerlerdeki boğuşmamız bir tür cinsel heyecan, birbirini arzulayan iki ayrı cinsin cinsellik dolu hareketliliği idi.

Jale hareketsiz kaldı. Kollarını boynuma doladı.

"Sadece popoma vuracaksın, değil mi? Fazla acıtmadan."

"Ona garanti veremem."

Kucakladım, kollarımın arasına aldım ve onu yatak odama götürdüm. Yatağın üzerine oturdum ve dizlerimin üzerine yerleştirdim. Suçluluğunu kabul etmiş, sessizce cezasını bekliyordu.

Gecеliğini sıyırdım. Dolgun kaba etleri ortaya çıktı.

Manzara öylesine güzel ve tahrik ediciydi ki havaya kalkan elim öylece kaldı.

"Hadi" dedi. "Popomu seyretmeyi bırak da ne yapacaksan yap!"

Elimi hafifçe çıplak teninin üzerine koydum. Dövmeyi değil, okşamayı tercih ediyordum. Hiç sesini çıkarmıyordu.

Başını kaldırıp yüzüme baktı.

"Beni böyle mi döveceksin?"

"Lanet olsun!" diye homurdandım. "Öyle güzelsin ki, yapamıyorum."

"Benim biricik sevgilim" dedi gülümseyerek. "Ne kadar tatlısın!"

2

O sabah ister istemez evden biraz geç çıktık. Değişen bir şey yoktu; sinirlendiğimle kalmış, yarı çıplaklığı karşısında öfkem falan geçmişti. Heyecanlandığımı görünce biraz okşamama ses çıkarmamış, sonra ellerim işi azıtınca ok gibi kucağımdan fırlayıp kalkmıştı. Çocuk gibi oynuyordu benimle; öylesine teslim olmuştum ki, en çıkar yolun artık üstüne varmamak ve kaprislerine boyun eğmek olduğunu anlamıştım. Hiçbir şey olmamış gibi kahvaltımızı ederek çıktık evden. Hatta onu hastaneye bırakıp büroma dönerken mutlu olduğumu bile hissediyordum. Hayrettir fakat o sabahki oynaşmamız bile bana yetmiş, güne dinç ve ümit dolu başlamamı sağlamıştı.

Oysa berbat bir gün geçirecektim. Ne var ki, o sırada bunu bilemezdim..

Tam öğleye doğru yazıhaneye Erdoğan Sarıkaya diye biri telefon etti ve benden randevu istedi. Ziyaret sebebini sorduğumda da mevzuu telefonda konuşamayacağını söyledi. Adamı tanımıyordum, beni nereden bulduğunu sorduğumda da müş-

terek bir dostumuzun adını verdi. Aklıma kötü bir şey gelme-
mişti. Bazı müşteriler evhamlı ve titiz olurlar, telefonda fazla ko-
nuşmak istemezlerdi. Bunu anlayışla karşılardım.

Adam tam randevu saatinde büroya geldi.

Elli yaşın üstünde, şık giyimli, tombul ve kibar birine ben-
ziyordu. Koyu gri takım bir elbise giymiş, desenli papyon kravat
takmıştı. Eskiden sarı olduğu anlaşılan saçları iyice dökülmüş,
sadece şakaklarında kalmıştı. Onların da çoğu ağarmıştı. Tom-
bul ve bakımlı elleri yeni manikürden çıkmış gibiydi. Tırnakları
bakımlı fakat biraz uzundu.

Yer gösterdim, oturdu.

Dudaklarında hiç eksilmeyen bir tebessüm vardı. İnsana
tepeden bakarmış gibi olan hali biraz sinirime dokunmuştu. Ba-
na hep öyle olurdu; insanlarla ilk temas anını çok önemli sayar-
dım, şayet o kişiye ilk nazarda ısınamazsam, çoğu zaman ondan
sonra da hoşlanmazdım.

"Buyrun sizi dinliyorum" dedim.

"Uzun boylu vaktinizi almak istemiyorum. Mümkün ol-
duğunca kısa kesmeye çalışacağım. Size bir teklif getirdim."

Susup bir an sessizce yüzüme baktı. Ne teklifi diye sorma-
mı bekliyordu.

Beynimden ilk uyarı sinyallerini o an almaya başladım. Bu
adamdan hoşlanmamakta haklıydım. Tam olarak kestirememek-
le beraber az sonra bana ters gelen bir teklifle karşılaşacağıma
yüzde yüz emindim.

Kaşlarımı çatarak dikkatle gözlerinin içine baktım.

O garip ve küçümseyici tebessümü yüzüne daha da yayıl-
dı. Beni tartıyordu.

"Ne kadar istiyorsunuz?" diye sordu birden bire, damdan
düşercesine. Sanki hangi konudan bahsettiğini biliyormuşum
gibi.

Soğuk bir şekilde, "Biraz garip değil mi?" dedim.

"Garip olan nedir?"

"Bana davanızı anlatmadan alacağım ücreti sormanız."

"Vakit kazanmak istedim Sinan Bey. Benim zamanım çok değerlidir. Lafı uzatmanın hiç anlamı yok. İstediğiniz rakamı söyleyin, hemen bu işi noktalayalım."

Adamın yüzüne sırıtarak baktım.

"Ne sizi tanıyorum ne de bana vermek istediğiniz davayı biliyorum. Olayı incelemeden hiçbir davayı kabul edemem. Bu prensibimdir. Ücret konusunu da ancak bundan sonra görüşebiliriz."

"Olayı çok iyi bildiğinize eminim. Durmadan araştırma yapıyorsunuz. Sizi her an takip ediyoruz. Boşuna vakit geçirmeyelim."

Durumu birden kavrar gibi oldum. Ama bozuntuya vermedim.

"Daha açık konuşsak iyi olur" dedim.

Şişman adam masanın üzerine acele bir göz attı.

"Umarım ses kayıt eden bir cihaz kullanmıyorsunuzdur?"

"Hayır. Rahat olabilirsiniz."

"Ben Kalaycıoğlu Holding'in üst düzey bir yetkilisiyim. Şimdi anladınız mı?"

Tabii ki anlamıştım, ama başımı iki yana sallayarak:

"Hayır" dedim. "Henüz bir şey anlamadım."

"Bence anladınız. İki yüz bin dolar! Ne dersiniz?"

Sırıtarak, "İki yüz bin dolar mı?" diye sordum.

Erdoğan Sarıkaya duraklamadan, "Üç yüz bin olsun" dedi.

"Demek üç yüz bin?"

"Evet. Ve bu teklifimizin son sınırıdır."

"Yok canım? Bunun karşılığında ne yapmamı istiyorsunuz?"

"Bu işi tamamen unutmanızı."

"Anlayamadım, nasıl yani?"

"Yeterince açık değil mi? Meseleyi kapatacaksınız ve bir daha hiç ilgilenmeyecek, araştırmaları kesecek ve Vural Toksöz'le görüşmeyeceksiniz."

"Ve öldürülen kızı da sonsuza kadar unutacağım, değil mi?"

"Çok doğru!"

Derin bir nefes aldım. "Sizi buraya gönderen Aysel Hanım maalesef yanlış kapı çalıyor. Bunu kendisine büroma geldiğinde de anlatmaya çalıştım, ama görüyorum ki yeterince anlamamış."

Şişman adam manikürlü tırmak uçlarına bakarak mırıldandı.

"Yanılıyorsunuz. Beni buraya Aysel Hanımefendi göndermedi."

"Öyle mi? Peki kimin adına geldiniz?"

"Cahit Kalaycıoğlu adına."

"Ne farkeder, ha Ali ha Veli? İkisi de aynı yola çıkar."

"Yanılıyorsunuz Sinan Bey. Cahit Bey bir işe el atarsa, mutlaka o işi sonuçlandırır."

"Nasıl?"

"Nasılı hiç önemli değil; bir yolu bulunur."

"Bunun takdiri size kalmış artık. Mesajımızı aldınız. Arzum bana hemen cevap vermeniz şeklindeydi. Yanımda hamiline yazılmış boş bir çek var. Evet deseydiniz hemen size takdim edecektim. Görüyorum ki, biraz düşünmeniz gerekecek. İsterseniz yine de iki üç dakika düşünün. Size bu şansı tanıyacağım, zeki bir olduğunuzu tahmin ediyorum."

"Ya hayır demekte ısrar edersem?"

Şişman adam omuzlarını silkti.

"Siz bilirsiniz? Tercih sizin."

"Diğer tercihimin ne olduğunu söylemediniz."

"Bunu bilemem. Bazen soğuk bir kurşun, umulmadık bir trafik kazası veya onun gibi bir son olabilir."

"Anlıyorum" diye mırıldandım. "Şimdi derhal büromu terkedin yoksa hemen polise telefon edeceğim."

Sırıtarak ayağa kalktı.

"Yanılmışım" dedi. "Mesleğinizde profesyonel biri değilmişsiniz. Çok hissi ve mantıksız davranıyorsunuz. Gerçekleri göreceğinizi ve tarafları tatmin eden en rasyonel çözümü kabul edeceğinizi tahmin etmiştim."

"İşlenen cinayetin rasyonelliği olmaz. Bunun hesabını adalete vereceksiniz."

"Hiç sanmıyorum avukat bey. Biz bu teklifimizle biraz da sizi korumak istemiştik. Gerçek niyetimiz buydu."

"Beni korumak mı? Ne anlama geliyor bu?"

"Düşünsenize, polis bir gün öldürülen kızla bizim aramızda bir bağ kurarsa siz de okka altına gidebilirsiniz?"

"Nasıl?"

Erdoğan Sarıkaya şimdi masamın önünde ayakta duruyordu. Asap bozucu bir rahatlıkla papyon kravatını iki yanından çekiştirdi ve pişkince sırıttı.

"Kalaycıoğlu ailesi bana, yalıları önünde demirli teknelerine gizlice birinin girdiğini, kilitli kapıyı demir bir çubukla kırdığını ve oradan bir çantayı çaldığını söyledi. Bu meçhul hırsızın, ben ona şimdilik hırsız diyorum ama pekala katil de olabilir, çubuk üzerinde ve teknenin kamaralarında parmak izleri bırakmış olması çok mümkündür. Polis bu izleri kolaylıkla saptayabilir."

Adamın ne demek istediğini anlamıştım. Tekneye girmekle hata ettiğimi biliyordum ama başka alternatifim yoktu. O şahsın ben olduğumu anlamışlardı ve şimdi beni bir de o noktadan sıkıştırıyorlardı.

"O kişinin gerçek katil olmadığını siz de biliyorsunuz" dedim. "Ama o deliller sizin başınızı çok ağrıtabilir."

"Kesinlikle hayır. Çünkü katil onları aleyhimize delil olarak kullanamaz. Zira onları teknede bulduğunu iddia edemez. Etse de inkar ederiz. Öldürülen kızla bizim hiç bir ilgimiz, organik bir bağımız yok. Öyle bir şırfıntı ile Kalaycıoğlu ailesinin ne alakası olabilir? Ama parmak izlerinden tekneye giren şahsı tesbit edebilirsek hiç olmazsa aleyhimize komplo hazırlayan şahsın kim olduğunu anlarız."

Adamın muhakemesi mantıklıydı. Yine de itiraz ettim.

"Ya öldürülen kızın hamile oluşu? Acaba o kızı Aysel Hanım'ın oğlu gebe bırakmış olamaz mı?"

"Kızın iffetsiz olduğu ve önüne gelenle yattığını siz de biliyorsunuz. Bundan pratik bir netice çıkaramazsın."

"Adli Tıp çıkarır."

"Acaba mı? Buna emin misiniz?"

"Tıbbın günümüzde bu olanakları var."

"Buna pek güvenmeyin. İş bu yola dökülürse aleyhinize bir rapor çıkacağını düşünüyorum."

"Yoksa bir açık çek de onlara mı verdiniz?"

Adam tekrar sırıttı. "Cahit Bey her olasılığı düşünür."

"Hoşçakalın avukat bey" dedi.

Hırsımdan dudaklarımı kemirdim.

"Güle güle. Yine görüşeceğiz."

Kapıya doğru ilerlerken, "Hiç sanmıyorum" diye mırıldandı...

* * *

Uzun süre döner koltuğumda sallanıp durdum. Hâlâ aklımın takıldığı bir yığın soru yerli yerinde duruyordu. Şimdi sahneye yeni figüranlar çıkıyordu ama bunlar sadece aklımın biraz daha karışmasından fazla bir şey yapmıyorlardı.

Beynimi en fazla kurcalayan husus benden neden çekindikleriydi! İyi bir ceza avukatı değildim; hatta bu sahada hiç tecrübem yoktu. Onları korkutan fazla bir bilgiye de sahip değildim. Gerçi elimde Kalaycıoğlu'ların teknesinde bulunmuş maktuleye ait giysiler vardı ama acemice bunları delil olarak kullanma şansını da yitirmiştim. Şu halde susmam için bana niye rüşvet teklif etmişlerdi? Hatta daha da ileri gitmişler ve beni ölümle tehdit etmişlerdi. Şu halde bildiğim sandıkları fakat hâlâ ne olduğunu kestiremediğim çok önemli bir koza sahip olduğumu düşünüyorlardı.

Acaba bu ne olabilir, diye düşünmeye başladım.

Aklıma bir şey gelmiyordu.

Hâlâ bu muammanın kilidinin Kerim olduğunu sanıyordum. Acaba oğlan neredeydi? Onun yaşadığına emindim. En kuvvetli ihtimal çocuğun bir yerde saklandığı idi. Bence Aysel onu himayesine almıştı. Ve kanımca bunu analık duygusundan çok kendi geçmişinin ortaya çıkmaması için yapıyordu.

Aklıma birden Eşref Koza geldi. Cin gibi bir gazeteciydi ve her tarakta bezi olan biriydi. Hemen telefona sarıldım, çalıştığı gazeteyi aradım. Oldukça yakın bir dostluğumuz vardı, tıpkı Mahir gibi onunla da sık sık tenis oynardık. Bir aydan beri görmüyordum; en son temyiz duruşması için gittiğim Ankara'da uçak beklerken havaalanında karşılıklı içki içmiştik. Şansım yaver gitti ve gazetede yakaladım.

Önce havadan sudan lafladık. Sonra, "Söyle bakalım" dedi. "Önemli bir şey olmasa beni işyerimden aramazsın. Derdin nedir?"

Lafı ağzımda eveleyip geveledim. "Senden Cahit Kalaycıoğlu hakkında bilgi istiyorum" dedim.

"Hayrola? Onunla ne işin olabilir senin?"

"Orasını kurcalama."

"Pekala, öğrenmek istediğin nedir?"

"Bu adamın şehir içindeki, yazlığı, sayfiye yerlerindeki evleri, çiftliği ve onun gibi gayrımenkullerinin bir listesini istiyorum senden."

"Dalga mı geçiyorsun? Beni tapu müdürü mü sandın?"

"Çok ciddiyim Eşref. Fazla vaktim olsa ben de araştırabilirim ama bana bu bilgi bir an önce lazım."

Arkadaşım işi şakaya boğdu.

"Ne o? Yoksa mallarına haciz mi uygulayacaksın?"

"Hayır. Ama yakında bir bomba patlatabilirim ve söz veriyorum, bu bomba patlarsa bir gazeteci olarak bunu ilk sen duyacaksın."

Birden Eşref'in ciddileştiğini telefonun öbür ucundan hissettim.

"Sana inanırım" dedi. "Neyin peşinde olduğunu bilmiyorum ama istediğin bilgiyi yarım saate kadar fakslayabilirim. Lakin verdiğin sözü unutmayacaksın, değil mi?"

"Evet" dedim. "Söz veriyorum. İlk duyan sen olacaksın."

* * *

Yarım saati geçti. Faksta tık yoktu..

Yavaş yavaş huylanmaya başladım. Acaba Eşref istediğim bilgileri temin edememiş miydi? Kendi kendimi morallendirmeye çalıştım; Eşref'i tanırdım, yapamayacağı şeye söz vermezdi. Biraz daha beklemeliydim.

Telefon görüşmemizin üzerinden bir saat on dakika geçti. Tam bu işi beceremediğini düşünmeye başladığımda faks harekete geçti. Bilgiler tıkır tıkır geliyordu.

Keyiften dört köşe oldum. Tedbir olarak sıraladığı gayrımenkullerin kime ait olduğuna dair isim vermemiş, sadece bazılarının yanına "eşine ait" ibaresi koymuştu. Bu daha da güzeldi. Zenginlik hoş şeydi tabii, önümde upuzun bir liste oluşmuştu.

Kağıdı alarak masama oturdum. Birer birer incelemeye başladım. İş yeri binaları ve şirketlerinin mülkiyetinde olan gayrımenkulleri listeye almamıştı. İçlerinden üç tanesi özellikle dikkatimi çekti. Rumelihisarı'ndaki metruk bina da dahil edilmişti ama çocuğun orada alıkonulduğunu ya da rızası ile kaldığını kabul edemezdim. Onu bir kalemde sildim. Kışın oturdukları Levent'deki evi ve Etiler'deki daireyi de hesaba katmadım. Keza ayak altındaki yalıyı da. Çocuğu burada saklamazlardı. Dikkat çekici olabilirdi.

İşaretlediğim üç yerden biri Eskihisar'daki Gümüş Vadi villalarıydı. İki ay kadar önce tesadüfen bir pazar sabahı oraya gitmiştim. Müvekkillerimden biri oradan tripleks bir villa almıştı. Binaların tamamı bitmiş fakat mevsim nedeniyle pek oturan yoktu. Kerim'i saklamak için mükemmel bir yerdi.

İkincisi Zekeriya Köy'deki villa idi. Burayı da biliyordum.

Üçüncüsü ise Küçük Çekmece'deki çiftlikti. Ne yazık ki çiftliğin yeri hakkında hiçbir malumatım yoktu.

Gözlerim listede düşünmeye başladım. Aslına bakılırsa yapmaya kalkıştığım iş iğne ile samanlıkta çöp aramak kabilinden bir şeydi. Bir varsayımdan yola çıkıyordum; o da Kerim Toksöz'ün bu üç yerden birinde saklandığı düşüncesi idi. Kesinlikle yanılmış da olabilirdim. Listenin altındaki diğer kalemlere bakınca ümidim daha da azaldı. Sapanca, Arifiye, Şarköy'de de bir sürü emlak adı geçiyordu. Kalaycıoğlu'nun Akdeniz sahillerinde bir lüks otel ve beş yıldızlı bir tatil köyü sahibi olduğunu da biliyordum. Çocuğu belki de İstanbul dışına da çıkarmış olabilirlerdi. Onu buralarda aramak çok zordu. Buna ne zamanım ne de imkanlarım müsaitti.

Moralim bozulur gibi oldu. Bir süre başıma bu işi açtığı için, içimden Vural'a söylenip durdum. Hatta vazgeçmenin sınırlarına geldim. Ama artık bunu yapamazdım, birincisi ok yaydan çıkmıştı, ortada bir cinayet vardı ve ben bunu biliyordum. İkincisi dolaylı da olsa bu gözü dönmüş insanlar şu veya bu şekilde Jale'yi de taciz etmişlerdi. Bunu bir defa yapan insanlar, bir ikinci kere daha teşebbüs edebilirlerdi.

Sonra aklıma geldi. Acaba Jale ile Emel'in oturduğu evde ne aramışlardı acaba? Aynı şeyi Kerim'in odasında da aradıklarını düşündüm. Demek ortalarda onları ürküten, ele geçirmek istedikleri bir şey olmalıydı. Kafam çatlarcasına zonklamaya başlamıştı. Ne olabilirdi bu? Aklıma pek bir şey gelmiyordu.

Kerim'in odasında bulduğum iki fotoğrafı hatırladım. Onlar bendeydi şimdi. Acaba onun peşinde olabilirler miydi? İhtimal vermedim; alt tarafı sıradan, iki gencin anlık mutluluğunu sergileyen bir resimdi. Bunun ürküten, insanları telaşa sokan yanı yoktu. Şayet Emel'le Kerim'in ilişkileri gizli tutulmuş olsa, belki bu münasebeti belgeleyen bir delil olarak kıymet kazanabilirdi, ama onların ilişkisini bilen bir sürü insan vardı, o zaman da resmin bir esprisi kalmıyordu.

Bir an duraladım; sahi aralarındaki ilişkiyi kimler biliyordu? Mektep arkadaşlarıyla konuşurken kimse bana Kerim'den bahsetmemişti. Aralarındaki rabıtayı bilen çok az kişi vardı. Aklımdan sıralamaya çalıştım. Vural bile, babası olarak, oğlunun o kızla sadece arkadaş olduğunu, aralarında arkadaşlıktan öte bir şey olmadığını iddia etmişti. Ben biliyordum, Jale biliyordu ve bir de dün tanıştığım Tamer.

Bunu şimdiye kadar niye düşünmediğime hayıflandım; olaya bu zaviyeden bakmak hiç aklıma gelmemişti. Ben tehdit edilmiş, Tamer fena halde dövülmüştü. Jale'nin evi basılmış, eşyaları didik didik aranmıştı. Jale'nin bu resimden haberi olmadığını düşünmüş olmalıydılar, yoksa onu da herhangi bir şekilde tehdit ederek, hırpalayabilirlerdi.

Jale'nin de her an bir tehlikeye maruz kalabileceğini düşününce korkamaya başladım. Ford Mondeo'yu hatırladım. Az önce gelen Erdoğan Sarıkaya her hareketimin kontrol edildiğini söylemişti. Jale'nin benimle yaşadığını da artık biliyorlardı. Kıza da çılgınca bir şey yapmaya kalkışırlar mıydı acaba?

Kendimden çok Jale için endişelenmeye başladım. Onun hayatını tehlikeye atamazdım. Artık polise başvurmanın zamanı gelmişti. Tek başıma daha fazlasını yapamazdım. Zaten acemi davranışlarımla bazı şeyleri berbat etmiştim. Tanıdığım, ceza davalarından iyi anlayan bir avukat arkadaşım vardı, onun yardımıyla tanıdığı bir savcıya bütün olayları teferruatıyla anlatabilirdim. Telefon numarısını buldum, elim ahizeye uzandı ama son anda duraladım. Karşımızdaki taraf çok ünlü ve memleket çapında nam salmış biriydi ve elimde henüz böyle bir kişiyi suçlayacak yeterli delil yoktu. Emel'in giysileri ise işler kızışırsa aleyhime bir koz olarak bile kullanılabilirdi.

Telefon etmekten son anda vazgeçtim.

Biraz daha beklemeliydim. Ama neyi bekleyeceğimi bilmiyordum. Bu şartlar altında kayıp Kerim'i bulmam çok zordu; bulsam bile oğlan kendi rızasıyla annesine sığınmış ise ondan ne öğrenebilirdim ki? Her halde bana Emel'i gebe bıraktığını söyleyecek değildi. Ayrıca Emel'in öldürüldüğünü biliyor muydu? Annesi onu himayesine aldıysa, -öyle yaptığına emindim- muhtemelen kızın akibeti hakkında ona bilgi vermemiş olabilirdi. Aysel hinoğlu hin biriydi.

Galiba yine işe Kerim'i aramakla devam etmeliydim. Düğümün hep o çocuğun bulunmasıyla çözüleceğine inanıyordum. Kerim'in ifadesine göre de polise başvurmayı düşündüm. Şimdi önümdeki tek sorun oğlanı bulmaktı...

* * *

Eve döndüğümde Jale'nin benden önce geldiğini gördüm. Kapıyı o açtı. "Hoş geldin sevgilim" diyerek yanağıma bir öpücük kondurdu. "Seni bekliyordum, arabanı camdan gördüm."

Ben de onu öptüm. Kızcağız yüzümdeki ifadeden yine gergin olduğumu anlamıştı.

"Ne o?" dedi. "Sinirlisin. Yeni bir vukuat mı var?"

Artık bazı şeyleri ondan saklayamazdım.

"Bugün büroya biri geldi" diye mırıldandım. "Cahit Kalaycıoğlu'nun adamıymış. Önce bana bu işin peşini bırakmam için rüşvet teklif etti, ben reddedince de ölümle tehdit etti."

"İnanmıyorum!"

"Ne yazık ki öyle."

"Olacak şey değil. Vay namussuzlar. Polise başvurdun mu?"

"Hayır."

"Neden? Daha ne bekliyorsun ki? İşi iyice azıttılar. Bunlardan korkulur. Bence hemen polise başvurmalısın, hem de hiç vakit geçirmeden."

Başımı salladım. "Çekiniyorum Jale."

Hayretle yüzüme baktı. "Polisten mi?"

"Evet."

"Emel'in giysilerinin sende olması meselesi mi?"

"O değil, onu belki uygun bir dille savcıya ve polise anlatabilirim."

"O halde neden korkuyorsun?"

"Bu herifler sana da bir kötülük yapabilirler. Beni devamlı izliyorlarmış, dolayısıyla beraber yaşadığımızı biliyorlardır. Çok iyi düşünüp karar vermek zorundayım."

Lacivert gözlerinde geçici bir korku dalgalandı. Bir süre susarak yüzüme baktı. Korktuğunu hemen anladım. Hatta bir an böyle bir açıklama yaptığım için pişmanlık duyar gibi oldum, ama onun da durumu bilmesinde yarar vardı.

"Bana bir şey yapacaklarını sanmam" dedi.

"Hiç belli olmaz. Bunların gözü kara. Kendilerine çok güveniyorlar."

Ağır ağır salona yürüdük.

"Bir içki vereyim mi sana?" diye sordu. "Çok gerginsin."

"İyi olur."

Kendimi koltuğa attım. Saatlerdir başım ağrıyordu. Jale bardağa iki parmak viski koyarak uzattı. "Sen de içer misin?"

Hayır anlamında başını salladı. Sonra yumuşacık bir sesle sordu:

"Peki, şimdi ne yapmayı düşünüyorsun?"

"Henüz bilmiyorum, daha doğrusu sağlıklı bir karar veremiyorum. Bence meselenin çözümü Kerim denen oğlanı bulmaya bağlı. Onu arayacağım."

"Onu bulman çok zor."

"Neden?"

"Ne bileyim, günlerdir bu işin peşindesin ama oğlana dair en ufak bir ipucu ele geçiremedin. Günler geçtikçe durum daha da kötüleşiyor. Onu nasıl bulacaksın?"

"Bugün büroda aklıma bir fikir geldi. Emel'i Aysel'in öldürttüğünü biliyoruz. Bunun en açık delili teknede bulduğumuz giysiler. Şimdi şöyle düşünelim, bu kadın kızı niye öldürebilir? İlk ihtimal Emel, Aysel'e şantaj yapmıştır, oğlundan gebeyim, diye. Ne istediğini bilmiyorum ama külliyetli miktarda para olabilir. Vermezsen durumu basına açıklarım, diye tehdit etmiştir.

"Ama Emel, Aysel Kalaycıoğlu'nun Kerim'in annesi olduğunu nerden bilebilir? Oğlanın ailesinden hiç bahsetmediğini söylemiştin."

"Buna emin olamayız. Konuşurlarken bir vesile ile ağzından kaçırmış olabilir, kız da durumu öğrenince bunu para koparmanın bir yolu olarak düşünebilir."

"Bence zayıf bir olasılık" dedi Jale. "Emel fazla zeki olmayan bir kızdı, böyle çertefil planlar yapamazdı o."

"Kesin emin olamayız" diye söylendim. "İkinci ihtimal, kızı gebe bırakınca onunla evlenmek zorunda kaldığını hisseden Kerim, annesine gitmiştir. Babasına müracaatın hiçbir faydası yoktu, zira Vural meteliksiz durumdaydı. Bütün bir yaşam boyu oğlundan uzak kalmış bir annenin, pişmanlık duyarak böylesine zor bir anında kendisine yardım edebileceğini düşünmüş olabilir."

Jale yine itiraz etti.

"Ona niye yardım etsin ki? Onu hiç arayıp sormayan bir anne böyle bir durumda yüzüne bile bakmaz, belki de karşısından kovar."

"Ama durum senin söylediğin gibi olmalı. Kuvvetle muhtemel Aysel bu yardım isteğini geri çevirmedi, aksi halde Emel'in giysilerini teknede bulamazdık. Şu veya bu şekilde oğluna yardım etti."

"Dediğin gibi olsa kıza para verir, kürtaj yaptırır ve kızı sustururdu. Niye öldürsün? Saçma değil mi?"

"Korkmuş olabilir?"

"Kimden korkmuş olacak?"

"Emel'in sonradan bu durumu bir şantaj vesilesi yapmasından."

Jale dudaklarını büzdü. Sıraladığım ihtimalleri pek onaylamıyordu. "Söylediklerin bana biraz ters geldi. Oğlunu düşünüyorsa, kızla evlendirir ve onlara para vererek uzak bir yerde hayat kurmalarını sağlardı. Bu daha sağlıklı ve mantıklı bir çözüm değil mi? Gerekirse zaman zaman da el altından yardım ederdi, nasıl olsa zengin bir kadın. İşi cinayet işlemeye kadar götürmesi sana abes gelmiyor mu?"

Jale itiraz ettikçe umutlarım kırılıyordu. Korkarım benden daha sağlıklı düşünüyordu. Elimdeki bardağı bir dikişte boşalttım.

"Aklıma başka bir neden gelmiyor" diye homurdandım.

"Bu işe kendini pek kaptırdın sevgilim" diye söylendi. "Sanırım bütün işini gücünü bıraktın ve sadece bu meseleyle uğraşıyorsun."

Haklıydı.. Hakikaten bu olay beynimden hiç çıkmıyordu.

"Doğru" diye mırıldandım.

Ellerimi tuttu. "Unut. Şimdilik tek bir şeyi düşün."

"Neyi?"

"Beni.. Sevdiğin, delice âşık olduğun yaramaz kızı."

Gülümsedim. "O hiç aklımdan çıkmıyor ki zaten. Başıma ne geldiyse onun yüzünden geldi. O olmasaydı, çoktan Vural'ı başımdan savardım."

"Tahmin ediyorum" diye kollarını boynuma doladı. Israrla gözlerimin içine bakıyordu. Gözlerini hiç kaçırmadan.

"Ne o? Niye öyle bakıyorsun?"

"Seni inceliyorum. Biliyor musun, bu halini ilk defa görüyorum."

"Ne var halimde?"

"İşte şimdi oluyor. Bu sevindirici bir durum. Artık gözlerinde arzu ve ihtiras yok. Tamamen şefkat ve içten bir sevgi var. Beklediğim de buydu."

"Ne yani? Seni sadece arzuladığımı mı düşünüyordun? Bütün isteklerimin sırf kaba cinsel arzular olduğunu mu sandın?"

"Evet. Çıplak ayaklarımı ilk gördüğün andan beri."

Utangaç genç bir âşık gibi gülümsedim. "Elimde değildi." dedim. "Güzel ve bakımlı kadın ayağı beni her zaman tahrik eder."

"Biliyorum" dedi. "Onları görmek ister misin?"

"Hayır."

Çapkınca güldü. "Neden?"

"Bu akşam seninle mücadele edecek halim yok. Nasıl olsa sonunda yine kavga edeceğiz. Sağlam kafaya ve düşünmeye ihtiyacım var."

"Bence biraz dinlenmeye ihtiyacın var. Sana benden daha iyi müsekkin ilaç olur mu?"

Ben de güldüm. "Bu doktor tavsiyesi mi?" diye sordum...

* * *

Ertesi sabah geç uyandım. Cumartesiydi ve ikimiz de işe gitmeyecektik. Mutfaktan kızarmış ekmek kokuları geliyordu. Jale benden önce kalkmış, kahvaltıyı hazırlamıştı.

Mutfak kapısından başımı uzatarak, "Günaydın, erkencisin" dedim.

"Ne yapayım, utandım. Her sabah sen kalkıp kahvaltı hazırlıyorsun, bari bu sabah da ben yapayım, dedim" diye gülümsedi.

Kahvaltıda, "Bugün programın nedir?" diye sordu.

"Bir arkadaşımı ziyaret etmek zorundayım." Niyetim gazeteci Eşref'den aldığım fakstaki yerlere gitmekti. İlk olarak da Eskihisar'dan başlamayı düşünüyordum.

"Arkadaşın ne tarafta oturuyor? Uzak mı?"

Peşime takılmaması için, "Ooo, çok uzak" dedim.

Cin gibi bakışlarımı yüzüme çevirdi. Huylanmasın diye, "Niye sordun?" dedim.

"Canım sıkılıyor. Bugün hava güzel, belki birlikte oluruz diye düşünmüştüm."

"Belki sonra; sabahtan olmaz."

"Çok mu önemli bu konuşman, telefonla halledemez misin?"

"Üzgünüm hayatım, ama halledemem."

Galiba onu atlatmaya çalıştığımı anlamıştı. Lacivert gözler ışıldadı yeniden.

"Bak bakayım suratıma. Sen yine bir şeyler saklıyorsun benden galiba?"

"Yok canım! Ne saklayacağım?"

"Hadi hadi! Ben anlarım. Gözlerindeki ifadeden yalan söylediğin hemen belli oluyor."

Gerçeği söylemek belki daha doğru olacaktı. Oturup ona tüm aklımdan geçenleri anlattım. Önce ben de geleceğim, diye tutturdu ama ona ayağıma bağ olacağını uygun bir dille izah etmeye çalıştım. Sonunda peki dedi. Dikkatli olmamı, başımı daha fazla derde sokmamamı, oğlanı bulursam sadece yerini babasına bildirmekle yetinmemi ısrarla tembih etti. Ben gelinceye kadar dışarı çıkma dedim. Öğleden sonra birlikte gezmeyi kararlaştırdık.

Jale'nin artık korkmaya başladığını hissediyordum. Bu da hayra alametti. Hiç olmazsa biraz daha dikkatli davranırdı bundan sonra...

3

Kış günü yollar tenha sayılırdı. E-5'e çıkarak Eskihisar'ın yolunu tuttum. Etrafı ışıldatan güneş Bayramoğlu'na geldiğimde bulutların arasına girdi. Gündoğusundan sert bir esinti başladı. Hava bozuyordu. Böyle giderse yağmur yağacaktı. Göğü saran bulutların hepsi koyu griydi. Düşündüğüm gibi de oldu, E-5'den Gümüş Vadi villalarına giden sapağa girdiğimde ilk yağmur damlacıkları cama düşmeye başladı.

Denize hakim bir tepe üzerine, iki üç katlı şık villalardan oluşan yeni bir yerleşim merkezi kurulmuştu. İnşaatların çoğu bitmiş durumdaydı, yine de bazı yerlerde hâlâ çalışan işçiler görülüyordu. Dikkati fazla çekmemek için önce site içinde şöyle bir tur attım. Bütün ana ve tali yollar asfalt yerine muntazam parke taşlarla döşenmişti. Kaldırım ve bordürler tuğla rengi taşlarla kaplıydı. Arabayı ağır ağır sürerken binalara bakmaya başladım. Çoğu boştu. Bir iki tanesinin pencerelerinde asılı perdeler gördüm, fakat görüşüne bakılırsa onlarda da kimse kalmıyordu.

Arabayla ilgilenen kimse yoktu. Zaten çevrede ilgilenecek canlı da görünmüyordu. Tatlı bir meyille yükselen site hoşuma gitmişti. Dört ayrı tip yapı vardı ve her tip ayrı renge boyanmıştı. Mimari tarzları da genelde görmeye alıştıklarımızdan farklıydı.

Bir tur daha attım.

Etrafta soru soracak kimse bile yoktu. İnşaatçı firmanın şantiyesini aradım, bulamadım. Sitenin hemen girişindeki evlerden birinde çalışan birkaç amele görmüştüm, ama onlar da, binanın içi dekorasyonu ile ilgiliydiler galiba. Kalaycıoğlu'nun villası hangisi diye sorsam, bilmediklerini söyleyeceklerine emindim. Ayrıca isim vererek sormak pek işime gelmiyordu.

Pencerelerinden perde gördüğüm evlerin önünden bir daha geçtim. İçerde hiçbir hareket sezinlemedim. Muhtemelen onlar da boştu. Keyfim kaçtı. Dönmeye karar verdim.

Hafif meyilli ana yoldan aşağıya doğru hafifçe gazladım. Tam o sırada sitenin alttaki ana girişinden beyaz bir arabanın yukarıya doğru kıvrıldığını gördüm. Nedendir bilinmez, araba beni heyecanlandırdı. Aniden bir ümide kapıldım. Anlamsız olduğunu biliyordum ama yine de yüreğim çarpmaya başlamıştı. Sanki hiç umulmadık anda bir sürpriz olacak, bir şeyler öğrenecekmişim gibi bir duyguya kapılmıştım.

İçimden geçenler saçmaydı tabii, uzakta gördüğüm arabayla içimdeki titreşimlerin ne ilgisi olabilirdi ki? Çocuksu bir duyguydu bu. Fakat elimde olmadan, şuursuz bir itilimle direksiyonu sağ taraftaki ilk boş sokağa kırdım. Beş, on metre sonra da frene bastım.

Belki beyaz araba benim saptığım sokağa bile gelmeden, daha aşağıdaki başka bir yola girecekti. Yaptığım şeye içimden gülümsemek geldi. Bu davranışımın mantıki bir izahı olamazdı. Ayağımı frenden çekmeden koltuğumda geri dönüp arka pencereden arabayı bekledim.

Bütün çevre boş olduğu için, yaklaşan arabanın homurtusunu işitebiliyordum.

Araba hızla sokak ağzından geçerek, az evvel indiğim yokuşa tırmandı. Ama o kısa süre içinde damarlarımdaki adrenalini bir anda fırlatan önemli şeyler görmüştüm.

Bir an inanmakta zorlandım. Belki kafamın olaylarla fazla meşguliyeti, hayal görmeme yol açıyordu. Sürücü koltuğunda bir kadın vardı ve bu Aysel'di.

Motor homurtusu yokuş yukarı azalarak kayboldu. Belki yanılmıştım, belki bir iki saniye içinde gördüğüm o siluet, Aysel'e ait değildi. Fakat bunu kontrol etmeden duramazdım. Hemen Passat'ı geri geri sürerek yola çıktım ve arabayı tepeye yükselen meyile çevirdim. İlerdeki beyaz arabayı hâlâ görüyordum, o hızla çoktan yolun sonuna varmıştı ve iri stop lambaları kırmızı kırmızı yandı. Duracaktı..

Bir an ne yapacağımı şaşırdım.

Yanılmıyorsam arabada sadece sürücü koltuğundaki kadını görebilmiştim ve kadın yalnızdı. Aynı anda bir sürü şey aklıma üşüşmeye başladı. Acaba arabadaki kadını Aysel'e mi benzetmiştim? Çünkü Aysel'in yanına koruma almadan tek başına böyle tenha bir yere geleceğini sanmıyordum. Buna kocası da izin vermezdi. Başlarında böyle bir bela varken, kadının tek başına buralara gelmesi hiç de normal değildi. Yoksa olup bitenlerden kocasının haberi yok muydu? Yazıhaneme gelen adamı hatırladım, o Cahit Kalaycıoğlu'nu temsil ettiğini söylemişti. Yalan mıydı acaba?

Pek çok sorunun cevabını az sonra alacağıma inanmaya başlamıştım. Artık Kerim'in burada saklandığına emindim. Arabayı gazladım. Çılgınca bir iş yaptığımın farkındaydım evde her halde bir sürü adam olmalıydı. Eve girmemin çok zor olduğunu biliyordum. Bu insanların hiç şakası yoktu, eli kanlı katillerdi bunlar. Emel'i öldürdükleri gibi gerekirse beni de hiç tereddüt etmeden vurabilirlerdi.

Doğrusu korkuyordum. Hayatımda tam huzuru ve tatlı bir aşkı yakaladığımı sandığım sırada bir hiç uğruna vurulmak istemiyordum. Fakat içimdeki merak öylesine güçlüydü ki, daha fazlasını muhakeme edecek, sağlıklı bir değerlendirme yapacak durumda değildim. Tepeye yaklaşırken, Aysel'in arabadan indiğini gördüm. İster istemez biraz yavaşladım. Aramızda en azından dört yüz metrelik bir mesafe vardı. Buradan beni teşhis etmesi zor ihtimaldi.

Kadının sırtında bir anorak, altında da mavi eşofman vardı. Ayaklarına tenis ayakkabıları giymişti. Arabadan ufak bir çanta çıkardı. Etrafla hiç ilgilenmeden eve doğru yürüdü. Yaklaşan arabamı görmemesi olanaksızdı, fakat bir kere bile başını çevirerek merak edip arabaya bakmamıştı.

Ya oraya gelebileceğime ihtimal vermemişti, ya da bu bir tuzaktı ve gelmemi bekliyorlardı. İçimi şiddetli bir ürperti aldı.

Tepeye varmadan son sokağın başında durdum. Sonra arabayı o sokağa soktum. Aysel'in arabasının yanına kadar gitmek istemiyordum. Hâlâ bir şansım vardı, izlerini bulup Eskihisar'a gelebileceğimi düşünmemiş olmaları da hâlâ ihtimal dahilindeydi.

Arabadan indim.

Acele ile kaçmak zorunda kalabileceğimi düşünerek kapıları bile kilitlemedim. Soğuk ve sert bir rüzgarla birlikte iki yağmur damlası suratıma çarptı. Yağmur hafif hafif atıştırıyordu.

Arabayı bıraktığım sokak ile Aysel'in girdiği villa arasında üç bina vardı. Evlerin hepsi bahçe içindeydi. Elimden geldiğince duvar diplerinden gitmeye çalışarak villaya doğru yaklaştım. Biraz heyecan ve meraktan, biraz da korkudan kalbim deli gibi çarpıyordu. Cahit Kalaycıoğlu sitenin en güzel villasını almıştı. Tam tepenin üstündeydi ve önünde başka bir bina yoktu. Ön tarafından Marmara denizi bütün ihtişamıyla görünüyordu. Villanın denize bakan cephesinin önündeki çim bahçe tatlı bir meyille aşağıya kayıyordu. Villanın üst katındaki pencerelerde perde yoktu. Ama alt katın tüm perdeleri sıkı sıkıya kapalıydı. Aysel son model beyaz Buick'i binanın yanına parketmişti. Bulunduğum yerden arabada başka kimse olmadığını görebiliyordum.

Ne yapacağımı bilemeden öylece beklemeye başladım.

Kerim'in içerde olduğuna yüzde yüz inanıyordum. Belki de kadın oğlunu buradan alıp daha emniyetli bir yere nakletmek için gelmiş olabilirdi. Kalaycıoğlu ailesi sıkışmaya başlamıştı.

Orada saatlerce durup bekleyemezdim, bir şeyler yapmalıydım. Bitişik evin yan duvarından villayı gözetlemeye devam ettim. Giriş kapısını görebiliyordum. Kapı aralık duruyordu, tam kapatılmamıştı.

Önce Aysel'in hemen çıkacağını düşündüm. Arabanın içinden bir çanta çıkarmıştı, belki de oğluna giyecek bir şeyler getirmişti, onları verip hemen çıkacaktı. Ama kapıyı açık bırakması tedbirsizlik değil miydi?

Yoksa bu içeriye girmem için kasten tertiplenmiş bir tuzak mıydı? Hayır, diye mırıldandım kendi kendime. Tuzak olamazdı, bugün buraya geleceğimi Aysel nereden bilebilirdi? Dün büroma gelen Erdoğan Sarıkaya her an gözlendiğimi söylemişti fakat bir tuzak hazırlamaları için vakitleri yoktu. Evden çıktığımı görseler bile Eskihisar'a geleceğimi bilemezlerdi. Aysel'e ne zaman haber verecekler, kadını ne zaman çağıracaklardı? Buraya peşpeşe geldik sayılırdı. Kadın yalıdan bile gelse bana yetişemezdi. Yine de acaba mı, diye düşündüm. Pek hızlı geldiğim söylenemezdi. Burada evi buluncaya kadar epey oyalanmıştım, ayrıca evi bulduğum da söylenemezdi. Aysel'i tesadüfen görmesem geri dönecektim. Fakat kadının altında son model hızlı bir Amerikan arabası vardı, istese pekala yetişebilirdi. Kararsızlık içinde bocaladım.

Sonunda merakım galip geldi.

Kapının açık olması içeriye sessizce girmem için bir fırsattı. Kabul etmeliydim, buraya gelirken bazı riskleri göze almıştım zaten. Daha fazla duramadım, bulunduğum yerden fırlayarak bir koşu kapının ağzına geldim.

Aralıktan içeriye bir göz attım.

Geniş bir antre görünüyordu. Ve villanın içi mezar kadar sessizdi. Lanet olsun diye homurdandım; keşke yanımda bir silahım olsaydı. Silah kullanmakta çok acemiydim ama ne de olsa bir güçtü.

Usulca kapıyı ittim. Gıcırdamadı ve en ufak bir ses çıkmadı. Biraz daha cesaretlenir gibi oldum. Ana oğulun konuşmalarını duymak istercesine kulaklarımı diktim. Ses yoktu.

Adımımı içeriye attım. Artık villanın içinde sayılırdım..

Aynı anda tam belimin ortasına sert bir şey dayandı. Çocuk bile olsa bunun bir tabanca namlusu olduğunu anlardı. Kaba bir ses, "Kımıldadığın anda kurşunu yersin" dedi.

Bu kadar aptalca tuzağa düşülmezdi.

Ama zeki geçinmeme rağmen mükemmelen kurulan tuzağa av olmuştum. Hem de göz göre göre. Yaptığım gerçekten aptallıktı. Arkamdaki ses emretmediği halde kollarımı yukarıya kaldırdım.

Tabancanın sert namlusu bel kemiğimi acıttı. Adam arkadan hoyratça itmişti.

Yürümemi istiyordu. Kapı kanadının kapandığını duydum. Eşyasız, boş antrenin tam karşısında kapıları kapalı duran bir bölüm vardı. Arkamdaki eli silahlı adam oraya götürmek için belimden iteliyordu.

Yürüdük.

"Aç kapıyı" dedi. Tokmağı çevirdim. Geniş bir salondu. İçerde yan yana iki yatak birkaç koltuk ve televizyondan başka bir şey yoktu. Tabii sürpriz sayılmayacak kişiler hariç tutulursa. Aysel, oğluna sarılmış vaziyette içeriye girmemizi bekliyordu.

Kerim'i ilk defa görüyordum.

Cılız, ürkek ve kararsız bir görünümü vardı. Sırtına siyah bir kazakla blujin giymişti. Hayret ve dehşetle bana baktığını gördüm.

Aysel'in makyajsız yüzünde bir gülümseme peydah oldu.

"Gelmekte epey geciktiniz, avukat bey" dedi.

Galiba içinde bulunduğum zor duruma rağmen ilk şoku atlatmış gibiydim.

"Haklısınız" diye fısıldadım. "Biraz geciktim."

"Sizi daha zeki sanıyordum. Tuzağıma çok kolay düştünüz."

Aptallığımı kendime yediremediğim için hemen cevap verdim.

"Müsterih olun, bunun zekamla bir ilgisi yok. Merakım galebe çaldı. Aralık kapının beni içeriye davet için bırakıldığını anladım."

"Ama yine de girdiniz."

"Mecburdum."

Aysel kendinden emin ve mağrur bir şekilde sordu.

"Oğlumu tanımıyorsunuz, değil mi?"

Şaşılacak bir soğukkanlılıkla gülümsemeyi başardım.

"Hayır.. İlk defa görüyorum."

Aysel çocuğa dönüp sanki onunla iftihar ediyormuş gibi gururla baktı.

"Bana benziyor, değil mi?"

Gerçekten de oğlan Aysel'e benziyordu. İtiraf etmeliydim ki, ana oğulun yüz hatlarında şaşırtıcı bir benzerlik vardı. Katil bile olsalar mağrur ve dünyaya tepeden bakan görünümlerini inkar edemezdim.

Fakat çocuğun ürktüğü sapsarı kesilmiş yüzünden belliydi. Ona rağmen konuşmaları sakince dinlemeyi başarıyordu. Bakışlarını bana çevirmiş, bir umacı gibi dikkatle beni inceliyordu. Vural'ın söylediklerinin aksine, çocuğun suç işlemeye uygun bir yapıda olduğu, doğuştan gaddar ve acımasız kişilik taşıdığı hissine kapıldım nedense..

Belki yanılıyordum, ama önsezilerime daima güvenmişliğim vardı.

"İşte, onu buldunuz sonunda. Söyleyin bakalım Sinan Bey, şimdi ne yapmayı düşünüyorsunuz?" diye sordu Aysel.

"Konuşmak ve doğruları onun ağzından işitmek isterdim."

"Buyrun konuşun. Bu fırsatı size tanıyacağım."

"Ama bu şartlarda değil. Baksanıza, belimin ortasına dayalı kocaman bir namlu var. Nasıl rahat olabilirim?"

Aysel'in bakışları değişti. Dik dik beni süzdü. Sonra adama dönerek:

"Hüsamettin, indir o silahı" dedi.

Yüzünü henüz görmediğim adam, "Ama hanımefendi..." diye itiraz edecek oldu.

Kadın sert bir sesle, "Ne diyorsam, onu yap" diye tersledi.

Hüsamettin denilen adamı merak etmiştim, nedense sesi bana hiç de yabancı gelmemişti. Belimdeki namlunun tazyiki ortadan kalkınca başımı çevirip geriye baktım. Adamı hemen tanımıştım. Hilton Otelinin tuvaletinde burnunu kırdığım adamdı. Burnunda hâlâ bandaj vardı ve sesinin tonu biraz boğuk çıkıyordu. Sesi o yüzden yabancı gelmişti. Elimde olmadan adama bakıp sırıttım. Hanımından aldığı emirden hiç hoşnut kalmamış olmalıydı ki, beni nefret dolu nazarlarla süzdü ama elindeki silahı cebine koyarak birkaç adım geri çekildi.

Kerim'e doğru yaklaştım. Ellerimi pantolonumun cebine sokarak, korkmadığımı ve kendimden emin olduğum hissini uyandırmaya gayret ederek, "Delikanlı" dedim. "Seni kaçırdılar mı yoksa burada kendi rızanla mı bulunuyorsun?"

Sorumdan memnun olmamış gibi garipseyerek yüzüme baktı.

"Beni kim kaçıracak ki? Burası annemin evi; onun yanında kalmam suç mu?" diye aksilenerek sordu.

"Hayır" dedim. "Ama içinde bulunduğun şartlara bakılırsa bu durumda bir terslik sezinlemiyor musun?"

"Ne gibi terslik?"

"Şu hale bir baksana! Burada gizleniyorsun ve başına silahlı bir muhafız dikmişler. Normal mi bu?"

"Ben bir anormallik göremiyorum."

"Sahi mi?" dedim.

Hiç umursamadı.

Bir adım daha yaklaştım.

"Niye babana annenin yanına gittiğini haber vermedin? Adamcağız aylardır seni arıyor, hayatından endişe ediyor ve büyük bir üzüntü içinde."

Alaycı bir şekilde sırıttı. "O mu?" dedi. Yüzünde küçümseyici, hor gören bir ifade belirmişti. "Hiç sanmıyorum."

Oğlanın verdiği cevaplara şaşırmıştım. Vural'ın bana çizdiği tablo ile karşılaştığım çocuğun kişiliği arasında dağlar kadar fark vardı.

Yine de yılmadım.

"Emel'i sen mi gebe bıraktın?"

"Hayır" diye bağırdı. Bu kez sesi yüksek çıkmıştı.

"Ama o senin sevgilindi."

"Yalan bu. Biz sadece arkadaştık."

"Bence yalan söyleyen sensin. Babanın kaldığı evde bir resim buldum. Senin odanda, kitaplarının arasında. Her halde hatırlıyorsundur, adada çekilmiş bir fotoğraf. Altında el yazınla hayatımın en mutlu günü yazıyordu. Kızı o gün mü iğfal ettin?"

Biraz sararır gibi oldu.

"Ben öyle bir yazı yazmadım."

"Ama fotoğrafı inkar etmiyorsun, değil mi?"

Kısa bir tereddüt geçirdi.

"Hayır" diye mırıldandı. "O gün birkaç resim çektirmiştik. Bunu inkar etmiyorum."

"Peki niye kendi el yazını kabul etmek istemiyorsun? Çünkü bu senin suçluluğunu ortaya çıkaracak, değil mi?"

Sinirlenmeye başlıyordu.

"O fotoğrafların altına yazı yazmadığımı size söyledim."

Sırıttım. "Yoksa Emel mi yazdı?"

"Hayır. Onun da yazmadığına eminim."

"Çok garip!" dedim. "Öyleyse kim yazdı?"

"Bilmiyorum."

Asıl sorumu şimdiye saklamıştım.

"Söyle bana.. Emel'i sen mi öldürdün?"

Kıpkırmızı kesildi. Cevap vermeden önce annesine baktı. Sanki ondan yardım istercesine. Aysel hiç müdahale etmeden bizi dinliyordu. Çocuğun kendisine baktığını görünce, yumuşak bir sesle ve ona destek olmak üzere fısıldadı.

"Avukat Beye her şeyi anlatabilirsin oğlum."

"Hayır.. Onu ben öldürmedim. Kesinlikle yalan bu" dedi. "Babamın iftirası."

"Babanın mı? Ama onun böyle bir iddiası yok ki? Hiç de olmadı. O seni çok seviyor."

Oğlan yine Aysel'e döndü.

"Bu adamla konuşmaya mecbur muyum?" diye sordu.

"Hayır, sevgili yavrum, mecbur değilsin. Ama avukat beyle konuşmanda yarar var. Hem bu yarar onun için de geçerli. Çünkü bize inanmıyor ve bizim suçlu olduğumuzu düşünüyor."

Aysel bana döndü. Dudaklarında alaycı bir tebessüm peyda oldu.

"Er ya da geç, Kerim'i sakladığımız yeri bulacağınıza emindim. Aslında zeki bir adam olduğunuzu kabul etmek zorundayım. Belki onu yurt dışına gönderir ve izini kesinlikle kaybettirirdim. Ama bunu yapmak istemedim. Oğlumun bir zan altında kalmasını arzu etmiyordum. Olaylardan fazlasıyla etkilendiğini biliyorum, lakin bazı gerçekleri görmesi için bu sıkıntılara katlanması şarttı. Sinan Bey, şimdi beni iyi dinleyin. Bu sizinle yaptığımız son konuşma olacak. Ondan sonra karar size ait."

"Yine beni tehdit mi edeceksiniz?"

"Kesinlikle hayır. Dün Erdoğan Beyin yaptığı konuşma için de sizden özür dilerim. Sanırım ipin ucunu biraz fazla kaçırmış. İş problemleri ile özel aile sorunlarını aynı kefeye koyup, alıştığı metodları uygulaması yanlıştı."

"Ya evime yaptığınız saldırılar, takipler, otelde bıçak çekerek tehditler? Onlara ne diyeceksiniz?"

"İnanın bunların bir kısmı benim bilgim dışında oldu. Ama artık her şeye ben el koydum, bundan böyle bu tür şeyler olmayacak ve kılınız bile incinmeyecek."

"Çok komik ve hiç inandırıcı değilsiniz. Az önce adamınız belime silah dayadı."

"Haklısınız ama bunu sırf gerçekleri görmeniz için yaptım. Dediğim gibi bu son görüşmemiz. İşte, size oğlumla da görüşme fırsatı tanıdım. Şu anda ikimize de istediğiniz soruları sorabilirsiniz. İkna olabilirseniz mesele yok. Ama hâlâ Vural'a inanmakta ısrar ederseniz o zaman kendimi ve oğlumu korumak zorunda kalabilirim. Bunu bir tür tehdit anlamında da kabul edebilirsiniz. Ben çok güçlü bir kadınım, kendimi ve oğlumu savunmak zorunda kalırsam, hiç tereddüt etmeden sizi bir sinek gibi ezerim."

"Bakın yine tehditlere devam ediyorsunuz."

"Evet ama gerçekleri kabul etmemeniz halinde."

"Hangi gerçekleri Aysel Hanım? Ortada bir cinayet var. Emel gebe kaldığı için öldürülmüş. Bunu inkar mı edeceksiniz?"

"Hayır. Ama onu ne Kerim ne de biz öldürmedik?"

"Peki kim öldürdü öyleyse? Kızın giysileri neden sizin teknedeydi?"

"İşte meselenin en karışık yanı da bu zaten. Kanımca gerçek katil onu tekneye bizi suçlamak için bırakmış. Kızı gebe bırakan adam aynı zamanda cinayetin faali."

"Size inanmam için esaslı bir gerekçe göstermelisiniz" dedim.

"Böyle söyleyeceğinizi tahmin ediyordum. Ben de bütün gücümle bunu bulmaya çalışıyorum."

Dik dik kadına baktım.

Tuhaftır, ilk defa Aysel'in doğru konuştuğuna inanmaya başlamıştım. Mesleğim gereği bana yalan söyleyenleri çabuk anlardım. Buna iş deneyimi, içe doğuş, yetenek veya ne derseniz deyin, ama bu gerçekten sahip olduğum bir seziydi. Kadın galiba doğru konuşuyordu.

Bir ona bir oğluna bakmaya başlamıştım ve içime kurt düşmüştü. Odanın içinde aklım karışmış olarak dolaşmaya başladım. Nihayet, "Şüphelendiğiniz biri var mı?" diye sordum.

Daha Aysel ağzını açmadan, oğlan, "Babam" diye homurdandı.

Şaşkınlıktan neredeyse küçük dilimi yutacaktım. Gözlerim iri iri açıldı.

"Baban mı?" diye sordum. "Yani Emel'i babanın mı öldürdüğünü iddia ediyorsun?"

"Durun durun!" diye müdahale etti Aysel hemen. "Siz ona bakmayın. O henüz bir çocuk ve hisleriyle konuşuyor. Babasına duyduğu nefret yüzünden. Ben henüz kimseyi suçlamıyorum."

"Ama neden?" diye sordum. "Oğlunuz neden babasına bu kadar kin besliyor?"

Aysel sararmıştı. Başını önüne eğerek, "Sanırım bu meselenin artık çok ciddi bir aile hesaplaşması haline dönüştüğünü anlamışsınızdır. Hislerimiz kontrolsüzleşti ve peşin yargılar verebiliyoruz. Ama itiraf edeyim ki Kerim'in düşündükleri benim de aklıma gelmedi değil. Böyle bir vahşeti o yapmış olabilir."

Yüzlerini dikkatle incelemeye devam ediyordum. İddialarını içime sindirmeye çalıştım. Gözlerimin önüne Vural'ın perişan çehresi geldi. Onu bir an için bile bir katil olarak düşünemiyordum. Ama afalladığımı ve kuşkulara düştüğümü sanırım Aysel de anlamıştı.

"Çocukla biraz yalnız konuşabilir miyim?" diye sordum.

Aysel oğluna baktı, onun onayını almak ister gibi. Fakat Kerim beni bir düşman gibi süzüyordu. İtiraz etti derhal, "Benim annemden sakladığım bir şey yok. Ne soracaksanız onun yanında da cevap verebilirim?" dedi.

"Öyle olsun delikanlı" dedim.

Hepimiz ayakta duruyorduk. Odadaki iskemlelerden birini çevirip ata biner gibi ters oturdum. Bakışlarımı oğlanın üzerinden ayırmıyordum.

"Demincek söylediğin bana hiç inandırıcı gelmedi. Babanı uzun yıllardan beri tanırım. Eski okul arkadaşımdır. Aynı takımda basketbol oynardık. Onun ne kadar temiz ve dürüst bir insan olduğunu bilirim. Eli açık, iyiliksever bir insandır. Kendi oğlunun kuyusunu neden kazsın ki? Şu anda görünen suçlu sensin."

"Nasıl isterseniz öyle düşünün. Eninde sonunda gerçekler ortaya çıkacaktır."

"Ama bu çok vahim bir iddia. Babanı cinayetle suçluyorsun."

"Bunun farkındayım."

Çocuk kendisine ısrarlı bakışlarımdan rahatsız olmuşcasına nazarlarını benden kaçırmaya çalışıyordu.

"Hem bu iddianın iğrenç bir yanı daha var" dedim.

Ne demek istediğimi anlamak için kısa bir an yüzüme baktı.

"Kız arkadaşını o mu gebe bıraktı?"

"Yapmış olabilir."

"Ama Emel onun kızı yaşındaydı."

"Bu mani bir sebep mi?"

Hayretle dudaklarımı büktüm.

"Peki neden böyle bir şeye kalkıştığını düşünüyorsun?"

"Beni de mahvetmek için."

"Hiçbir şey anlamıyorum. O senin baban; insan hiç evladını böyle ağır bir itham altında bırakır mı? Mantıksız değil mi?"

"Anlaşılan siz intikam denen duyguyu hiç yaşamamışsınız. Onun ne kahredici bir illet olduğunu bilmiyorsunuz."

"Ya sen? Sen biliyor musun?"

"Evet. Babamla yaşadım ve babamda gördüm."

"Yine de soruma cevap vermedin."

"Bunu anladığınızı sanmıştım. Sebebi çok basit. Babam yıllar sonra annemi tercih etmemi bir türlü kabullenemedi."

"Yani annenin yanına döndün diye, senden intikam almaya mı kalkıştı?"

"Evet, aynen öyle!"

Aysel konuşmamızın bu noktasında müdahale etti.

"Sinan Bey" diye fısıldadı. "Oğlum tabloyu en basite indirgeyerek size anlatmaya çalışıyor. Tabii işin aslı, yine de Vural'ın bana duyduğu nefret ve kıskançlıktır. Aslında Kerim'in bütün başına gelenlerde Vural'la aramızdaki uyumsuzluk ve yılların verdiği çekişmeler yatıyor. Oğlum kötü bir evliliğin ceremesini çekiyor. Bunda hiç kuşkusuz benim de sorumluluğum var. Vural'a dayanamadım ve boşandım. Belki o tarihlerde Kerim'i yanıma alsaydım, bugün bunların hiçbiri olmayacaktı. Ama Kerim'in sonunda benim yanıma gelmesi, Vural'ı çıldırttı. Yıllar sonra annesine dönmesini kabul edemedi."

Kadın uzanarak oğlunu kendine çekti ve müşfik bir anne gibi saçlarından okşamaya başladı. Ona şefkat ve muhabbetle sokulmuştu. Kerim de o yaştaki bir çocuktan beklenmeyecek kadar kadınsı bir davranışla annesine sarıldı. İlk kez oğlanda efeminemsi bir hava sezinler gibi oldum.

Şimdi iyice huylanmaya başlamıştım. Söylenenler beni şoke etmişti. Bir de oğlanın bu kadınımsı tavırlarından rahatsız olmaya başlamıştım; belki de yanılıyordum, bütün bunlar çaresizlik içinde çırpınan bir çocuğun gerçek himaye gördüğü anneye içtenlikle sığınması da olabilirdi.

Derin bir sessizlik oldu. Olayları beynimden geçirirken ister istemez bir sessizlik kaplamıştı ortalığı. Aysel'in sorusuyla irkildim.

"Ne düşünüyorsunuz şimdi? Bize inandınız mı?"

Kadına bakmadan, "Bilemiyorum" diye fısıldadım. "Kime inanacağımı şaşırdım."

"Biz doğruları söylüyoruz. Tabii Vural'ı hâlâ kesin olarak suçlamıyorum. Emel denen kızı onun öldürdüğünü ispat imkanım olsa derhal polise başvururdum."

"Anlıyorum" diye başımı salladım.

"Bize yardım edecek misiniz?"

İrkildim birden. "Yardım mı? Nasıl bir yardım?"

"Ya bu işin peşini bırakın, biz kendi imkanlarımızla çözelim. Ya da..."

"Evet, ya da ne?"

Aysel bir süre yutkunarak yüzüme baktı. Dilinin ucunda bir şeyler olduğunu sezinlemiştim. Ama söylemekte zorlanıyordu. Bir an beni yardım etmekten kaçınırsam, yine tehdit edeceğini sandım.

"Ya da o mektubu siz bulun. Bunun karşılığında size çok tatminkar bir ücret ödeyeceğimden emin olabilirsiniz."

"Ne mektubu? Hangi mektuptan bahsediyorsunuz?"

Kerim annesine sarılmayı bırakarak bana yaklaştı.

"Bunu ben açıklasam daha iyi olacak" dedi. "Bir gün evde Emel tarafından babama yazılmış bir mektup buldum. Zaten her şey ondan sonra başladı ve çorap söküğü gibi gitmeye başladı. Satırları okuyunca beynimden vurulmuşa döndüm."

Susarak oğlanın vereceği izahatı dinlemeye başladım.

"Bir gün okuldan eve erken dönmüştüm. Babam evde yoktu. Tesadüfen sedirin üstündeki yastıklardan birinin altından ucu görünen bir kağıt gördüm. Önce ilgilenmedim. Sonra merak ederek kağıdı çektim baktım. El yazısından bunun Emel'e ait olduğunu hemen anlamıştım. Şaşırarak okudum. İğrenç bir mektuptu. O zaman babamla Emel arasında bir ilişki olduğunu anladım. Bütün satırlarda nasıl seviştiklerinin teferruatı vardı. Midem bulandı, az kaldı orada kusacaktım. Zaten son iki senedir, babamla aram açıktı."

"Neden?"

"Parasal sebepler diyebilirsiniz. Asıl etken paraydı. Babam çalışmıyor, zar zor geçiniyorduk. Meğerse o tarihlerdeki bütün gelirimizi de annem karşılıyormuş. Bunu bana söylemiyordu. Bir gün annemle görüşmek istediğimi söyledim. Küplere bindi, üzerime yürüdü ve beni dövdü."

"Dövdü mü?"

"Evet, bir iki tokat attı. Sesimi çıkarmadım, ne de olsa babamdı ve bütün zorluklara rağmen bana onun baktığını düşünüyordum. Yaşamı çok süfliydi, elindeki az parayı da içkiye ya da köşedeki kahvede kumara yatırırdı."

"Sonra?"

"Sonra o mektubu buldum. Emel'i o tarihe kadar iyi bir kız olarak tanırdım. Zararsız, sıradan bir arkadaş işte. Biraz havai ve hoppaydı ama genelde iyi bir insandı. O mektup beni kahretti. Babamla ilişkisini öğrenince perişan olmuştum."

"Dur bir dakika" dedim. "Bu posta ile mi gönderilmişti."

Oğlan başını salladı. "Hayır. Bir gün evvel okuldan çıkmış ve bizim eve gelmiştik. Sözde ders çalışacaktık. Ama Emel çoğu zaman kaytarır ve çalışmazdı. Hele babamı görürse. Mektubu okuduktan sonra pek çok şey kafama dank etti. Bunu fark etmiş ama bu tarzda yorumlamamıştım. Ne zaman Emel gelse, babam kahveye gitmez, evden çıkmaz olmuştu. Hatta birkaç kere evde birlikte içki de içmişlerdi. Ben içki kullanmadığım için onları seyretmekle yetinmiştim. İtiraf edeyim ki bu ilişkiyi anlamamıştım. O gün Emel okula gelmemişti ve babam da akşama kadar ortalarda gözükmedi. Meğer bir gün evvel bize geldiğinde ben farkına varmadan o mektubu eline sıkıştırmış. Mektupta babamı evine çağırıyordu."

"Peki" dedim. "O mektubu babana gösterdin mi?"

Oğlan başını salladı. "Hayır."

"Neden?"

"Bilmiyorum. Belki de utancımdan. Bir babanın, oğlunun kız arkadaşıyla giriştiği cinsel ilişki bana çok iğrenç gelmişti. Bunu bildiğimi babamın yüzüne vuramazdım."

Kerim'e hak verdim. Cidden zor bir durumdu.

"O mektubu ne yaptın? Yırttın mı?"

"Gerçekleri öğrendiğimi babamın bilmesini istemedim. Mektubu aldığım yere aynen bulduğum gibi bıraktım."

"Peki evi terketmeden önce babanla bu konuyu tartıştın mı?"

"Hayır. Hiç konuşmadık."

"Ondan sonra Emel'le ilişkilerin ne oldu?"

"Onu da bir daha görmedim. Bu hadise sabrımı taşıran son şey olmuştu. Anneme telefon ettim."

"Anneni daha evvel de aramış mıydın? Hiç konuşmuş muydun?"

"Ne yazık ki hayır. Onu ilk defa arıyordum. Ezik, perişan ve yıkılmış bir halde. Kendimi tutamadım ve telefonda ağladım."

"Numarasını nasıl buldun? Malum, annen gibi önemli insanlara telefonda kolay kolay erişemezsin."

"Babamın defterinde numara yazılıydı."

Aysel'e baktım. Kadın, "Doğru" dedi. "Numaramı Vural'a ben vermiştim."

Yanıma yaklaştı. Sıcak bakışlarını yüzüme çevirdi.

"Şimdi söyleyin bize; o mektubu ya da varsa onun gibi yazılmış başkalarını bize bulabilir misiniz? Vural'dan alabilir misiniz?"

"Şaka mı yapıyorsunuz? Bütün bunlar doğruysa, şayet Vural böylesine hain ve hunharca bir plan yapmışsa, kızın ölümünden sonra hiç o mektubu ortada bırakır mı? Mutlaka yırtıp yok etmiştir."

Aysel başını önüne eğdi. "Ben de öyle düşündüm, ama oğluma anlatamıyorum bir türlü."

"Bir dakika" dedim. "Size bir şey sormak istiyorum."

"Buyrun" dedi kadın.

"Nuh Kuyusu'ndaki eve o mektupları bulmak için mi adam yolladınız?"

"Evet."

"Emel'in evini de onun için mi arattınız?"

"Evet. Orada bir kız arkadaşıyla yaşıyordu. Kocamın adamları orayı araştırdı ama kızın akrabaları eşyalarını alıp götürmüşler. Adamlarımız da onunla beraber kalan kızın eşyalarını ihtiyaten karıştırmışlar ama bir şey bulamadık."

İşittiklerimin tedirginliği içinde omuzlarım çöktü. Adeta mırıldanarak konuştum.

"Ben her iki dağınık odayı da gördüm."

"Biliyoruz Sinan Bey. Vural'ın sizi ziyaret ettiği ilk günden beri sizi takip ediyoruz. Yalnız hatalı bir politika takip ettiğimizi şimdi itiraf etmek isterim. Daha evvel uyanıp sizden yardımcı olmanızı istemeliydik. Biz ise aksini yaparak, size gözdağı vermek, bu işi bırakmanızı sağlamak gibi yanlış bir yol seçtik. Yılbaşı gecesi sizi davetliler arasında görünce çok şaşırdım."

"Ama bunu hiç belli etmediniz doğrusu."

"Beni korkutmayı iyi becerdiniz. Ve o gece sizin tehlikeli biri olduğunuzu anladım."

"Bir şey daha sormak istiyorum."

"Tabii buyrun. Ne öğrenmek isterseniz, cevaplarım."

"Şu Rumelihisarı'ndaki evi, hani Vural'la ilk tanıştığınız yıllarda gittiğiniz cafeyi, Vural'ın iki ay evvel size hibe ettiğini neden benden sakladınız?"

Dikkatle yüzüne bakıyordum. Kadında hiçbir şaşkınlık emaresi olmadı.

"Vural üç dört ay önce karşıma çıktı. Kerim'in tahsiline devam için paraya ihtiyacı olduğunu ve elindeki son gayrımenkulü de satacağını söyledi. Benim orayı satın alıp almayacağımı sordu. Mutlaka yine kumar borcu olmalıydı, satışa çıkarsa yok fiyatına gideceğini biliyordum. Alırım dedim ve satışı gerçekleştirdik. O sırada size söylemedim. Zira uzaktan da olsa Kerim'i kolladığımı bilmenizi istememiştim."

"Ama Vural bunun satış değil bir hibe olduğunu söyledi."

"Doğrudur. İşin o yanına pek aklım ermez ama muameleler sırasında galiba hibe tasarrufu olarak gösterilirse daha az vergi ödeneceğini söylemişti. Siz daha iyi bilirsiniz."

Manidar bir şekilde Aysel'e baktım.

"Hepsi bu kadar mı? Bu devir muamelesine karşı sizden başka bir isteği oldu mu?"

"Nasıl yani? Talep ettiği parayı anında ödedim."

"Daha başka bir istekte bulunmadı mı?"

"Anlayamadım? Nasıl bir istek?"

"Sizinle yatmak istemedi mi?"

Aysal Kalaycıoğlu ayağına basmışım gibi irkildi.

"Benimle alay mı ediyorsunuz? Bu ne biçim bir soru. Tüm gençlik yıllarımı mahveden bir adamla bunu nasıl yaparım? İğrenç bir düşünce! Yoksa bunu o mu söyledi?"

"Evet" diye mırıldandım.

"Tam Vural'dan beklenecek bir iddia."

Kadın hiddetten kıpkırmızı kesilmişti.

"Affedersiniz" diye fısıldadım. "Bana öyle söyledi. Size hâlâ deli gibi aşık."

"Böyle aşk olmaz. Onunki bir saplantı, marazi bir hal. Hastalık gibi."

Cevap vermedim. Oturduğum iskemleden kalktım.

"Artık gitmek istiyorum" dedim.

"Neticeyi öğrenmek isterim" diye karşıma dikildi. "Tercihiniz nedir?"

"Para teklifinizi kesinlikle kabul etmeyeceğim. Ama kendi beynimde meseleyi aydınlığa kavuşturuncaya kadar da Kerim'in yerini ve onu bulduğumu Vural'a söylemeyeceğim. Sizin için şimdilik yeterli mi?"

Minnetle gözlerimin içine baktı.

"Evet yeterli. Teşekkür ederim. Bu bile beyninizde birtakım şüphelerin doğduğunu gösterir. Bizim korkumuz yok. İstediğinizi araştırın artık."

Villadan çıkarken beynim uyuşmuş gibiydi.

Vural'ı ırz düşmanı bir katil olarak düşünmek tüylerimi ürpertiyordu...

YEDİNCİ BÖLÜM

1

"Vallahi yaman adammışsın, sevgilim!" diye gülümsedi Jale. "Avukat değil polis hafiyesi olmalıymışsın. Nasıl becerdin bu işi?"

Sırıttım. "Pek zor olmadı."

"Bundan sonra sana Bay Sherlock Holmes diyeceğim. Hakettin, yani!"

"O kadar da değil" diye mırıldandım.

"Niye? Daha ne istiyorsun ki? Bütün emelin çocuğu bulmak değil miydi?"

İçimi çekip, sustum.

Jale merakla yüzüme baktı.

"Ne o bir terslik mi var? Yoksa onun da cesedini mi buldun?"

Sorusunu cevaplamayınca, "Ölmüş mü?" diye sordu endişeyle.

"Hayır yaşıyor."

"Öyleyse bu suratın neye? Ne oldu ki?"

"Aklım karıştı Jale." dedim.

Sesini çıkarmadan yüzüme baktı. Açıklama bekliyordu.

"Eskihisar'da oğlanı da Aysel'i de buldum. Fakat inanılmaz şeyler oldu."

"Ne gibi?"

"Emel'in katilinin Vural olduğunu söylediler."

Şaşkın şaşkın bakındı. "Vural mı?"

"Daha da beteri, iğrenç bir iddiaları daha var. Emel'i Vural'ın gebe bıraktığını düşünüyorlar."

Sapsarı kesildi. "Aman Allahım!" diye mırıldandı. "Mümkün mü bu?"

"Bilmiyorum. Artık hiçbir şey düşünemez oldum. Kafam karmakarışık."

"Ama" diye mırıldandı Jale. "Bu nasıl olur? Bütün şüphelerin o Aysel denen kadınla oğlan üzerindeydi. Şimdi benim de aklım karıştı; yani adam önce kızı iğfal edip sonra öldürerek suçu oğlunun üzerine mi yıkmak istemiş?"

"Onların ifadesine göre öyle."

Jale bir süre düşündü. "Saçma" diye homurdandı. Bana inandırıcı gelmedi. Sen inandın mı?"

"Bana doğru söylüyorlar gibi geldi."

"Doğruysa çok iğrenç! Bir baba nasıl böyle bir işe kalkışır? Havsalam almıyor."

"Benim de" diye mırıldandım.

"Artık bu işe karışma. Uzak dur, hayatım. Hepsinin canı cehenneme! Baksana sinirden ne hale gelmişsin. En iyisi her şeyi polise anlat, polis uğraşsın."

"Şimdilik yapamam."

"Neden?"

"Aysel'e söz verdim."

"Ne sözü?"

"Onlar kendi imkanlarıyla olayı aydınlatmaya çalışacaklar. Hatta çocuğu bulduğumu Vural'a bile söylemeyeceğim."

"Nasıl olur? Onlar polis mi yahu? Bu cinayeti nasıl aydınlatırlar?"

"Belli olmaz. Kalaycıoğlu ensesi kalın ve nüfuzu olan biridir. Hiç kuşkusuz poliste de üst düzeyde tanıdıkları vardır. Belki basına intikal ettirmeden gizli bir araştırma yaptırabilirler."

"Ya da olayı hasıraltı ettirebilirler. Onu mu demek istiyorsun? Zaten o kadından herşey beklenir. Hiç hoşlanmamıştım. Bence hata ediyorsun sevgilim, ya cinayeti onlar işlemişse, bunu düşünmüyor musun? Polise bildirmek en iyisi. Tek çıkar yol, böylece sen de işin içinden sıyrılırsın. Vicdanın da rahat eder, sen elinden geleni yaptın."

Sustuğumu görünce, üsteledi.

"Polise bildirmeyecek misin?"

"Şimdilik hayır. Aysel'e verdiğim sözü tutmalıyım."

"Ne kadar süre?"

"Henüz bilmiyorum. Uygun bir zaman geçinceye kadar bekleyeceğim."

Jale rahatlamamıştı.

"Ben hukuktan anlamam. Ama sakın zamanında polise ihbar etmediğin için suçu saklamak filan gibi bir dert açılmasın başına?"

"Takma kafana" dedim. "Bir şey olmaz."

Sesini çıkarmadı ama huzursuz olduğunu görüyordum...

* * *

Bu kızın yedikleri neresine gidiyordu, anlamıyordum doğrusu! İki porsiyon döner, üstüne yoğurtlu kebap ve tel kadayıfı yemişti. Daha da yiyebilirdi, hani! Gülerek, "Afiyet olsun, ama hiç yediklerine dikkat etmiyorsun" dedim.

"Niye?" diye sordu.

"Niyesi var mı?" Şişmanlayacaksın."

"Haksızlık etme. Vücudumda hiç fazlalık var mı? İdeal kilomu her zaman korumasını bilirim ben."

"Vücudunu yeterince görmedim ki" dedim.

Bir bardak suyu içtikten sonra, bir gözünü şakacıktan kırparak, "Yalancı" dedi. "Her yanımı gördün."

"Daha yakından görmem lazım."

Ciddi ciddi yüzüme baktı birden. "Sahi mi söylüyorsun?" dedi.

"Neyi sahi mi söylüyorum?"

"Fazla kilom olduğunu?"

"Bana öyle geliyor."

Yine arasıra takındığı o çocuksu haline büründü.

"Mahsus öyle söylüyorsun. Beni kızdırmak için."

"Hayır" dedim.

"Aaa!" dedi. "Kilo fazlalığım yok ayol! Eve döner dönmez gösteririm."

"Nerde o günler? Keşke görebilsem."

Beni çıldırtan lacivert gözler sevgiyle parıldadı. Uzanıp masanın üzerinden ellerimi tuttu. "Haklısın" diye fısıldadı. "Sen sözünü fazlasıyla tuttun. Artık bir mükafat hak ettin."

Yüreğim hopladı.

"Yoksa" dedim. "Bu korkunç azap bitiyor mu artık?"

"Dur bakalım, bir şey düşüneceğiz."

"Ne demek düşüneceğiz? Bitir artık şu azabı. Tahammülümün son kertesindeyim."

"Hemen ısrara başlama. Şımarmak yok. Bekle, bakalım."

"Zaten hep beklemekteyim. Ne zaman?"

Güldü.

"Belki eve dönünce.. Ama aklından geçen değil ha!. Bilmiş ol."

"Anlamadım? Ne yapacağız öyleyse?"

"Zamanı gelince görürsün."

Yine de memnundum. Neşem yerine geldi. Jale ile Bağdat Caddesi'nde yürüyüşe çıkmıştık. Karnımız acıkınca onun ısrarı ile bir kebapçıya girip karnımızı doyurmuştuk. Hava kapalıydı, hatta zaman zaman yağmur atıştırıyordu. Kebapçıdan çıkınca şemsiyemi açarak Şaşkınbakkal'dan aşağıya doğru yürümeye başladık.

Sıkı sıkı koluma girmişti. İkimiz de spor giysiler içindeydik. Onu yanımda taşımaktan büyük bir gurur duyuyordum. Yanımızdan geçen pek çok kişinin bize ilgiyle baktığını hissediyordum. Uyumlu bir çift teşkil ettiğimizi biliyordum.

Bir süre vitrinlere bakarak ilerledik.

Bir ara bana dönüp, çocuksu bir safiyet ile, "Mutlu musun?" diye sordu.

"Belli olmuyor mu? Ya sen?"

"Bilmiyorum" dedi. "Yeterince sevinmedin galiba?"

Ne demek istediğini anlamıştım, ama anlamamış gibi görünerek, "Neyi kasdettiğini anlamadım." dedim.

"Evde sana yapacağım sürprize."

"Senin ipinle kuyuya inilmez. Yine son anda karar değiştirirsin. Artık bunlara kendimi alıştırdım. Sevinmeyi sonraya sakladım."

Uzun tırnaklarını montumun üzerinden etime geçirdi. Allahtan kalın mont etkisini azaltmıştı, canım yanmadı.

"Hain!" diye homurdandı. "Ben şimdi hep onu düşünüyorum."

"İnanmıyorum" dedim.

Birden koluma asılıp durdurdu. En şımarık ifadesini takınarak, "O sırada ne giymemi istersin? Yatağa nasıl bir kıyafetle gireyim?"

"Önemli mi bu?"

"Gayet tabii! Hayatının en unutulmaz anı olacak. Bir kadın için son derece heyecan verici, duygularının maksimum seviyeye yükseldiği, romantizm yüklü dakikalar. Lütfen hafife alma."

Gülerek omuzlarımı silktim.

"Gerçekten fikrimi mi almak istiyorsun?"

"Evet" dedi.

"Bence çırılçıplak gir yatağa. En güzeli bu olur."

"Terbiyesiz! Kaba adam. Hiç romantik yanın yokmuş."

Elini okşadım. "Şaka yaptım sevgilim" diye mırıldandım.

"Sen nasıl istiyorsan, aklından nasıl geçiyorsa öyle gel. Benim için farketmez."

Dudaklarını kırgınmış gibi büzerek yüzüme baktı.

"Sarıyı sever misin?"

"Ne sarısı?"

"Anlasana canım! İç çamaşırında sarıyı?"

"Bilmem. Öyle anlar için siyah, kırmızı gibi renklerin daha erotik ve çarpıcı olduğunu söylerler ama benim için hiç önemli değil. Ben sadece seni istiyorum ve sen ne giyersen giy, dünyanın en kahredici yaratığısın benim için."

Birden kolumdan tutarak beni bir vitrinin önüne doğru sürükledi.

"Şunlara bak! Ne kadar güzel değil mi?"

Kadın iç çamaşırları satan bir dükkanın önündeydik. Vitrinde İtalyan malı bir sürü iç çamaşırı teşhir ediliyordu.

"Hangisi?" diye sordum.

"Sen bul bakalım. Ama önce beni hayal et. Bir tablo canlandır gözlerinin önünde. Bir film karesi gibi. Açılmış, omuzlarıma dökülmüş saçlarım, ışıldayan lacivert gözlerimle yavaş yavaş yatağa yaklaşıyorum. Sen soyunmuş beni bekliyorsun. Seni çıldırtan, gözlerinden aşk ateşi saçan, arzu dolu hareketlerle yatağın başında duruyorum. Şimdi söyle bakalım, üstümde şu vitrindeki hangi çamaşır olmalı?"

Başımı salladım.

"Anladım. Sen yeni bir çamaşır istiyorsun galiba?"

"Evet."

"Söyle hangisini?"

İşaret parmağını uzatıp gösterdi. "Şu sarıyı."

"Tamam" dedim. "Hemen girip alacağız. Ama bir şartım var."

"Söyle."

"Bana söz vereceksin. Hemen eve dönüp o demincek anlattığın sahneyi oynayacağız, tamam mı?"

Biraz kızarır gibi oldu. "Söz" dedi.

"Unutma, söz verdin. Kaytarmak yok."

"Yok!"

* * *

Soyunup yatağa girmiştim. Kuş tüyü yastığımı karyolanın başına dayayıp sırtımı yasladım. Genç bir lise öğrencisi gibi heyecanlıydım. Odasında soyunup, yeni aldığımız çamaşırları Jale'nin giymesini bekliyordum.

Bir yandan da gülümsemekten kendimi alamadım. Jale, alem bir insandı. Yaklaşımı bana biraz komik geliyordu. Bu tür heyecanları film setindeymiş gibi, belirli bir mizansen içinde yapay olarak yaşamak çok komikti. Nedense kafasına takmıştı, bana illaki beyninde şekillendirdiği bir sahne içinde yaklaşacaktı.

Bekledim bir süre. Neden sonra odasından çıkıp koridorda yaklaşan ince topuklu terliklerinin çıkardığı ayak seslerini işittim. Kapıda göründü ama eşikte öylece kaldı.

İçeriye bir türlü girmiyordu.

Gerçekten de saçlarını omuzlarından aşağıya taramış, yeni aldığımız dantel sarı sutyenle incecik külotu giymişti. Nefesim kesilir gibi oldu. Kadın vücudu ufak tefek giysilerle her zaman tamamen çıplaklıktan çok daha tahrik edici olurdu. Uzun bacakları, endamlı vücudu ile bir heykel kadar muhteşemdi. Dolgun göğüsleri biraz dar gelen sutyenden fışkıracak gibiydi. Gözlerim pervasızca beline, göbeğine, kasıklarına kaydı. Jale'yi banyoda çırılçıplak da görmüştüm. Ama sırtındaki iki ufak parça kumaşın onu bu denli baştan çıkarıcı ve tahrik edici kılabileceğini tahmin edemezdim.

Adeta nutkum tutuldu.

Kapının pervazına yaslanmış duruyordu. Neden sonra gözlerimi vücudundan ayırarak yüzüne bakabildim.

"Gelsene."

"Nasıl buldun?"

"Tek kelime ile muhteşem."

"Fazla kilom var mıymış?"

"Hayır sevgilim" dedim. "Kesinlikle yok."

Çapkın çapkın sırıttı. "Hadi gel.. Beni kucağına al da, yatağa götür."

Yorganı üzerimden fırlatınca çıplaklığımı gördü.

"Aaa" diye hafifçe bağırdı. "Bu ne acele? Hem ben sana ne dedim? İlk yatağa girdiğimizde o kadar ileri gitmeyeceğimizi söylemedim mi?"

İki adımda yanına gittim. Daha fazla konuşmasına meydan vermeden kucakladım. Kuş gibi hafif vücudunu kavradığım gibi yatağa götürdüm usulca çarşafın üzerine bıraktım. İtiraz için yeniden konuşmaya başlayacaktı ki, dudaklarımla açılan ağzını kapattım. Önce çırpınarak dudaklarını kaçırmak istedi, ama hiç aldırmadan en ateşli şekilde öpmeye devam ettim. Bir süre sonra mukavemeti kırıldığı gibi o da öpüşlerime karşılık verdi, kendini benden uzaklaştırmak için göğsüme dayadığı kolları ağır ağır omuzlarıma sarıldı. İkimiz de nefessiz kalmıştık. Dudaklarım yavaşça boynuna, kulak altlarına kaydı. Kesik kesik inliyordu. Hafifçe yan dönerek serbest elimle sutyeninin klipsini açtım, arzudan dikleşmiş pembe meme uçları bütün sıcaklığı ile göğsümde ezilmeye başlamıştı. İkimiz de günler süren bir hasretle birbirimizin olmak üzere heyecanla vuslat anına geçmeyi bekliyorduk.

O ana kadar herşey normaldi.

Kulağıma, "Lütfen acele etme" diye fısıldadığını hayal meyal işittim. Kulağının memesini emerken, "Bakire misin?" diye sordum. Bütün fettanlığına, uzun süredir bana yaptığı cinsel tahriklere rağmen, münasebete girmekten kaçınmasını bakireliğine bağlıyordum.

"Hayır" dedi. "Bakire değilim."

Doğrusu biraz şaşırmıştım, ama bu benim için asla bir sorun değildi. Zamanımızda onun yaşına gelmiş bir doktorun bakire olmasını beklemek safdillik olurdu. Ama ondan sonra söylediği ufak bir cümle, bir anda kanımı dondurdu.

"Ben evliyim."

Yanlış mı duymuştum acaba? Vücuduma kramplar girmiş gibi oldu bir anda. Dehşetle yüzüne baktım." Ne dedin?"

Yüzü kızardı. Yavaş yavaş kollarını boynumdan çözdü.

"Doğru işittin" diye mırıldandı. "Ben evliyim!"

İşittiklerimi kafama sindirmeye çalıştım.

"Evli misin?"

Gözlerini benden kaçırmaya çalışıyordu.

"Maalesef" diye inledi.

Söyleyecek bir kelime bulamıyordum. Aptal aptal suratına bakakaldım.

"Yalan bu. Sana inanmıyorum. Yine her zamanki gibi bana oyun yapıyorsun. Ama bu sefer kanmayacağım, artık elimden kurtulamazsın. Canıma tak dedi bu yaptığın numaralar. Senin niyetin nedir, söylesene? Beni çıldırtmak mı istiyorsun."

"Lütfen Sinan, biraz anlayışlı ol. Sana meseleyi anlatayım."

"Hayır" diye bağırdım. "Tek kelime duymak istemiyorum. Yetti artık. Bir erkeğin duygularıyla böyle oynanamaz. Sevişmeye devam edeceğiz."

Sinirlenir gibi oldu.

"Aptal! Neden şimdiye kadar sana kendimi teslim etmediğimi hiç düşünmedin mi? Aslında benim de seni ne kadar istediğim halde, arzularımı dizginlemeye çalıştığımı fark etmiyor musun?"

İçime bir kurt düşmüştü. Dirseklerimi yatağa dayayıp üzerinden kalkmadan gözlerinin ta derinliklerine baktım. Göz pınarlarında damlacıklar belirmişti. Her an yanaklarına süzülebilirdi. Titreyerek sordum:

"Doğru mu söylüyorsun?"

Ağlamaya başladı.

"Bunu şimdiye kadar anlayacağını düşünmüştüm. Yoksa evlenme teklifine neden hayır diyeyim ki?"

Her halde soğuk duş denilen şey bu olmalıydı! Kendimi yatağın öbür yanına attım. Bakışlarımı tavana dikerek başıma gelenleri düşünmeye başladım.

"Anlat" dedim. "En başından."

"O konuyu konuşmak istemiyorum."

Emir verir gibi bağırdım. "Herşeyi bilmek istiyorum. En ince teferrutına kadar. Sanırım buna hakkım var."

Önce konuşmadı. Kesik kesik hıçkırdı. Bir süre sonra mahcup bir edayla, "Büyük bir hataydı" dedi. "Onunla tıbba girdiğim ilk sene tanışmıştım. İkimiz de öğrenciydik ve ben çok toydum. İnsanları tanımayan, değer ve yargıları gelişmemiş, ufacık bir kız. İzmir'den yeni gelmiştim. Yanımda akıl danışacağım, bana yol gösterecek bir büyüğüm de yoktu. Ona aşık olduğumu sandım. Altı ay sonra da evlendik."

Yeniden sustu. Burnunu çekmeye başladı.

"Devam et" dedim.

"Sonraki altı ay ise bu evliliğin yürümeyeceğini ikimiz de anladık. Ve o beni terkedip memleketine döndü. Mektebi de bıraktı."

"Nereye gitti?"

"Van'a."

"Peki, boşanmadın mı?" diye sordum.

"Çok istedim. Ama o karşı çıktı."

"Anlayamadım, nasıl yani?"

"Doğuluydu. Örf ve adetlerine göre boşanma onlarda ayıptı. Yani erkeğin gururunu kıracak bir olay, anlıyor musun?"

"Ne yani? Bu yüzden senelerdir evli kaldığını mı iddia ediyorsun?"

"Evet sevgilim, aynen öyle."

"Bana bak Jale, sana inanmıyorum. Yine bana kendini vermemek için oyun oynuyorsun. Böyle saçma şey olmaz. Külahıma anlat bu palavraları."

Yine hiddetimden ve artık frenlemekte zorluk çektiğim arzularımdan bağırmaya başlamıştım. Yatışmam adeta olanaksızdı.

O ise ağlamakta devam ediyordu. Gözyaşları yeniden sicim gibi yanaklarına inmeye başlamıştı. Bana sarılmak istedi, hafifçe kendimden itip uzaklaştırdım.

"Bitti artık" dedim. "Bana yaklaşma."

Bu lafım ona çok ağır geldi. Yatağın içinde oturdu. Omuzları sarsılarak:

"Demek beni sırf arzuladığın için yanında tutuyordun? Aşkın, sevgin palavraydı ha? Sana kendimi teslim etmeyince beni itiyorsun. Ben de bundan korkuyordum işte. Tüm erkekler aynı. Yalnızca sevişmeyi, hoyratça sahip olmayı düşünüyorsunuz. Ne kadar yazık. Seni farklı sanmıştım. Ah, benim uslanmaz, aptal kafam" diye homurdandı.

Oldum olası insanların ağlamasına dayanamazdım.

Yüreğim burkulmaya başlamıştı bile.

Kaba ve anlayışsız davrandığımı kabul etmeliydim. Bunca zamandır niye bana tam olarak yaklaşmadığını, sevişmekten neden kaçındığını anlamalıydım. Ama böyle bir ihtimal hiç aklıma gelmemişti doğrusu.

Bir süre ne yapacağıma, nasıl davranacağıma karar veremeden öylece kaldım yatağın içinde. Beni o kadar çok oyunlarla oyalamıştı ki, yine bir numara yaptığını sandığımdan bu sefer hoyrat davranmış ve kaba konuşmuştum. Nihayet:

"Affedersin" diyebildim. "Evli olacağını düşünememiştim."

Ellerini yüzüne kapamış ağlamaya devam ediyordu.

"Beni gerçekten seviyor musun?" diye sordum.

"Hayır, artık sevmiyorum."

"Bu seviyorsun anlamına gelir. Bunu niye bana daha evvel söylemedin? Unuttun mu? Ben avukatım. İstesen seni bir celsede boşardım."

Vaziyetini hiç bozmadan öylece kaldı. Cevap vermedi.

"Söyle bana, boşanmak istiyor musun? İstiyorsan bu meseleyi gayet rahat çözebilirim. Benim işim bu."

Yine cevap yoktu.

Sorumu yineledim.

Kısaca, "Evet" dedi.

Rahatlar gibi oldum.

"Seni anlamakta hep zorlanıyorum. Madem kocan geçmişinde kalmış kötü bir anı, madem ona dönmemekte kararlısın, o halde bu davranışının anlamı ne? Niye kendini hayatın zevklerinden mahrum ediyorsun? Artık hayatının o devresi kapanmış, daha gençsin ve önünde upuzun bir yaşam var. Bu katı tutum niye? Niçin kendini sevdiğin halde benden uzak tutuyorsun? Sen okumuş bir insansın, içinden taşan coşku ve arzuların son derece tabii ihtiyaçlar olduğunu bilmiyor musun?"

Ellerini yüzünden çekmeden, "Olsun" diye mırıldandı. "Ben hâlâ evliyim."

"Bu neyi değiştirir ki?"

"Anlamıyorsun, hukuken evliyken biri ile sevişmek bana ters geliyor. Ahlak prensiplerimi zorluyor."

Allahtan yüzü kapalı olduğu için gülümsediğimi görmedi. Çok acayip kızdı Jale. Şu anda neredeyse çırılçıplak yatağımdaydı ve bana prensiplerden bahsediyordu. Yüzünü örten ellerini aşağıya indirmek istedim.

"Dokunma bana" diye bağırdı. "İstemiyorum."

"Tamam, tamam" dedim. "Dokunmayacağım, sadece konuşmak istiyorum."

"Artık ne konuşacağız ki? Az evvel senin de gerçek yüzünü gördüm. Anlayışsız ve kaba birisin. Bütün davranışların sahteymiş. Diğerlerinden hiç farkın yokmuş."

"Haksızlık ediyorsun."

"Hayır etmiyorum."

"Peki ne yapmamı istiyorsun öyleyse? Daha başka nasıl davranabilirim? Bana nasıl bir işkence uyguladığının farkında değil misin? Yerimde bir başka erkek olsa nasıl davranacağını hiç düşündün mü?"

Birbiri ardına gelen sorularımdan sonra, ellerini yüzünden çekti. Hâlâ hıçkırıyordu ara sıra; lacivert gözler gözyaşlarından kızarmıştı. Kırık ve kırgın bakışlarını yüzüme çevirdi. "Bana dokunmamaya söz veriyor musun?" diye sordu.

Kendimi sırtüstü yatağa attım.

Gücüm kalmamıştı artık. Ne yazık ki bütün abuk subuk davranışlarına rağmen onu çılgın gibi seviyorum. Sadece etrafımda bulunması bile yeterliydi bana.

Ama ağzımdan, "söz veriyorum" lafi çıkmadı. Gözlerimi tavana dikip sessizce yatmaya devam ettim.

"Cevap vermedin!"

"Cevabımı şimdiye kadar çoktan anlamış olman lazımdı."

Hiç ummadığım bir şey yaptı. Yataktan kalkıp gitmesini bekliyordum, o ise usulca uzanıp başını yatağa koydu. Aramıza bir mesafe koyarak yattı. Kımıldamadan duruyorduk.

"Seni çok seviyorum" diye mırıldandı.

Söyleyecek bir şeyim yoktu.

"Duydun mu?"

Yine ağzımı açmadım.

"Deli gibi seviyorum. Hayatımda kimseyi böyle sevmedim."

Dinliyordum sadece.

"Gerçek sevginin ne olduğunu ilk defa sende tattım. Biliyorum hatalı olan benim. Olgun ve anlayışlısın. Asıl özür dilemesi icab eden de benim. Beni nasıl arzuladığını da görüyorum. Ama elimde değil. Boşanmadan senin olamam. Anlıyor musun beni?"

Hiç ses çıkmıyordu benden.

"Cevap versene. Niye konuşmuyorsun? Gücendin mi bana?"

Susmaya devam ettim. Gerçekten de bana çok anlamsız gelen bu davranışına söyleyecek lafım yoktu. Arzusu hilafına onu ilişkiye zorlayamazdım. Cevap vermediğimi görünce dirseğini yastığa dayayıp doğruldu, aklımdan geçenleri anlamak için yüzüme baktı.

Nasıl bir ruh haleti içinde olduğumu anlamış olmalıydı. İnce uzun parmaklarını uzatarak göğsümdeki kıllarla oynamaya başladı.

"Bana çok bozuldun mu?"

Bu sefer sesi o çok hoşlandığım çocuksu şımarıklık içinde çıkmıştı.

"Hadi cevap ver sevgiline. Daha fazla üzme beni."

Ağzımı açmadım.

Parmakları usul usul göğsümde dolaşmaya başladı. Okşuyordu.

"Yapma" dedim sonunda.

Güldü ilk defa. "Yapacağım işte! Sen benimsin. Her istediğimi yaparım sana. Anlaşmamızı unutuyor musun?"

"Ben hiç unutmadım ama sen verdiğin sözü yerine getirmedin."

"Ne sözü?"

"Anlamazlığa gelme. İç çamaşırlarını alırken ne demiştin bana."

"Nankör!" diye fısıldadı. "Bugün sana az şey mi verdim? Bir düşünsene. Neler sundum sana. Taptaze dipdiri bir beden. Öptün, kokladın, okşadın. Bu kadarı yetmiyor mu şimdilik. Neredeyse dudaklarımı koparıyordun, hâlâ ateş gibi yanıyorlar."

"Yine başlama Jale!" diye serzenişte bulundum.

Birden kulağıma eğilip, yüzüme karşı söylemekten utandığı bazı kelimeler fısıldadı. Kendimi tutamadım, gülmeye başladım.

"Vallahi doğru söylüyorum" dedi. "Hiç öylesini görmedim."

Dayanamayarak kollarımın arasına aldım.

"Beni bağışladın mı sevgilim?" diye sordu.

"Biliyorsun elim mahkum. Seni çok şımarttım."

"Biliyorum hayatım. Şimdi beni dilediğin gibi sevip okşayabilirsin. Sadece o şey hariç. Tamam mı?"

"Merak etme. Ahlak prensibini zorlamayacağım. Nasıl birşeyse o?"

"Hadi konuşmayı kes de, öp beni.."

2

Her halde hiçbir yetişkin erkeğe bundan daha güçlü bir işkence uygulanamazdı. Jale o gün beni yatakta tek kelime ile çıldırttı. Azgın boğalar gibi soluyordum. Onun isteklerine uyarak seviştik; tabii buna sevişme denirse..

Saatler sonra yataktan kalkarken bana bir teşekkür öpücüğü kondurdu ve teşekkürlerini ifade etti. "Aferin" dedi. "Tam istediğim gibi uslu bir çocuk gibi davrandın.

Kırgın bir şekilde, "Aman kraliçem, benim için ne mazhariyet. Lütuf buyurursunuz" dedim.

Çapkınca gözünü kırparak, "Ukalalık etme" dedi. "Öyle süslü kelimeleri de anlamam. Mutlu değil misin yani? Ben banyoya gidiyorum, hadi tembellik etme de kalk. Bir çay yap. Karşılıklı içip konuşuruz."

O banyoda duş alırken, mutfağa gittim, çayı ocağa koydum. Fincanları raftan indirirken düşünmeye başlamıştım. Şimdi başıma bir de evliliği çıkmıştı. Onu ikna ederek derhal bir boşanma davası açmalıydık. Yarın ilk iş olarak bana bir vekaletname vermesini isteyecektim.

Salonda karşıma oturduğunda saçları hâlâ ıslaktı. Yüzü sıcak suyun etkisinden al al olmuştu. Sırtına eşofmanlarını giymiş, üstünün fermuarını tam çekmemişti. Yüzüme sevecen bir ifadeyle baktı.

"Amma azgınmışsın" dedi. "Vücudumun her yanı sızlıyor."

"Bırak şimdi bunları" dedim. "Konuşacak çok daha önemli konular var."

Hiç oralı olmadı.

"Hoşuna gitti mi sevişmek? Beğendin mi?"

"Jale lütfen. Derhal şu evliliği nasıl sona erdireceğimizi konuşmalıyız."

Sanki aklı fikri hâlâ oradaymış gibi sırıtarak:

"Bu seni ne kadar idare eder?" diye sordu.

"Evliliğin" Jale dedim. "Şimdi konumuz o!"

"Hangi evliliğim?"

"Hangi evliliğin olacak? Şu doğulu kocan! Adını, adresini ver bana."

"Ayol öyle birisi yok ki."

"Ne?"

"Yani ben hiç evlenmedim ki."

Kafamın tası yine atmıştı. Sinirlerime hakim olmaya çalışarak:

"Bu da bir oyun muydu?" diye sordum.

Sıcak çayını höpürdeterek yudumlarken, "Tabii sevgilim" dedi. "Evli olsam senin evinde ne işim olurdu? Evli bir kadın olarak çırılçıplak koynuna girer miydim hiç? Sakın yine sinirlenip, bağırmaya başlama. Anlayışlı ol ve bu güzel beraberliğimizin canına okuma. Ben çok mutluyum. Sen de söz verdin, bütün bu çılgınlıklarıma katlanacaksın."

Suratına bakakaldım.

Bir an ne diyeceğime, nasıl davranacağıma karar veremedim.

"Hadi kızgınlığını atmak için popoma iki tokat at diyeceğim ama onu da yapamıyorsun; onun için hiç nefesini yorma."

Sinirli bir şekilde koltuktan kalktım.

Muzip bir şekilde gülümsedi.

"İstersen bir dene. Ne de olsa bugün vücuduma doydun, belki popomu görünce o günkü gibi aptallaşmazsın. İstiyor musun, eşofmanın altını sıyırıp kucağına yatayım mı?"

Hiç sesimi çıkarmadım. En ufak bir reaksiyon göstermeden çalışma odama doğru yürüdüm. Kapıdan çıkarken arkamdan seslendi.

"Bence denesen fena olmazdı. Eşofmanımın içinde bir şey yok."

* * *

O gece hiç konuşmadık. Ertesi gün pazardı. Bütün bir günü dargın iki sevgili gibi geçirdik. Aslında bozulup kendi kabuğuna çekilen bendim. Onun hiç aldırdığı yoktu. Sanki aramızda hiçbir şey geçmemiş gibi davranıyordu. Pazar sabahı gazeteleri çalışma odama getirmiş, ayrı kahvaltı ettiğimizden masamın üzerine çay bırakmıştı. Bir ara odasında çalıştı, sesini duyamayınca meraklanmış ne yaptığını anlamak için odamdan çıkarak çaktırmadan kontrol etmiştim. Odasının kapısı açık olduğundan koridordan geçerken bana laf atmış, "sevgilim" diye seslenmişti.

Hiç yüz vermedim.

Ama aklım fikrim hâlâ ondaydı. Bir evin içinde bile onu görmeden duramıyordum. Sonunda süngüm düştü. Öğle yemeği vakti odasına gittim ama hâlâ kırgınmış gibi bir havalar takınarak, soğuk bir edayla, "Çıkıp bir şeyler yiyelim" dedim. "Evde yemek yok"

Masasının başında hınzırca gülümsedi.

İşaret parmağını kıvırarak, buraya gel dercesine bir işaret yaptı.

"Ne var?" dedim ilgisizce.

"Gel buraya. Gel sevgilinin yanına" dedi.

Yanına gitmek için can atıyordum ama bozukluğumu göstermek için küçük çocuklar gibi omuz silktim.

Yineledi, gel, diye.

Masaya yaklaştım.

"Öp bakayım sevgilini."

Zoraki yapıyormuş gibi yanağına bir öpücük kondurdum.

"Öyle değil ayol, adam gibi öp. Sert, hoyratça, kanımı tutuşturacak, aklımı başımdan alacak gibi."

"Senin aklım başından gitmez" diye söylendim. "Zaten başında akıl yok ki."

Kahkaha attı. Sonra yerinden fırlayıp kollarını boynuma doladı. Önce öpmeye sonra da hafif hafif dudaklarımı dişlemeye başladı. Canım yanmıştı. Dudaklarımı kurtarıp, "Acıtıyorsun" dedim.

"Müstahak sana benim şaşkın sevgilim. Dargın durmakla neler kaybettiğimizi biliyor musun?"

Cevap vermedim.

Kulağımın memesini ağzına alırken kısık bir sesle fısıldadı: "Ne dersin? Bu gece yatağına geleyim mi yine? Dünü bir daha yaşamak ister misin?"

Kalbim çılgınca atmaya başladı. Ne diyebilirdim ki?...

* * *

Yemeğe çıkmadık; çalışmam gerekiyor dedi Jale. Sonra mutfağa girip harika bir omlet yaptı, yanında da nefis bir makarna. Herşeyi unutmuştum. Aşk denen şey, her ne halt ise, insanın duygularını ahtapotun vantuzu gibi yapışarak emiyor, beyin ve ruhta gerçek bir boşluk yaratıyordu. İçimdeki kızgınlık çoktan silinip gitmişti. Neşeli bir yemek yedik. Güldük, şakalaştık, oynaştık.

Yemekten sonra, ben biraz çalışmalıyım, dedi Jale. "Ben de odana gelebilir miyim sevgilim?" diye sordum. Onu görmeden yapamıyordum. Kahveleri ben pişirdim. Ona ayırdığım odaya geçtik. Ben gazeteleri okurken o da kitaplarının başına geçti.

Mutluydum. Şimdiden gecenin gelmesini bekliyordum. Beni çıldırtan, o sonuçsuz sevişmeye bile razıydım; razı olmak ne kelime, dört gözle bekliyordum. Ümitliydim de, Jale'nin ne yapacağı belli olmazdı; yeni bir tatsızlık çıkarabileceği gibi, hiç ummadığım bir anda kendini tamamıyla bana teslim de edebilirdi.

Aslında gazeteleri kendimi vererek okuyamıyordum. Aklım daha şimdiden gecenin getireceklerine takılmıştı. Sonra bir şeyi farkettim; gerçekten de aklım fikrim sekse takılmıştı. Hayvani arzular içinde boğuluyordum. Aramızdaki ilişkiyi yalnız bu cephesiyle düşünmek, sevginin romantizminden uzaklaşmak yanılgıydı. Aslında onu bütün içtenliği ve ruhunun yaratıcılığı ile de seviyordum; ne var ki, fiziki güzelliği, erişilmez çekiciliği, bende önüne geçilmez şehevi duygular yaratıyordu. O bir bütündü, ruh güzelliğini, çocuksu masumiyetini cinselliğinden ayıramazdım.

Tam o sırada telefon çaldı.

Açmak için odadan çıktım. Arayan Mahir'di. Yılbaşı gecesinden beri onları görmemiştik. Biraz havadan sudan bahsettik. Kulübe gidip tenis oynamayı teklif etti. Hiç cazip bir teklif değildi. Jale'yi bırakıp gidemezdim. Tatil gününü sevgilimin yanında geçirmek çok daha hoştu.

Sesimi kısarak, "Şimdi Jale'yi bırakamam" dedim.

Arkamdan, "Beni de götürsene, sevgilim" dedi. Ne zaman odasından çıkıp arkama geldiğini farketmemiştim. "Bir dakika" diyerek Mahir'e reseptörün ağzını kapattım.

"Beni tenis oynamaya çağırıyor. Atlatacağım" diye kısık sesle fısıldadım.

"Niye? Birlikte gideriz. Hem hava alır dolaşırız, hem de ben sizi seyrederim."

"Ama bana çalışacağım demiştin."

"Boş ver. Dersler kaçmıyor ya? Seni spor yaparken görmek istiyorum."

Hiç de hoş bir fikir değildi.

Evde onunla başbaşa kalmayı yeğlerdim. Kararsız kaldım.

Arkamdan yaklaşıp kollarını belime sararken başını da sırtıma dayadı.

"Yoksa beni öyle yerlere götürmekten çekiniyor musun?"

"O da ne demek? Niye çekineyim ki?"

"Belki elinden kaparlar diye korkuyorsundur."

"Ben öyle abuk subuk şeyler düşünmem."

"Kıskanır mısın?"

"Kimden?"

"Oradaki gençlerden."

"Çocuk gibi davranmayı bırak Jale. Mahir'e ne cevap vereyim?"

"Geleceğimizi söyle."

İstemeye istemeye, "Pekala geliyoruz" dedim Mahir'e.

"Jale de mi gelecek?"

"Evet. O da gelmek istiyor benimle."

"Ulan Sinan" diye güldü telefonda "Ne o, yoksa kızın iznini almadan sokağa çıkamıyor musun artık? Bu ne kılıbıklık be! Şimdiden yularları teslim mi ettin?"

Gerçi Mahir çok yakın arkadaşımdı, ama yaptığı şakayı çok anlamsız bulmuştum. "Saat üçte kulüpte buluşuruz" diyerek telefonu kapattım.

Jale yüzüme baktı.

"Yoksa gelmek istememe bozuldun mu?"

"Yoo" dedim.

"Ama suratın bir karış asıldı."

"Hadi, tatavayı bırak da hazırlan. Ancak yetişiriz. Bugün pazar yollar kalabalıktır."

* * *

Yol boyunca çok az konuştuk. Elimde olmadan biraz surat asmıştım.

"Keşke gelmeseydim" dedi sonunda.

"Neden?"

"Galiba beni mensup olduğun cemiyete pek uygun biri görmüyorsun."

"Saçmalama."

"Evet öyle. Yoksa gelmeme bu kadar surat asmazdın."

"Bak! Başlama yine... Bu tür zırvalamalarından hiç hoşlanmıyorum. Lütfen hadise çıkarma."

"Benim hadise çıkardığım yok. Asıl hadise çıkaran sensin. İstemiyorsan beni burada bırak. Eve dönebilirim."

"Allahım sen bana sabır ver" diye söylendim. "Niye bu kadar mantıksız düşünüyorsun Jale? Evlenmek istediğim bir kadını ait olduğum topluma mı sokmayacağım yani? Bunu nasıl düşünüyorsun?"

"Kadın ruhu hisseder."

"Bu sefer yanılıyorsun."

"Öyleyse kıskanıyorsun."

"Hoppala! Şimdi de bu kıskançlık çıktı. Seni kimden kıskanacağım yahu?"

"Ne bileyim? Belki de Mahir'den."

"Yeter artık!" diye bağırdım. "İyice saçmalamaya başladın."

Hiddetle yüzüme baktı.

"Terbiyesizlik etme. Benimle bağırmadan saygılı konuş."

Bu kadar da insanın üstüne gelinmezdi. İnsafsızlık ediyordu.

"İstediğin nedir? Münakaşa mı etmek istiyorsun?"

"Çek arabayı kenara. Uygun bir yerde inmek istiyorum."

Tepem attı. Son zamanlarda zaten çok gergin günler yaşıyordum ve Jale bunun tuzu biberiydi.

"Nasıl istersen" diyerek frenlere asıldım.

Boğaz köprüsünün son otobüs durağına yaklaşıyorduk. Arabayı yavaşlayıp sağa çektim. Durur durmaz tek kelime etmeden kapıyı açıp fırladı. Arkasından da şiddetle kapıyı çarptı. Tam bir rezaletti halimiz. Kedi - köpek gibi yaşıyorduk; her gün aramızda bir tatsızlık çıkıyordu. Yirmi dört saat, münakaşa etmeden, birbirimizi incitici kelimeler kullanmadan, gün geçirdiğimizi hatırlamıyordum. Şimdiye kadarki münakaşalarımızın ana odağı cinsellikti, ama bu kez ilk defa, Jale başka konuları da kavgaya katmıştı.

Sinirden köpürüyordum. Önce içimden Mahir'e söylendim; halt mı vardı o telefonu etmesinin? Ne güzel, tatlı tatlı evimizde bir pazar geçiriyorduk. Hep bu gecenin sihirli, zevk ve heyecan dolu dakikalarını düşünerek yaşamıştım. Şimdi o da hayal olmuştu. Jale'yi tanıyordum; asla yatağıma gelmezdi artık.

Suratım asıldı. Arkama dönüp baktım. Jale hızlı hızlı yürüyordu.

Onun Köprü'nün başında arabadan inmesine izin vermem büyük hataydı. Yanında parası olup olmadığını, hatta yanına çantasını almadığını bile bilmiyordum. Eve nasıl dönerdi? Düpedüz dangalaklıktı bu yaptığım.

Son zamanlarda öyle sinirli biri olmuştum ki, davranışlarım ölçüsüz, tutarsız ve kaba olmaya başlamıştı; bunu görebiliyordum. Ama tek kabahatli ben miydim? Jale'nin hiç mi hatası yoktu? Şu anlamsız münakaşa mesela? Adeta yok yere münakaşa çıkarmıştı.

Bulunduğum yer arabayı bırakarak peşinden gitmeye müsait değildi. Bir kenara çekip parkedemezdim. Daha şimdiden arkamdan klakson sesleri yükselmeye başlamıştı. Biraz daha sağa çektim Passat'ı. Ama nerden çıktığını göremediğim bir trafik polisi "yürü" diye işaret etmeye başladı.

Biraz da bastıramadığım sinirimden olsa gerek, gazladım. Ne hali varsa, görsündü. Yeterdi artık. Bıçak kemiğe dayanmıştı. İşi bu kadar büyütmesi, saçlamalası, durduk yere olay çıkartması çok anlamsızdı. Olay çıkartmadan yaşayamıyordu.

Köprüye girdim.

Rahatlamak, soluk almak için yan taraftaki camı açtım.

Arabanın içine dolan soğuk rüzgar biraz beni rahatlattı. Sinirime esir olmuştum. Yine de bu davranışım doğru değildi. Genç bir kadını sokağın ortasında yalnız bırakmam kabalıktı. Gerekirse zor kullanıp arabadan inmesine izin vermemeliydim.

Lakin Jale de bebek değildi; otuz yaşına yaklaşan, kültürüne ve mevkiine yakışan kararlar vermesi gereken bir doktordu. Olayı o yaratmıştı; işin aslına bakılırsa hatalı sayılmazdım. Arabayı sürmeye devam ettim.

Köprü üzerinde hâlâ karar verememiştim.

Kulübe mi gitseydim, yoksa en yakın yerden geri mi dönmeliydim? Bu gergin halimle Mahir'le tenis oynayacak durumda değildim. Söylenip duruyordum. Bu kız yaşamımı allak bullak etmişti. Fakat ne olursa olsun ona sırılsıklam aşıktım ve onun gücünü, hayatıma getirdiği canlılık ve coşkuyu bütün benliğimde duyumsuyordum. Garip bir sevdaydı benimki. Vazgeçilmez bir tutku.

Geri dönmeye karar verdim.

Ne olursa olsun, gerekiyorsa onunla münakaşa hatta kavga bile edebilirdim. Benim tanıdığım Jale bu işi büyütecekti. Sağlıklı bir muhakeme yapamıyordum ama bu tür çocuksu çatışmalara giremeyecek bir yaştaydım. Düzenli ve monoton yaşamımda tam bir fırtınaydı o.

Beşiktaş sapağına daldım ve Barbaros Bulvarı'ndan geri döndüm. Pazar olduğundan trafik arap saçına dönmüştü. Yollarda oyalanmaya başladım. Eve döndüğümde sinir küpür gibiydim.

Jale yoktu.

Emin olmak için evin her yerine baktım. Daha gelmediği açıkça belliydi. Ev çıkarken bıraktığımız gibiydi. Odasına daldım, masasının üzerinde okurken açık bıraktığı kitap, benim yerlere saçtığım gazeteler aynen duruyordu.

Yanında parası olsa mutlaka bir taksiye atlar dönerdi. Çantasını aradım odada. Yanına çanta alıp almadığını anımsayamadım. Ama her halde almış olmalıydı, kadınlar çantasız çıkmazdı.

Cep telefonunu da hep yanında taşırdı.

En iyisi onu telefonundan aramaktı.

Şayet yollarda ise beklemesini söyler onu gidip bulunduğu yerden alırdım. Cep telefonunun numarası ezberimdeydi. Hemen aradım. Numara düştü ama arkasından, ya kapalı ya da kaplama alanı dışında denen o mahut teraneyi işittim. Bozularak telefonu kapattım. Belki kasten, arayacağımı düşünmüş ve telefonu açmamıştı.

Yapacağım bir şey yoktu. Somurtarak beklemeye başladım.

İçim içime sığmıyordu. Vakit ilerledikçe hissettiğim suçluluk duygusu artmaya başladı. Yoksa dönmeyecek miydi?

Saçmaydı bu düşüncem tabii; nereye gidebilirdi? Bütün eşyaları hatta kıyafetleri bile buradaydı.

Saat yedi olduğunda iki duble viskiyi bitirmiştim. Alkol sinirlerimi yatıştıracağına büsbütün aksi tesir yapmıştı. Evin içinde hırçın horozlar gibi dönüp duruyordum. Merak da etmeye başlamıştım.

Acaba damarıma basmak, beni büsbütün korkutmak için hastanesine gitmiş olabilir miydi? Geceyi yanlarında geçirerek eşi dostu olmadığını biliyordum. Daha da gecikirse arabaya atladığım gibi hastaneye gidebilirdim.

On beş dakikada bir telefon ediyordum. Santraldaki kızın o madeni ve tek düze sesini işitmekten bıkmıştım artık. Telefon bir türlü açılmıyordu.

Merak ediyordum ama çok da sinirliydim. Karşılaştığımızda ona yapacağımı biliyordum. Bu sefer elimden kurtulamazdı. Ne olursa olsun ona haddini bildirecek ve unutamayacağı bir ders verecektim. Kesin kararlıydım.

Dokuza on kala üçüncü kadeh viskim de bitmişti. Başımda hafif bir dönme vardı. Alkol aşırı gerginlikten çarpmış olmalıydı.

Anlaşılan bu kız bu gece dönmeyecekti.

Nereye giderse gitsin, onu bulabilirim. Hastaneye gittiğine emindim; başka gidecek yeri de yoktu zaten. Yerimden kalk-

tım, anorağımı giydim, bir kağıda not düşerek hastaneye gitti-
ğimi yazıp telefonun yanına bıraktım. Arabanın anahtarlarını al-
dım ve sokak kapısını açtım. Saat tam dokuzdu.

İrkildim birden. Kapının önünde duruyordu.

Onu karşımda görünce sevindiğimi saklamayacağım. İnsan
böyle hallerde, iyimser düşünmeye çalışsa bile, kaza gibi bazı
kötü ihtimalleri beyninden silip atamıyordu.

Onu bulmamın memnuniyetini saklamaya çalışarak:

"Nerelerdeydin?" diye bağırdım.

Jale benimkine yakın bir ses tonuyla:

"Bu seni hiç ilgilendirmez" diye karşılık verdi.

"Öyle mi, küçükhanım?"

"Evet, öyle."

Kolundan tuttuğum gibi içeriye çektim. Kavga edeceğimiz
muhakkaktı. Konu komşunun bağırıp çağırmalarımızı duymala-
rını istemiyordum.

"Bırak beni!" diye haykırdı.

"Hayır, bırakmayacağım. Bu yaptığın densizliğin hesabını
bana vereceksin."

"Asıl kabalık yapan sensin ve şimdi de aklınca kaba kuvve-
te baş vuracaksın öyle mi? Çek ellerini üstümden. Yoksa bütün
mahalleyi ayağa kaldırırım."

Yapar mı yapardı!

Fakat bu sefer aşağıdan almayacaktım. Kesin kararlıydım.

"Beraber yaşayacaksak belli kurallara uymak zorundasın.
Bunu kafana iyice sok."

"Yok canım? Senin kurallarına mı?"

"Evet, benim kurallarıma."

"Ya benimkiler ne olacak? Ben senin karın mıyım yoksa kö-
len mi? Sana hesap vermek zorunda değilim."

Hoyratça kolunu sıktım. Kurtarmak istedi, izin vermedim.

"Bırak kolumu!"

"Bırakmayacağım!"

"Bırak diyorum!"

"Hayır."

"Senin derdin nedir kuzum? Beni bu evde yaşayan bir esir mi sandın. Dilediğim anda gelir, dilediğim anda giderim."

"Sorun gelip gitmen değil."

"Neymiş öyleyse?"

"Davranışlarındaki sorumsuzluk. Sokağın ortasında arabanın kapısını çarpıp, en ufak bir izahat vermeden gidemezsin."

"Gidemez miyim? Nedenmiş o?"

"Bu medeni bir davranış değil. Bir sorunun varsa bunu konuşarak halledebiliriz. Senin yaptığın gibi edepsizce davranışlarla değil."

"Kendine gel ve benimle düzgün konuş. Asıl edepsizlik eden sensin."

İkimiz de çok sinirliydik. Her an patlayabilirdik.

Lacivert gözleri sinirden buğulanmıştı. Saçlarının ve üstünün ıslanmış olduğunu o zaman farkettim. Herhalde dışarda yağmur yağıyordu. Tekrar sordum.

"Nerelerdeydin bu saate kadar?"

"Sokakta gençlerle kırıştırıyordum. Rahatladın mı şimdi?"

"Seni terbiyesiz, dayak yoksulu seni!"

Kendime hakim olamadım ve elimi geri çekip suratına bir tokat aşketmek istedim. Ama yapamadım. Kişiliğim icabı ne olursa olsun bir kadına el kaldıramazdım. Elim boşlukta kaldı.

"Hadi. Vursana. Ne duruyorsun? Vur da, sana dünyanın kaç bucak olduğunu göstereyim!"

Elim aşağıya düştü.

"Değmez" diye mırıldandım. O an sanki gerçekler birden yüzüme çarpmış gibi içinde bulunduğum ümitsiz durumu kavramıştım. Biz asla birbirimize uygun bir çift değildik. Ama hakikatı bir türlü bu ana kadar kavrayamamıştım. Kendimi sonsuz bir boşluk içinde hissettim. İçimde bir şeylerin buruşarak, büzü-

lerek benden uzaklaştığını duyumsuyordum. Jale'yi kaybetmiş-
tim artık. Güzel bir rüya sona ermişti. Bir an yatağımın içinde
sıçrayarak uyanmayı istedim.

"Değmez mi? Değmez mi diyorsun? Demek yine o suni,
soylu, kibar adam numaralarına yatacaksın, öyle mi? Asıl ben se-
nin gerçek içyüzünü anladım. Sen adi, üç kâğıtçı, fırsat düşkü-
nü, rezilin tekisin. Aklın fikrin beni yatağa atmakta. Söylesene
benimle ilgili cinsellikten başka ne geçiyor aklından? Güzelliğim
ve diriliğimden başka ne düşünüyorsun? Sorunlarım, sıkıntıla-
rım hakkında bana tek kelime sordun mu? Seninle karşılıklı otu-
rup ciddi ne konuştuk?"

Kötü kötü yüzüne baktım.

"Cevap versene? Ne susuyorsun? Yalan mı söylüyorum? Şu
an sana, hadi yatağa girelim, istediğini vereyim, desem benden
iyisi olmaz, değil mi?"

"Lütfen kelimelerine dikkat et. Gittikçe seviyesizleşiyor-
sun."

Jale, "Yetti be!" diye bağırdı ve sonra bir top gibi üstüme
sıçradı. Ne olduğunu anlayamadım, ondan böyle saldırı da bek-
lemiyordum, dengemizi kaybederek yere yuvarlandık. Hırçın
bir kediden farksızdı ve uzun tırnaklarını her tarafıma geçirme-
ye hırsla beni tırmıklamaya başlamıştı. Şaşkınlığım geçince, to-
parlandım ve bileklerini kavradım. Fakat onu hiç bu kadar azgın
ve öfkeli görmemiştim. Bu kez oyun oynamadığı muhakkaktı ve
hırsından kuduruyor, kendini küçülmüş ve aşağılanmış hissedi-
yordu. Gerçek niyetim asla bu değildi, aşağılamak, tahkir etmek
istememiştim ama ona esaslı bir ders vermeye de kararlıydım.

Ellerimi ısırmaya başladı. Hem de canımı acıtarak. Devam-
lı müdafaada idim. Ona vuracak, fiziki acı verecek halim yoktu
ya. Sonunda iki kolunu da zaptederek başının üstüne kaldırdım,
vücudumun tüm ağırlığıyla üstüne çıktım. Altımda kımıldaya-
mıyordu şimdi.

Ama hırsını alamıyordu. Çırpındı durdu.

"Tamam mı?" dedim. "Teslim oldun mu?"

"Domuz!" diye homurdandı. "Hayır, sana asla teslim olmayacağım."

Ne yapayım, yine de seviyordum onu.

"Çaresizsin. Bak, altımda kımıldayamıyorsun. Bana haksızlık ettiğini kabul et, seni bağışlayayım."

"Asla!"

Durumumuzun artık kavgadan ziyade oynaşmaya dönüştüğünü görüyordum.

İnkarına rağmen o da biraz gevşemişti.

"Özür dile benden. Yoksa seni cezalandıracağım."

"Hiçbir halt edemezsin. Hem senden niye özür dileyecekmişim ki? Kabahatli olan, kaba davranan sensin?"

"Durduk yerde olayları yaratan da sen" dedim.

"Ben bir şey yapmadım."

"Hadi, beni çok sevdiğini ve bir daha böyle münasebetsizlikler yapmayacağını söyle."

"Söylemeyeceğim işte!"

"O zaman cezanı çekeceksin."

"Ne yapabilirsin ki? Irzıma mı geçeceksin?"

Sırıttım. "Hani fena bir ceza da olmaz yani? Deneyeyim mi?"

"Hayır" diye bağırdı.

Korktuğunu hissettim. Gerçekten de böyle bir şeye kalkışacağımı sandı.

"Bunu hak ettin ama."

"Vahşi, yabani domuz! Öyle bir şeye kalkışırsan seni öldürürüm."

"Yok canım? Sahi mi? Nasıl öldürürsün? Baksana kımıldayacak halin yok?"

Yine altımda depreşmeye başladı.

Sıkı sıkı tutuyordum. Vücudumu iki bacağının arasına yaslamıştım. Serbest bacaklarıyla bedenime vurmaya çalıştı, bir netice alamadı. Damarına basmak için söylendim." Bak, tam o pozisyondayız. Evet, bu cezayı sana uygulamalıyım."

"Hayır Sinan, bunu asla yapamazsın."

"Seyret, yapar mıyım yapamaz mıyım?"

Son bir gayretle beni üstünden atmaya çalıştı.

İki elini birleştirip sağ elimle bileklerinden kavradım. Sol elim serbest kalmıştı. Çırpınmaya devam ediyordu. Anorağının düğmelerini açtım. Elimi kazağının içinden göğüslerine götürdüm. Birden hareketsiz kaldı. Hiç kımıldamadan öylece durdu.

"Ne o?" dedim. "Aklınca boş bulunmamı mı bekliyorsun? Kabullenmiş görünüp fırsatını bulunca beni üstünden atacaksın, değil mi?"

Nefes nefeseydi. Hiç sesini çıkarmadı.

"Konuşsana" dedim.

Cevap vermedi.

"Hadi, sana son bir şans veriyorum. Özür dile seni affedeyim."

"Ölsem de af dilemem. Hatalı sensin. İstersen burada bana sahip ol. Erkeksin ve benden güçlüsün, tabii ki seninle mücadele edemem. Nasıl istersen öyle davran."

Bir müddet benden uzaklaştırmaya çalıştığı gözlerine baktım. Anın sihirli büyüsü, iki ayrı cinsin fiziki çekişmesiyle geçen o çarpıcı elektriklenmesi bozulmuştu sanki.

Ani bir hareketle üzerinden kalktım. Zaten asla öyle bir niyetim de yoktu.

O kımıldamadı. Koridorun halısı üzerinde öylece yatmaya devam etti. Anorağının önü açık, kazağı yukarıya kaymış, etekliğiyle kazağı arasında çıplak teni görünerek hareketsiz yatıyordu. Etekleri kasıklarına kadar yukarıya kaymıştı ve göğüsleri yaptığımız mücadele sonunda hızlı hızlı inip kalkmaya devam ediyordu.

Arkamı dönüp odama doğru yürürken homurdandım.

"Çok yazık" dedim. "Beni hiç anlamamışsın. Son söylediklerim sadece aramızdaki tatsızlığı ortadan kaldırmak, tatlıya bağlamak için yapılmış bir şakaydı. Hiç olmazsa bu kadarını anlayacağını sanmıştım."

Sesi çıkmadı.

Kapıyı kapatarak odama çekildim. Dışarıya çıkmayacak ve kendi kararını vermesini bekleyecektim. Ve artık vereceği her karara da razıydım. Jale ile yaşamak gerçekten zordu ve bu didişmeye dayanamayacaktım. İsterse çekip gidebilirdi; onu kesinlikle durdurmayacaktım.

Soyunup erkenden yatağa yattım. Işıkları söndürdüm. Uyumadan önce mutlaka kitap okuma gibi bir alışkanlığım vardı. Ama o anda tek bir satır bile okuyamazdım. Tabii gözüme uyku girmiyordu. Yatağın içinde dönüp durdum. Neden sonra dalmışım, belki de sızdım. Onu beklerken içtiğim viskilerin de etkisi olabilirdi. Rüyasız, karanlık, ağır bir uyku.

Gözlerimi açtığımda tuhaf birşeyler hissettim. Etraf hâlâ zifiri karanlıktı. Uyku sersemi önce ne olduğunu anlayamadım, ama yatakta kımıldar kımıldamaz yanı başımda uzanan sımsıcak bir vücutla karşılaştım. Uyanmamı bekliyormuş gibi bana sıkı sıkıya sarıldı. Ağzımı açmaya çalışırken uzun parmaklı eli ağzımı kapattı. Billur gibi parıldayan, o akıcı sesiyle kulağıma fısıldadı.

"Sus, tek kelime etme. Kabahatli benim, özür dilemeye geldim."

Sonra tepkimi almak istercesine yavaş yavaş elini ağzımdan çekti. Konuşmamı bekledi. Onu bağışladığımı duymak istiyordu.

Hiç sesimi çıkarmadım.

"Anlaşılan hâlâ kızgınsın bana."

Önce kollarıyla bana sarıldı. Kımıldamadığımı görünce bacağını kalçamın üstüne attı. Sıcacık nefesi karanlıkta yüzümü yalıyordu. Yorganın altında elimi buldu kalçalarının üstüne koydu. Okşamamı bekledi.

Elimi koyduğu yerde hiç kımıldatmadan durdum.

Titrek sesiyle, "Bu defa koynuna çırılçıplak girdim" dedi. Ben de yine ses yoktu.

Kulağıma yaklaşıp o çocuksu sesiyle, "Bahsettiğin cezayı çekmeye razıyım artık" diye fısıldadı.

3

Ertesi sabah yazıhanemden içeri girerken kendimi dünyanın en mutlu ve en şanslı insanı olarak görüyordum. Gülerek paltomu çıkarıp ufak portmantoya astım, keyfim yerindeydi, bürodaki yardımcılarıma, sekreterime "iyi günler" diyerek odama yöneldim. Bana bir şey belli etmemeye çalıştılar ama günlerdir asık suratla dolaştığım büroya sabah sabah neşeli girmem, onları da sevindirmişti. Arkamdan yorumlar, ufak dedikodular yaptıklarına emindim. Hiç umurumda değildi; dün gece saadet ve mutluluğu doyasıya tatmıştım.

Az sonra kapıyı tıkırdatan Yalçın elinde bir gazete ile içeriye girdi.

"Abi bu günkü gazeteleri okudun mu?" diye sordu.

"Şöyle bir göz atabildim, üstünkörü. Hayrola, önemli bir şey mi var?"

Kısa bir duraksamadan sonra, "Şu morgda gördüğümüz kız var ya, polis onun kimliğini tesbit etmiş" dedi.

Henüz oturduğum koltuğumdan heyecanla fırladım. "Nerede? Getir bakayım."

Yalçın çekine çekine gazeteyi masanın üzerine yaydı. Parmağıyla ikinci sayfadaki haberi işaret etti. Tek kolon üzerinden verilmiş kısa bir haberdi. Dün polise kimliği tesbit edilemeyen bir şahıs telefon ederek öldürülen kızın adını vermişti. Emel Soylu adındaki maktülenin Yıldız Üniversitesinde talebe ve dört aylık hamile olduğunu yazıyordu. Polisin tahkikatı derinleştirdiği ve önemli ip uçları da ele geçirdiği yazılmıştı.

Yalçın, "Belki ilgilenirsiniz diye gösterdim" dedi. "Aradığınız kız bu muydu?"

Morgdan çıkarken yardımcıma bir yorumda bulunmamış, kızı teşhis ettiğimi söylememiştim. "Evet, o" diyerek başımı salladım.

Yalçın sessizce bana baktı. Az daha olsa bir açıklama yapmamı bekliyordu. Sustuğumu görünce, "Gerçekten müvekkileniz miydi?" diye sordu.

Hayır anlamına gelecek tarzda başımı iki yana salladım.

"Cesedi tanıdığınızı tahmin etmiştim" diye mırıldandı.

Haberi birkaç defa okudum. Acaba polise durumu ihbar eden kimdi? İşin aslına bakılırsa bu ihbardan hiç de memnun olmamıştım. Kara kara düşünmeye başladım. Ne Vural ne de Kalaycıoğulları bu ihbarı yapmazdı. Aysel ve takımı olayı kendi imkanları içinde çözmeye çalışıyorlardı. Vural, onunla son görüşmemde bana yalvarmış ve olayı polise aksettirmemem için ricada bulunmuştu.

İster istemez bu ihbarı kimin yaptığına aklım takıldı. Aysel ve oğluna göre zanlı Vural'dı. Suçu oğlunun üstüne yıkmak istediğine kesinlikle inanıyorlardı. Ama ellerinde onu suçlayacak yeterli delil yoktu. Şu sırada böyle bir ihbara kalkışmaları anlamsızdı. Zaten kanaatimce onlar olayı tamamiyle örtbas etmek niyetindeydiler.

Vural olabilir miydi? Bence bu da uzak bir ihtimaldi.

Polis muhbirin kimliğini saptadamadan, ceset hakkında kesin bilgiler toplamadan, gazetecilere maktule hakkında bilgi bile vermezlerdi. Şu halde ellerinde esaslı bulgular olmalıydı.

Aklıma Tamer denen genç geldi.

Acaba muhbir o muydu? Tamer olduğunu da sanmıyordum. Delikanlı gözdağının etkisiyle fena halde korkmuştu. Aysel'i tanımasa bile, onun güçlü ve dişli biri olduğunu gayet iyi anlamıştı. Olayla bir ilgisi zaten yoktu, durduk yere başını niye belaya soksundu ki? Büyük bir mutlulukla başladığım güne gölge düşmüştü. Kara kara düşünmeye başladım. Olaylar geliştikçe ve düşünmeye başladıkça Vural'ın bir katil olabileceği ihtimali de gözümde gittikçe azalıyordu. Vural'ın hatalı bir yığın yanı olabilirdi, fakat benim tanıdığım arkadaşım oğlunun arkadaşını hamile bırakarak onun üzerine cinayet suçunu yıkabilecek tıynette biri değildi. Asla bunu yapmazdı.

Daha da kötüsü şimdi Aysel de Vural da bu ihbarı benim yaptığımı düşüneceklerdi. Ne de olsa hukukçuydum. Bildiğim şeyleri polise haber vermem hem bir hukukçu olarak hem de namuslu bir vatandaş olarak görevimdi. Oysa her iki tarafa da polise şimdilik gitmeyeceğime dair söz vermiştim.

Şimdi aklıma başka ihtimaller de geliyordu. Alt tarafı ben polis hafiyesi değildim, araştırma imkanlarım sınırlıydı, yoksa bu işin içinde hiç tanımadığım insanlarda mı vardı? Öyle ya, Kerim de Jale de, Emel'in hafifmeşrep biri olduğunu iddia ediyorlardı. Belki kızı adını bile duymadığım başka bir erkek hamile bırakmış ve olay duyulunca da öldürmüş olabilirdi? Böyle bir ihtimal tüylerimi diken diken etti. Sonra kendi kendime yanlış düşünüyorsun Sinan, diye söylendim. Bu cinayeti bildiğim grupların dışında biri işleyemezdi. En açık nedeni de teknede bulduğum Emel'in giysileriydi.

O giysiler sanırım olayın aydınlanmasında en önemli ipucu olacaktı.

Düşüncelerimi bir türlü toplayamıyordum. Şayet cinayeti çevremdeki insanların dışında biri işlemişse o elbiseleri tekneye ne sebeple bırakmıştı? Kerim'in yaşamındaki sırrı nasıl öğrenmişlerdi? Sonunda katilin dışardan biri olabileceği ihtimalini tamamen sildim kafamdan.

Katilin bir erkek olması şarttı. Çünkü öldürülen kız önce gebe bırakılmıştı. Hâlâ bu cinayeti Kerim'in işlediğini sanıyordum. O boş villada konuşurken Aysel'e ve oğlana inanır gibi olmuş ve hatta bir ara Vural'dan bile şüphelenmiştim. Vural'ın dengesiz olduğunu, davranışlarında gariplikler bulunduğunu da farkediyordum, yoksa katil gerçekten o olabilir miydi?

Bilemiyordum ve gazetedeki haberi okuyunca başıma bir ağrı saplanmıştı. Kerim'le bir daha konuşmalıydım, hem de yanında annesi yokken.

Yerimden fırladım. Yalçın şaşırarak yüzüme baktı.

"Gidiyor musunuz abi?" diye sordu.

"Evet" diye mırıldandım. "Belki bu gün büroya dönmem. Arayan olursa siz idare ediverin."

Yardımcım endişeli nazarlarla beni süzdü. Ama ağzını açıp tek kelime etmedi...

* * *

Arabaya atlayıp doğru Eskihisar'a yollandım. Bu kez oğlanı iyice sıkıştıracaktım. İlk görüşmemizde zaman zaman tereddütlere düştüğünü, verdiği cevaplarda annesinden yardım ister gibi ona baktığını birkaç kez yakalamıştım. O çocuk bir şeyler saklıyordu. Vural'a suç isnadı galiba bilinçli olarak yapılmıştı ve ben de saf saf yutmuştum.

Anadolu yakasına geçişte trafik rahattı. Gazı kökledim. Hızla yol alıyordum. Kısa zamanda Gümüş Vadi Konaklarına geldim. Bu defa arabayı tam villanın önüne çektim.

Zili çaldım. Heyecanla kapının açılmasını bekliyordum. Az sonra kapı aralandı. Aralıktan daha önce burnunu kırdığım Hüsamettin denen adamın yüzü göründü. Beni bu saatte karşısında bulacağını pek tahmin etmemiş olacaktı ki epey şaşırdı.

"Ne istiyorsun?" diye sordu hoşnutsuz bir ifadeyle.

"Kerim'le konuşacağım."

"Hanımefendi evde yok. İçeriye kimseyi alamam."

Sert bir şekilde homurdandım.

"Ulan dümbelek, hanımınla değil, çocukla konuşacağım dedim sana."

Ani bir hareketle kapıyı yüzeme kapatmak isedi; hemen ayağımı kapının aralığına soktum, örtemedi.

"Yine olay mı çıkartmak istiyorsun?"

"Beni içeri almazsan burnunu bir daha kırarım."

Aslında böyle sert ve haşin erkek pozları takınmaya alışık biri de değildim, ama yediği yumruğun hâlâ etkisinde olan adam kısa bir tereddütten sonra kapıyı açtı. Bilmezdi ki o yumruk hayatta attığım ilk ciddi ve yerini bulmuş yumruk sayılırdı.

"Nerde o?" diye bağırır gibi sordum.

"Odada. Televizyon seyrediyor."

"Tamam, anladım" dedim. Peşimden gelmek istedi. Bu defa omzundan tutup dostça sırıttım. "Sen dışarda kal. Yalnız konuşmak istiyorum."

"Ama Hanımefendi'nin emri var, onu yalnız bırakamam."

"Merak etme. Ona bir şey yapacak değilim. Sadece birkaç sual soracağım."

Çok huzursuzdu fakat ısrar etmedi. Kapıyı açıp içeri girdim.

Çelimsiz delikanlı giysileri ile karyolaya uzanmış, bezgin ve dalgın kanallardan birindeki filmi seyrediyordu. Odaya girişimin farkına bile varmadı. Beni koruyucusu Hüsamettin sanmıştı.

"Merhaba evlat" dedim.

Birden irkildi, yerinden sıçrayarak oturur duruma geldi. Hemen suratı asılmıştı.

"Yine mi geldiniz?" diye homurdandı. Bu ani ziyaretimden hoşlanmadığını açıkça belli etti.

"Sana birkaç soru sormalıyım."

"Ne öğrenmek istiyorsunuz ki? Fazla bir şey bilmiyorum."

"Yine de aklıma takılan bazı şeyler var."

Yanındaki masanın üzerinde yeşil bir elma duruyordu. Bilinçsizce elmaya uzanıp dişledi. Vakit kazanmak ve beynindekileri bir düzene sokarak hazırlıklı olmak gibi bir heyecana kapıldığını düşündüm.

"Bak," dedim. "Ben babanın çok eski bir arkadaşıyım. Onu iyi tanırım. Hakkında söylediklerin bana hiç de inandırıcı gelmedi. Ondan çeşitli nedenlerle hoşlanmıyor olabilirsin. Şu an annen burada değil, şimdi oturup, seninle erkek erkeğe konuşalım."

"Benim söyleyecek başka bir şeyim yok."

"Olması gerekir. Çünkü polis Emel'in kimliğini tesbit etti."

"Biliyorum" diye homurdandı. "Bugünkü gazetelerden öğrendim. Çok şükür okumam yazmam var. Anneme verdiğiniz sözü tutmadınız."

"Yanılıyorsun" dedim. "Polise ihbar eden ben değilim."

"Başka kim olabilir ki? Babam mı? Ne de olsa siz onun adamısınız?"

Başımı salladım. "Yanılıyorsun evlat, ben kimsenin adamı değilim. Babana yardım etmek istiyorum, çünkü hâlâ onun suçsuz olduğu kanısındayım."

"Görüyorum. Bunu ilk karşılaşmamızda anladım. Yanıldığınızı size ispatlamam çok zor. Ne diyebilirim ki? Sanırım siz babamı hâlâ daha ben dünyada bile yokken, gençlik, o varlıklı olduğu zamandaki haliyle tanıyor ve öyle olduğunu sanıyorsunuz."

"O yandan bu yana ne değişti evlat?"

"Bu kadarını sizin de farketmeniz lazım. Ben babamı bildim bileli içkici, kumarbaz ve saldırgandır."

Kaşlarımı çattım. "Yalan söylüyorsun. Bu yalanlara devam edersen babanın başı fena halde derde girecek, bunun farkında mısın?"

"Keşke söylediğiniz gibi olsa."

"Biliyorsun, ben avukatım. Cesedin kimliği tesbit edilince Emel'in bütün tanıdıkları, arkadaşları sorguya çekilecek. Belki morgda onu görmek istediğim için polisler bana da gelecek. O zaman bildiklerimi söylemek zorunda kalacağım."

"Benim saklandığım yeri de söyleyecek misiniz?"

"Babanın gerçek suçlu olduğunu bana ispatlarsan söylemem. Şimdi bana gerçekleri anlat. Emel'in babana yazdığı o mektup gerçek mi yoksa sen mi uydurdun?"

"Yemin ediyorum gerçek. Annemin adamları her yerde o mektubu aradılar ama bulamadılar. Zaten bulsalardı, sorun da kalmayacaktı. Belki başka mektuplar da vardı ama ne yazık ki babam onları ortadan kaldırmış olmalı."

"Emel'le cinsel ilişkide bulunduğunu inkar mı ediyorsun?"

"Size hayır demiştim. Ben hiç Emel'le ilişkide bulunmadım."

Cebimden cüzdanımı çıkararak, adada çekilmiş fotoğrafı oğlana uzattım. "Şu yazıyı oku" dedim. *"En mutlu günümüzün ebedi anısı.* Ne anlama geliyor bu?"

Resmi alarak hayretle, ilk defa görüyormuş gibi baktı.

"Bu benim yazım değil, ben yazmadım."

"Emel'in olabilir mi?"

"Bunu daha öncede sormuştunuz. Emel'in yazısı da değil."

"Bir kadının el yazısına daha çok benziyor."

"Ama Emel'in değil dedim."

Biraz sert şekilde sordum. "Öyleyse fotoğrafın üstüne bunu kim yazdı?"

"İnanın bilmiyorum."

"En mutlu günümüz lafıyla ne kastediliyor. Birbirinizin olduğu gün mü?"

"Hâlâ aynı şeyde ısrar ediyorsunuz, onunla ilişkiye girmedim diyorum size."

"İnanmıyorum sana evlat. Bu yazıyı sen veya Emel yazmadıysa annenin adamları sizin ve Emel'in evinde bu resmi bulmak için her tarafı niye didik didik araştırdılar?"

"Onların asıl aradıkları Emel'in mektubuydu."

"Ama bu resmi de aradılar, değil mi?"

Oğlan yutkundu, sonra, "Olabilir" diye mırıldandı. "Zira o resimler de Emel'le aramda bir ilişki olduğu kanaatini doğurabilirdi. Nitekim siz de öyle düşünüyorsunuz. Asıl sorun da bu zaten. Korkunç bir komplo ile karşı karşıyayım."

"Yok canım? Nasıl bir komploymuş bu?"

"Bütün şartlar aleyhime Arkadaşım gebe kalıyor, onu hamile bırakacak tek aday da ben görünüyorum. Babam size bu resmi veriyor..."

Sözünü kestim. "O resmi baban vermedi. Ben buldum."

"Bu da babamın bir oyunu olabilir. Resmi bulmanızı sağlamış olabilir. Ne çocuğu aldıracak ne de onunla evlenecek halim olmadığına göre, benim böyle bir cinayete kalkışacağımı düşünüyorsunuz tabii."

"Evet, akla yakın."

"Onun da istediği buydu zaten. Şüphelerin benim üzerimde toplanması."

"Sen fena halde şartlanmışsın evlat. Yoksa bu düşünceleri aklına annen mi sokuyor?"

"Yine yanılıyorsunuz. Annem çok iyi bir insan. Melek gibi. Anlayışlı ve sevgi dolu. Keşke yıllar önce onun yanına gidebilseydim. Ama geçekleri ancak aklım başıma gelince anlayabildim. Babamın ne kadar hasta ruhlu, bencil ve nefret dolu olduğunu görebildim. Her halde bütün olanları size anlatmamıştır."

"Ne anlatacaktı ki?"

"Büyükbabamdan kalan serveti nasıl tükettiğini.

Sırıttım. "Sen biliyor musun yani? Büyükbaban öldüğünde bir yaşında filan olmalısın, nasıl bilebilirsin?"

"İşte işin ince noktası da burada başlıyor. Babamın ailesi bütün suçu hep anneme yükledi, onu küçümseyip hiç sevmediler. Onu küçük gördüler. Babamın servetini yitirmesinden annemi sorumlu tuttular."

"Dur bir dakika. Sen babanın ailesini tanıyor musun?"

"Pek sayılmaz. Bir kere Adana'ya gittiğimizde babamın büyük halasını görmüştüm. O zamanlar ilk okuldaydım. Aksi ve lanet suratlı bir kadındı. Hatta ondan korkmuştum. Küçük halası ve çocukları İskenderun'da yaşıyorlardı. Hepsi babama bozuktular ve onunla görüşmüyorlardı. Babamın evliliğini onaylamamışlardı. Annemden nefret ediyorlar ve onun büyükbabamın servetini mahvettiğini babamın başını yediğini söylüyorlardı. Hatta öz halam bu yüzdem babamla hiç konuşmuyordu. Onu hayatımda bir kerecik olsun görmemiştim."

"Yine yalan söylüyorsun. Ben bilirim, babanın kardeşi yoktur."

"Ailemi benden iyi mi bileceksiniz? Babamın kendinden küçük bir kız kardeşi vardır. Macide halam. O da Adana'da yaşar. İsterseniz babama sorun."

Anılarımı zorladım, Vural'ın okul yıllarından bir kız kardeşi olduğunu hiç anımsamıyordum, belki olabilirdi, belki bahsetmişti de ben unutmuştum.

"Niye dargınlar?" diye sordum. "Annen yüzünden mi?"

"Bunu ben de babama sormuştum. Halam bir defa bile beni görmek istememişti. Babamın tarafı hep bencil ve acımasız insanlardır. Onları hiç sevmem."

Delikanlı sustu. Sinirlerinin çok gergin olduğunu görebiliyordum. Hatta ağlamamak için kendini zor tuttuğunu hissettim. Ama gözyaşlarını tutmasını bildi.

"Babam dünyanın en kötü insanıdır" diyebildi. "Şimdi de işlemediğim bir suçu üzerime yıkmak istiyor."

"İşte, benim de anlamadığım nokta bu. Neden? Bir baba böyle bir haksızlığı neden oğluna yapsın?"

Kerim kızardı. Aklından geçenleri söyleyip söylememek hususunda kararsızdı. Sonunda dayanamayarak patladı. "Biliyor musunuz, çocukken bazen beni döverdi ve her seferinde bana **piç** diye küfrederdi. Annemin beni başka birisinden peydahladığını iddia ederdi."

Donakaldım. Bu tanıdığım Vural'ın tarzı değildi.

"Doğru mu söylüyorsun?"

"Artık saklayacağım ne kaldı ki? İnanmıyorsanız babama sorun."

"Bu kızgınlıkla söylenmiş rastgele bir yakıştırma olmasın?"

"Hayır. Orta okuldayken bir gün bana niye öyle söylediğini sordum. Üstüme yürüdü, az daha beni döve döve öldürecekti, zor elinden kurtuldum. Ertesi gün biraz sakinleştiğinde anneme gitmek istiyorum dedim, bana asla seni o orospuya vermem, diye diretti. Ne zaman annemin lafı açılsa tüyleri diken diken olurdu."

Derin bir nefes aldı oğlan.

Aklım yine karıştı. Çocuğun belli ki yaşamı boyunca çektiği şüpheler şimdi bana bulaşmıştı. Acaba Kerim, Aysel'in başka birinden peydahladığı çocuk olabilir miydi?

Bu şimdiye kadar hiç aklıma gelmemişti.

O an birden bu olaylardan fena halde bunaldığımı hissettim. Yeterdi artık. Eski bir dostuma elimden geleni yapmaya çalışmıştım. Önce ortada sadece kayıp bir çocuk olayı vardı. Çocuğu bulmuştum da, ama artık bir cinayetle karşı karşıyaydık ve ipin ucu benim halledemeyeceğim kadar kaçmıştı. Bundan sonrasını ancak polis çözümleyebilirdi.

Bıkkınlık öylesine içimi kapladı ki, yerimde duramaz oldum. Ne halleri varsa görsünlerdi. Bir dostun yardımı ancak bu kadar olabilirdi. Daha da kötüsü bu işe fazlasıyla karışmıştım. Belki de olaylara ışık tutacak, cinayeti aydınlatacak teknedeki bulduğum giysiler hâlâ bendeydi. Polis durumu bir şekilde öğrenince başım belaya bile girebilirdi. Son bir kere, Vural ve Aysel'le görüşüp artık bu olayla ilgilenmediğimi söylemeye karar verdim. Herşey bir anda olmuştu. Ruhum kararıyor ve bütün bunları unutmak istiyordum. Oğlana tek kelime söylemeden geri dönüp odadan çıktım...

4

Arabayı hızla Nuh Kuyusu'na sürdüm. Düşündükçe sinirlerim geriliyordu; Vural'ın başıma sardığı bu dert, farkına varmadan uzunca bir süredir tek uğraşım olmuştu. İki haftadır başka hiçbir işle meşgul olmuyordum. Duruşmalara yardımcılarımı gönderiyor, randevularımı atlatıyor, toplantılara gitmiyordum. Bütün vaktimi ve dikkatimi bu işe vermiştim. Tabii, teselli bulduğum bir yanı da vardı; Jale'yi, çılgınca tutulduğum kadını da bu vesile ile bulmuştum.

Yine de artık uğraşmayacaktım. Vural'a da herşeyi anlatacaktım. İçimde inşallah evde bulurum, diye geçiriyordum. Arabayı eski evin önüne çekerek kapıyı çaldım. Neyse ki evdeydi. Yüzüme çekinerek baktı. O her zaman ki mahcup ve sıkılgan ifadesiyle:

"Hoş geldin kardeşim, geç içeri" dedi.

Fikrimi hemen söylemezsem, kararımdan cayacağımdan korkuyordum. Ne kadar yufka yürekli olduğumu benden iyi kimse bilemezdi. Hiç duraksamadan, "Artık bu işi bırakıyorum Vural" diye homurdandım.

Hiçbir tepki vermedi.

Ağır başlılıkla, "Hele bir otur, soluklan" dedi.

"Kararlıyım" dedim.

"Tabii kardeşim. Nasıl istersen. Sana ne diyebilirim ki? Sen elinden geleni yaptın. Sana çok şey borçluyum ve bu iyiliğini asla unutmayacağım."

Dik dik yüzüne baktım.

"Neden vazgeçtiğimi sormayacak mısın?"

"Buna hakkım var mı? Eski bir hukuk uğruna az mı uğraştın? Bana umduğumdan da fazla zaman ayırdın. Senin çok iyi bir dost olduğunu her zaman kabul etmişimdir. Ne diyebilirim."

Yüzüne ters ters bakmaya devam ediyordum.

"Bilmediğin ve henüz sana söylemediğim çok şey var ama."

Birden dikkatle yüzüme baktı. Meraklanmıştı.

"Ne gibi?"

"Oğlunu buldum!"

Sararıp titredi. Heyecandan nefesi tutulmuş gibiydi. Önce ağzını açıp tek kelime söyleyemedi. "Sahi mi?" diye fısıldayabildi ancak.

"Sahi ya!"

Nedense sonra halimdeki garipliği sezinlemişti.

"Sıhhatinde bir şey yok, değil mi?"

Sinirli sinirli söylendim. "Turp gibi."

Şaşkınlıkla yüzüme bakarken, "Ama seni rahatsız eden bir şey var; yüzünden anlıyorum. Onu annesi mi kaçırmış?" diye sordu.

Acı gerçeği hâlâ yüzüne haykıramıyordum. Karşımdaki adamın Kerim'in söylediklerini yapacak hali hiç yoktu. Şimdi anlatacaklarımın onu nasıl sarsacağını tahmin ediyordum.

"Vural, beni bu işe neden bulaştırdın?" dedim.

Garip garip yüzüme baktı.

"Anlamadım, nasıl yani?"

"Ortada bir takım esrarengiz olaylar dönüyor. Aile içindeki bir ihtilaf birden suça dönüştü ve bir cinayet işlendi. Söyle bana o kızı kim öldürdü? O kızı kimin öldürdüğünü biliyor muydun? Olayların içine bir avukatı sokman bu sebepten miydi?"

Yüzünün ifadesi değişti, bitkin bir şekilde kerevete ilişti. Şimdi karşımdaki adam kırk yaşında değil de, sanki seksen yaşındaki bir ihtiyar gibi omuzları çökmüş ve birden kocamış gibi göründü gözüme. Titreyerek sordu:

"Yoksa seni de zehirlediler mi?"

"Bırak şimdi bu ağızları da, bana gerçeği anlat. O kızı kimin öldürdüğünü biliyor musun?"

Başı önüne düştü. Hiç sesini çıkarmadı. Başka bir alemdeymiş gibi mırıldandı.

"Sana ne dediler?"

"Kızı senin gebe bırakıp öldürdüğünü sonra da suçu oğluna yıkmak istediğini."

"Allah kahretsin!" diye homurdandı. "Bunu Aysel mi söyledi?"

"Hayır, oğlun!"

"Aman Allahım, inanamıyorum! Kerim mi etti bu lafı?"

"Evet."

Omuzları büsbütün çöktü. "Ne olacak işte?" diye homur- dandı. "O lanet kan.. Damarlarındaki o iblisin kanı.. Hiç şaşma- malı.. Anasına çekti.. Sonunda bana bu iftirayı atacak kadar adi- leşti demek."

Şaşkınlığı o kadar içtendi ki nasıl davranacağımı şaşırdım. Hiç üstüne varmadan onun çözülmesini bekledim. Böylesine ağır itham altında kalan bir babanın mutlaka bir reaksiyonu ola- caktı.

Bana saatler gibi uzun gelen bir bekleyişten sonra zor du- yulur bir sesle:

"Biliyor musun?" dedi. "Bütün insanlardan nefret ediyor ve ölmek istiyorum. Oğlum beni hayata bağlayan tek varlıktı. Onun için elimden geleni yapmaya çalıştım. Asla başarılı oldu- ğumu söyleyemem ama sonuç böyle de olmamalıydı. Düşün- dükçe tüylerim diken diken oluyor. Şu emeklerimin karşılığına bak. Bir evlat babasına nasıl böyle davranır? Havsalan alıyor mu?"

"Ona çok hor mu davrandın?"

"Asla!"

"Dövdün mü?"

"Hayır.. Belki çok küçükken bir iki defa tokat atmışımdır. Hangi baba yapmaz ki"

"Daha büyüyünce onurunu kıracak laflar ettin mi?"

"Kesinlikle hayır."

"Mesela ona piç dedin mi hiç?"

Tuhaf tuhaf suratıma baktı.

"Piç mi?"

"Evet."

"O mu iddia etti, böyle söylediğimi?"

Başımı salladım.

"Beni uzun senelerdir tanırsın. Bir gün ağzımdan tek bir küfür çıktığını duydun mu? İyi düşün?"

"Hayır" dedim.

"Ama korkarım, onun söylediklerine inandın?"

Sesimi çıkarmadım.

Hışımla konuştu. "Gerçekten küfürü hak etti o teres. Söyle sana başka ne dedi?"

Elimi uzatıp omzuna koydum.

"Beni iyi dinle" diye mırıldandım. "Sen benim dostum ve arkadaşımsın. Ama bu olaydaki gerçek suçlunun kim olduğunu inan anlamış değilim. Şimdi sana bir şey sormak istiyorum. Darılmak, gücenmek yok. Evliliğinin ilk yıllarında Aysel seni aldattı mı? Kerim senin çocuğun mu?"

Kıpkırmızı kesildi birden. Cevap veremedi. Hayretle yüzüme baktı.

"Kusura bakma" diye fısıldadım. "Böyle bir sual sormaya hakkım yok. Ama oğluna iki de bir piç diye küfür edip onu dövermişsin. Kerim'in iddiası bu."

Uzun bir süre gözleri dalarak inler gibi homurtular çıkardı.

"Artık ne diyeceğimi bilemiyorum" diye fısıldadı. "Hayatta bir babanın başına gelebilecek en ağır darbeyi aldım. Oğlum beni cinayetle itham ediyor."

"Soruma cevap vermedin" dedim. "Aysel seni aldattı mı?"

"Hayır. Evlenmemiz hataydı ama beni hiç aldatmadı. Günahını almak istemem."

"Doğru mu söylüyorsun? Onu hâlâ sevdiğini biliyorum. Bu cevabında samimi misin? Kerim'in bir başkasının çocuğu olmadığına emin misin?"

"Kesinlikle."

"Öyleyse niye ona piç diyordun?"

"Bu yalan Sinan. İnan bana yalan. O velet sana yalan söylemiş."

Artık işin sonunun nereye varacağını kestiremiyordum.

Vural ağır ağır oturduğu kerevetten ayağa kalktı. Yüzüme minnetle bakarken, "Sana tek bir konuda yalan söyledim. Şayet ona da yalan denirse tabii."

Sanki yeni bir şey bulmuş gibi soluksuz sordum. "Neydi o?"

"Sonucun böyle olacağını üç aşağı beş yukarı tahmin etmiştim. Özellikle Emel de ortadan kaybolunca. Ama bir türlü Kerim'in böyle bir halt karıştıracağına ihtimal vermiyordum. Aslına bakılırsa, yırtık, kızlarla rahat ilişki kuran biri değildi. Hatta Emel'den başka kız arkadaşının olduğunu bile sanmıyordum. Kız iyi fakat biraz uçarıydı. Belki Kerim'le ilişkiye o girdi. Çünkü oğlumun cinsel tecrübesi olduğunu da hiç sanmıyordum. Ve korkarım Emel hamile kaldı. Paniğe kapılan benim aptal ve hain oğlum yardım için soluğu annesinde aldı. İşte her şey de ondan sonra planlandı. Bunun başka hiç izahı yok. Aysel'in teknesinde bulduğun giysileri unutuyor musun? Bunu başka nasıl izah edebilirsin? Emel'in giysilerinin o teknede ne işi var? Kızı gebe bırakmış olabilir ama onun tavuk bile boğazlayacağına ihtimal vermem. Kızı Aysel ya da onun adamları öldürmüştür."

"Kızla bu evde hiç içki içtin mi?"

Yeniden yüzüme baktı garipseyerek.

"Evet içtim. Bunun şaşılacak nesi var ki? Ben, biliyorsun her akşam iki tek atarım. Hatta etrafımda oğlumun arkadaşlarını görünce daha da seviniyordum. Onlara da teklif ettim. Ama Kerim hayatın hiçbir nimetinden zevk almayacak tıynettedir. İçkiyi de sevmezdi, hatta ben içiyorum diye, bozulurdu da. Ama kız benimle oturup içti. Suç mu bu?"

Soruları sormak bana ağır gelmeye başlamıştı.

"Kıza hiç sarkıntılık ettin mi?"

"Oynattın mı Sinan? O oğlumun arkadaşıydı ve kızım yaşındaydı."

"Belli olmaz. Bir an buhrana kapılabilirsin."

"Çok saçma. Asla öyle bir şey olmadı."

"Ama Kerim, Emel'in ağzından sana yazılmış bir aşk mektubu bulduğunu iddia ediyor."

"O da yalan. Onun gibi hayatiyet dolu bir kız bende ne bulabilir ki?"

"Belli olmaz, belki Kerim'de bulamadıklarını!."

"Kızma ama, saçmalıyorsun Sinan. Ben çoktan bitmiş bir erkeğim. Hem acı da olsa bir gerçek ki, gözüm hâlâ Aysel'den başkasını görmüyor."

"Ciddi mi söylüyorsun?"

Utanarak önüne baktı.

"Çocuğu hiç Adana'ya götürdün mü?"

Birbiri ardına sorduğum ilgisiz sualler Vural'ı şaşırtıyordu. Anlayamadı birden.

"Adana'ya mı?" dedi.

"Evet, akrabalarının yanına?"

Bir an düşündü.

"Evet" dedi sonra. "Yıllar önce bir defa götürmüştüm. Ne var ki bunda?"

"Halalarının yanına mı?"

"Benim halamın evine gitmiştik."

"Kerim'in de halası var mı? Yani senin kardeşin?"

"Bir ufak kız kardeşim var."

"Bilmiyordum. Okul yıllarında seni hep tek evlat olarak tanımıştık. Ünlü pamuk kralının oğlu diye."

Omuzlarını silkti. "Bilirsin" dedi. "Bizim oralarda daima erkek evlat revaçtadır. Zaten kardeşim Macide o tarihlerde çok ufaktı. Lafı bile geçmezdi."

"Oğlun onunla hiç karşılaşmadığını söyledi."

Vural bir an düşündü. "Doğrudur" dedi sonra.

"Kardeşinle görüşmüyor musun?"

"Hayır, kavgalıyız."

"Neden?"

"Bu uzun hikaye. Hem olaylarla halalarımın ve kardeşimin ne ilgisi var?"

"Sen yine de söyle."

Üzgün bir şekilde önüne baktı Vural.

"Macide haklı" dedi sonunda. "Babam öldüğünde o çok ufaktı. Sen daha iyi bilirsin, yasal olarak babamın mirasında onun da hakkı vardı. Ama ben babamdan arda kalanları çarçur ettim. Kardeşimin hakkını da yedim. Geriye ona bir şey kalmadı. Büyüyüp aklı başına gelince bana bozuldu. Bir tarihte esaslı bir kavga ettik. Bir daha da yüz yüze gelmedik. Halalarım da kardeşimin tarafını tuttular. Bunları da Kerim'den mi işittin?"

"Kısmen" dedim.

"Şimdi ne yapacaksın?"

"Bilmiyorum. Galiba en iyisi polise gitmek."

"Bence de. Kerim artık gözümde ölmüştür. Onun gibi evlada lanet olsun. Hakkımızda hayırlısı neyse o olur. Artık meseleyi polis çözer. Seni bu kadar meşgul ettiğim için de üzgünüm. Kusura bakma."

Ona son bir kere göz attım.

Yıkık ve perişan görünüyordu. İçim elvermedi, teselli edecek birkaç söz söylemek istedim, ama aklıma tek kelime gelmedi..

5

"Ne zaman evleneceğiz?" diye sordum.

Jale iri lacivert gözlerini yüzüme çevirdi. Tam karşımdaki koltukta oturuyordu. Bu gece müthiş havalıydı. Sarı saçları omuzlarına dökülmüş, yeni aldığımız ekose eteği ile yeşil bir kazak giymişti. Bacak bacak üzerine atarak oturuşu içimde tatlı ürpertiler yaratıyordu.

"Acele etmemiz şart mı?" diye sordu.

"Daha bekleyecek ne var ki? Bir an evvel muamelelere baş-layalım?"

"İyi olur. Ama stajımın tamamlanmasını bekleyemez mi-yiz?"

"Neden?"

"Unuttun mu? Bana verilmiş bir sözün vardı?"

"Balayımızı Amerika'da geçirmek mi?"

"Evet, hayatım."

"Tamam. Evlenir evlenmez çıkarız."

"Bu bana bir seneye patlar. İmtihanları kaçırırım. Biraz er-telesek olmaz mı? Kendi aramızda bir nişan yaparız. Stajım bi-ter bitmez de nikahlanırız."

Suratım asılır gibi oldu.

"Asma suratını" diye homurdandı. "Muameleleri biraz ge-ciktirsek ne olur yani? Nasıl olsa istediğine kavuştun. Karı koca gibi yaşıyoruz artık."

"Ben bir an evvel evlenmek istiyorum."

Gülümsedi inci gibi dişleriyle.

"Beni elinden kaparlar diye mi korkuyorsun?"

Yerinden kalktı, gelip yanıbaşıma oturdu. Gözlerinden mutluluk akıyordu. Başını omuzuma yasladı. "Seni çok çok se-viyorum" diye mırıldandı. "Sen dünyanın en tatlı erkeğisin."

Kolunu omzuna attım. Yaklaşıp dudaklarını uzattı. Bir ke-di gibi sokulgan ve sıcak, "Öp beni" diye fısıldadı. İhtirastan uzak onu şefkat ve sevgiyle öptüm.

"Biliyor musun?" dedim sonra. "Bugün Kerim ve Vural'la bir daha konuştum."

"Artık bıktım bu konudan. Korkarım bütün zamanını o adama ayırıyorsun. İnan kıskanıyorum. Ne iyi bir dostmuşsun sen."

"Ben de bıktım. Zaten Vural'a bu nedenle uğradım. Artık ben yokum dedim."

"İyi etmişsin, sevindim. Yeter artık, ne hali varsa görsün."

"Zaten işin içinden de çıkamadım."

"Aldırma, sen elinden geleni yaptın."

"Yalnız bir şey dikkatimi çekti.."

Başını kaldırıp yüzüme baktı.

"Neymiş o?"

"Çocuğunu bulduğumu söylememe rağmen, nerede diye sormadı. Altı aydır onu arayan bir insanın, oğlunu nerede bulduğumu sormaması ilginç değil mi?"

Jale bir süre düşündü. "Enteresan doğrusu" diye mırıldandı.

"Gerçi çok gergindi ama sormaması yine de garibime gitti."

"Neden gergindi?"

"Ona her şeyi anlattım. Oğlunun tüm iddialarını."

"Zavallı adam! Tam bir şok geçirmiştir."

"Evet, öyle oldu."

"Boş ver" diye söylendi Jale. Sonra manidar bir şekilde yüzüme bakarak, "Ne dersin, yatağımıza gidelim mi?" diye sordu.

Gülümsedim.

Kollarımın arasına alıp kucakladım. Onu yatak odasına kadar kucağımda taşıdım. Her geçtiğimiz yerde o da serbest eliyle ışıkların düğmesini kapatıyor, elektrikleri söndürüyordu...

* * *

Güneşin ilk ışıkları yatak odasına süzülürken gözlerimi açtım. Etraf hâlâ karanlıktı. Jale bir bacağını üzerime atmış, başını boyun boşluğuma dayamış, muntazam soluklarla derin bir uykudaydı. Bir süre onu uyandırmamak için kımıldamadan yattım. Ne kadar geç uyursam uyuyayım, sabah uyanma saatine disipline olmuş alışkanlığımla gözlerim açılmıştı.

Canım kalkmak istemedi. Uykumu da tam alamamıştım. Jale'nin yüzüme değen altın sarısı birkaç tel saçını usulca burnumun hizasından aldım. Onu uyandırmamaya çalışarak sarıldım. Mutluluktan uçuyordum; iki gecedir doyasıya, çılgınlar gibi sevişiyorduk. Tahminimden de arzulu bir kadındı Jale; onunla sevişirken arzu ve ihtirasın derin girdaplarına bu denli dalacağımızı ve adeta kişiliklerimizin kalıplarından çıkarak henüz yeterince keşfedemediğimiz yepyeni bir dünyaya öylesine uyum sağlayacağımızı düşünemezdim.

Dolgun memeleri göğsüme dayalıydı. Sağ kolumu vücuduna sardım. Hafifçe kımıldadı ve uykusunda bana daha sıkı sarıldı. Yeniden uykuya dalamayacağımı anladım. Yorgunluğuma rağmen yeniden uyarıldığımı hissettim. İnsan Jale'nin yanında doyum nedir bilemiyordu. Eli kasıklarımın arasına uzandı. Gözlerini açmadan, "Ben de istiyorum" diye fısıldadı usulca. Uyanık olduğunu farketmemiştim.

Bu kez ihtirasla sarılıp göğüslerini avuçlarken dudaklarına uzandım. Bir yandan da sevişirken onu daha iyi görebilmek için baş ucumdaki gece lambasına uzandım. Ne yapacağımı anladı ve "Işığı açma" dedi. "Dün gece yatarken makyajımı temizleyemedim. Yüzüm gözüm boyalardan birbirine girmiştir. Beni öyle görmeni istemem."

"Hiç umurumda değil" diye cevapladım. "Çıplaklığını da görmek istiyorum."

"Hayır, sadece hisset. Beyninde tahayyül et. Öylesi daha iyi. Sabahları somurtuk ve çirkin olurum."

Onu dinlemedim ve ışığı yaktım.

Gözlerini kırpıştırdı. Işığı söndürmek için lambaya uzandı. Engelledim.

Haklı olabilirdi. Çoğu kadın uzun sevişme saatlerinin ve yorgun geçen bir gecenin sonunda gerçekten de çirkin görünürlerdi. Bunu tecrübelerimle bilirdim. Ama Jale bana, dün gece kollarımda onu yatağa taşırkenki halinden çok daha güzel ve çekici geldi. Yüzünde hafif bir mahmurluk ve yeterince uykusunu alamamanın verdiği yorgunluktan başka hiçbir emare yoktu. Göz kapaklarında hafif bir makyaj bulaşması olmuştu ama hepsi o kadardı.

"Çirkinim, değil mi?" diye sordu. "Keşke yakmasaydın lambayı."

Sanki onu ilk defa görüyormuşum gibi düzgün ve ince burnuna, ihtirasla titremeye başlayan ince dudaklarına, hafif şiş göz kapaklarına baktım.

"Bakma öyle!.. Biliyorum görünüşüm hiç hoş değil."

"Yanılıyorsun" diye fısıldadım. "Hiçbir kadını yatağımda sabah sabah bu kadar güzel görmedim."

Çapkınca naz yaparak homurdandı.

"Kaç kadınla bu yatakta sabahladın hain?"

"Artık hiç önemli değil."

"Hepsine bu lafları etmişsindir muhakkak. Seni iyi tanıyorum, kimbilir onlara da ne diller dökmüşsündür?"

Bacaklarını araladım. İkimiz de çırılçıplaktık.

"Hadi durma" dedi. "Sahip ol bana! Zamanımız kısıtlı, geç kalıyorum."

"Daha erken" diye mırıldandım.

"Olsun.. Kollarının arasında ne kadar fazla kalırsam, bedeninin ağırlığını üzerimde ne kadar çok hissedersem bana o kadar kazançtır."

Aramızdaki bütün yasakları kaldırmıştık. Bütün tabular rafa konmuştu. Birbirimizin vücudu üzerinde herşeyi deniyorduk. Jale sevişirken adeta başka bir kimliğe bürünüyor, kapıldığı coşku seli içinde konuşuyor ve bir erkeği daha da tahrik edici kelimeleri hiç çekinmeden kullanabiliyordu.

Bitik bir halde başlarımızı yastığa koyduğumuzda saat yedi olmuştu..

"Biraz dinlen" diye soluk soluğa konuştum. "Bir onbeş dakika kadar yat. Merak etme seni vaktinde işe yetiştiririm."

Hiç sesini çıkarmadı önce. Nefesini ayarlıyordu. Neden sonra:

"Boş ver hastaneyi şimdi" dedi.

Zorlukla başımı çevirip mutluluktan harelenen gözlerine baktım.

"Bugün gitmeyecek misin?" diye sordum.

"Bu gece nöbetçiyim, öğleden sonra da gidebilirim."

"Yani?"

"Bıraktığımız yerden devam edebiliriz."

İnanamayarak sordum, "Bir daha mı?"

"Yoksa pes mi ettin?"

"Hayır ama.. Biraz soluklanmalıyım."

Gözleri çılgınlar gibi ışıldadı. "Merak etme, sana yardımcı olabilirim."

Yılan gibi kıvrılarak bacaklarımın arasına eğildi. Gerçekten şanslı bir adamdım. Jale gibi bir dişiye rastlamak her erkeğe nasip olmazdı...

* * *

Öğleden sonra yazıhaneme geldiğimde ölü gibi halsiz ve mecalsizdim. Ne var ki büromda beni bir sürpriz bekliyordu. Kapıyı açan sekreterim hemen haberi verdi.

"Odanızda sizi Aysel Kalaycıoğlu hanımefendi bekliyor" dedi.

Yüzümü ekşittim. Gerçi bugün onunla ben de bir son görüşme yapmayı düşünüyordum ama bunu telefonda halletmek niyetindeydim. Kadını büromda bulmak hoşuma gitmemişti.

Kapıyı açıp içeri girdim.

Odam sigara dumanından geçilmez haldeydi.

Ben, "Hoş geldiniz hanımefendi" derken kötü kötü yüzüme baktı.

"Verdiğiniz sözü tutmadınız" diyen sesinde belirgin bir gerginlik seziliyordu. "Size güvenmiştim, oysa beni hayal kırıklığına uğrattınız."

Lafa damdan düşer gibi en kestirme yoldan girmişti. Masamın kenarından koltuğa geçerken kadına kısa ve kaçamak bir nazar attım. Yüzü asık ve bir kaşı asabiyetini gösterir biçimde kalkık duruyordu. Bu sefer, ilk gelişinin aksine, aşırı makyaj yapmıştı. Dudaklarına sürdüğü kahverengiye yakın çok koyu ruj -moda mıydı bilmiyorum- ama yüzüne hiç yakışmamıştı.

Koltuğuma otururken, "Sanırım polise yapılan şu ihbarı kastediyorsunuz?" dedim.

Kısa, kesin ve haşin bir ifade ile, "Evet" diye mırıldandı. Haklı olarak kadın bu ihbarı benim yaptığımı düşünüyordu ve bunu benim yapmadığımı iknaya çalışmak çok zordu.

İçimi çektim, sesime yumuşak bir ton vermeye çalışarak, "İnanın polise telefon eden ben değilim" dedim.

Bir kaşı hâlâ havadaydı. Yüzüme tiksinerek bakıyordu.

"Yalan söylüyorsunuz. Başka kim telefon edebilir ki? Dün de oğlumu yeniden görmeye gitmişsiniz. Allah bilir, yerini de Vural'a bildirmişsinizdir. Neyse ki Kerim uyanık davranıp hemen beni aradı da, onu başka bir yere naklettim."

"Polise ihbarda bulunan ben değilim. Bunu size ispat şansım yok ama doğru söylediğime inanın lütfen."

Sanırım bana inanmamıştı. Bakışları hâlâ sert ve haşindi.

"Öyleyse polise o telefonu kim etti? Vural mı?"

Başımı sallayarak, "Bilmiyorum" diye mırıldandım.

"Vural'la cumartesi gününden sonra görüştünüz mü?"

"Evet dün. İnanın bugün de sizi arayacaktım."

"Niçin? Bana ne söyleyecektiniz?"

Ellerimi göğsümde kavuşturdum. Bezgin bir ifadeyle kadına baktım.

"Bu meseleden sıkıldım artık. Durum beni fazlasıyla rahatsız ediyor. Sanırım Vural'ın eski bir dostu olarak elimden geleni yaptım. Bundan fazlasına karışmak istemediğimi ve bu işi bırakacağımı size de bildirecektim.

Bir süre sessizce beni süzdü.

"Doğru mu bu söylediğiniz?"

"Evet" diye mırıldandım. "Bu mesele fazla esrarengiz bir hal aldı. Bir avukattan çok polisi ilgilendiren olaya dönüştü. Benim yapacağım bir şey kalmadı."

Hiç cevap vermedi önce. Parmaklarının arasındaki yarıya kadar içilmiş sigarayı söndürüp bir yenisini yaktı. Beni süzmeye devam etti. Sonra, "Bu işten tamamiyle sıyrılmanız artık olanaksız. Meseleye iyice bulaştınız. İki taraftan birini tutmak zorunda kalacaksınız."

"Niye?"

"Unutmayın, olayların aydınlanmasına ışık tutacak en önemli kanıt sizin elinizde. Emel'in teknemizde bulduğunuzu iddia ettiğiniz giysileri. Katil bizi suçlamak için eninde sonunda o çantayı delil olarak kullanmak isteyecektir."

Aysel Kalaycıoğlu'nun muhakeme tarzı çok yerindeydi. O çantanın teknede bulunduğu ispatlanırsa büyük olasılıkla okka altına gidebilirlerdi. Hiç olmazsa hukuki olarak bu böyleydi. Ve o delili tekneden kaçırmak gibi bir çılgınlığa kalkışan da bendim.

"Yine de artık bu meseleye karışmak istemiyorum" dedim.

"Peki, kızın giysilerini ne yapacaksınız? Polise teslim etmeyi düşünüyor musunuz?"

Çok nazik bir sualdi ve cevaplamak da çok zordu. Mukabil bir soru ile cevap verdim. "O çantayı katilin kullanmak isteyeceğini nereden biliyorsunuz?"

Kadın hayretle yüzüme baktı.

"Ya çok safsınız, ya da bizleri aptal sanıyorsunuz."

"Anlayamadım?"

"Olay çok basit. Öldürülen kız hiçbir zaman bizim tekneye gelmedi. Gelmesi de mümkün değildi zaten. Oğlum perişan bir halde bana sığınırken o kızla gönül eğlendirecek hali mi vardı? Bahsettiğiniz çantanın o tekneye katil tarafından bırakılması düpedüz bir tertip. Çünkü cesedin denizde bulunması üzerine teknede elbiseler ortaya çıkınca kızın o tekneden öldürülerek suya atıldığı ihtimali güç kazanacaktı. Sonraki suçlamaları tahmin edebilirsiniz sanırım. Oğlum senelerdir birlikte yaşadığı babasının yanından kopuyor ve parasal olarak güçlü, tanınmış ve şöhretli bir annenin yanına sığınıyor. Az sonra kız arkadaşı öldürülmüş ve gebe olarak bulunuyor ve kızın elbiseleri de bizim teknede ortaya çıkıyor. Bir hukukçu olarak bunun ne anlama geldiğini anlamıyor musunuz?"

"Pek tabiidir ki anlıyorum. Ama unuttuğunuz bir nokta var. Katil benim o teknede Emel'e ait elbiseleri bulacağımı nereden bilebilir ki? Hiç kimse beni bir şüphe üzerine oraya göndermedi, teknede araştırma yapmak benim fikrimdi."

"Söylediğiniz gerçekse sizi kullanmışlar Sinan bey."

"Kim kullanmış? Vural'ı ima ediyorsunuz?"

"Gayet tabii."

"Yine yanılıyorsunuz. Çünkü Kerim'in sizin yanınıza sığınmış olabileceği fikrini ona ısrarla ben söyledim, o ise fikrimi hep reddetti. Bunca yıl sonra benim tanıdığım oğlum annesine gitmez, dedi."

"Tabii, belli ki bu da Vural'ın planının bir parçasıydı. Sizde böyle inanç yaratmak zorundaydı. Düşünsenize o yaşta, parasız pulsuz bir çocuk nereye gidebilirdi?"

Tatmin olmamıştım.

"Ama" dedim. "Sizin tekneyi araştırmaya kalkışmam tamamen bir tesadüftü."

"Nasıl?"

"Söylediğimi sanıyorum. Yılbaşı gecesi sizin yalıda alt kattaki tuvaletin önünde adamınız Hasan Torlak'a rastladım. Adamınızı ve onun ne tür biri olduğunu Emel'in evini araştırırken düşürdüğü nüfus kağıdından biliyordum. Sabıkalı ve her türlü şüpheyi üstüne çekecek biriydi. Elinde bir tepsiyle bahçeye çıkmıştı. Merak ederek peşine takıldım ve tekneden döndüğünü gördüm. O günlerde Kerim de Emel de ortalarda yoktu. Önce ikisinin teknede saklandığını düşündüm. Kimsenin onları bulamayacağı bir yerdi. Ve ancak ondan sonra o tekneyi araştırmaya karar verdim. Bunu Vural asla bilmiyordu."

Kadın birden düşüncelere daldı. Aklı karışmış gibiydi. Yüzünün hatları değişti.

"Doğru mu söylüyorsunuz?" dedi.

"Yemin ederim."

Elindeki sigaranın daha yarısına bile gelmemişti. Onu da tablaya bastırdı. Paketine uzanıp bir yenisi çıkardı. Çakmağı tutan elleri titremeye başlamıştı.

"Çok garip" diye mırıldandı. "Bunları Vural'a anlattınız mı?"

"Evet. Ama çok sonra. Yani çantayı sizin tekneden aldıktan sonra anlattım."

"Cidden garip" diye yineledi.

"Garip olan nedir?"

"Bu melanetin şimdiye kadar hep Vural'ın başının altından çıktığını sanıyordum. O halde sizi tekneyi aramaya yönlendiren kesinlikle o değil."

"Evet. Onun haberi bile yoktu. Dedim ya tamamen bir tesadüftü bu."

Kadını süzmeye devam ediyordum. Aklıma gelen soruyu hemen sordum.

"Yılbaşı gecesi teknede kim vardı?"

Hiç duraksamadan, "Kaptanımız" dedi. "O sabah Cahit'le, yani eşimle biraz denizde dolaşmıştık. Kaptan teknedeydi ve o geceyi de teknede geçirmişti."

Biraz garipseyerek kadına baktım.

O günleri düşündüm; İstanbul'a devamlı kar yağıyordu. O kar altında denizde tekne gezintisi yapmak çok garipti. Soğuktan insanın burnunu bile dışarıya çıkarmaktan çekindiği bir havada Boğaz'da, denizde dolaşmak çok tuhafıma gitmişti.

Aysel kuşkularımı anlamış gibi, "Karlı havada denizde dolaşmaya bayılırım" dedi.

Bana mantıklı gelmiyordu ama insanların zevkine de karışamazdım ya. Susmayı yeğledim. Fakat o şüphe denen illet yine içimi kemirmeye başlamıştı. Gerçekten de bu mesele aydınlanıncaya kadar galiba kendimi olayların dışında hissedemeyecektim.

Aysel'de bir tuhaflık olmuştu. Bana söylememekle beraber beynini kurcalayan bir mesele olduğunu sezinliyordum. Kadın henüz keşfedemediğim bir noktayı yakalamış gibiydi sanki. Huzursuzca yerinde kıpırdamaya başlamıştı. Bana döndü ve "Hasan her halde kaptana yemek ve biraz içki götürmüş olmalı" dedi. Ondan bir açıklama beklemiyordum ama Aysel aklı başka bir yerde olduğundan, sormadığım bir soruyu cevaplamak ihtiyacını duymuştu.

Uzanıp önündeki sehpanın üzerinden güderi eldivenlerini almaya kalkışırken:

"Vural'a başka neler anlattınız?" diye sordu.

İçimden bir his, bir an evvel aklına takılan nedenle gitmeden evvel, laf olsun, şüphe çekmesin, diye sorulmuş bir sual olduğunu söylüyordu bunun.

"Emel'in yazdığı mektuplardan bahsettim" dedim.

Yine irkildi. Merakla bana baktı.

"Ne cevap verdi?"

"Kesinlikle reddetti. Bunun aleyhine tertiplenmiş bir komplo olduğunu söyledi."

Aysel yine dalgın düşünmeye devam ediyordu.

"Başka?" dedi. "Başka ne konuştunuz?"

"Halalarından ve bir de küçük kız kardeşinden bahsettik."

Dikkatle Aysel'i süzüyordum. Acaba farkına varmadan ağzımdan çok önemli bir şey mi kaçmıştı da kadın bu kadar tedirgin olmuştu. Gideceğini hissediyordum, onu oyalamak için bu defa ben sordum.

"Vural'ın kız kardeşlerini tanır mıydınız?"

"Büyük halası zararsız bir kadındı. Ama İskenderun'da yaşayan küçüğü tam bir felaketti. Hayatımda gördüğüm en uyumsuz kadın diyebilirim."

"Ya Vural'ın kız kardeşi?"

"Macide mi? Ayrıldığımızda o daha çok küçük bir çocuktu. Beş altı yaşlarında. Bir daha da görmedim zaten."

Kadını tedirgin eden kesinlikle Vural'ın Adana'daki ailesi değildi. Onlar hakkındaki sorularımı laf olsun diye cevaplamıştı. Aysel'le konuşmalarımızı anımsamaya çalışıyordum, kadındaki değişiklik, beynini çelen her ne ise, çantayı nasıl bulduğumu öğrendikten sonra başlamıştı ve ilk olarak Vural hakkında yanılgıya düştüğünü sezinler gibi olmuştum. Onu biraz daha sıkıştırmalıydım, belki ağzından bir şey kapar, aklından geçenleri anlayabilirdim. Fakat Aysel gitmeye hazırlanıyordu.

"Bana ilginç gelen bir şey oldu" dedim.

Ne olduğunu sormadı ama dikkatle gözlerimin içine baktı.

"Vural'la ilgili" diye devam ettim. "Bana oğlunu nerede bulduğumu sormadı."

Kadının gözlerindeki şüpheli parıltılar daha da arttı.

"Tuhaf değil mi? İnsan altı aydır kayıp oğlunun nerede bulunduğunu sormaz mı?"

"O zaten aptalın tekidir."

Aysel sadece bunu söylemişti.

Ayağa kalktı. "Bana yardımcı oldunuz" diye mırıldandı.

"Sizden son bir şey öğrenmek istiyorum. Emel'in eşyalarını ne zaman polise teslim edeceksiniz?"

Bu sualin cevabı henüz benim de beynimde şekillenmiş değildi. Polise teslim ettiğim anda benim de başım derde girebilirdi.

"Bilmiyorum" diye fısıldadım. "Niçin sordunuz?"

"Morga giderek cesedi teşhis için bir başvuru yaptığınızı biliyoruz. Morg polisi müracaatınız sırasında adınızı kayıtlara geçirmiş. Oradaki yetkili doktora benim de kayıp bir müvekkilem var demişsiniz. Gerçi bulunan cesedi tanımadığınızı ifade etmişsiniz ama bu olayla ilgilenen cinayet masası polisleri eninde sonunda sizin de ifadenize başvurmak için gelebilirler. Ne diyeceksiniz? Kızın Emel Soylu olduğunu ve bizim teknede ona ait giysiler bulduğunuzu anlatacak mısınız?"

Hafifçe gülümsedim.

"Şayet Emel'le bir ilginiz yoksa ve kızın sizin tekneye asla getirilmediğini iddia ediyorsanız, bu durum sizi niye endişelendiriyor hanımefendi?"

"Tekneyi gördüm. Kilit zorlanmış, kapı yerinden çıkmış. Belli ki biri o tekneye girmiş. Gerçi kapıyı yeniden tamir ettirdik ama bir uzman bu değişikliği hemen farkeder. Bu da bazı şüpheleri haksız yere üstümüze çekecektir. Bilirsiniz, ne derler, sinek ufaktır ama mide bulandırır. Ailemin böyle bir konuya bulaştırılmasını istemiyorum."

"Kimi koruyorsunuz? Ailenizin itibarını mı yoksa gerçek katili mi?"

Kapıya doğru yürürken sertçe homurdandı.

"Sizin yerinizde olsam, önce meseleleri iyice düşünür ve gerçek katil hakkında bir karara varırdım. Tuhaf bir insansınız ve gözünüzün önünde olan olayları bir türlü değerlendiremiyorsunuz. Bir bizi suçluyorsunuz, bir Vural hakkında manidar laf ediyorsunuz. Artık bir karar verin ve vicdanınızın sesini dinleyin."

Aysel haklıydı.

Katil hakkında hiçbir fikrim olmadığı gibi, düşüncelerim bir ping-pong topu gibi bir oraya bir öbür tarafa gidip geliyordu. Sesimi çıkaramadım.

Kadın yüzüme son bir kere bakarak kapıyı açtı.

"Hoşça kalın Sinan bey" dedi. "Yine görüşeceğiz."

SEKİZİNCİ BÖLÜM

1

Aysel'in arkasından epey düşündüm. O kısa konuşmamız sırasında kadının aklına yeni ve o zamana kadar akıl etmediği bir ihtimal geldiğine emindim. Birden kadının beyninde bir şimşek çakmıştı sanki, fakat bunun ne olduğunu anlayamıyordum. Ona söylediklerimi defaatle aklımdan geçirdim; ne yazık ki bana ışık tutacak, düşüncelerimi yönlendirecek bir şey bulamadım. Fakat benim de zihnimi kurcalayan bazı şeyler vardı. Mesela Kerim kızı iğfal etmiş olsa, Emel'in Tamer denen o arkadaşını niye döverek konuşturmaya çalıştırsınlardı ki? Demek kızı gebe bırakanın Kerim olmadığına yüzde yüz inanıyorlardı. Üstelik oğlanın iddia ettiği o mektup gerçekse, şüphelerinin Vural üzerinde yoğunlaşması çok normaldi. Aysel'in anladığım kadarıyla tek endişelendiği husus teknede bulduğum giysilerdi.

Bir an katilin Vural olduğunu kabul edersem, kızın eşyalarının teknede bulunması katilin kimliği konusundaki şüpheleri gerçekten Kerim'in üzerine çekmeye yeterliydi. Şayet katil gerçekten o ise bu mükemmel tertiplenmiş bir komplo olabilirdi. Ama yine de bana ters gelen bir yan vardı. Tekneye Emel'in eşyalarını bırakan kimse, teknede bir kaptan bulunduğunu bilmeliydi; o eşyalar kaptanın dikkatini çekince, adam en azından bunları patronlarına gösterirdi ve ne polisin ne de benim elime geçmeden rahatlıkla ortadan yok ederlerdi. Katilin bunu düşünmemesi olanaksızdı. Bunu ancak benim tekneye gideceğimi bilen biri organize etmiş olmalıydı. Gerçi kış günleri her halde tekne sık sık kullanılmıyordu ama zaman zaman kışın da tekneyle dolaştıklarını Aysel az evvel söylemişti.

Beynimde katil adayı olabilecek iki kişi vardı. Vural ve Kerim..

Kerim katilse benim hiçbir zaman tekneye erişemeyeceğimi tahmin ve tasavvur bile edemeyeceklerinden, kızın giysilerini orada bırakmış veya unutmuş olabileceklerini düşünmek mümkündü. Ama o zaman Tamer denen genci niye sıkıştırmışlardı? Demek kızın cesedi ortaya çıkmadan da onun gebe kaldığını biliyorlardı? Bu ilginçti ve üzerinde düşünmeye değerdi. Galiba Tamer'i ikinci bir ziyarette yarar vardı.

Vural'ın katil olduğunu var sayarsam, eşyaları oraya bırakması çok tuhaf olurdu. Gerçi elbiseler kızla Kerim arasında bir bağ sağlayacak ve çocuktan şüphelenilmesine yol açacaktı ama demincek ki kaptanın bulduğu eşyaları patronlarına bildirmesi düşüncem, bir anda komplonun değerini kaybettireceği gibi, Vural'ın o eşyaları tarafımdan bulunması yolunda ne bir uyarı ne de bir ima almamıştım. Tekneye gitme isteğim tamamen tesadüflere dayanıyordu. Ve bunu Vural'a da söylememiştim.

Tekneden şüphelendiğimi tek bilen kişi Jale idi ve onun da uzaktan yakından olaylarla en ufak bir ilgisi yoktu. Sevgilimin tek şanssızlığı Emel'le bir zamanlar aynı evi paylaşmasıydı.

Başım zonklamaya başlamıştı.

Bu meseleyi unutmak, olayların içinden sıyrılmak istiyordum ama galiba bu pek mümkün olmayacaktı. Ben kaçtıkça olaylar üstüme geliyordu. Aysel haklıydı; her şeyden önce bir karar vermeli ve taraflardan birinin masumiyetine inanmalıydım. Sorun da buydu, her iki tarafı da zan altında bırakmak için bir yığın neden vardı..

Bir an her şeyi beynimden silip atmak istedim. Mutlu olmam gerekiyordu. Huzurumu bozacak tek sorun dahi istemiyordum. Yakın bir gelecekte yaşamım değişecek ve bana göre dünyanın en güzel kadını ile dünya evine girecektim. Saadetin tatlı ılıklığı içime yayıldı, Jale'yi düşündüm. Ayrılalı iki üç saat ancak olmuştu, ama çoktan onu özlemeye başlamıştım bile. İmkânım olsa bir an bile yanımdan ayırmazdım. Dün gece ve bu sabah öğle saatlerine kadar yaşadığımız çılgın aşk saatlerini anımsadım. Jale müthiş bir dişiydi. Kendi kendime mutluluktan sırıtıyordum...

* * *

Yazıhaneden yine erken çıktım. Eve dönmekte acele etmem için sebep yoktu; Jale nöbete kalacağı için nasıl olsa gelmeyecekti. Yine de bir sürpriz yapıp, nöbetini bir arkadaşına devredeceğini düşünerek cep telefonundan aradım.

"Merhaba hayatım, müsait misin, biraz konuşabilir miyiz?" dedim, garajdan arabamı almaya doğru ilerlerken.

"Pek değilim" dedi. "Bugün burada iş çok. Hastane ana baba günü gibi."

"Ne kötü! Belki nöbeti bir başkasına devredip kaçarsın diye düşünmüştüm."

"Ben de isterdim ama imkânı yok."

"Ne yapalım?" diye iç geçirdim. "Çaresiz yarın akşamı bekleyeceğiz."

"Sakın ben yokken yaramazlık etme."

"İstesem de takat mı bıraktın bende?"

Tatlı bir kahkaha attı.

"Hadi öpüyorum, hoşçakal" dedi ve telefonu kapattı.

Ümitlerim kırılmış olarak arabanın içine girdim. Otoparkı terkederken hâlâ kararsızdım, önümde upuzun ve Jale'siz geçecek bir gece vardı. Onun yanımdaki varlığına öylesine alışmıştım ki, şimdi ne yapacağımı bilemeden düşünmeye başladım. Artık Vural'ın meselesine daha fazla bulaşmak istemiyordum, ama beynimin bir köşesinde hâlâ Tamer'le yeniden görüşmek arzusu yer alıyordu. Kararsızdım. Arabayı trafik seline kapılarak Şişli'ye doğru sürdüm, sonunda da Levent üzerinden Maslak'a ilerledim.

Aklımda hâlâ o soru yer alıyordu. Ben Emel'in hamileliğini morgta, ceset bulununca öğrenmiştim, fakat Aysel kızın gebeliğini ne zaman öğrenmişti ki, kızın Tamer tarafından gebe bırakılıp bırakılmadığını anlamak için oğlanı sıkıştırmışlardı?

Tabii, Emel bunu Kerim'e söylemiş ve çocuğun ondan olduğunu iddia etmiş olabilirdi. O zaman da Kerim'in kızla cinsel ilişkiye girdiğini kabul etmemiz gerekiyordu. Hiçbir kız kendisiyle cinsel ilişkiye girmemiş bir insana böyle bir itirafta bulunmazdı. Oysa Kerim ısrarla bunu reddediyor ve Aysel'le yatmadığını söylüyordu.

Kafam karmakarışıktı, Aysel bugün garibime giden bir cümle daha sarfetmişti. *Sizi kullanmışlar* demişti. Ne demek istemişti acaba? Beni kim kullanabilirdi? Ayrıca eski kocasını küçümseyerek bir ara *o aptalın tekidir* diye bahsetmişti Vural'dan. Vural'ı bu kadar hafife alıyorsa, beni kimin kullanabileceğini ima etmişti? Yoksa bu bir dil sürçmesi, rastgele edilmiş laf mıydı?

Hacı Osman bayırından aşağıya doğru inmeye başladım. Az sonra sahil yolunda idim. Şuuraltı, Tamer'i görmek için Büyükdere'ye gittiğimin farkındaydım. Yokuş yukarı giden, eski evlerin çoğunlukta olduğu dar sokağa Passat'ı parkettim. Hâlâ tereddüt ediyordum; o insanların beni iyi karşılamayacaklarının da bilincindeydim. Bir süre arabanın içinde oturarak Tamer'le konuşmamın bana ne sağlayacağını düşündüm. Aslına bakılırsa oğlana ne soracağımı bile bilmiyordum. Belki bu ikinci girişimim çok saçmaydı. Sonunda dayanamadım, arabadan çıktım ve eve gittim.

Kapıyı bana Tamer'in kız kardeşi Gamze açtı.

Beni karşısında yeniden görmeyi beklemediğini yüzündeki ifadeden anladım.

"Yine mi siz geldiniz?" dedi. "Ne istiyorsunuz?"

"Endişelenmeyin küçük hanım" dedim. "Kötü bir niyetim yok. Buraya bir dost olarak geldim. Sizlere bir zararım dokunmayacak. Sadece ağabeyinize birkaç soru sormak istiyordum. Onun iyiliği için."

Kızardı, yüzüme baktı. Sonra gözlerini benden kaçırarak, "Evde yok" dedi.

"Ne zaman gelir?"

"Gelmeyecek. Adapazarı'na amcamın yanına gitti."

"Neden?"

"Orada bir iş buldu. Amcamın yanında kalacak."

Yalan söylediğini hemen anlamıştım. Yüzü renkten renge giriyordu.

"Bana doğru söylemiyorsunuz" dedim. "Ben buraya ağabeyinizi bu beladan kurtarmak için gelmiştim."

Güzelce bir kızdı. İri gözlerini kuşkuyla yüzüme çevirdi.

"Ama geçen gelişinizde hiç de öyle görünmüyordunuz" diye mırıldandı.

"Haklısınız" dedim. "Çünkü o sıralarda onun suçlu olduğunu düşünüyordum."

"Ya şimdi?"

"Sanırım artık Emel'i hamile bırakan kimseyi tesbit ettik."

Öldüren kimseyi demekten özellikle kaçınmıştım. Kızın telaşa kapılmasını istemiyordum.

"Öyle mi?" dedi. "Kimmiş."

"İçeriye girmeme müsaade eder misiniz? Daha rahat konuşabiliriz."

Kız kararsızdı.

"Annem evde yok" diye mırıldandı. Sonra utangaç bir edayla, "İsterseniz buyrun" diyebildi.

"Teşekkür ederim" diyerek girdim içeri. Kız beni mütevazı döşeli oturma odalarına almıştı. Heyecanlı olduğunu hissediyordum. Merak ve heyecanla konuşmamı bekliyordu. Daha fazla dayanamadı. Sorusunu tekrarladı.

"Kimmiş?"

"Kerim Toksöz!"

Gamze'nin tepkisini merak ediyordum.

İrkilir gibi oldu, dudakları garip bir şekilde büzüldü.

"Şu sünepe oğlan mı? Hayret!"

"Neden şaşırdınız?"

Kendini toparlamaya çalıştı. Omuzlarını silkti.

"Ne bileyim? Onun böyle bir şey yapabileceğini sanmazdım" dedi.

"Hepiniz gençsiniz, niye olmasın?"

"Ama Emel... yani."

Cümlesinin sonunu getiremeyince sordum, "Yani ne?"

"Ona pek yüz vermezdi.. Gerçi konuşurdu, sıkı fıkı arkadaştılar ama.. ne bileyim, şey.. değillerdi yani."

"Ne değillerdi?"

Kız kızarıp büzüldü. "Anlarsınız işte," diye mırıldandı.

"Yani yatacak kadar samimi değiller miydi?"

"Evet."

Kıza ufak bir yalan söylemekte mahzur görmedim. "Ama Kerim, Emel'le pek çok kere cinsel ilişkide bulunduğunu söyledi."

Gamze'nin Emel'le arkadaşlığının samimiyetinin derecesini biliyordum. Emel'in yırtık bir kız olduğu kesindi, Gamze'nin de durumu merak ettiğini ve gerçeği öğrenmek için can attığını görüyordum, ama kız daha tutucu bir çevreden geldiği için bu konuda konuşmaktan biraz çekinir gibiydi.

"Hayret!" dedi kız. "Buna şaşırdım."

"Neden?"

"Dedim ya, işi bu kadar ilerleteceklerini sanmıyordum. Emel'in tipi değildi o."

"Öyle mi? Emel'in tipi nasıldı? Daha olgun erkekleri mi beğenirdi?"

"Sanırım."

"Nasıl mesela? Ağabeyin onun için olgun biri miydi?"

Kız bir an bocaladı.

"Hayır" dedi sonra. "Bana kalırsa Emel ağabeyime de fazla yüz vermedi."

"Ama ağabeyin Emel'le ilişkide bulunduğunu itiraf etti bana."

Kız çekingen bir şekilde gülümsedi.

"Siz ona bakmayın. O biraz atar. Onu iyi tanırım. Çapkın erkek numaraları yapmaya bayılır."

"Yani aralarında bir şey olmadı mı demek istiyorsun?"

"Kesin hayır diyemem. Belki de olmuştur. Ama tıpkı Kerim gibi ağabeyim de onun tipi değildi."

Gülümsedim. "Çok ilginç" diye sırıttım. "Şu Emel'in hoşlandığı erkek tipini bana anlatsana. Olgun erkek tipi ile ne kastediyorsun?"

Bir an utanarak yüzüme baktı.

"Bir şey söylersem kızmazsınız, değil mi?"

"Tabii kızmam. Niye kızayım ki? Burada dostça konuşuyoruz."

Yüzüme bakmaya devam etti. Konuşmaya çekindiği belliydi.

"O sizin gibi yakışıklı ve havalı erkekleri beğenirdi."

Gülümsedim. "Teşekkür ederim. Bana iltifat ediyorsun" dedim.

Utanmış gibi gözlerini benden kaçırdı önce. Sonra yumuşak ve kısık bir sesle:

"Ben sizi tanıyorum" diye mırıldandı.

"Nereden tanıyorsun?" diye sordum.

"Bir süre önce Jale abla ile sizi Nişantaşı'nda gördüm bir akşam."

"Öyle mi?"

"Kolkola dolaşıyordunuz ve birbirinize çok yakışıyordunuz."

Dikkatle kızı süzdüm. Adını niye Gamze koyduklarını şimdi daha iyi anlamıştım. Kızın iki yanağında da güldüğünde derin ve ona yakışan çukurlar oluşuyordu.

"Ben Jale ablayı severim. Ama ne yazık ki o, ne benden ne de ağabeyimden pek hoşlanmaz."

"Neden?"

"Emel yüzünden."

"Anlayamadım?"

"Biliyorsunuz, Emel'le aynı evi paylaşıyorlardı. O çok ciddi ve dürüst bir insandır. Emel'in önüne çıkan herkesle samimi olmasından hoşlanmazdı."

"Sizlerden de hoşlanmadı mı?" diye sordum.

"Benimle arası iyiydi, ama ağabeyime ısınamadı."

"Emel'e asıldığı için mi?"

"Her halde. Bazen ikimizi karşısına alır konuşur, tavsiyelerde bulunurdu. Allahı var, çok güzel bir kızdır."

Gamze çekinerek sordu.

"Onu seviyor musunuz?"

Gülümsedim. "Evet, seviyorum" diye mırıldandım.

"Evlenecek misiniz?"

"Niyetimiz öyle."

"Allah mutlu etsin. Birbirinize çok yakışıyorsunuz."

"Teşekkür ederim Gamze" dedim.

Kız birden hatırlamış gibi yerinden fırlayarak masanın üzerinde duran kapalı bir cam şekerliği bana doğru uzattı.

"Bir şekerleme alır mısınız?"

"Hayır almayayım. Sağol."

"Size çay yapmak isterdim ama annem gelirse belki bozulabilir."

"Neden?"

"Artık söylememde bir sakınca yok. Geçen gelişinizde onu çok korkuttunuz. Sizden çok ürktü. Ağabeyime bir zarar vereceğinizi sandı." Sonra birden aklına gelmiş gibi, "Peki Emel'i Kerim mi öldürmüş?" diye sordu.

"Onu henüz bilmiyorum, olabilir."

Tahminime burun kıvırdı.

"Bence katil o olamaz."

"Niye?"

"Dedim ya, o sümsük oğlanın tekidir. Kötü bir şey de olsa, cinayet kararlılık ister, güç ister, beceri gerektirir. Kerim pısırığın biriydi."

Gamze'nin hayat dolu gözlerinin içine baktım. Kızın benden hoşlandığını anlamıştım. "Bak, Gamze" dedim. "Burada yalnızız ve dostça konuşuyoruz. Umarım, artık ağabeyine bir kötülük yapmayacağımı anlamışsındır."

Başını evet anlamında salladı.

"Şimdi bana doğruyu söyle. Tamer, Adapazarı'na amcanın yanına gitmedi, değil mi?"

Şaşırdı. Yüzü kızardı, ne diyeceğini bilemedi bir an.

"Endişelenme" dedim. "Artık onun katil olmadığını kesinlikle biliyorum. Ama birinin bana yardım etmesi lazım. Ona sormak istediğim önemli bir konu var. Ve bana ancak o yardım edebilir. Söyle bana o nerede?"

"Şey..." diye fısıldadı, sustu sonra.

"Lütfen bana sen yardım et. Onunla konuşmalıyım."

Kız korkar gibi olmuştu. Cevap veremiyordu.

"İnan bana ona kötülük etmeyeceğim. Ama gerçekleri öğrenemezsem, polis onu eninde sonunda bulacaktır. Belki biraz zaman alır ama mutlaka izini bulup sorguya çekeceklerdir. O zaman daha kötü olacak ve başı belaya girecektir."

Kız sıkılarak, "Ne öğrenmek istiyorsunuz?" diye sordu.

"Bunu ancak ağabeyine sorabilirim. Sen bana cevap veremezsin."

"Emel'le mi ilgili?"

"Hayır. Ağabeyini sıkıştırıp, onu dövenlerle ilgili."

Gamze son bir tereddütten sonra, "Evet" dedi. "Adapazarı'na gitmedi. Burada bir yakınımızın yanında. Ama geceleri eve dönüyor. Şimdilik çalışmıyor. Babam ona bir iş aramakla meşgul. Geceleri on ikiden sonra eve geliyor. Ama lütfen bu söyledigimi annem duymasın. Yoksa beni öldürür."

Ayağa kalktım. "Teşekkür ederim Gamze" diye fısıldadım.

"Bana yardımcı oldun. Söz veriyorum, ağabeyine bir kötülük gelmeyecek."

Kız bana samimiyetle inanmıştı.

Yanağını okşadım. Utanarak kızardı.

"Verdiğim sözü unutmam" dedim. "Ağabeyin bir zarar görmeyecek."

Birden yeni aklına gelmiş gibi, "Siz kimin avukatısınız?" diye sordu. "Ağabeyimi dövdüren o kadının mı?"

"Hayır."

"Kimin öyleyse?"

Sorun da buydu. Gerçekten ben kimi temsil ediyordum acaba? Bu sualin cevabı henüz kendi beynimde bile oluşmamıştı.

"Gerçekleri, sadece hakikatı ve adaleti temsil ediyorum" dedim.

Hiçbir şey anlamadan suratıma bakakaldı.

Gamze saf ve temiz bir kızdı. Acaba Emel'de ne bulmuştu da onunla arkadaşlık kurmuştu? Evden çıkarken hâlâ onu düşünüyordum...

* * *

Gece on ikiye kadar sokaklarda oyalanmak zorundaydım. Bu gece Tamer'le son bir görüşme yapmaya karar vermiştim. Gerçi beynimdeki sorunun cevabını ondan alacağımı pek sanmıyordum ama yine de aklıma gelen bütün ihtimalleri denemek zorunda idim. Gece yarısına kadar uzun saatler vardı. Önümdeki boş zamanı nasıl geçireceğimi bilmiyordum; hava daha kararmamıştı bile. Bir ara Tamer'le görüşmenin bir işe yaramayacağını, onu saatlerce beklemenin bir anlamı olmadığını düşünmeye başladım. Eve dönmem çok daha akıllıca bir iş olacaktı.

Kararsız bir şekilde arabamın içinde oturdum. Beynimi şimdi şu sual meşgul ediyordu; Aysel, Emel'in cesedi bulunmadan kızın gebe olduğunu nerden biliyordu? Tabii bunun da makul birkaç cevabı olabilirdi. Belki Emel, Kerim'e söylemişti, ya da harıl harıl aradıkları o mektuplardan birinde böyle bir ifade vardı. Ama şurası muhakkaktı ki, Aysel en az Vural kadar Tamer'den de şüphelenmişti. Çocuğun üstüne varmalarının sebebi gerçeği öğrenmekti.

Beklemeye karar verdim. Delikanlı ile konuşmazsam rahat etmeyeceğimi biliyordum. Artık kolay kolay bu meselenin içinden kendimi çekip çıkaramayacaktım.

Büyükdere'deki bir balıkçı lokantasına girip ızgara uskumru ile bir küçük şişe beyaz şarap ısmarladım. Hafta arası olduğu için oldukça tenhaydı. Saat ona kadar oyalandım. Onda lokantadan çıktım. Daha en az iki saat bekleyecektim. Belki şaraptan kafam hafif dumanlanmıştı. Hemen arabaya gitmedim. Büyükdere'den Sarıyer'e kadar sahil boyunca yürüdüm. Soğuk ve rüzgarlı hava iyi gelmişti. On bire doğru Passat'ın içine girerek beklemeye başladım. Arabayı karanlık gölgeler arasında uygun bir yere çekmiştim. Tamer'in evinin kapısını gayet rahat kontrol edebiliyordum.

Dakikalar geçmek bilmiyordu. Radyoyu açtım, biraz müzik dinledim, sonra sıkılıp kapattım. Gittikçe gerilmeye başlamıştım.

Saat on iki oldu. Tamer hâlâ ortalarda yoktu.

On ikiyi çeyrek geçe bir gölge sokağın başında göründü. Hızlı ve telaşlı adımlarla yürüyordu. Oğlanı tanımıştım. Eve yaklaşmasını bekledim.

Tam kapıya yaklaştığı sırada arabadan fırladım.

Daha beni görmeden karanlıktaki arabadan çıkan birini farkedince hızlanmaya başladı. "Dur biraz delikanlı" dedim. "Seninle konuşmalıyız."

Hâlâ beni tanımamıştı. Sesimden de çıkardığını sanmıyordum. Yerine çakılı kaldı.

"Siz kimsiniz?" diye sordu. "Ne istiyorsunuz benden?"

Korktuğunu anlamıştım.

"Telaşlanma" dedim. "Beni tanımadın mı?"

Ağır ağır sokak lambasının titrek ışığına doğru yürüyünce beni gördü.

"Yine mi sen? Ne istiyorsun hâlâ?"

"Sana bir iki şey soracağım."

"Artık sizlerle konuşmak istemiyorum. Üstüme varırsan polise giderim."

"Benim için farketmez. Zira artık senin suçlu olmadığını anladık" dedim.

Kuşkuyla yüzüme baktı. Ama kaçmaya da çalışmadı.

"Ne soracaksın?"

"Atla arabaya" dedim. "Daha rahat konuşuruz."

Kısa bir tereddüt geçirdi. Önce arabanın içinde başkaları olup olmadığını anlamak için eğilip baktı. Kimse olmadığını görünce biraz daha rahatlamış gibi gelerek arabaya bindi. Böyle bir karşılaşmayı beklemediği her halinden belliydi.

"Korkma artık" dedim. "Emel'i gebe bırakan kişiyi bulduk."

Derin bir soluk aldı.

"Kimmiş?"

"Şimdi onu boşver. Sen soracağım soruyu cevapla bana."

Merakla yüzüme baktı.

"Seni dövdüren kadın, sana ne sordu?"

Tamer sorumu garipsemişti.

"Dedim ya, onu benim gebe bırakıp bırakmadığımı."

"Ama seni yakaladıkları zaman kızın cesedi henüz bulunmamıştı, gebe olduğunu nereden bilebilirlerdi ki?"

Bir an afalladı. Birkaç saniye düşündü.

"Ne bileyim?" dedi. "O zaman ben Emel'in kayıp olduğunu bile bilmiyordum."

"Kızın gebe olduğunu biliyorlardı ki sana bu soruyu sordular. Değil mi?"

"Öyle olması lazım. Her halde öğrenmişlerdi. Hem bu soruyu niye bana soruyorsun. Patronuna sorsana?"

"O kadın benim patronum değil."

Tamer'in şaşkınlığı artıyordu.

"Sen kimsin öyleyse? Kimin adına çalışıyorsun? Avukatlığın falan numara mı? Polis misin yoksa?"

"Polis olmadığımı anlamalıydın. Polis olsam seni başka türlü sorgulardım."

Bön bön suratıma baktı.

"Kimsin sen?"

"Boşver kim olduğumu. Sen şimdi sorularıma cevap ver."

Delikanlı aniden huylandı. Aysel'in adamı olmadığımı anlayınca birden kendini yeni bir tehlikenin eşiğinde bulmuş gibi arabadan fırlamak istedi. Kapının koluna el attığında ensesinden yakaladım. Biraz sertçe:

"Otur oturduğun yerde" diye homurdandım. "Beni zor kullanmaya mecbur etme." Montunun yakasını sıkıca kavramıştım. Kımıldayamadı.

"Seni Emel'in ailesi mi tuttu yoksa?" diye korkarak sordu.

"Olabilir."

Ama sorduğu suale kendisi de inanmamıştı.

"Emel'in ailesi yok ki" diyebildi.

"Nereden biliyorsun?"

"Kendi söylemişti."

"Öğretmen bir babası olduğunu bilmiyor musun?"

"O çoktan ölmüş. Emel ilkokuldayken."

İşte o an jeton düştü.

Galiba şimdi her şeyi anlamıştım. Bütün vücudumu bir titreme aldı. Bu aklımın köşesinden bile geçmeyen bir şeydi. Ama düşündüklerim doğruysa bütün taşlar yerlerine oturacaktı. Tamer'in yakasını bıraktım.

Oğlan bendeki değişikliği anlamıştı.

Tuhaf tuhaf yüzüme baktı. "Ne oldu?" diye sordu.

Dehşete kapılmış gibiydim. "Yok bir şey" diyebildim ancak. "Hadi git. Seninle işim kalmadı. Soracağım başka sual yok."

Oğlan son bir kere bana baktı. Sonra koşar adım arabayı terkederek evine gitti.

* * *

Berbat bir haldeydim.

Arabayı ağır ağır sürerken hırsımdan kuduracak hallere gelmiştim. Aklımdan geçenler doğruysa ne denli iğrenç bir oyuna geldiğimi şimdi daha iyi anlıyordum. Daha fazla ilerlemeyedim. İlk uygun bulduğum yere arabayı çektim.

Cep telefonumu çıkarıp Jale'yi aradım.

Uykulu bir sesle "Buyrun!" dedi sevgilim.

"Nasılsın hayatım?"

"Çok yorgunum. Yoğun bir gece geçirdim. Şimdi odamda biraz kestiriyordum ki sen aradın. Evde değilsin galiba, klakson sesleri aksediyor."

"Evet, sokaktayım" dedim.

"Ne işin var, gece yarısı sokakta. Yokluğumdan istifade edip bir şeyler mi yapıyorsun yoksa?"

"Hayır sevgilim" dedim. "Galiba Vural'ın meselesini aydınlattım."

"Yaa? Kimmiş katil?"

"Bunu yarın sana anlatırım. Düşün bakalım, belki bulursun."

"İnsanı merakta bırakma ayol. Söylesene..."

"Vural" dedim. "Katil Vural'mış."

Duraladı birden. "Emin misin?"

"Kesinlikle!"

"Nasıl anladın?"

"Şimdilik bu kadarını bilmen yeter. Devamını yarın sevişirken kulağına fısıldarım."

Jale itiraz etti.

"Hadi, hainlik etme! Meraktan çatlarım sonra."

"Olmaz" dedim ve telefonu kapattım.

Derin bir nefes aldım. Ellerimin titremesine bir türlü mani olamıyordum. Sonra avucumdaki telefondan bilinmeyen numaraları çevirdim ve Çapa Tıp Fakültesi'nin numarasını istedim. Az sonra numarayı öğrenmiştim.

Hastanenin numarasını tuşlarken yüreğim duracak gibiydi. Zil bir süre çaldı. Nihayet santraldaki nöbetçi, "Alo" dedi. Ona "Çocuk Hastalıkları Bölümünü" bağlamasını rica ettim. Az sonra hattın öbür ucundan tok bir erkek sesi aksetti kulağıma.

Yüreğimin gümbürtüsünü kulak zarımda duyabiliyordum.

"Evet?" dedi.

"Nöbetçi stajyer Jale Yılmaz'la görüşmek istiyorum" dedim.

"Kim dediniz?"

"Doktor Jale Yılmaz."

Adam hiç tereddüt etmeden, "Bu serviste öyle bir doktor yok" dedi.

İsrar ettim.

"Bu gece nöbetçi olması lazım."

Adam biraz terslenerek, "Sizi yanlış bir servise bağlamış olabilirler. Burası Çocuk Hastalıkları Bölümü."

"Ben de orayı arıyorum zaten."

"Kardeşim burada öyle biri yok."

Dudaklarımı ısırdım. Güçlükle, "Emin misiniz?" diye sordum.

"Belki başka bir kürsüdedir" diye homurdandı adam.

"Hayır eminim, Çocuk Hastalıkları Bölümü'nde."

Adam bu kez bozularak bağırdı.

"Kardeşim, ben buranın Baş Asistanıyım, kürsüdeki staj-yerleri benden iyi mi bileceksin yahu" diyerek çat diye telefonu yüzüme kapattı.

Artık tüm gerçeği kavramıştım. Aysel haklıydı. Beni kullanmış ve yönlendirmişlerdi.

Mideme şiddetli bir sancı saplandı.

Tüm ümitlerim ve hayallerim bir anda yok olmuştu. Gözlerim karardı; neredeyse oturup ağlayacaktım...

2

Eve döndüğümde canlı bir enkazdan farkım yoktu. Saat ve zaman kavramını yitirmiştim. Arabayı bahçeye soktuğumda sanırım gün ağarıyordu. Sabaha kadar ne yaptığımı nerede vakit geçirdiğimi, hiç hatırlamıyordum. Beynim uyuşmuş, ruhum daralmıştı. Hâlâ içimden yanılmış olmam için dua ediyordum. Son bir ümit kırıntısı, bütün tahminlerimin boşa çıkması için inanılmaz bir istek taşıyordum. Ama ne yazık ki artık bütün taşlar yerine oturmuştu.

Daha sağlıklı düşünmek için biraz uykuya ihtiyacım vardı. Kendimi toparlamalı ve gereken yerlere telefon etmeliydim. Tabii bunların başında polis geliyordu.

Daireme girdim. Bütün ışıkları yaktım.

Evde beni bir sürpriz bekliyordu. Salonun elektriğini yakınca koltukça oturan Jale'yi gördüm. Aslında bu bir sürpriz olmamalıydı.

"Nihayet gelebildin" dedi.

Sesi boğuk ve soğuktu.

"Evet, döndüm" diye inler gibi konuştum. "Doktorluk oyunu bitti mi?"

"Bitti sevgilim."

"Artık bana sevgilim diye hitap etmesen iyi olur Macide. O kelime ağzına hiç yakışmıyor."

"Demek kim olduğumu da anladın?"

"Evet."

"Tahmin etmiştim. Çok üzgünüm Sinan. Gerçekten çok üzgünüm."

"Ben de öyle."

"Ne olursa olsun, bir şeyi çok iyi bilmeni istiyorum. Seni gerçekten sevdim. Hem de delicesine. Lütfen bana inan. Bunu doğru söylüyorum. Hem de bütün kalbimle."

"Artık sana inanmam için çok geç Jale. İstersen sana Macide diyeyim, yani gerçek adınla hitap edeyim."

Macide bir an yüzüme baktı. Onun da uykusuzluktan gözlerinin altı morarmıştı.

"Ne yapacaksın şimdi?" diye sordu.

"Her şeyi polise ihbar edeceğim."

Yüzü gölgelendi.

"Bunun ne anlama geldiğini biliyor musun?"

"Kesinlikle."

"İkimizin de sonu olur."

"Doğru" dedim. "Zaten her şey bitti artık."

"Ya aşkımız, aramızdaki sevgi ne olacak?"

"Sen buna sevgi mi diyorsun? Yalan ve ihanet üzerine kurulmuş bir ilişkiye nasıl aşk diyebilirsin?"

"Yalvarırım iyi düşün. Bir saçmalık yapmaya kalkışma. Harika bir ilişkiyi aptalca bir gurur uğruna mahvetme. Seni çok seviyorum. Geleceğimiz, şu an vereceğin karara bağlı. Acele vereceğin bir karar ikimizin de hayatını söndürebilir."

"Ne yazık ki artık çok geç. Bu oyun bitti."

"Hayır Sinan, bitmesini istemiyorum ve bitmesine de izin vermeyeceğim."

Gülümsemeye çalıştım.

"Hâlâ oyun oynamaya devam ediyorsun ha? Geç kaldın; artık maymunun gözü açıldı. Bundan sonra ne söylesen inanmam. Beni fena kandırdın. Aslında seni kutlamak gerekir. Rolünü mükemmel oynadın. Beni ağına düşürmekte çok başarılıydın. Oscar'a layık bir oyundu bu. Ama neden? Bir türlü anlamıyorum, beni niye bu tuzağa düşürdünüz? Benden ne istiyordunuz? Bu komploda benim rolüm neydi?"

Jale ya da gerçek adıyla Macide ayağa kalktı. Sinirli sinirli odanın içinde dolaşmaya başladı. Neden sonra, "Hepsini en başından dinlemek ister misin?" diye sordu.

"Ehh, bu kadarı hakkım sanırım" diye mırıldandım.

Bana yaklaştı. Kararsız bir şekilde önümde durdu. Nefsiyle mücadele halinde olduğunu sezinliyordum. Gözleri yaşarmıştı. Her an bir ağlama krizine girebilirdi.

"Sana her şeyi anlatacağım. Sonra istediğin kararı ver. Buna razıyım. Ama başlamadan önce bir şeyi anlamanı istiyorum. Seni çok sevdim Sinan. Her şeyden şüphe edebilirsin ama asla sana olan duygularımdan şüphe etme. Şu an bile kollarına atılmak, sana sarılmak, sıcaklığını duymak istiyorum. Belki de bu son kez olacak, belki de beni asla affetmeyeceksin."

Bir adım daha yaklaştı. Kollarını açtı.

"Sarılmama, kokunu duymama, şefkat ve merhametini hissetmeme izin verir misin? Şu an sana çok ihtiyacım var."

Göz pınarlarından iki ufak yaş damlacığı yanaklarına süzülmüştü.

Yüreğimin parça parça olduğunu hissediyordum. Benliğimi müthiş bir korku kapladı. Onu hâlâ çok seviyordum ve şu an göstereceğim en ufak bir zayıflık vicdanımda asla onarılmayacak yaralar açabilirdi.

Gırtlağım kurudu. Vicdanımla mantığım mücadele ediyordu. En doğru kararı vermek zorundaydım. Biraz daha ısrar ederse yenik düşeceğime yüzde yüz emindim.

Sesim çıkmadı.

Macide bir adım daha atıp bana sarıldı. Başını göğsüme dayayarak ağlama başladı. Kımıldamadan, hareketsiz duruyordum.

Kolları boynuma dolandı.

"Sarıl bana. Beni sıkı sıkıya kavra" diye inledi. "Lütfen."
Kollarını boynumdan çekmeye çalıştım.

"Yapma.. Lütfen yapma.. Beni kendinden uzaklaştırma."
"Bu kadar oyun yeter Macide. Artık beni kandıramazsın. Şimdi her şeyi bana anlatmanı istiyorum. Kes şu ağlamayı" diye fısıldadım.

Ama kendi sesimi tanımakta zorlandım. Ona nasıl böyle davrandığımı, nasıl hoyrat ve anlayışsız olduğumu anlayamıyordum.

Birden kollarını boynumdan çekti.

Beni hor gören, aşağılayıcı nazarlarla baktı.

"Pekala" dedi. "Tercihini yaptın ve bu sonucu sen istedin. Neticesine de artık katlanmak zorundasın. Sana her şeyi anlatacağım. Hoşuna gitmese ve duymak istemesen bile."

Ağır ağır benden uzaklaşarak kanepeye yürüdü adeta çöker gibi oturdu. Uzun sarı saçları dağılmış olarak yüzüne düşüyordu. Omuzları çökmüş, lacivert gözlerini suçlu insanların psikolojik ezikliği kaplamıştı.

"Doğru bildin" dedi. "Ben eski okul arkadaşın Vural'ın kardeşi Macide Toksöz'üm. Şu bir zamanların ünlü pamuk kralının kızı. Doktor falan da değilim.. Parasızlık yüzünden Tıp Fakültesini bitiremedim. Okuyabilseydim bugüne kadar çoktan ihtisasımı da tamamlamış olurdum."

İçini çekti.

Onu sessizce dinlemeye başlamıştım.

"Babam öldüğünde ilkokuldaydım. Annem beni doğururken vefat etmişti. Babam üstüme titrerdi. Onun en sevdiği evladıydım. Ne yazık ki kalp hastasıydı. Çocuk olduğum için onun yıllardır bu dertten şikayetçi olduğunu bilmezdim. Ölümü ani oldu. Fabrikada bir kalp krizi geçirdi. Ambulans yetişinceye kadar da gitti."

Macide kesik kesik, kısa cümlelerle konuşuyordu. Geçmişini anlatırken derin bir üzüntüye kapılmış, omuzları titremeye başlamıştı.

"Beni büyük halam yanına almak zorunda kaldı. Halalarıma da babam bakardı. Onun ani ve zamansız ölümü ailenin üzerine kabus gibi çöktü. Öğrenimini İstanbul'da tamamlayan ağabeyim zaten aileden kopuktu. Bir anda büyük bir servetin başına geçti. İşte her şey ondan sonra başladı. Babamın ölümünden iki ay sonra evlendi. Aysel hayatımda tanıdığım en haris ve para düşkünü kadındı. Ne var ki ağabeyim ona sırılsıklam aşıktı ve onun elinde tam anlamıyla oyuncak olmuştu. Karısının bir dediğini iki etmiyordu. Tabii ben bunları o çağdaki çocuk kafamla takdir edemiyordum. Gerçeklerin büyük bir kısmını daha sonra, aklım erince halalarımdan öğrendim. Vural çalışmıyor, babamın servetini har vurup harman savuruyordu. Hazır paraya dağlar dayanmazdı. Halalarım ağabeyimi ikaz etmeye çalıştılar. İkisiyle de kavga etti. Küçük halam İskenderun'da yaşardı. Kocası yine oradaki babama ait bir fabrikanın müdürlüğünü yapardı. Aysel'in teşvikiyle ilk olarak o fabrikayı sattı ağabeyim. Küçük halamın kocası işsiz kaldı. Ona hiç yardım etmedi. Sonradan öğrendiğime göre o satıştan aldığı parayı olduğu gibi Aysel'e devretmiş. Kısacası Vural Adana'daki bütün tesislerimizi kapatarak işleri tasfiye cihetine gitti ve aileyi yüzüstü bırakarak, karısının teşvikiyle İstanbul'a göç etti. Tabii benim de babamın malları üzerinde miras hakkım vardı. Ama ne yazık ki ben miras hisseme hiçbir zaman sahip olamadım. Vural paraları çarçur edip bitirince Aysel daha evliyken tanıştığı bir bankacıya kaçtı. Ondan bir haber alamıyorduk. Adana'ya ne geliyor ne de bize bir iki satır yazıyordu. Lise birinci sınıftayken onunla görüşmek için bir defa İstanbul'a geldim. Kerim çok ufaktı, daha okula bile gitmiyordu. İstanbul'da Karagümrük'te çok süfli bir hayat sürüyorlardı. Gerçi bizim de o debdebeli günlerimiz kalmamıştı ama ağabeyimin bu kadar kötü şartlar altında yaşadığını da tahmin edememiştim. O gelişimde onunla çok kötü bir kavga ettik. Aramızda her şey koptu. Haklı olarak ondan miras hissemi istedim. Beni kovdu. Zaten küçüklüğümde de ondan İstanbul'daki eğitimi yüzünden ayrı büyümüştük, fazla yakınlığımız yoktu. Kopuş o kopuş oldu. Bir daha senelerce yüzünü görmedim. Ta ki geçen seneye kadar."

Macide susup soluklandı. Gözlerini önüne dikmiş, hiç yüzüme bakmıyordu.

"Bu arada sen ne yaptın?" diye sordum.

"Büyük halam zorluklarla beni okuttu. Adana'da liseyi bitirdim. Üniversiteye gitmek, tıp tahsili yapmak istiyordum. Sınavları kazandım ve Çapa Tıp Fakültesi'ne girdim."

"Sonra?"

"Üçüncü sınıfa kadar okudum. Halam artık yardım edemiyordu. Okurken bir yandan da çalışmak zorunda kaldım. İş ile öğrencilik bir arada yürümüyordu. Kaç kere iş değiştirdim, olmadı. Sonunda yaşamak ve hayatımı kurmak için fakülteyi bıraktım."

"Tamamen mi?"

"Evet. Mecburdum."

Jale ya da gerçek adıyla Macide ayaklarını altına alarak kanepeye büzüldü.

"İş dünyasında yalnız ve himayesiz bir kızın tek başına barınması çok zordu. Her patron fırsatını bulunca beni taciz etmeye başlıyordu. Her girdiğim yerden kısa zaman sonra ayrılmak mecburiyetinde kalıyordum. Allahtan annem öldüğü zaman ona ait şahsi ziynet ve mücevheratı babam bana ayırmıştı. Yaşım ilerleyince halam onları bana devretti. Birer ikişer onları satarak hayatımı sürdürmeye çalışıyordum. Annemin yüzüklerinden birini sen de gördün. Hatırlıyorsun, değil mi?"

Başımı salladım. Nasıl unuturdum ki?

Bir an yüzüme baktı. Gülmek ister gibi oldu ama suratımdaki soğuk ifadeyi görünce devam etti.

"Bir defa genç bir mühendisle nişanlandım. Çalıştığım iş

yerinde görevliydi. Hata etmiştim. İyi bir insana benziyordu, ama kısa bir süre sonra onunla hayatımı birleştiremeyeceğimi anladım. Bu arada kendimle hesaplaşmaya başlamıştım. Kötü bir kader çizgim vardı ve bunun tek sebebi de ağabeyimdi. Miras hisseme tecavüz etmeseydi, tahsilimi tamamlayacak, hayata varlıklı bir doktor olarak başlayacak ve geleceğim garanti altına alınmış olacaktı. Başıma üstüste gelen felaket ve sıkıntılardan onu sorumlu tutuyordum. Vural'a olan hırs ve hiddetim önüne geçilmez bir tutku haline geliyordu."

Jale sustu yine. Cebinden bir mendil çıkararak gözlerini sildi.

"Bir gün hiç ummadığım bir anda karşıma çıktı."

"Ne zaman?" diye sordum.

"Geçen sene. Adresimi büyük halamdan almış. Bana ummadığım kadar yakınlık gösterdi ve para verdi. Yaptıklarından büyük pişmanlık içindeydi. Biz kardeşiz, hayatta başka yakınım yok, diye nedamet duyuyordu."

"Sen ne yaptın?"

Jale omuzlarını silkti. "Ona anlayış göstermeye çalıştım. Haklıydı. Ne de olsa kardeştik. Ama bütün gayretlerime rağmen ona önceleri yakınlık duyamadım. Senelerin verdiği uzaklık ve husumetten ona bir türlü ısınamıyor, gereken yakınlığı gösteremiyordum. Bir süre ilişkimiz hep mesafeli geçti."

"Sonra?"

"Bir gün yine bir işten istifa ederek eve dönmüştüm. Ağzımı bıçak açmıyordu. Parasız ve işsiz kalmıştım yine. Tam o sırada ağabeyim geldi."

Jale yeniden sarsılarak ağlamaya başlamıştı.

Bir süre ağlama krizinin geçmesini bekledim. Ama sonu gelmeyeceğe benziyordu.

Sert bir sesle, "Devam et" dedim.

"Hayır!" diye inledi. "Bundan sonrasını anlatmak çok zor. Bana ağır geliyor. Lütfen beni konuşturma. Hakkımda ne düşünüyorsan düşün ve ne istersen öyle yap, ama konuşmak istemiyorum."

"Konuşacaksın Jale. Başka çaren yok."

Lacivert gözleri anlayış göstermem için yalvarır gibi bana çevrildi.

"Anlat" dedim.

Sesimin tonundaki kararlığımdan başka çaresi olmadığını anlamıştı.

"Bana inanılmaz bir teklif getirdi" dedi.

Yüreğim cız etti birden. Bundan sonra neler işiteceğimi az buçuk tahmin ediyordum. Kader yalnız Jale'ye değil, bana da kötü bir oyun oynamıştı. Hem de ne kötü bir oyun? Bu kıza sırılsıklam aşık olmam tek kelime ile şanssızlıktı.

"Önce çok yadırgadım, tüylerim ürperdi ve hemen onu tersledim. Bu teklifi duymamış olmayı yeğlediğimi söyledim ve bir daha kesinlikle açmamasını istedim. Ama o ısrar etti ve işte o anda hayatımın en büyük hatasını yaptım."

"Ne yaptın?"

"Anlattıklarına yavaş yavaş aklım yatmaya başlamıştı. Ağabeyimin hayat çizgisi benimkinden kat be kat beterdi. Teklifi bir tür hayata isyandı; fakat çektiklerini düşündükçe bu isyana hak vermek zorunda kaldım. İşittiklerim korkunçtu ve Aysel onu ruhen çürütmüştü. Boşanmalarının üzerinden yıllar geçmesine rağmen hâlâ o kadına anlaşılmaz bir şekilde tutkundu. Bana önce tüylerimi diken diken eden olaylar anlattı. Bunlardan biri de Kerim'in nesebiyle ilgiliydi. Ağabeyim, çocuğun kendisinden olmadığını iddia ediyordu."

"İnandın mı?"

Bu soruyu sorarken arkadaşım Mahir'in anlattıkları aklıma geldi. Aysel'in hâlâ bir sürü erkekle yatıp kalktığını söylemişti, hatta daha da ileri giderek, şansını bir kez denediğini ama kadının reddettiğini anlatmıştı. Aysel hakkında soruşturma yaparken benim bile kadına o saikle yaklaştığımı düşünmüştü.

"Evet, inandım" dedi Jale.

"Peki, Vural'ın teklifi neydi?"

Kız ürkerek bana baktı.

"Ondan intikam almak istiyordu."

"Yıllar sonra mı?"

"Anlamıyorsun Sinan. Aradan geçen zaman sadece bu evliliğin dışındaki insanların düşünebileceği bir kavram; oysa ağabeyim beyninde hâlâ o kadınla yaşıyordu. Ona şartlanmıştı ve Aysel onun bütün ruhunu kanser mikrobu gibi sarmıştı. İntikam almak sabit fikir haline gelmişti Vural'dı. Geçen yıllar çaresizce çektiği aşkla nefreti özdeşleştirmişti."

"Çok garip" diye homurdandım. "Böyle bir duyguyu anlayamıyorum."

"Bunu ancak o ıstırabı çekenler anlayabilir. İçinin hayata nefretle dolu olması gerekir. Ve ağabeyim herkesten nefret ediyordu. En büyük isteği Aysel'den unutamayacağı bir intikam almaktı."

"Peki, sen niye bu çılgınlığa uydun? Getireceği sonuçları düşünmedin mi?"

"Unutma, ben de hayatın sillesini yemiş bir kızdım. Ve o tarihlerde beni hayata bağlayacak tek bir neden yoktu."

"Aptalca bir düşünce. Çok güzel bir kız olduğunu bilmiyor muydun? Daha çok gençtin ve mükemmel bir evlilik yapma şansın vardı."

"Şans faktörünü hep unutuyorsun, sevgilim. Ben de doğuştan talihsiz bir kızdım. Çok zengin bir adamın varlıklı kızı olarak doğmama rağmen, daha doğumum sırasında annemi kaybetmiş ve küçücük bir çocukken de babam ölmüştü. İlkokuldayken bana kalan mirasın yerinde yeller esiyordu. Güzelliğimi hiçbir zaman beni mutluluğa götürecek bir avantaj olarak görmedim. Ta ki... seninle karşılaşıncaya kadar."

"Bırak şimdi bizi. Devam et. Vural'ın planını anlat."

"Artık bunu anlamış olman lazım."

"Sanırım anladım. Ama yine de senin ağzından dinlemek istiyorum."

"Ağabeyimin intikam planının odak noktası Kerim'di. Onu kullanmak istiyordu."

"Dur bir dakika" dedim. "Bu bana biraz ters geliyor. Kerim, Vural'ın oğlu olmasa bile, annesi ona hep uzak ve ilgisiz kalmış. Neden yıllar sonra ilgi duyabileceğini düşünmüş olabilir ki ağabeyin? Öyle bir kadın seneler sonra oğluyla niye ilgilensin?"

"Durum pek tahmin ettiğin gibi değil. Tabii ki Aysel evlilik dışı bir çocuğunun bulunduğunun bilinmesini istemiyordu. Şimdi içinde bulunduğu sosyal konum itibariyle prestijinin sarsılması onun için çok önemliydi. Hatta evililik dışı bir çocuğun ortaya çıkması mevcut evliliğini de sarsabilirdi. Aysel akıllı bir kadın, çocuğu olduğunu Cahit Kalaycıoğlu'ndan saklamamış ama bunu hep meşru bir evliliğin meyvası olarak göstermiş. Ağabeyim önce basına her şeyi anlatacağım, diye Aysel'i sıkıştırmaya başlamış ve tehdit etmiş."

"Aysel'in tepkisi ne olmuş?"

"Önce ağabeyimin üzerine adamlarını gönderip onu dövdürmüş. Sonra yeni taktik uygulamaya başlamış."

"Nasıl bir taktik?"

"Zaman zaman ona para vermeye başlamış. Vural'ın ne kadar kötü şartlar altında yaşadığını biliyordu. İçkiye ve kumara düşkünlüğünü de."

"Niye çocuğu yanına almamış? İstese avukatlarıyla bunu bir duruşmada halleder ve Vural'ın tehditlerinden kurtulurdu."

"Burda da bilmediğin bir husus var. Çocuğun velayeti boşanma sırasında babasına verilmiş."

"Emin misin? Boşandıklarında Kerim çok ufakmış; mahkeme o yaştaki çocuğun velayetini çok önemli bir neden olmazsa babaya vermez."

"Boşanma ilamını gördüm. Ağabeyim gösterdi. Kerim babaya bırakılmış."

"Bu da önemli değil; şartlarda değişiklik olmuş, baba sefih bir hayat yaşıyor ve anne şimdi çok zengin. Dedim ya, bir celselik iş." Sonra aklıma gelen soruyu Jale'ye yönelttim. "Oğlan durumu biliyor mu? Yani gerçek babasının Vural olmadığını?"

"Hayır bilmiyor. Ağabeyim ona bir türlü yakınlık duyamamış. Önceleri çocuk her şeyden habersiz, bigünah bir yavrucak; yakınlık duymamasına rağmen ona acımış. Daha da önemlisi Aysel'e olan aşkından, hâlâ bir gün kendisine döneceğini düşünmüş. Fedakârlık göstererek jest yapmaya kalkışmış. Çok aptalca bir jest. Kadının umurunda mı? Ama talih Aysel'e yürü ya kulum deyince işler değişmiş ve çocuk ağabeyimin elinde bir silah haline gelirken, Aysel için de bir tehdit ve geleceğini gölgeleyen bir unsura dönüşmüş."

"Şimdi işin esasına gel. Vural sana nasıl bir teklifte bulundu?"

"Benden yardım istedi."

"Gayeniz neydi? Aysel'den şantajla para mı koparmaktı?"

"Para planın bir parçasıydı."

"On milyon dolar mı istediniz?"

"O daha sonra oldu."

"Önce ne istediniz?"

"Ağabeyim Aysel'i tehdit etti."

"Nasıl?"

"Basına her şeyi açıklayacağım diye."

"Aysel'in tepkisi ne oldu?"

"İnanmadı. Böyle bir şeye kalkışırsan seni öldürürüm dedi."

"Sonra?"

"Ağabeyim planını uygulamaya başladı."

"Kerim'in başına feci bir çorap örerek, değil mi?"

Jale (ona bir türlü Macide demeye dilim varmıyordu) başını salladı hafifçe.

"Ya sen? Sen, nasıl böyle alçakça bir oyuna alet oldun? O çocuğun günahı neydi? Hoşlanmasan bile tamamen masum, en az sizin kadar o da kader kurbanı bir gençti. Onun geleceğini hiç düşünmedin mi?"

Jale homurdanarak, "Niye düşüneyim, annesi çok varlıklıydı. İsterse nasıl olsa onu kurtarabilirdi" dedi.

İğrenerek yüzüne baktım.

"Çok vicdansızmışsın. Böyle bir alçaklığa kalkışacağını düşünemezdim."

"Beni suçlama. Olayların böyle gelişeceğini bilemezdim. Vural bana da yapmak istediklerini tam olarak anlatmadı."

Bir an ümide kapılır gibi oldum.

"Emel'i nasıl kullanacağını sana söylememiş miydi?"

"Hayır. Önce benden Gayrettepe'deki o eve yerleşmemi istedi."

"Neden? Bunun planın bir parçası olduğunu sezinlemedin mi?"

"Hayır."

"Bana yalan söyleme!"

"Vallahi neler tasarladığını bilmiyordum o sıralarda."

"Ama sonra öğrendin."

Jale hıçkırarak, "Evet" diye inledi. "Ne yazık ki iş işten geçmişti artık."

"Sana kızı hamile bıraktığını itiraf etti mi?"

"Evet."

"Emel'i de o öldürdü, değil mi?"

"Evet.."

"Ve sen bunları bildiğin halde sustun."

Jale yeniden hıçkırmaya başlamıştı. Elindeki mendile sümkürerek, "Yapacağım bir şey kalmamıştı artık. Boğazıma kadar bu işin içine girmiştim. Ben de suçlu sayılırdım ve bu işe ortak olmuştum."

Kara kara düşünmeye başladım. Lanet olası beynimde hâlâ sevdiğim kadının suçunu hafifletecek bahaneler arıyordum.

"Vural kızı nerde öldürdü?" diye sordum.

"Bilmiyorum. Yerini bana söylemedi."

"Yalan konuşma" diye bağırdım.

"Vallahi billahi söylemedi. Bana bile her şeyi tam anlatmıyordu."

"Neden? Ortak değil miydiniz? Bu işi berabar planlamadınız mı?"

"Dedim ya sana, planı o hazırlamıştı. Yemin ediyorum olayların bu boyutlara varacağını bilseydim, bu işe karışmazdım."

"Artık çok geç" diye mırıldandım.

Jale ağlamaya devam ediyordu. Bir süre sessiz kaldık. Odadaki derin sessizliği sadece Jale'nin hıçkırıkları bozuyordu.

"Anlamadığım bir nokta da, neden beni bu işe karıştırdığınız. Benden ne umuyordunuz?"

Jale başını kaldırıp bana baktı.

"Ağabeyim hep senin çok iyi bir avukat olduğunu söylerdi. Sözüne güvenilir ve kişilik sahibi biri olduğunu. Gerçi okul yıllarından beri görüşmediğinizi biliyorum ama bir ara seni gizliden gizliye araştırmış, hatta bu planı uygulamadan önce dava yoluyla bir menfaat temin edip edemeyeceği konusunda da seninle bir istişare yapmayı bile düşünmüş. Sonra vazgeçmiş ve planına seni başka şekilde sokmayı kararlaştırmış. Senin kişiliğin ve kayıp oğlunun aranıp bulunmasında yardımların onun ilerde hep yararına olacaktı. İşler kötüye giderse onun lehine mahkemede ifade verirdin ve mahkeme bir avukat olarak sana güvenecekti."

"Olayların içyüzünü ortaya çıkarabileceğimi hiç düşünmedi mi?"

"Bunu geç anladı."

"Ama sen ondan daha uyanıktın ve bana artık bırak şu işin

peşini polisler uğraşsın diye telkinlerde bulunmaya başladın."

"Haklısın."

"Ne kadar aptalmışım" diye inledim. "İkinize de inanmıştım."

Sabahın körüydü, daha kahvaltı bile etmemiştim. Ama içki masasına yönelip kendime bir bardak viski koydum.

"Lütfen sabah sabah içme" dedi. "Sağlam bir karar vermek için ayık olmalısın."

"Kes sesini" diye bağırdım. "Ben kararımı çoktan verdim."

Jale sesini çıkarmadı. Tünediği yerde bacaklarını uzatarak yatar pozisyona geçti. Kolunu başının üstüne dayayarak gözlerini kapattı. Susacağını artık konuşmayacağını sandım, ama yanılmışım.

"Olayların asıl can alıcı noktalarını sormadın" dedi.

Viskimi yudumlarken göz ucuyla ona baktım.

Hırlar gibi "Neyi?" dedim.

"Aklına bir sürü soru gelmiyor mu?" dedi. "Mesela seninle ilk karşılaşmamızın bir tesadüf olup olmadığı, yılbaşı gecesi verilen baloya Aysel'le karşılaşmaktan nasıl korkmadan gittiğim falan gibi."

Doğrusu bunları düşünmeye henüz vakit bulamamıştım. Gerçek bir şok içindeydim.

O beni beklemeden kendisi cevap verdi.

"Aysel'i çocukluğumdan beri görmemiştim, beni tanıyacağına hiç ihtimal vermedim. Ama ayrılırken bir ara gözlerime çok dikkatli baktı. İşte o an korktum doğrusu. Ben beş altı yaşındayken, ayol bu kızın gözleri ne kadar güzel, büyüyünce fena can yakar, tıpkı Elizabeth Taylor'unki gibi, derdi. Yüreğim ağzıma geldi. Neyse ki tanımadı."

İçimden, kadın haklıymış, diye geçirdim. Zira o lacivert gözler sonunda benim canımı yakmıştı. Hem de ne yakış? Perişan haldeydim.

"Kerim de beni hatırlamadı. Zaten onu bir kere görmüştüm. O zaman da çok ufaktı. Anımsaması mümkün değildi. Yine de Gayrettepe'deki eve gelip de onu ilk gördüğümde çok heyecanlandım. Ağabeyimin bütün aksini söylemesine rağmen o benim öz kuzenim olabilirdi."

Dayanamayarak sordum.

"Onun evlilik dışı bir çocuk olduğuna inanıyor musun?"

"Bilmiyorum. Olabilirdi, çünkü Aysel'den her türlü kötülük beklenebilir. Vural'ı aldatmış olması mümkündür."

"Ya benimle karşılaşman? O da bir tertip miydi?"

"Ağabeyim mutlaka Sinan, Emel'in arkadaşlarını arayacaktır diyordu. O eve bir ziyaret yapacağına emindik. Bana seni çok methetmişti. Çok yakışıklı ve havalı bir adamdır diyordu. Seni epey merak etmeye başlamıştım. Doğrusu kapıyı açıp karşımda ilk gördüğüm anda da aklım gitti. Fena halde çarpılmıştım sana. Vural'ın dirediği kadar da vardı, çok yakışıklıydın."

Sustu..

Bir süre nefesini kontrol etmeye çalıştı. Neden devam etmediğini merak ediyordum. Hakkımdaki bu sözlerden sonra belki benden bir tepki bekliyordu. Onun ne fettan, ne düzenbaz ve ne oyuncu olduğunu öğrenmiştim artık. Belki elimden kurtulmak için yeni bir numara peşindeydi.

Kolunu gözlerinin üzerinden çekerek bana baktı.

"Ben yıldırım aşklara inanmam. Ama düpedüz sana vurulmuştum. Yine de başımdan geçen o nişan olayından sonra erkeklere hep ürkerek yaklaşıyordum. Senin de benden etkilendiğini hemen anladım. Çıplak ayaklarıma arzu ile bakıyordun. Hem hoşuma gitti hem de huylandım. Aramızda doğacağına inandığım ilişkinin cinsellik üzerine olmasını istemiyordum. Benim kişiliğimi, ruhumu sevmeni istiyordum."

Yine durdu. Uzun uzun düşündü.

"Hatırlıyor musun?" dedi. "Aysel'in adamları Gayrettepe'deki evi araştırdıktan sonra korkarak sana telefon ettiğim geceyi?"

"Evet" diye mırıldandım.

"O gece beni evine götürmüş ve ikinci görüşmemizde bana evlenme teklif etmiştin."

"Tabii hatırlıyorum, nasıl unuturum?"

"Yaşadığım en mutlu andı o. Ama sana hayır demek zorunda kalmıştım. Hem de içim titreyerek."

"Çünkü başımı ne büyük bir felakete soktuğunu biliyordun."

"Hayır gerçek sebep o değildi. Daha o zamanlar kendimi suçlu hissetmiyordum. Ama bana olan duygularının gerçek ve samimi olduğundan şüpheliydim."

"Bu da yalan. Seni gerçekten sevdiğimi anlamış olmalıydın. Peki tanıştığımızdan bu yana çevirdiğin onca numaralar niye idi? Niye damarıma basmak için bir yığın yalan söyledin?"

Lacivert gözleri ilk defa ışıldadı. Gözbebekleri canlanıp harelendi. Geçmişte kalmış bir mutluluğun yeniden anısını yaşarmış gibi hafifçe gülümsedi.

"Ne güzel günlerdi, değil mi?" diye duyulmayacak kadar hafif bir sesle fısıldadı. "Şimdi hepsi hayal oldu. Seni öylesine seviyordum ki, benden kopacağın, bir gün beni bırakacağın, gerçekleri öğrenince uzaklaşacağını düşündükçe deli gibi oluyordum. Tek emelim, beni asla terkedemeyecek şekilde bana bağlanmanı sağlamaktı. Deli dolu, zaman zaman çocuksu oyunlarla, devamlı benimle ilgilenmeni sağlıyor, heyecan ve arzularını körükleyerek, devamlı ilgini çekmeye çalışıyordum."

"Bunu başardın da" dedim.

"Lütfen yanıma gel" dedi. "Bunun beraber olduğumuz son sabah olduğunu biliyorum. Bir daha birbirimizi göremeyeceğimizin farkındayım. Oyun bitti ve az sonra perde kapanacak ve ikimizin de yolları sonsuza kadar ayrılacak."

Haklıydı.

Oyun bitmişti artık. Belki beynimde sorulacak birkaç sualden fazla bir şey kalmamıştı ve ben onu ebediyen kaybedecektim. Her şeye rağmen içime derin bir üzüntünün çöktüğünü hissediyordum.

Fazla düşünmedim. Kanepeye yaklaşırken bardaktaki viskiyi bir dikişte içtim. Sabahın köründe içtiğim içki midemi kavurup, içimi yaktı.

Ben yaklaşınca bacaklarını çekmiş sonra ayaklarını kucağıma uzatmıştı. Çıplak ayaklarının sıcaklığı sanki pantolonumun kumaşının üstünden derimi yakıyordu. İrademin gevşediğini hissediyordum. Bir müddet kucağımdaki bakımlı ayaklara içim giderek baktım. Onları avucumun içine alarak, okşayıp dokunmak için aklım gidiyordu. Zayıf düştüğümün ilk işaretiydi bu. Kırmızı ojeli, dünyanın en güzel ayaklarına el attığım takdirde irademin sona ereceğini, bütün avantajlarımı kaybedeceğimi anladım o an.

"Çek ayaklarını üzerimden" dedim sertçe. Bunu nasıl becerdiğimi bilmiyordum.

Jale ayaklarını kucağımdan çekmedi.

Belki elimle itmem, ya da oturduğum yerden fırlamam gerekirdi. Yapamadım.. Sadece gözlerimi kapatmakla yetinebildim.

Usulca, "Affedersin", diye fısıldadı. "Böyle bir anda tahrik olacağını düşünemedim niyetim o değildi."

Ve hemen ayaklarını kucağımdan kaldırdı.

Başımı çevirip yüzüne baktım. Benimle gözgöze gelmemeye çalışıyordu.

"Hâlâ numara yapıyorsun, değil mi?" dedim. Galiba biraz sertçe bağırmıştım.

Oturduğu yerden ayağa fırladı.

"Hayır" diye bağırdı o da. "Suçlu olduğumu biliyorum. Ama suçum bir cinayet olayına dolaylı olarak karışmaktan ziyade sana yalan söylemiş olmaktan kaynaklanıyor. Sen bunu anlamayacak kadar aptal ve anlayışsızsın. Seni seven bir kişi olarak sana yalan söylemiş olmayı bir türlü kabullenemiyorum. Birazcık beni anlamaya çalışsana."

Yeniden düşünmeye başladım.

Gerçekten, acaba Jale'nin bu komplo ve cinayet olayındaki rolü neydi?

Onu asli fail oarak cinayetten sorumlu tutabilir miydim? Bu olaya iştiraki neydi?

Kafam yeniden karışmaya başlamıştı.

Kızgınlığına aldırmadan elinden tuttuğum gibi yanıma çektim. Bu davranışıma biraz şaşırarak suratıma baktı.

"Şimdi bana dikkatle cevap ver" dedim. "Emel'in giysilerini tekneye Vural mı bıraktı?"

Başını önüne eğdi ve "evet" diye fısıldadı.

"O teknede bir şeyler olduğundan şüphelendiğimi nasıl öğrendi? Yoksa sen mi söyledin?"

Jale hiç tereddüt etmeden, "Evet" dedi yeniden.

"Yani hâlâ ısrarla Vural'ın planından haberin olmadığını iddia ediyorsun."

"Öyle denilebilir."

"Ne demek öyle denilebilir? Biliyor muydun yoksa bilmiyor muydun?"

Jale önüne baktı. Ama bendeki heyecanı, lehinde bir kımıldanış olduğunu hissetmişti.

"Tabiidir ki ağabeyimin kötü birtakım amaçlar peşinde olduğunu biliyordum."

"Mesela neyi?"

Titreyerek silkindi. Utanarak, "Emel'i gebe bıraktığını bana söylemişti" dedi.

"Peki kızın ne olduğunu, nereye gittiğini sormadın mı?"

"Sormaz olur muyum? Önceleri beni hep oyaladı. Bekle dedi, yakında yeniden dönecek, asıl ondan sonra olacakları seyret, dedi. Ama Emel hiç dönmedi."

"O zaman Vural'ın onu öldürmüş olabileceğini düşündün mü?"

Jale kekeledi, "Ne yalan söyleyeyim, düşündüm. Fakat bu kadar ileri gidebileceğini tahmin etmiyordum. Vural beni de kandırdı, dedim ya bana planını hiç anlatmadı. Tek söylediği yakında Aysel'den büyük para koparacağız lafıydı."

"Bunu nasıl yapacağını da sormadın mı?"

"Sordum tabii. Sen sadece bekle, göreceksin diyordu."

"Seni Gayrettepe'deki eve yerleştirirken bu planın esas kişisinin Emel olduğunu da düşünemedin mi?"

"Bunu anlamamak için aptal olmam lazımdı. Tabii ki anladım ve ona Emel'in bu işteki rolü ne diye belki bin defa sordum."

"Ne dedi?"

"Onun Kerim'le ilişkisinden istifade edeceğiz demekle yetindi sadece. Yani benim anladığım, bir şekilde, bu gençlerin ilişkisinden bir şantaj konusu yaratmak istiyordu."

"Kerim'in bahsettiği o aşk mektuplarını gördün mü?"

Jale yeniden başını önüne eğerek mırıldandı.

"Görmedim. Fakat mektuplar doğru. Ben iki tanesini biliyorum. Belki başkaları da vardı."

"Mektuplardan Vural mı bahsetti sana?"

"Evet."

"Ve bütün bu rezalete rağmen sen hâlâ yakanı bu pislikten kurtarmak istemedin, öyle mi?"

"Çok üzgünüm Sinan. Artık dönüşü olmayan bir yola girmiştim."

"Öyle" diye homurdandım. "Gerçekten öyle."

Sustuk bir müddet.

Jale yüzüne en masum ifadesini takınarak sordu.

"Benim bu işe karıştığımı nasıl anladın?"

"Dün yazıhaneme Aysel geldi ve uyanmama sebebiyet veren ilk cümleyi o kullandı. Vural aptaldır, dedi. Bu işte ona yol gösteren, sizi etkileyen biri olması gerekir diye söylendi. Önce umursamadım ama sonra ettiği laf beni sarmaya başladı. Vural'ın bir kız kardeşi olduğunu da Kerim'den öğrenmiştim. Acaba ailede gizlice Vural'a yardım eden biri mi var, diye düşünmeye başladım. Ama bunun sen olduğunu düşünemedim. Dün Tamer'i bir daha görmeye gittim ve onu sorgularken senin bana yalan söylediğini anladım. Oğlan ısrarla Emel'in babası olmadığını söylüyordu; oysa sen babasının eve gelerek eşyalarını aldığını söylemiştin. Bu konuya aklım çok takılmıştı. Ayrıca Vural oğlunu bulduğumu söylememe rağmen bana nerde bulduğumu bile sormamıştı, bu da ilginçti. Altı aydır çocuğunu arayan bir babanın böyle bir soru yöneltmemesi çok manidardı. O zaman Vural'ın çocuğun nerede olduğunu bildiği hükmüne vardım. Çocuğun yerini sadece sana söylemiştim. Daha da ilginci, Vural, Emel evini paylaştığı kız olarak senden hiç bahsetmiyor, seninle ilgili bilgi vermekten kaçınıyordu. Emel'i en son gören kişi olarak sana yaklaşması, seni sıkıştırması, hiç olmazsa oğluyla Emel arasındaki ilişkinin ne boyutlarda olduğunu senden sorması çok doğaldı. Bu husus iyice midemi bulandırmaya başlamıştı. İlk acı o zaman içime çöktü. Sevdiğim kadının böyle entrikalara karıştığını düşünmek bile istemiyordum. Haftanın iki gecesi nöbete gidiyorum diye evden uzaklaşıyordun. Aklıma gelen çirkin ihtimali kafamdan silip atmak, rahatlamak için hastaneye telefon ettim. Servisteki asistan Jale Yılmaz adında birinin olmadığını söyledi. Masken düşmüştü artık. O zaman senin Vural'ın kız kardeşi olduğunu düşündüm ve yanılmadığım da ortaya çıktı."

Mahzun mahzun yüzüme baktı.

Belki gerçekten pişmandı, ama artık ona bir türlü güvenemiyordum; beni o kadar çok kandırmıştı ki..

"Şimdi polise telefon edecek misin?" diye sordu.

"Henüz değil."

Ümitlenerek yüzüme baktı.

"Ne zaman?"

"Bilmiyorum."

Gözlerindeki ümit ışıkları çoğalmaya başlamıştı.

"Henüz karar veremedin. Çünkü sen de içindeki sevgiyi söküp atamadın."

Cevap vermedim.

"Çok iyi düşün sevgilim. Biz birbirimiz için yaratılmışız. Bütün olanlara rağmen beni sevdiğini hissediyorum. Sonradan bütün bir ömür pişman olacağın bir karar verme. Hatalarım olduğunu ben de biliyor ve kabul ediyorum. Dilersen sen beni cezalandır; vereceğin her cezayı çekmeye razıyım fakat aramızdaki bu harika sevgiyi yıkma."

Jale biraz daha devam ederse eğriyle doğruyu iyice karıştıracağımı duyumsadım. Vicdanım, ahlâk ve doğruluk prensiplerim şiddetle sarsılıyordu. Karşımda hukuken suçlu biri vardı ve ben hâlâ ona aşıktım. İçimden taşan duygular meseleyi ört bas etmek, onu bu suçlamanın içinden çekip çıkarmak için beni zorluyordu. Gösterdiğim öfke ve hiddetin geçici olduğunu, onu kaybedersem perişan duruma düşeceğimin farkındaydım.

Hâlâ kolunu sıkı sıkıya tutuyordum.

"Vural nerede?" diye sordum.

"Her halde Nuh Kuyusu'ndaki evdedir."

"Senin kim olduğunu anladığımı ona bildirdin mi?"

Bir an bocaladı. Sonra:

"Dün geceki telefonundan sonra benden şüpheye düştüğünü sezinledim. Ama yine de kesin emin değildim. O eski eve gittim ve ona endişelerimi anlattım."

"Aramızdaki ilişkinin derecesini biliyor mu?"

"Evet" diye mırıldandı Jale. "Bunu ona anlatmamalıydım, ama olayların böyle gelişeceğini nereden bilebilirdim? İnan bana, ağabeyim seni sever ve her zaman da güvenmiştir. O iyi bir insandır, derdi hep bana. Seni seviyorsa, mutlu olursun kardeşim deyip duruyordu."

"Lanet olsun" diye homurdandım. "Şüphelendiğimi söyleyince sana ne dedi?"

"Yanıldığımı söyledi. Gerçek kimliğimi asla öğrenemeyeceğini iddia etti. İnkar edersen hiç tehlike yok, dedi."

"Ne kadar aptalca bir iddia? Sana kimlik sorsam, bana ne gösterecektin?"

"O bunların hepsini düşünmüş. Nerden bulduğunu bilmiyorum ama galiba eski çalıştığı iş yerlerinden birinden bir hüviyet cüzdanı çalmış. Oradaki sekreterlerden birine ait sanırım. Kızın adı Jale Yılmaz. Hüviyetteki resmi çıkarıp, benimkini yapıştırdı. Yani elimde sahte bir kimlik var."

"Allah kahretsin" diye homurdandım yeniden. "Aklınca her şeyi planlamaya çalışmış."

Kafamın tası attı birden. Kardeşini bu pis işe bulaştırmış ve beni de kirli emellerine alet etmek istemişti. Ama buna daha fazla izin vermeyecektim.

"Yürü, gidiyoruz" dedim.

"Nereye?"

"Vural'ın kaldığı yere. Nuh Kuyusu'na."

"Lütfen Sinan, bunu yapma!"

"Nedenmiş o?"

"Ağabeyim adeta bir çılgın. Planlarının bozulduğunu görürse ikimize de bir şeyler yapmaya kalkışabilir. Ondan korkuyorum."

"Bana bir halt yapamaz."

"Niyetin nedir? Ne yapmayı düşünüyorsun?"

"Önce ikinizi yüzleştireceğim. Sonra da gereken ne ise onu yapacağım."

Jale endişeyle mırıldandı.

"Dur biraz! Acele etme! Bu çok tehlikeli."

"Neden?"

"Silahı var. Kocaman bir tabanca. Sıkışırsa bunu kullanabilir."

"Hiç umurumda değil."

"Ama benim umurumda."

"Yürü dedim sana.. Ne diyorsam onu yap!"

Jale yüzümdeki ifadeden korkmuş olmalıydı ki, burnunu çekiştirerek giyinmeye gitti. Onu beklerken yatak odamda sakladığım cinayet delili olan Emel'in giysileri geldi aklıma. Acaba Jale onu da yerinden almış mıydı? Birkaç gündür yerinde durup durmadığına bakmamıştım.

Yatak odama koşup dolabı açtım.

Spor çanta yerli yerindeydi. İçini de kontrol etmeliydim, ters çevirip yatağın üstüne boca ettim. Hepsi duruyordu. Rahat bir nefes aldım. Çantanın içindekiler düşerken Emel'in ders kitabı açılmıştı. Gayri ihtiyarı sayfalardan birine gözüm takıldı. Dersle ilgili yazılmış üç dört satır, el yazısı not vardı.

Dizlerimin bağı çözülür gibi oldu birden. Bu el yazısını ilk defa görüyordum..

Ama bana yabancı değildi. Satırları dehşete kapılarak okudum.

Beynimde bir şimşek çaktı. Galiba her şeyi anlamıştım şimdi..

3

Arabaya bindiğimizde Jale'nin yüzü sapsarıydı. Oturduğu koltuğa büzülmüş, sanki başka bir aleme göç etmiş gibi kendinden geçmişti. Soğuk kış sabahının çiğ ışınları, ağlamaktan şişmiş göz kapaklarında, kızarmış burnunda solgun yansımalar yaratıyordu.

Henüz hareketlenmemiş caddenin boş sokaklarında arabayı deli gibi sürerken, göz ucuyla ona baktım. Hiçbir şeyin farkında değil gibiydi.

"Korkuyor musun?" diye sordum.

Önce cevap vermedi.

"Artık umurumda değil" dedi sonra. "Benim için her şey bitti."

Doğru olabilirdi. Onun hakkında hâlâ bir karar verememiştim. Zor da olsa az sonra Vural'la konuşup polise gitmeliydim. Başka alternatifim yoktu. Bile bile bir cinayetin ört bas edilmesine alet olamazdım. Sevgim ve aşkım uğruna vicdanımı rahatsız edecek, ömür boyu ruhumu muazzap kılacak bir komplonun ezikliği ile yaşayamazdım. Suçlular cezalarını çekmeliydiler.

"Ne aptalmışım?" diye fısıldadı yavaşça. "Neler hayal ediyordum! Seninle mutlu bir hayat, istediğin kadar çocuk ve huzurlu bir yaşam hayal etmiştim."

"Ne yazık ki, ben de" dedim.

"Hâlâ bir şansımız var, Sinan. Ne olur, yalvarırım geri dön! Vural'a gidersen bir daha asla geri dönemeyeceğin bir adım atmış olacaksın. Dilersen, onunla ben konuşayım. Ne de olsa aramızda kan bağı var. Belki seni bu işten kurtarır. Ama ikiniz karşılaşırsanız bütün köprüler atılacak ve bir daha dönüş olmayacak."

"Hayır" diye söylendim. "Onunla ben konuşmalıyım."

"Ne konuşacaksın ki? Artık her şeyi öğrendim. Tüm olanları anlattım."

Jale'ye karşılık vermedim.

Boş yollarda uçar gibi ilerliyorduk.

"Bana tek bir şey söyle" dedi inler gibi. "Beni bağışlayabilecek misin?"

"Bilmiyorum" dedim.

Jale ondan sonra hiç konuşmadı.

Bütün dikkatimi yola vermiştim. Göğün gri bulutlarla kaplı olduğu, soğuk fakat yağışsız bir ocak sabahıydı. Kasvetli, ruhumuzun karanlığını aksettiren bir hava vardı dışardı. Az sonra ilk yağmur damlaları düşmeye başladı.

Silecekleri çalıştırdım. Metal çubukların camlara sürtünmesinden çıkan biteviye ses arabanın içinde yankılanıyordu.

Göz ucuyla tekrar sevdiğim kadına baktım.

Artık ağlamıyordu. Hatta yerinde biraz daha dikleşmiş, kaçınılmaz akibetini cesaretle kabullenmiş gibiydi.

Üsküdar Askerlik Şubesini geçince soldan aşağıya saptım. Vural'la karşılaşmamıza çok az zaman kalmıştı. Sokağa girdim.

Eve yaklaşırken ayağım refleks olarak fren pedalına gitti. Vural'ın kaldığı eski ahşap evin önünde iki araba duruyordu. Biri siyah bir Mercedes, diğeri de daha önceden tanıdığımız Ford Mondeo..

Arabaları Jale de görmüştü.

İrkilerek, "Bunlar onların arabaları. Aysel de burada" dedi dehşete kapılarak.

"Daha iyi ya" diye sırıttım. "Oyunun bütün aktörleri toplandık."

Hışımla bana dönerek, "Onları sen mi çağırdın?" diye sordu.

"Hayır" dedim. "Sanırım onlar da, bizim gibi Vural'ın davetsiz misafirleri."

* * *

Uzun uzun kapıyı çaldım.

Kapı bir süre açılmadı. Neden sonra taş avludan akseden ayak seslerini duydum. Kapıyı açan adam tanıdık bir simaydı: Hasan Torlak.

Sırıtarak yüzümüze bakan adam, "Girin içeriye" dedi.

Bu kadar rahat davrandığına bakılırsa geldiğimizi içerden görmüş olmaları lazımdı. Fakat hiç şaşkın görünmüyordu, sanki geleceğimizi daha evvelden biliyorlarmış gibi..

İçerde kaç kişi olduklarını ve neyle karşılaşacağımızı bilmediğimden hafifçe tedirgin olmuştum. Bu insanlar şiddetten hoşlanan ve rahatlıkla sertliğe başvuran adamlardı.

Jale'nin kolundan tutup Vural'ın kaldığı odaya doğru yürüdük. Hasan Torlak arkamızdan kapıyı kapattı. Taş avluyu geçerek odanın kapısını açtım. İçerisi tanıdık simalarla doluydu. Aysel iskemlelerden birine ayak ayak üstüne atarak oturmuştu. Yüzünde muzaffer ve mağrur bir gülümseme vardı. Hilton Oteli'nde burnunu kırdığın Hüsametin'le yardımcısı ayakta dikilmişlerdi.

Vural, yatak olarak kullandığı sedirin üstünde pijamalarıyla oturuyordu. Ağzı ve burnu kan içindeydi. Buz gibi soğuk olan odada korkudan titrer bir vaziyetteydi. Başını kaldırıp bize bakmadı.

"Zamanlamanız çok mükemmel avukat bey" dedi Aysel. "Doğrusu sizi beklemiyorduk, ama sizin de gelişinizle kadro tamamlandı. Özellikle de sevgili görümcemin."

Jale'ye baktım. Nefretle Aysel'i süzüyordu.

"Evet" diye mırıldandım. "Kadro tamam sayılır ama yine de bir eksiğimiz var."

Aysel alaycı bir şekilde yüzüme baktı.

"Kimi kastediyorsunuz?"

"Evlilik dışı peydahladığınız çocuğu; Kerim'i yani. Bence bu sabah o da burada olmalı ve gerçekleri öğrenmeliydi."

Aysel metanetini kaybetmemek için büyük bir gayret gösterdi. Sigarasından derin bir nefes çekti. Hırsla yüzüme baktı.

Konuşma tarzımdan hoşlanmayan adamları, itaatkar birer köpek gibi hırlayarak hanımlarının yüzlerine baktılar. Gerekli onayı alsalar parçalamak üzere üstüme atılmaya hazır haldeydiler.

"Diliniz fazla uzun ve çok cüretkarsınız avukat bey. Ama şimdilik bu kaba konuşmanızı bağışlamayı yeğliyorum. Yine de size hatırlatırım, kabalığa tahammülüm yoktur; böyle konuşmaya devam ederseniz çok pişman olursunuz."

Vural'ın da, Jale'nin de nasıl insanlar olduğunu çoktan anlamıştım. Ama yapım icabı asla zalimden yana olamıyordum, ve bu kadın, şimdi burada Vural'ı gerçekleri söyletmek için döv-dürmüştü. Kaba kuvvetten yana asla olamazdım. Velev ki ger-çekleri ortaya çıkarmak için olsa bile.

"Bu itleri üzerime salacağınızı mı ima etmek istiyorsu-nuz?"

"Şansınızı zorlamayın avukat bey. Sizi son kez uyarıyo-rum."

Ben de küçümseyici nazarlarımı kadına çevirdim. Hiç umursamadan:

"Burada ne işiniz var?" diye sordum.

Aysel beni duymamış gibi Jale'ye bakıyordu. Yüzünde onun güzelliğinden etkilenmiş bir hava vardı. Bir süre sevdiğim kadını süzdü. Sonra bana dönerek:

"Macide bu, değil mi?" dedi.

Başımı salladım.

"Daha önce farketmeliydim, yılbaşı balosunda yalıya geldi-ğiniz zaman. O harika gözleri hiç değişmemiş. Küçükken onun güzel bir kadın olacağını tahmin etmiştim, yanılmamışım. Ona aşık mısınız?"

"Bu sizi hiç ilgilendirmez" dedim.

"Doğu, beni ilgilendirmez, ama sizi nasıl ağlarına düşür-düklerini şimdi daha iyi anlıyorum" diye mırıldandı. "Niye kö-rü körüne onlara inandığınız belli oldu."

Vural'a baktım. İlk defa gözleri üzerime çevrildi. Nasıl davranacağımı, neleri bildiğimi merak ettiğini, en önemlisi bun-dan sonra nasıl bir tutum takınacağımı merak ettiğini sezinle-dim.

Hâlâ aptalca davrandığımı biliyordum.

Aysel'den hoşlanmadığım için şartlanmış gibi ona takındı-ğım tavır düşmanca olmaya başlamıştı.

"Neyse, artık sadede gelelim" dedi Aysel.

"Evet, iyi olur."

"Kızın bizim teknede bulduğunuz giysilerini istiyorum."

"Neden?"

"Vural'la anlaştım."

"Ne anlaşması?"

"İki milyon dolar karşılığında Emel'in giysilerini bana vermeyi kabul etti."

"Ya öyle mi?"

"Evet. İsterseniz kendisine sorabilirsiniz?"

"Demek anlaştınız? Bravo, kutlarım sizi. Böylece herkes istediğine kavuşacak galiba. Siz gayrımeşru oğlunuzu yanınıza alacak ve geçmişinizdeki hukuki ayakkabınızı toplum duymadan kapatacak, Vural'la Macide'de iki milyon dolara kavuşarak bu perişan hayattan kurtulacaklar. Hiç de fena bir pazarlık değil."

"Evet, öyle."

"Yazılı bir anlaşma da yapacak mısınız?"

Aysel, "Buna hiç gerek yok" dedi.

"Ama parayı ödemek için Emel'in elbiselerini geri istiyorsunuz?"

"Gayet tabii."

Sinirden dudaklarımı ısırmaya başlamıştım.

"Peki öldürülen kızın bedelini kim ödeyecek? Siz mi yoksa Vural mı?"

Aysel dik dik suratıma baktı. Sonra hışımla Vural'a döndü. "Ne diyor bu adam Vural?" dedi. "Senin avukatın değil mi?"

Vural'dan hiç ses çıkmamıştı. Başını önüne eğmiş ve konuşmaya katılmamıştı.

"Konuşsana be adam" diye bağırdı. "Ben onu idare ederim demiştin."

Vural ağzını açmamakta kararlı görünüyordu.

Aysel, "Haa, anladım" diyerek ayağa kalktı. "Siz de payınızı merak ediyorsunuz, değil mi? Bu titizliğiniz bedelin adının konmamasından. Doğrusu iyi mesai harcadınız, kısa zamanda çok iş başardınız."

"Yalan değil" dedim. "Başıma çok bela açıldı."

Alay ettiğimi hâlâ anlamamıştı.

Gergin bir şekilde sordu. "Aklınızdan geçen rakam nedir?"

"Hizmetlerime karşılık siz ne takdir ediyorsunuz?"

Aysel hiç tereddüt etmeden, "Vural'a ödeyeceğimin yüzde onu" dedi.

"Yani iki yüz bin dolar öyle mi?"

"Evet. Başka da beş kuruş fazla ödemem."

"Çok yazık" diye gülümsedim. "Demek iki yüz bin dolara beni satın alacağınızı düşündünüz."

Homurdanarak sordu. "Kısa kesin lütfen. Ne kadar istiyorsunuz?"

"Sadece birkaç soruma cevap istiyorum."

Aysel konuşmamdan hiç hoşlanmamıştı. Yüzünün hafifçe sarardığını gördüm.

"Ne sorusu?" dedi.

"Önce böyle aptalca bir pazarlığa niye kalkıştığınızı bilmek istiyorum. Bu anlaşmanın size bir fayda sağlamayacağını anlayacak kadar zeki bir kadınsınız. Yarın öbür gün Vural yine aynı tehditlerle karşınıza dikilebilir."

"Yanılıyorsunuz. Bir daha bu işe kalkışırsa onu öldürtürüm."

"Öyleyse bunu niye şimdi yapmıyorsunuz?"

"Fena mı? Ona bir şans tanıyorum. Susarsa ömür boyu benden alacağı paralarla rahat yaşar."

"Yani bir tür geçmişteki yaptıklarınızın ceremesini mi ödüyorsunuz? Ona yaptıklarınızın kefareti mi bu?"

"Bu husus sizi hiç ilgilendirmez."

"Yoksa Vural'ı değil de kendinizi ve piçinizi mi hatırladınız yıllar sonra?"

"Benimle daha saygılı konuşun avukat bey! Bunu size hatırlatmıştım."

"Ne yaparsınız? Hepimizi öldürür müsünüz?"

"Gerekirse, evet!"

"Yani cinayet işlemekten kaçınmazsınız?"

"Hiç şüpheniz olmasın?"

"Doğru ya, bunu düşünmeliydim. Tıpkı Emel'i öldürttüğünüz gibi.."

Aysel, Vural'a dönerek bağırdı.

"Neler saçmalıyor yahu bu adam? Ona gerçekleri anlatsana."

Vural inler gibi oturduğu yerden fısıldadı.

"Emel'i ben öldürdüm Sinan. Acı gerçek bu.."

Hışımla bağırdım.

"Kızı nerede öldürdün? Çabuk söyle bana."

Vural kekeledi.

"Burada.. Bu evde.. Şu yatağın üstünde."

"Sonra cesedi ne yaptın?"

Vural'ın şaşkınlığı daha da artıyordu. "Bir battaniyeye sarıp denize attım."

"Nereden?"

"Salacak'dan."

"Yalan söylüyorsun."

"İnan doğru söylüyorum."

"Hayır yalan söylediğini biliyorum. Katil sen değilsin?"

Aysel bağırarak lafa karıştı.

"Kim öyleyse?"

"Bunu burada bulunan herkes biliyor. Ama ne yazık ki katil, asıl bulunması gereken kişi aramızda yok."

Jale'nin gözleri iri iri açılmış, tam bir şaşkınlıkla yüzüme bakıyordu. Safça sordu.

"Peki katil kim?"

Bu soruyu sorduğu anda onun da bu komploya alet edildiğini anlayıverdim.

Aysel'le Vural'a bakarak, "Oğlunuz Kerim" dedim.
Odada buz gibi bir sessizlik hasıl oldu...

4

Dikkatle odadakilerin yüzüne bakıyordum. Herkes afalla-
mıştı. Ama en fazla şaşıran Jale'ydi. Ağabeyine doğru yaklaşa-
rak, "Sinan doğru mu söylüyor?" diye sordu.

Vural ağzını açamadı.

Jale hırsla bağırdı. "Sana söylüyorum. Emel'i sen öldürme-
din mi?"

Vural ağzını açtı, aptal aptal Aysel'e baktı ama ağzından ses
çıkmadı. Jale çılgın gibi pijamalarının yakasına yapışarak onu
sarsmaya başladı.

"Konuşsana be adam? Neler oluyor burada? Yine ne dolap-
lar çeviriyorsun? Yetti artık bu sorumsuz davranışların. Kızı kim
öldürdü?"

"Onun üstüne varma Jale" dedim. "O aslında oğlunu ve
seni kurtarmaya çalışıyor. İşin başından beri katilin kim olduğu-
nu biliyordu zaten."

Jale bu defa hırsla bana döndü.

"Sen de biliyor muydun?"

"Hayır. Tesadüfen az önce öğrendim. Ama sanırım bu kez
taşlar yerine oturdu ve meseleyi beynimde çözdüm."

Vural inledi. "Katil kim Sinan. Bu meseleyi üsteleme artık.
Hak yerini buluyor. Bırak cezamı çekeyim."

"Olmaz" dedim. "Buna izin veremem."

"Ya ne yaparsınız?" diye sordu Aysel.

Kadına döndüm.

"Oyun bitti Aysel hanım. Şimdi derhal polise gideceğim ve
herşeyi anlatacağım."

Alay eder gibi yüzüme baktı.

"Sahi mi? Buradan canlı çıkabileceğinizi sanıyor musunuz?"

"Hiç şüphem yok."

Aysel Kalaycıoğlu başıyla adamlarına bir işaret verdi. Hasan Torlak cebinden çıkardığı tabancayı üzerime doğru çevirdi.

Hiç oralı olmadım.

"Bu tehditinizin palavra olduğunu siz de biliyorsunuz. Beni vuramazsınız, çünkü olayları istediğiniz şekilde çözümleyecek olan deliller hâlâ benim elimde. Yani Emel'in giysileri.. Katilin kimliğini kesin olarak saptayınca, delilleri emin bir kişiye teslim ettim. Bir de teferruatlı mektup yazdım, herşeyi açıkladım. Başıma bir hal gelirse o kişi elindekilerini derhal savcıya teslim edecek."

"Palavra! Atıyorsunuz" dedi Aysel.

"Beni bu kadar ahmak mı sandınız? Ben bir avukatım. Her işimi yasalara uygun ve kendimi garantiye alarak hareket ederim."

Aysel inanmamıştı.

"Meseleyi az önce tesadüfen çözdüğünüzü söylemiştiniz."

Zeki kadındı. Çok dikkatli olmalıydım.

"Doğru" dedim. "Fakat harekete geçmeden önce tedbirlerimi de aldım. Yazdığım mektubu Macide de gördü. O da şahidimdir."

Bir an nefesimi keserek bekledim. İnşallah yalanımı ortaya çıkarak bir davranışta bulunmazdı. Aysel'in bir çılgınlığa kalkışması, o an sevdiğim kadının soğukkanlı ve akıllı tutumuna bağlıydı.

"İsterseniz kendisine sorun" dedim.

Aysel sormadı. Kötü kötü suratıma bakmakla yetindi. İddiam karşısında paniklemişti. Kararsız adımlarla ufak odanın içinde dolaşmaya başladı. Ne yapacağını bilmez bir hali vardı. Neden sonra tam karşıma dikildi.

Neyse ki Jale'den de bu arada ses çıkmamıştı.

"Hata yapıyorsunuz avukat bey" diye mırıldandı Aysel. "Bu tutumunuzla en iyi çözüm tarzını berbat ettiğinizin farkında mısınız?"

"Ben sadece adaleti sağlamaya çalışıyorum."

"Allah kahretsin" diye bağırdı kadın. "Adaleti sağlamak size mi kaldı? Bu şekilde kaç kişinin hayatını söndürdüğünüzün farkında mısınız?"

"Suçlu hariç kimsenin hayatı sönmeyecek."

"Ama o benim oğlum!"

"Ne yazık ki bunu çok geç farkettiniz. Bunca yıldır aklınız neredeydi? Zaten şu an bile oğlunuzu değil, yine kendinizi ve geleceğinizi düşünüyorsunuz. Toplumdaki itibarınızın zedelenmemesini ve yaşamınıza gölge düşmemesini istiyorsunuz. Bunun içinde pek çok kişiyi yakmaya hazırsınız."

Aysel gerçekten güçlü kadındı. İlk paniği atlatınca hızla toparlanmaya başlamıştı. Yerine oturdu. Yeni bir sigara yaktı, dumanı ciğerlerine çekip üfledi. Hasan Torlak'ın elindeki tabanca hâlâ üstüme dönüktü ve adam dikkatle hanımının ağzından çıkacak emri bekliyordu. Önce Hasan'a sonra da Hüsamettin'e baktım. İşin şiddete ve zora binmesi onu da keyiflendirmişti. Kırılan burnunun öcünü almak için bir fırsatın doğmasından zevklendiğini hissedebiliyordum.

Çok dikkatli olmalıydım, yine de kozlar benim elime geçmişti. Sırıtmayı becerdim.

"Doğrusu Kerim umduğumdan da zeki biri çıktı. Onu içine kapanık, pısırık ve sünepe biri diye tanıtmışlardı bana. Belki uzun zaman gerçekleri görememem'n ana nedeni buydu. Eskihisar'da onunla ilk karşılaştığımda da sergilediği performans şahaneydi doğrusu, hatta o kadar ki, babasının yaptığı kötü davranışlardan kaçan, parasızlıktan bıkmış, rahat aile özlemi çeken biri olarak değerlendirdim onu. Oysa yanılmışım. Ama aklımı kurcalayan bir konu vardı hep. O da Vural'ın, senelerdir tanıdığım arkadaşımın kişiliğiydi. Yıllar önce onu hiç böyle tanımazdım. İnsancıl, sevecen, karınca incitmekten bile çekinen biriydi.

Halbuki yıllar sonra onu bambaşka bir kişilikte bulmuştum. Ezilmiş, tükenmiş ve perişan olmuş bir insandı artık. Tanımakta zorlanıyordum. Çektiği üzüntüler ve maddi sıkıntılar onu tanınmayacak biri haline getirmişti. Ama yine de zaman zaman geçmişteki o güçlü ve sevecen kişiliğinden bir şeyler yakalıyordum."

Jale'ye bir göz attım. Şaşkınlıkla beni dinliyordu. Vural ise tamamen çökmüştü. Başı önüne düşmüş, sanki odada bulunmayan bir insanın yokluğu içindeydi.

"Olaylar geliştikçe kafam karışıyordu. Ama ilk aklıma gelen ihtimal Emel'le Kerim'in birlikte kaçtıkları oldu. Aralarında bir aşk ve sevgi olduğunu, gençliklerinin etkisiyle ikisinin kaçtıklarını düşündüm. İkisi birlikte kaybolmuşlardı, böyle düşünmem de gayet doğaldı. Ayrıca iki sevgilinin adada çekilmiş bir resmini bulmuştum. Resmin üzerinde önceleri Kerim tarafından yazıldığını düşündüğüm mutluluklarını ifade eden bir not vardı. Araştırmaya başladım. Bu benim işim değildi ve koca şehirde onları bulmak iğneyle kuyu kazmak gibi bir şeydi. Ayrıca İstanbul dışında bir yere gitmeleri de mümkündü. İlk yanılgıya Jale ile, yani Macide ile tanıştığım zaman düştüm. Macide'nin gerçek kimliğini bilmiyordum ve o beni devamlı, Emel'in karakteri hakkında yanlış bilgiler vererek şartlandırmaya başlamıştı. Ben de ona inanmıştım."

Jale'ye baktım. Gözlerini benden kaçırdı.

Herkes pürdikkat beni dinliyordu.

"Emel'in cesedinin bulunması bütün düşüncelerimi bir anda allak bullak etti. Artık ortada bir cinayet vardı ve kızın öldürülmesi için mükemmel bir sebep çıkmıştı, zira kız dört aylık gebeydi. Bu kez şüphelerim Kerim'in üzerinde toplandı. Ama oğlanın Emel'i niçin öldürdüğünü tam olarak anlayamıyordum; kızın gebe kalması onu öldürmesi için bir neden miydi? Acaba parasızlık ve ümitsizlik Kerim'i böyle bir neticeye itebilir miydi? Yine de aklıma gelen ilk ihtimal, katilin Kerim olduğuydu. Tam o sıralarda teknede Emel'in giysilerinin bulunduğu çantayı ele geçirmiştim."

Derin bir soluk aldım.

"O zaman katilin Kerim olduğu hususundaki kanaatim kesinleşti. Aynı zamanda bir anne olarak ona yardım ettiğinizi ve oğlanı sakladığınızı anladım. Yine de beynime takılan bazı sorular vardı tabii. Bunca yıl oğlunuzla ilgilenmediğinizi biliyordum; ona niçin bir cinayet işledikten sonra yardımcı olduğunuzu anlamakta ise zorlanıyordum. Ama sonuçta bir ana idiniz, belki bir yerde vicdanınızın sesine kapıldığınızı düşündüm. Mesele beynimde aydınlanmış gibiydi. Fakat Emel bana hep hafifmeşrep ve muhtelif erkeklerle ilişkisi olan bir kız diye tanıtılmıştı; özellikle Macide beraber kaldıkları eve bir sürü delikanlıların gelip gittiğini ve Kerim'in bu işi yapamayacak kişilikte biri olduğunu ısrarla söylüyordu. İster istemez tereddüt etmeye başladım. Yoksa hatalı mı düşünüyorum demeye başladım. Zorlandığım bir husus da işleri tam yerine oturtamamaktı..."

Aysel, "Bu saçmalıkları daha fazla dinlemek zorunda değilim" diye homurdandı. "Neyin peşinde olduğunuzu anlamıyorum. Ortada kızı iğfal edip öldürdüğünü iddia eden bir adam var, siz hâlâ Kerim'dir diye tutturmuşsunuz. Kesin artık bu saçmalıkları."

Kendimin de şaştığı bir soğukkanlılıkla gülümsedim.

"Beni dinlemek zorundasınız. Nerede hata yaptığınızı öğrenmek istemiyor musunuz?"

Aysel'in yerine Jale cevap verdi. "Devam et lütfen. Her şeyi bilmek istiyorum."

"Sen de çok hatalısın Macide" dedim. "Bazı gerçekleri görmekte senin yüzünden çok geç kaldım. Seni mükemmel bir yem olarak kullandılar. Güzelliğinin etkisi altında kalacağımı biliyorlardı, hem de işin başından beri. Burada da asıl suçlu Vural, iyilik yapayım derken seni içinden çıkılmaz bir uçurumun içine itti."

Vural perişan bir halde, "Bunu onun iyiliği için yaptım" diye inledi.

Ona bakmadım bile. Gözlerimi bir an olsun Aysel'den ayırmıyordum. Devam ettim:

"Vural işin başından beri tutarsız konuşuyor, arada sırada birbirini tutmayan beyanlarda bulunuyordu. Mesela babasının vefatından önce iflas ettiğini söylemiş, sonra da babasının mal varlığını iyi idare edemediğini ve kalan herşeyi tükettiğini anlatmıştı bana. Böyle bir yalana niye başvurduğunu anlayamamıştım. Anlayamadığım başka bir nokta da oğlu için polise yaptığı kayıp başvurusunu neden geri çektiği idi. Sorduğumda polisin gereken araştırmayı iyi yapmadığını söylüyordu. Kendi adına da araştırma yapabilirdi kuşkusuz ama polise yaptığı başvuruyu geri çekmesi için önemli bir sebep olmalıydı. Polis de bir yandan araştırma yapabilirdi, bunun mantıki bir açıklaması olamazdı. O zaman ilk defa Vural'dan şüphelenmeye başladım. Benden birşeyler gizliyordu ama ne olduğunu o zamanlar anlayamamıştım henüz. Üstelik ceza davalarından anlayan bir avukat olmadığım halde benden yardım istemişti. Bu da ilginçti. Polisten bir şeyler sakladığını düşünmeye başladım. Kerim'in odasında yaptığım araştırmada elime bir fotoğraf geçmişti. Resimin üzerine düşülen not ilginçti. *En mutlu günümüzün ebedi anısı* diyordu. Bu ifade ne anlama gelirdi? Her halde burada kastedilen mutluluk sıradan bir ada gezisinin anısı olamazdı. Resmin altına bir de tarih atılmıştı. O zaman bu *mutlu günün* ve *atılan tarih*'in ilk kez cinsel ilişkide bulundukları zamanın ifadesi olduğunu düşündüm. Resim Kerim'in evinde olduğu için alttaki yazıların da onun tarafından kaleme alındığını sanmıştım. Çok sonra o notu Emel'in yazdığını anlayacaktım."

Aysel hafifçe sararır gibi oldu. Ama sözümü kesmedi.

"Bu arada adamlarınız tarafından devamlı takip ediliyor ve saldırıya uğruyordum. Hatta Hilton Oteli'nde tehdit edilecek kadar. Bıçak çekildi ve çocuğun peşini bırakmazsam öldürülmekle tehdit edildim. Kalaycıoğlu ailesi benden ürküyordu. Kerim'in odası aranmıştı. O resmi ele geçirmek istediğinizi anlamıştım artık. Resimdeki tarihle kızın gebe kaldığı tarih birbirini tutuyordu. Fakat Vural'ı sıkıştırdıkça aldığım cevaplar beni iyice şaşırtıyordu. Hele eski Sevim Abla Cafe'deki olaylardan sonra.

Vural'a hep inanmamak istiyordum ama verdiği cevaplarda bir yığın terslikler vardı. O binayı tapudan öğrendiğim bilgilere göre iki üç ay evvel size devretmişti. Gerekçesi kesinlikle inanılır gibi değildi. Bütün olanlara rağmen hâlâ size aşıktı ve oğlunun geleceği için bir türlü elinden çıkarmayıp sakladığı evi bir anlık vuslat için size hibe ettiğini söylüyordu. Ufak bir çocuk bile buna inanmazdı. Siz çok varlıklı bir kadındınız, dilediğiniz anda oradan çok daha iyisini satın alabilirdiniz. Bu hibenin ardında başka bir neden olmalıydı. Çok düşündüm, ama tatminkar ve geçerli bir neden bulamadım."

Aysel'in yüzüne baktım.

Heykel gibi hareketsizdi.

Jale ile Vural panik içinde beni dinlemeye devam ediyorlardı.

"Morgda yaptığım basit araştırmada Emel'in dört aylık gebe olduğunun ortaya çıkması işleri daha da karıştırmıştı. Şimdi ortada hem cinayet hem de bir iğfal hadisesi vardı. Macide kızın muhtelif erkeklerle ilişkisi olduğunu iddia ediyordu. O sıralarda Macide'nin tamamen masum ve bu olaya tesadüfen karışmış bir insan olmaktan öte bir rolü olduğunu düşünmüyordum. Ortaya Tamer diye birini çıkardı. İddiasına göre kız ondan da gebe kalabilirdi. Çocuğu bulduk. Hayretim daha da arttı. Sizler delikanlıyı benden evvel bulmuş ve iyice dövmüştünüz. Haklı olarak düşüncelerimden şüphe etmeye başladım. Kerim'in bu işi yaptığına emin olsanız, çocuğu niye sıkıştıracaktınız? Demek ki, kızı iğfal edenin kim olduğunu siz de bilmiyordunuz."

Aysel ümitlenir gibi, "Nihayet doğru düşünmeye başladınız galiba" diye söylendi. "O sırada Vural itirafta bulunmamıştı. Ben de ihtimalleri değerlendirmek zorundaydım."

Gülümsedim.

"Ben de öyle düşündüm. Ama gerçeğin böyle olmadığını ikimiz de biliyoruz."

"Nasıl yani?"

"Bakın" dedim. "Aklımı kurcalayan önemli bir nokta şu size Rumelihisarı'nda devredilen evdi. Buna hiçbir anlam veremiyordum. Tapudaki muamele Kerim'in ortadan kaybolmasından sonra yapılmıştı, böyle bir anda Vural'ın size o evi devretmesinin çok geçerli bir nedeni olmalıydı. Bir babanın oğlu kayıpken başka yapacağı hiçbir iş yokmuş gibi elindeki son güvencesini eski karısına devretmesi mantığıma ters düşüyordu. Vural'ın bunda bir amacı olması gerekirdi ve bunu öğrenmek zorundaydım."

Kısa bir an için Aysel'le Vural'ın bakıştıkları gözümden kaçmadı.

"Bu arada Kerim hâlâ kayıptı. Yavaş yavaş muammanın esas anahtarının o olduğunu ve onu bulursam bütün meselenin aydınlanacağını düşünmeye başlamıştım. Tam o sırada adamınız Erdoğan Sarıkaya yazıhaneme beklenmeyen bir ziyarette bulundu. O da sizin gibi önce susmaklığım için para önerdi, sonra da tehditler savurdu. Benden niye bu kadar çekindiğinizi anlayamıyordum, işin aslına bakılırsa elimdeki Emel'in giysileri teknik olarak pek fazla önemi haiz değildi, polise ihbar etsem bile o delilin hukuki değeri pek yoktu. Delil olarak kıymeti iyi ceza avukatının elinde rahatlıkla çürütülebilirdi. Onları teknede polis bulsaydı o zaman işler değişirdi. Bu nokta beni çok düşündürüyordu, çünkü o giysilerin varlığı sizi çok rahatsız etmeye başlamıştı.

Kerim'i bulmaya karar verdim. Onu bir yere sakladığınıza emindim. Kendi imkanlarımı zorlayarak çocuğu buldum nihayet. O olayda da bir gariplik olduğunu neden sonra anladım. Çünkü çocuğun yerini bulduğumu hemen öğrenmiştiniz ve beni bekliyordunuz. Bu da gösteriyor ki, çok güvendiğim biri size bilgi aktarıyordu. Bunun Macide olduğunu çok sonra anlayacaktım. Sizinle direkt irtibatı yoktu ama bunu Vural ile sağlıyordu. Zira daha sonra Vural'a oğlunu bulduğunu söylediğim halde, kılı bile kıpırdamamış, onu nerede bulduğumu sormamıştı. Demek ki Kerim'in saklandığı yeri biliyordu."

Yine bir soluk aldım.

Gözlerimi Aysel'e dikerek anlatmaya devam ettim.

"Eskihisardaki evde yaptığımız görüşme benim için çok şaşırtıcı oldu. Oğlunuzdan işittiklerim karşısında dona kaldım. Kerim'in iddiaları korkunçtu. Emel'i babasının gebe bıraktığını sonra da öldürdüğünü iddia ediyordu. Buna bir türlü inanmak istemiyordum. Oğlunuz kanımca orada iki büyük hata yaptı."

Aysel soğuk bir şekilde, "Öyle mi?" dedi.

"Evet," diye homurdandım. "Birincisi, Emel'in kimliğini polise benim bildirdiğimi söyledi. Bu çok anlamsızdı. Ben babasının avukatıydım, şayet katil Vural ise kızın kimliğini neden polise bildirecektim? Bunun ne yararı olabilirdi? İkincisi ise asla yazılmayan mektuplar hakkında söylediği yalandı. Adamlarınızın evleri araştırmalarını bu mektupların bulunmasına bağlamak istemiştiniz. Oysa gerçekte aradığınız Emel'in el yazısını taşıyan Kerim'le çekilmiş fotoğraflardı. O tarihlerde o resimlerin bende olduğunu bilmiyordunuz. Sonradan Macide'yi sıkıştırdığımda o da bu mektuplardan haberdar olduğunu fakat onları görmediğini bana söyleyecekti. Yani bu mektupların varlığından onun da haberi yoktu. Bunu sadece Vural'dan duyduğunu iddia ediyordu.

Bu iddiaların doğruluğunu anlamak için Vural'a gittim. Hepsini reddetti. Artık ne düşüneceğimi şaşırmıştım. Kimin neyin peşinde olduğunu çıkaramıyordum. Bu işten fena halde sıkılmıştım ve işin peşini bırakmak istiyordum artık. Ne var ki içimdeki merakı bir türlü yenemiyordum. Yine bu sırada büromdaki son konuşmamızda manidar bir şekilde beni birinin *yönlendirdiğini* ima ettiniz. Bunun ne manaya geldiğini anlamamıştım. Bir daha Tamer denen oğlana gittim, onu sorguladım. İşte her şey o sırada basit bir cümlecikle ortaya çıktı. Tamer, Emel'in babasının çok küçükken öldüğünü kızın kendisinden işittiğini söyledi; halbuki Macide bana, müşterek kullandıkları evdeki Emel'e ait eşyaları babasının gelip aldığını çok önce söylemişti. O an Macide'nin bana yalan söylediğini anladım. Tam bir şok olmuştu bana. Çalıştığını iddia ettiği hastaneye telefon ettim ve o zaman onun doktor olmadığını ve Jale Yılmaz diye birinin hiç bulunmadığı gerçeğini öğrendim. Birileri beni oyuna getirmişti. Gerçekten de beni başarıyla yönlendiren biri vardı ve o Macide'ydi. Müthiş bir oyuna getirildiğimi anlıyordum artık. Jale ya da Macide, ne derseniz deyin, bana her şeyi açıkladı; öğrendiklerim tüylerimi diken diken etmişti. Bütün farazilerim yeniden yıkılmıştı. İşin başından beri suçlu gördüğüm Kerim, bu mutlak ve kesin itiraf karşısında bir anda suçsuz duruma geliyordu. Macide, Emel'i iğfal edenin de, onu öldürenin de Vural olduğunu, olayları birlikte tezgahladıklarını anlatmıştı. Bu durumda ona inanmaktan başka çarem kalmamıştı."

"Şu halde mesele yok demektir. Macide'nin bu açıklaması karşısında gerçek suçlunun Vural olduğunu kabul ediyorsunuz. Niye hâlâ oğlumu suçladığınızı anlamıyorum."

"Ne yazık ki oğlunuz bir hata daha yaptı" dedim.

"Ne hatası?"

"Bana verdiği ifadede ikide bir babası tarafından hakarete uğradığını ve piç diye tahkir edildiğini söyledi."

Kadın yine sinirlenmeye başlamıştı.

"Yalan bu" diye bağırdı.

"Üzgünüm ama gerçek" dedim.

"Hayır. Bu iftira. Kerem, Vural'la benim çocuğumdur. Kimse aksini ispat edemez."

"Evet bunun isbatı çok zor. Gerçeği ancak siz bilebilirsiniz. Şayet Emel'i kimin hamile bıraktığını öğrenememiş olsaydım ben de böyle bir iddiada bulunamaz ve gerçekleri asla bulamazdım."

"Ne demek istediğinizi anlamadım?"

"Çok basit" dedim. Jale'nin itirafları karşısında olaylar birden aydınlanır gibi olmuştu. İki kardeş size bir tuzak kurmuşlardı. Geçmişte kocanıza karşı davranışlarınızın ve onu beş parasız bırakarak terketmenizin intikamını almaya kalkışmışlardı. Aslında Vural'ın size aşkı filan kalmamıştı, size karşı müthiş bir kin duyuyordu. Kardeşi Macide'ye karşı da büyük bir viedan azabı içindeydi. Her şeyi Vural planladı. Çocuğun da kendisinden olmadığını çok zaman önce anlamıştı. Ama geçmiş yıllarda sizi gerçekten büyük bir tutku ile sevmişti ve aptalca bir düşünce ile hâlâ günün birinde ona döneceğinizi düşünüyordu. Çocuğun velayetini de kendisinde tutması onu size karşı bir koz olarak kullanmak isteğindendi. Aradan seneler geçti ve tabii siz ona dönmediniz. Benim aptal arkadaşım neden sonra acı gerçeği idrak etmeye başladı. Bu arada da yanında büyüttüğü piçinize karşı nefreti her geçen gün artıyordu. Ona sonunda acı gerçeği söyledi. İşte herşey ondan sonra başladı. Vural size şantaj yapmaya ve çılgınca bir plan kurmaya başladı. Bu plana kardeşi Macide'yi de dahil etti ama hiçbir zaman planının gerçek yüzünü ona anlatmadı."

Aysel'e baktım. Yüzü sararmış, solukları sıklaşmıştı.

Nefretle yüzüme bakıyordu.

"Vural'ın planı gerçekten de korkunçtu. Her şeyi en ince noktasına kadar hesaplamıştı. Ama planında unuttuğu çok önemli bir nokta vardı."

Jale dayanamayarak, heyecanla sordu:

"Neydi o?"

"Kerim" dedim. "Oğlan tahmininizden de zekiydi ve onun annesine duyduğu hınç, kendisini büyüten baba diye tanıdığı Vural'ın nefretinden de büyüktü. Annesini buldu ve onu tehdit etti."

Jale aynı saflıkla, "Nasıl?" diye sordu.

"Hâlâ anlamıyor musun?" dedim Jale'ye. "Sizin yapmayı planladığınızı Aysel hanıma o yaptı ve bütün gerçekleri basına açıklayacağını söyledi."

Odada garip bir elektriklenme oldu. Aysel'in adamları bile birbirlerine baktılar. Vural'dan çıt çıkmıyordu. Jale hâlâ bir şey anlamamıştı.

"Neler diyorsun sen?" diye hayretle mırıldandı.

"Evet" dedim. "Aynen böyle oldu. Ağabeyin çocuğu iade etmek ve gerçekleri ömür boyu saklamak karşılığında Aysel hanımdan çok yüklü bir para istedi. Artık Kerim'e daha fazla tahammülü kalmamıştı. Bu rakamı kesin olarak bilemiyorum, bana söylediğin doğru ise on milyon dolar, öyle değil mi?"

Jale başını salladı.

"Hangi rakamda anlaştılar bilmiyorum ama tam o sıralarda eski karı koca ummadıkları bir olayla karşılaştılar. Kerim birden ortadan kayboldu. Vural çılgına döndü. Bütün planları ve umutları ortadan kaybolmuştu. Deli gibi Kerim'i aramaya başladı. Polise başvurdu, netice alamadı. Devreye beni soktu. İyi ve tuttuğunu koparan bir avukat olduğumu biliyordu."

"Dur dur.." diye sözümü kesti Jale. "Kerim, Emel'e aşıksa onu niye öldürdü? Buna gerek var mıydı?"

"İlginç bir soru" dedim gülümseyerek. "Bunu ben de epey düşündüm. Sonra nedenini buldum. Hemen tahmin edemememin sebebi de sizlerdiniz; çünkü beni şartlandırmıştınız. Beynime Emel'in hep havai, önüne gelen erkekle yatıp kalkan bir kız olduğu imajını yerleştirmiştiniz. Gerçi ufak tefek flört ve kaçamakları vardı ama bunlar ciddi boyutlarda değildi. Hele Kerim'le tanıştıktan sonra kimseyle ilişkiye girmemişti. Nedendir bilinmez, ama Kerim'e gerçekten aşık olmuştu. Onunla yattı ve gebe kaldı. Oysa Kerim ondan hoşlanmıyordu, kızı sadece planını uygulamada bir vasıta olarak kullandı. Ama hesapta kızın gebe kalması yoktu. O zaman işler çatallaştı ve kızı öldürmeye karar verdi."

Birden Jale'nin yüzünün sarardığını gözlerinin büyüdüğünü gördüm. Lacivert göz bebekleri dehşetle irileşmişti. Ama yüzündeki şaşkın ifade söylediklerimden çok sanki başka bir şeyden kaynaklanıyor gibiydi.

Yanılmamıştım, aynı anda arkamda bir alkış sesi işittim.

Üzerime çevrili tabancayı unutarak hızla geri döndüm. Kerim arkamda sinsi bir tebessümle yüzüme bakıyordu. Odaya nereden ve nasıl girdiğini farketmemiştim.

"Bravo avukat bey" diye mırıldandı. "Sizi alkışlamak istedim. Doğrusu bu kadar zeki olduğunuzu tahmin etmemiştim. Yine de ilk gördüğüm andan beri sizden huylandığımı bilmenizi isterim. Cidden zekimişsiniz."

Kerim'i orada görmek beni şaşırtmıştı. Demek annesiyle beraber gelmiş ve biz kapıya dayandığımızda dışarda bir yere saklanmıştı.

Heyecanlanmıştım. Önce sakinleşmeye çalıştım.

"Bu mükemmel işte!" diye mırıldandım. "Şimdi kadro tamamlandı. Artık eksiğimiz yok. Son perdede katil de aramıza katıldı."

Aysel'e dönüp baktım.

Onun da gözleri irileşmişti.

"Niye girdin odaya?" diye sordu oğluna.

Kerim sanki birden büyümüş ve olgunlaşmış gibi geldi gözüme. Bakışlarım ellerine takıldı. Sağ elinin üzerinde kurumuş kan izleri vardı. O zaman Vural'ın yüzündeki kanamayı kimin yaptığını anladım. O ana kadar Aysel'in eski kocasını adamlarına dövdürdüğünü düşünmüştüm.

Oğlan annesinin sorusuna cevap bile vermedi.

Gözleri bana çevrikti. Husumetle bakıyordu. Neden sonra kısa bir an da Jale'yi süzdü. "Demek *kıymetli halam* da sizsiniz? Gerçekten güzel bir kadınmışsınız. Avukat beyin size neden aşık olduğunu şimdi daha iyi anlıyorum" diye mırıldandı.

Oğlanı karşımda görmek kanımı dondurmuştu.

Son derece pervasız, korkusuz ve cüretkar görünüyordu. Üstelik on yedi, on sekiz yaşındaki bir delikanlıya göre de çok olgun. Daha evvel gördüğüm o kadınsı davranışları tamamen kaybolmuştu. Sanki iki kişilikli gibiydi.

Aysel oturduğu iskemleden ayağa fırladı.

"Kerim sen lütfen dışarıya çık. Biz işi halledeceğiz" diye adeta yalvarır gibi konuştu. Aysel'i hiç böyle çaresiz görmemiştim.

Oğlan sert bir şekilde kadına baktı.

"Sevgili anneciğim hiç telaşlanmayınız. Endişe edecek bir şey yok."

Annesiyle de alay eder gibi konuşuyordu. Ufak yaşına rağmen odadaki herkesi eline geçirdiğini anlamıştım. Bütün kozların kendisinde olduğuna inanıyordu.

"Hiç şansın yok. Senin için en iyisi teslim olmak" diye söylendim.

"Öyle mi düşünüyorsunuz?" diye sırıttı yüzüme bakıp.

"Evet" diye homurdandım.

"İşte şimdi yanıldınız. Bundan sonra da neler olacağını düşünmeliydiniz."

Küstah ve ukala konuşması, bana büyümüş de küçülmüş insanların tavrını anımsatıyordu. Kalıbından büyük laflar ediyordu.

Yüzüme sinirlerimi bozan bir gülümseme ile baktı.

"Doğrusu olayları iyi çözümlemişsiniz, kafanız çalışıyor" dedi. "Yalnız tek anlamadığım nokta, benim Emel'i değil de, onun beni sevdiğini nereden çıkardığınız oldu."

"Teknede bulduğum yüksek matematik kitabının içine yazdığı notlardan" dedim. "Ne yazık ki uzun süre kitabı önemsiz bulduğum için incelememiştim. Zaten tesadüfen gözüme çarptı. Ama kız çok şaşırtıcı şeyler yazmıştı. İnce, dokunaklı ve ümitsiz bir ifadesi vardı. Onu öldüreceğini anlamıştı. Evlenme vaadi ile kendisini gebe bırakıp kaçtığınızı, yakında çok zengin bir yaşama başlamak üzere onu kandırdığını anlatıyordu. Emel'e, annene şantaj yaparak çok para kazanacağını söylemişsin. Kızın ifadesine göre gerçek babanın kimliğini de Vural'dan öğrenmişsin. Doğru mu?"

Kerim hafifçe sarardı ama yüzündeki gülümseme kaybolmadı.

"Doğru" dedi.

"Emel işlerin ters gittiğini, uzun süre teknede yaşamak zorunda kaldığınızı da yazmıştı. Annen direniyordu ama Emel notlarında bunun nedenini yazmamıştı."

"Adeta bir itirafname bulmuşsunuz avukat bey."

"Evet, öyle."

"Emel'in bunları yazdığını bilseydim, çoktan o kitabı evinizden alırdık. Yine her zamanki gibi annemin hatası. Yine aptallık etti."

Kerim'in bu pervasız konuşması karşısında Aysel'in yüzüne baktım.

Kadından ses çıkmıyordu. Onun da Kerim'e teslim olduğunu anladım.

Oğlan hafif hafif sinirlenmeye başlıyordu.

"Ne yazık ki bazı insanlar yeterince zeki olamıyorlar. Annem de kendisini zeki ve becerikli sananlardan. Ama para ihtirası bir perde gibi gözüne inmiş ve olayların en can alıcı noktasını görmesine mani oluyor. Şu kritik günlerde bile hâlâ Vural denen kişiliksiz ve geri zekalı adamla planlar yapmanın peşinde koşuyordu. Ne kadar anlamsız değil mi? Uzun zamandır, işlediğim cinayeti onun üstlenmesinin pazarlığı içinde."

Kaşlarımı çatarak Vural'a sordum:

"Bu cinayeti üstlenmek için ne kadar istedin?"

Vural başını kaldırıp cevap veremedi.

Cevap Kerim'den geldi.

"On milyon dolar. Ama az evvel kendisini iki milyon dolara ikna ettim."

Kaba bir şekilde güldü.

"Tabii biraz hırpaladım ama buna da müstehaktı. Hem hapsi boylayacak bir adamın bu paraya ne ihtiyacı olacaktı ki?"

İlk defa Vural'ın titrek ve boğuk sesini işittim.

"Kardeşim inan bana, o parayı sadece Macide için istedim. Bu olayın en mağdur kişisi o. Ona çok haksızlık ettim. Gider ayak vicdanımı rahatlatmak, ona olan borcumu ödemek istiyordum."

Vural'a çok bozuktum, yine de "Anlıyorum" diye mırıldandım.

Macide birden top gibi gürleyerek araya girdi.

"Lanet olsun paranıza" diye bağırdı. "Ben hiçbir şey istemiyorum. Tek istediğim bu kokuşmuş odadan çıkıp gitmek. Allan hepinizin belasını versin."

Jale titriyordu.

Sinirlerinin daha fazlasına dayanamayacağını anlamıştım. Olası bir krizin eşiğindeydi. Kendisinden habersiz bir sürü oyunların oynandığını yeni farkediyordu.

"Kendine gel, Jale" diye bağırdım. "Sakin ol!"

"Avukat bey haklı, Macide hanım" dedi Kerim. "Bağırıp çağırmanızın hiç gereği yok. Zaten bu size bir şey de kazandırmaz. Kendinize gelin ve olacakları sessizce karşılayın."

İlk defa korkmaya o zaman başladım.

Çocuk kontrolü tamamen ele almıştı galiba ve Aysel artık onu frenleyecek güce sahip değildi. Geçmişinden gelen lekesi kadını kendi öz oğlu karşısında pasif ve etkisiz kılmıştı. Çocuğun niyetini anlamakta zorlanıyordum.

Önceleri onun şiddete başvuracağını sanmamıştım, ama Jale ile konuşması da hiç hoşuma gitmemişti. Aysel'in adamlarına bir göz attım yeniden. Hepsi şaşkın ve mütereddit bir kadına bir oğlana bakıp duruyorlardı. Ne yapacakları, nasıl davranacakları hiç belli olmazdı. Hâlâ, kadından emir alacaklarını düşünüyordum, fakat ya Aysel oğlunun yeni cinayetler işlemesine razı olursa, o zaman hapı yuttuğumuzun resmiydi.

Aysel'e dönerek, onu etkilemeye karar verdim. Taktik değiştirmeliydim, çünkü korkunun ürpertici pençesi yavaş yavaş benliğimi kaplamaya başlamıştı. Bu çılgın ve gözü dönmüş veletten her şey beklenirdi.

Yutkundum, sonra sesime yumuşak bir ton vermeye çalışarak:

"Hanımefendi" diyebildim. "Burada bir aile dramı yaşadık. Oğlunuz suçlu ama ona da hak vermemek elde değil. Şanssız bir çocukmuş ve şimdiye kadar bütün yıllarını hak etmediği şartlar altında geçirmiş. Ona bir şans vermemiz gerekli. Bu onun hakkı."

Kadın ne diyeceğini bilemeden yüzüme baktı.

Uygun bir şey söylemekte zorlanıyordu. Beni ne onayladı ne de hayır dedi. Yüzü renkten renge giriyordu.

Beklediğim cevabı Kerim'den aldım.

"Beni şaşırtıyorsunuz avukat bey" dedi. "Sizi daha zeki ve böyle aptalca oyunlara kalkışmayacak kadar akıllı sanmıştım. Ama görüyorum ki, durumun ümitsizliğini anlayınca saçmalamaya başladınız. Ne siz ne de şuradaki iki sersem kardeş bu evden canlı çıkmayacaksınız."

"Yani bizi öldürmeyi mi düşünüyorsun?"

"Meseleyi kökünden çözmenin çaresi bu değil mi?"

Soğuk soğuk terlemeye başlamıştım. Ense kökümden kuyruk sokumuma kadar iki damla terin aktığını hissediyordum. Ecel teri denen şey bu olmalıydı.

"Çok aptalca bir düşünce" diyebildim. "Burada üç kişi öldürdükten sonra polisin elinden kurtulman imkansız."

"Asıl saçmalayan sizsiniz" dedi. "Para pek çok sorunu halleder. Bir süre gerekirse başka bir kimlikle yabancı ülkelere de gidebilirim. Hem annem de bundan memnuniyet duyar. Öyle değil mi *sevgili anneciğim?*"

Aysel dudaklarını kemirmekle yetindi. Cevap verememişti.

Beynimdeki son ümit kırıntısına başvurdum.

"Yine yanılıyorsun, buraya gelmeden kızın itiraflarını içine yazdığı kitabı, giysilerini ve resimleri emin birine verdim. Geri dönmezsem onları polise teslim edecek. Kurtuluş şansınız olamaz."

Oğlan pis pis sırıttı.

"Bu lafını içeri girmeden kapının ardından sizleri dinlerken duydum. Çok adi bir oyun. Böyle bir tuzağa düşeceğimi mi sandınız? Size inanmıyorum. Yalan söylediğiniz her halinizden belli. Keşke kendinizi garantiye almak için daha akıllıca bir şey uydursaydınız."

Susmak zorunda kaldım.

Artık söyleyecek bir şeyim kalmamıştı.

Aysel hanım zorlanarak, titreyen bir sesle, "Kerim.. lütfen oğlum.. İyi düşün" diye mırıldandı. "Ben senin kurtulmanı istiyorum. Gerekirse seni kaçırırım.. ama bu düşünceden vazgeç.. Çok tehlikeli.."

"Kes sesini be kadın!" diye bağırdı. "Senin konuşmaya hakkın yok. Ben ne dersem aynen söylediklerimi yapmak zorundasın."

Kerim deliler gibi bağırmıştı. Aysel hemen sustu. Ama olacakların vahametini anlamış gibi göz pınarlarında iki damla yaş belirmişti.

Hayret bir şeydi!

On yedi on sekiz yaşında neredeyse daha çocuk denecek bir genç, kalabalık odadaki herkesi etkisi altına almıştı. Karşımda Aysel'in silahlı adamı olmasa, bir tokatta onun işini oracıkta bitirirdim. Kerim'in küstahlığı dayanılır gibi değildi, ne var ki, adamın ne yapacağını, oğlanın üzerine yürürsem silahı ateşleyip ateşlemeyeceğini kestiremiyordum.

Adam da, en az benim kadar Kerim'in konuşma tarzı karşısında afallamıştı. İkide bir hanımına bakarak nasıl davranacağını kestirmeye çalışıyordu.

Kerim bir iki adım atarak eli silahlı adama yaklaştı.

"Ver şu tabancayı bana" dedi.

Aysel'den yine ses çıkmadı.

O zaman sonumuzun geldiğini anladım. Anne, oğlunun yeni cinayetler işlemesini önleyecek cesareti gösteremeyecekti.

Adam sanki sorumluluğu üstünden atmak ister gibi silahı Kerim'e uzattı. Artık tabanca oğlanın elindeydi.

Kerim yüzündeki iğrenç gülümseme ile yeniden bana döndü.

"Artık bu gösteriye bir son verelim" diye mırıldandı. "Önce sizden başlayalım."

Sanki yıllardır adam öldüren, profesyonel bir katil kadar soğukkanlıydı. Ne yapacağımı şaşırmıştım. Oğlan silahı alınca, odadaki Aysel'in adamları serseri bir kurşuna hedef olmamak için yavaş yavaş gerileyerek çevremden uzaklaştılar.

Kerim'in şakası yoktu, silahı ateşleyecekti.

Tek çarem, riski göze alarak üstüne atılmaktı. Canımı, sevdiğim kadını ve Vural'ı ancak böyle kurtarabilirdim. Soğuk soğuk terlemeye devam ediyordum. Acaba oğlan silah kullanmasını biliyor muydu? Eline ilk defa bir tabanca alması ihtimali çok kuvvetliydi. Tabancanın emniyetinin bile açık olup olmadığını bilmiyordum. Emniyet kapalıysa, tetiği çekse bile tabanca ateş almayacaktı.

Tabii böyle bir olasılığa bel bağlayamazdım, zira az evvel silah onu kullanmasını bilen birinin elindeydi, emniyetin açık olması gerekirdi. Daha fazla düşünecek zamanım kalmamıştı. Ayak parmaklarımın ucunda yaylandım. Her an üstüne atılmaya hazır hale gelmiştim...

* * *

Silah gümbürtüyle patladı..

Refleks olarak bir an gözlerimi kapattım; geç kalmıştım. Daha gözlerimin kapalı olduğu o kısa anlık süreç içinde vücudumun her hangi bir yerinde zorlu bir acı duymayı bekledim. Hayret, kurşun ıska mı geçmişti yoksa? Eskisi kadar sağlam hissediyordum kendimi. Ne bir acı, ne bir yanma, ne de vücuduma saplanan bir kurşun vardı.

Hemen gözlerimi açarak Kerim'e baktım.

Oğlan yerinde sallanıyordu.

Gözbebekleri yerinden fırlayacakmış gibi iri iri açılmıştı. O ana kadar kimsenin suratında görmediğim bir hayret ifadesi kaplamıştı genç yüzünü. Dudaklarında yarım kalmış, adeta donmuş tebessümü ömrümün sonuna kadar unutamayacaktım. Silahı tutan sağ kolu yanına düşmüştü. Bir iki saniye yerinde sallandı, sonra kütük gibi ayaklarımın dibine yuvarlandı. Ne olduğunu anlayamamıştım. Dehşetle oğlanın sırtına baktım. Ciğerleri hizasında kocaman kanlı bir delik açılmıştı.

Neden sonra Vural'ın elinde kocaman bir tabanca ile karşımda ayakta durduğunu farkettim. Odayı kesif bir barut kokusu kaplamıştı.

Nutkum tutulmuş, elim ayağım kesilmiş, sesimi çıkaramadan Vural'a bakıyordum.

Odada garip bir şaşkınlık hasıl olmuştu.

Kimse kımıldamıyor, kimsenin ağzından tek kelime çıkmıyordu. Vural bir süre tiksinerek yerde yatan çocuğun cesedini süzdü. Sonra Aysel'in adamlarına dönerek, sizler dışarı çıkın, diye gürledi.

Adamlar bir Vural'a bir de Aysel'e baktılar.

Gördüğüm manzara karşısında adeta kanım donmuştu. Ben de onlar gibi başımı Aysel'e çevirdim. Kadın kısa bir duraklama geçirdi. Sonra, "Çıkın" dedi yavaşça.

İçlerinde sadece Hasan Torlak duraladı. Hanımını burada yalnız bırakmak istemez gibi bir hali vardı. Aysel'in bir baş işareti sonunda o da odadan çıktı.

Jale iki eliyle yüzünü örtmüş, durduğu yerde sallanıyordu. Vural'ın yüzünde rahat ve huzur dolu bir ifade yer almaya başlamıştı. Nazarları şimdi Aysel'in üzerinde odaklanmıştı. Bir an kadını da vuracağını düşündüm.

Hâlâ odanın ortasında hareketsiz, yaşananların etkisiyle şapşal şapşal duruyordum. Sanki beynim durmuş gibiydi. Olayları bir türlü kafamın içinde bir sıraya sokamıyordum. Son anda Vural'ın silahı nereden bulduğunu toparlayamamıştım; neden sonra Jale'nin bana yaptığı ikazı anımsadım. Buraya gelirken, ağabeyimin silahı var, demişti.

Şimdi odada dördümüz ve bir de Kerim'in yerdeki tahtalar üzerinde yatan cansız bedeni vardı. Neden sonra kendime gelerek Vural'a, "O tabancayı nereden buldun?" diye sordum.

"Onu her zaman yastığımın altında saklıyordum" diye fısıldadı.

Vural'i şimdiye kadar hiç öyle rahat ve huzurlu görmemiştim. Yüzünün hatları değişmiş, mektep yıllarındaki mesut ve neşeli, gamsız, tanıdığım eski arkadaşım oluvermişti sanki. Şaşırmamak elde değildi. Dikkatle Aysel'e bakıyordu. Eski karısına:

"Korkuyor musun?" dedi.

Kadının yüzünde korkunun izi yoktu. Veya ben öyle sandım. Korkmaması mümkün olamazdı, belki de içindeki dehşeti başarıyla saklamasını beceriyordu.

Vural tekrar sordu:

"Söyle Aysel, seni öldüreceğimden korkuyor musun?"

Aysel ayakta, gözlerini eski kocasına dikmiş, sessizce duruyordu.

"Cevap ver!"

"Evet" diye fısıldadı nihayet Aysel.

Keyifle gülümsedi Vural.

"Yüksek sesle söyle!"

"Evet, korkuyorum."

Vural'in tetiği çekeceğini sandım.

"Korkma" dedi. "Seni öldürmeyeceğim. Belki öldürmem gerekiyor ama bunu yapamayacak kadar cesaretsizim. Şu piçini de öldürmek istemezdim ama ne çare ki o bir çılgındı ve kardeşimle arkadaşımı öldürmeye kalkıştı."

"Vural, indir o silahı" diye homurdandım. "Yeter artık. Polise haber verelim. Senin aptalca bir şeye kalkıştığını biliyorum ama bana göre yine de suçsuzsun. Seni mahkemede ben müdafaa edeceğim. Yeni bir çılgınlığa kalkışma."

"Sen hiç endişelenme Sinan. Üzülme de. Ben ne yapacağımı gayet iyi biliyorum. Yalnız senden tek bir şey duymak istiyorum. Macide'yi hâlâ seviyor musun? Bunca olanlardan sonra onunla hâlâ evlenmeyi düşünüyor musun?"

Jale'ye bir göz attım.

Lacivert gözlerini bana çevirmiş ümitsizce beni süzüyordu.

"Evet" diye mırıldandım. "Onu seviyorum."

"Onunla evlenecek misin?"

"Evet."

"Sana daima güvenmişimdir kardeşim. Son bir istek olarak beni bağışlamanı talep ediyorum senden. Başına çok dert açtım. Ama inan bana, Macide çok iyi bir insandır. Bütün bu belaya da onu hep ben sürükledim. O gerçekten masumdur. Ne yazık ki ona hak ettiği servetini geri veremedim."

O an Vural'ın neyi tasarladığını sezinlemiştim.

İçim burkuldu birden. Bunu istemiyordum ama belki de onun için en iyi çözüm tarzı aklından geçendi. Bundan sonra olacaklara katlanması olanaksızdı. Yine de dayanamadım.

"Sakın bir çılgınlığa kalkışma" dedim.

Artık beni dinlemiyormuş gibi Aysel'e yaklaştı.

"Muradına erdin sevgilim, artık seni rahatsız edecek, ait olduğun toplumda itibarını zedeleyecek bir piçin yok. Kayıtlara o benim oğlum olarak geçecek. Yarınki gazeteler çılgın bir baba önce oğlunu öldürüp sonra da intihar etti, diye yazacaklar."

Jale, "Ağabey!" diye inledi. Ama Vural onu duymuyordu artık.

Aysel'e söylenmeye devam etti.

"Hayatımı zehir ettin. Bir yılan gibi koynuma girip beni soktun. Ne garip tecellidir ki asıl öldürülmesi gereken kişi sen olduğun halde, bunu yapamayacağım. Elim varmıyor. Kendime lanet ediyorum. Çünkü hâlâ seni seviyorum."

Kadın taş gibi hareketsizdi.

Ama olacakları çoktan anlamıştı. Yavaş yavaş yüzüne renk geldiğini, rahatladığını görüyordum. Mağrur, mücadeleyi kazanmış gibi Vural'ın gözlerinin içine bakıyordu.

Tabancayı Vural'ın elinden almalıydım.

Tam hamle yapacağım sırada, sanki bunu anlamış gibi, çok seri bir hareketle tabancayı şakağına dayadı ve silahı ateşledi.

Geç kalmıştım...

* * *

Kolej takımımızın pivotu yerde cansız yatıyordu. Yerler kan içindeydi. Jale hızla ağabeyinin başına eğilmiş hıçkırarak ağlamaya başlamıştı. Artık Vural için yapabileceğim bir şey yoktu.

Aysel bir süre yerde hareketsiz yatan eski kocasına baktı.

Sonra hiçbir şey olmamış gibi nazarlarını bana çevirdi.

"Olayların böyle bitmesini istemezdim" dedi. "Ama kaderin önüne geçilmiyor."

Tüylerim diken diken olmuştu.

Sanki söylenecek başka tek kelime yoktu.

"Umarım, Vural'ın son arzularını yerine getirirsiniz" diye mırıldandı.

Hırsımdan kuduracak gibiydim.

"Defolun buradan" diye homurdandım. "Sizi görmeye artık tahammülüm yok."

Aysel arkasını döndü ve sessizce odadan çıkarak arabalarda kendisini bekleyen adamlarının yanına gitti. Ben de çaresizlik içinde yere diz çökmüş ağlayan ve sevgilimi kucakladım. Jale perişandı...

5

Yorganı üzerimden attım. İşe gitmek için gecikmiştim. Yan gözle yanımda yatan karıma baktım. Onu uyandırmak istemiyordum. Jale uzun sarı saçları yastığa dağılmış derin bir uyku-daydı. Yaylı şilte hafifçe esnedi.

"Kalkıyor musun, sevgilim?" diyen sesini duydum.

Başımı çevirdim. Uykulu ve mahmur gözlerle bana bakı-yordu.

"Uyandırdım galiba" dedim gülümseyerek.

"Önemli değil. Kaç gündür kahvaltını yalnız yapıyorsun. Mahzun oluyor ve utanıyorum. İzin ver de bu sabah çayını ben hazırlayayım."

Uzanıp alnından öptüm.

"Hayır, sen yat. Kalkmana gerek yok. Ben erken çıkaca-ğım."

Lacivert gözleri mutluluk içinde parıldıyordu. Kollarını uzatıp boynuma doladı ve beni yeniden yatağa çekti.

Sessizce gözlerimin içine bakıyordu.

"Mutlu musun?" diye sordu.

"Tahmin edemeyeceğin kadar" dedim.

Kollarını boynumdan çözmüyordu.

"Artık akıllı uslu, seni hiç üzmeyen, her istediğini yerine getiren bir eş oldum mu?" diye sordu.

Başımı salladım.

"Acele etme. Sana bir şey sormak istiyorum."

Jale'de her haliyle belli ettiği mutluluğunun yanında, bu sabah hafif bir tedirginlik sezer gibiydim.

"Ne var?" dedim. "Bir sorunun mu var?"

Başını hayır dercesine salladı. Ama ağzının ucuna gelen ke-limeleri sanki bir türlü söyleyemiyormuş gibi bir hal sezinlemiş-tim.

"Dün gece bir türlü uyuyamadım."

"Neden?"

Bana daha sıkı sarıldı birden. Yüzüme bakmaktan kaçınır gibi başını boynuma yasladı. "Sana bir şey sormak istiyorum" diye fısıldadı.

Jale ile evleneli altı ay olmuştu.

Olaylardan kısa bir süre sonra evlenmiştik. O sırada geçmişi tamamen unutacağımıza ve birbirimize asla o konuda soru sormayacağımıza karar vermiştik. Gerçekten ikimiz de bu karara uymuş ve geçmişe hiç dönmemiştik. Olanlar polis tarafından kısa süren bir araştırma sonunda Vural'ın istediği gibi kapanmış ve hadise öfkeli bir babanın önce oğlunu öldürdüğü sonra da babanın üzüntüye kapılarak intihar ettiği yolunda resmi kayıtlara geçmişti. Bilmiyordum ama Kalaycıoğlu ailesinin nüfuzunu kullanarak olayı örtbas etmesi ihtimali çok kuvvetliydi. O günden sonra da Aysel Kalaycıoğlu ile hiç bir temasımız olmamıştı.

Jale'nin aylar sonra bu konuya değinmek istediğini hissediyordum.

"O konuda mı?" diye sordum.

"Hı-hı" dedi.

"Sor bakalım, neymiş öğrenmek istediğin."

Başını gömdüğü boynumdan ayırmadan, "Emel'in ders kitabını çok sonra açıp inceledim. İçinde kızın yazdığı en ufak bir itiraf yok" diye fısıldadı. "Onu sen uydurdun, değil mi?"

Güldüm. "Evet sevgilim, ben uydurdum" dedim. "Kitapta tek gördüğüm yazı satır aralarına sıkıştırılmış ufak tefek birkaç ders notuydu. Ama notlardan Emel'in yazısını çıkarmıştım. Artık elimde adada çekilmiş resimdeki yazıyla mukayese edebileceğim bir örnek vardı. O zaman pek çok şey açığa çıktı. Anladın mı şimdi?"

Hâlâ yüzüme bakmıyordu ve başını boynumdan çekmemişti. Usulca boynumu öptü. "Peki ağabeyim neden Rumelihisarı'ndaki evi Aysel'e hibe etmiş, onun sebebini de anladın mı?"

Duraladım biraz. Gerçekte Vural'ın gerçek niyetini tam olarak bilmiyordum ama bir fikrim vardı. Söylemekte bir mahzur görmedim.

"Her şeye rağmen ağabeyin yufka yürekli ve iyi bir insandı, Aysel'in tam aksine. Kadının korkunç ihtirası o evi de elinden almak yönündeydi. Zira Vural'la o tarihte çoktan bir pazarlığa oturmuşlardı sanırım. Ağabeyine suçu üstlenmesi için bir para verecekti ve bu pazarlıktan ne kadar kârlı çıkarsa onun avantajıydı."

Jale bir an yutkundu. Derin bir soluk aldı. Açıklamama kafası yatmamış gibiydi.

"Ama o evde benim de hakkım vardı, değil mi?" diye sordu.

"Evet?" diye mırıldandım. "Ama artık bütün bunları unut, hepsi geçti bitti."

Sonra birden aklıma gelerek sordum.

"Sahi?" dedim. "Ağabeyine oranın satışı için vekaletname vermiş miydin?"

"Aylar önce" dedi. "Başka türlü satamazdı ki."

Üzerinde durmamıştım. "Boş ver" dedim.

Titizlendi. "Niye boş vereyim? O benim hakkım."

Omuzlarından tutup yüzüne bakmak istedim. Bana ne anlatmaya çalışıyordu bu kız? Fakat göz göze gelmekten kaçındı. Omuzumdan başını kaldırmıyordu.

"Ne söylemeye çalışıyorsun?" dedim.

"Ağabeyimin hissesine karışamam, ama kendi hisseme düşen payın bedelini geri alamaz mıyım?"

"Nedir bu yaptığın? Kocanla hukuki istişarede mi bulunuyorsun?"

"Öyle de denebilir. Hiç olmazsa fikrini soruyorum."

"Artık bu konulara dönmek istemiyorum. Biliyorsun o konuyu tamamıyla kapattık. Sana fikir verecek de değilim."

Jale sustu.

Yataktan kalkmaya davrandım, ama beni bırakmadı.

Usulca kulağıma fısıldadı. "Ya ben o parayı alırsam bana kızar mısın?"

Kollarından sıkıca tutarak sevgilimi kendimden ayırdım. Hiddet dolu bakışlarımı gözlerine diktim.

"Sen ne anlatmaya çalışıyorsun? Dilinin altındaki nedir?"

Jale ürkerek bakışlarını kaçırdı. Sonra, "Dün Aysel buraya telefon etti. Evin yarı hissesinin bedelini bana vermek istiyormuş" diye fısıldadı.

Çok şaşırmıştım. "Neden?" diye sordum.

"Bilmiyorum.. Belki de vicdan azabı."

"Aysel'de vicdan azabı, ha? Buna inanıyor musun?"

"Olamaz mı?"

"Hiç sanmıyorum. O böyle duygular taşıyan biri değil. Unuttun mu oğlu öldüğü anda bile kılı kıpırdamadı."

"Belki Aysel hâlâ bizden çekiniyordur."

"Neden?"

"Ne de olsa onun geçmişini bilen tek insan biziz."

"Bunca olaydan sonra bildiklerimizi açıklamaya kalkışacak değiliz ya."

"Neden olmasın? Onun geçmişini umuma açıklamak için can atan bir yığın gazeteci bulunabilir."

Dikkatle lacivert gözlerinin derinliklerine baktım.

Yoksa o her zaman yaptığı çocuksu numaralarından birini mi tekrarlıyordu? Bir an Jale'nin beyninden geçenleri anlamakta zorlandığımı hissettim. Her halde bu bir şakaydı. Öyle olmalıydı.

Kuşkuya düştüm.

"Yoksa onu sen mi aradın" diye kükredim.

Yüzüme baktı, gülümsedi, ama cevap vermedi...

— BİTTİ —